The Beauty of ORIGAMI
端正な折り紙

山口 真
Yamaguchi Makoto

著

ナツメ社

第1章
古代生物
Prehistoric Animals

誰もが知っている古代生物を、思い切ってデフォルメしました。形はシンプルですが、そんなに易しくはありません。まずは腕試しを。

Pteranodon

プテラノドン
難易度 ★★★★★
山口 真：作
2014年

折り方 P.44

トリケラトプス
難易度 ★★★★★
山口 真：作
2006年

折り方 P.38

見立て表現とシンプルさ

折り紙は「見立て」の世界です。題材の特徴を上手くとらえて表現しなければ、見る人に「見立て」てもらうことができません。それは完成形がシンプルになるほど難しくなります。しかし一方で、その「題材の形」に見えた瞬間は、新しい視点を発見した気持ちになります。

Triceratops

ティラノサウルス
難易度 ★★★★★
山口 真：作
2009年

折り方 P.40

Tyrannosaurus

第 2 章
昆 虫
Insects

カブトムシ、ヘラクレスオオカブト、クワガタ は、2枚使って折る作品です。このように1つの 作品に複数枚の紙を使う作品は「複合作品」と 呼ばれています。

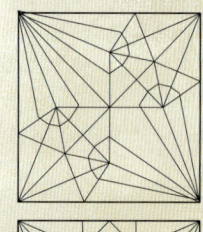

折り方
P.64

ヘラクレスオオカブト

難易度 ★★★☆☆

山口 真：作
2014 年

Hercules Beetle

簡単に、格好よく

昆虫は、複雑系（コンプレックス）作品の創作家から好かれているモチーフの1つです。昆虫の複雑な形態を、いかにリアルに作るかを競っています。本書のカブトムシ、ヘラクレスオオカブト、クワガタは、2枚使うことで難易度を下げ、一方で、格好よく折り紙らしい形に仕上げました。

Swan

白鳥

難易度 ★★★★★

津田良夫：作
1976年

折り方 P.82

デフォルメを楽しむ

それぞれ種の特徴をよくとらえた作品ばかりです。デフォルメされた形を楽しんでください。インコとオオハシとカーディナルは、垂直なカドに立たせることができます。何羽か作って並べるとかわいいですよ。白鳥は、体を膨らます工程が上手くいくと、ちょっと感動的です。

コウテイペンギン

難易度 ★★★★★

クエンティン・トロリップ：作
2009年

折り方 P.84

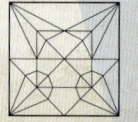 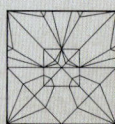

Fish Skeleton

折り方
P.94

魚の骨

難易度 ★★★★★

山口 真：作
1985年

Oceanic Lifes

立体化へのわくわく感

巻き貝、ブリ（養殖）、イルカは、どこから見ても立体的な作品です。1枚の平面な折り紙用紙から立体的な作品が生まれるのは、まるでマジックのようです。立体化する工程は、難しいですがとてもわくわくします。特に巻き貝は、最終段階で一気に立体化させる工程に、ハッとさせられることでしょう。

Spiral Shell

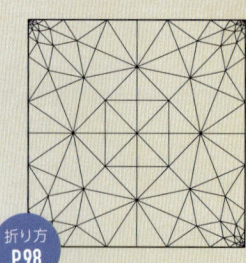

折り方
P.98

巻き貝

難易度 ★★★★★

川崎敏和：作
1979年

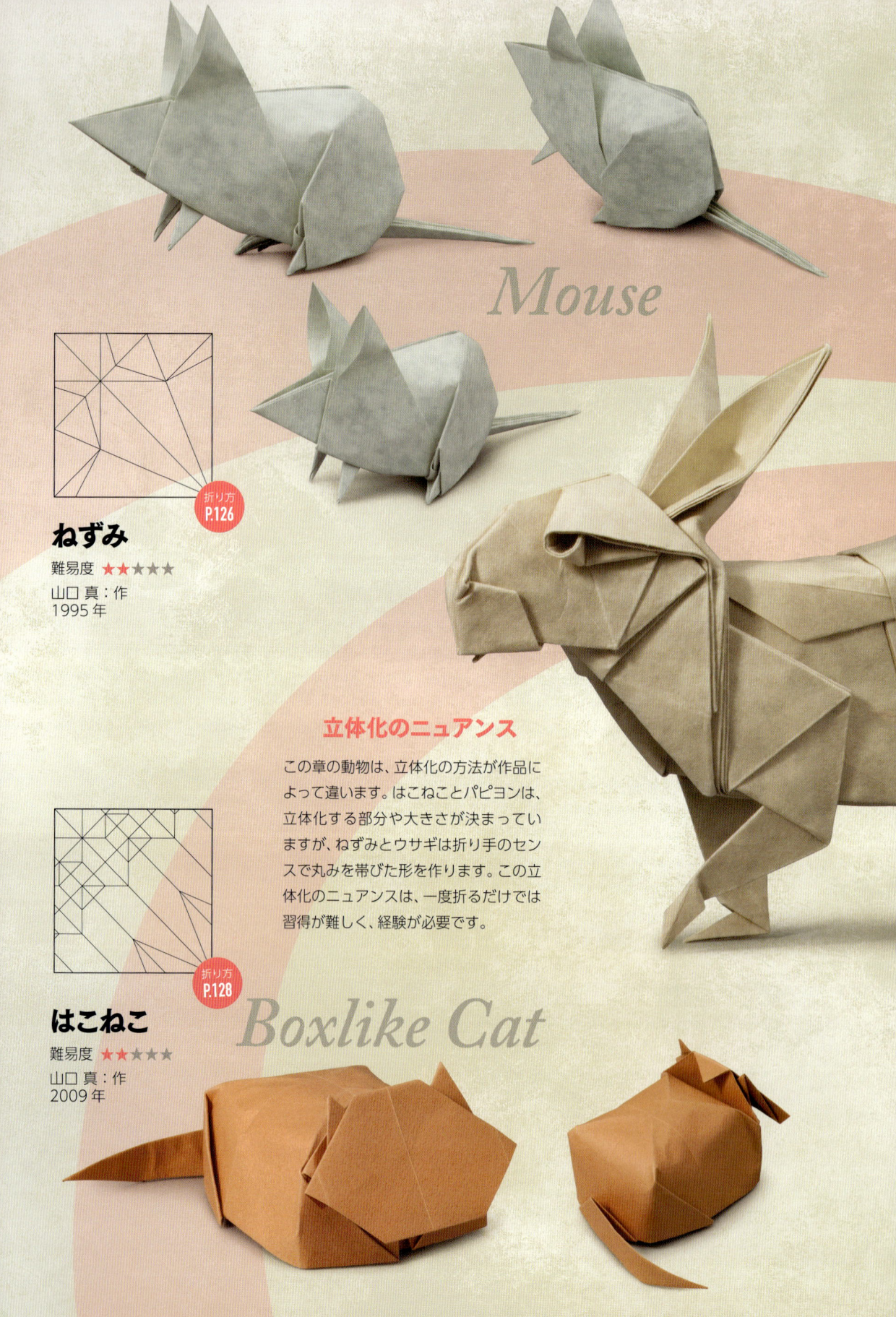

Mouse

ねずみ

難易度 ★★★★★
山口 真：作
1995年

折り方 P.126

立体化のニュアンス

この章の動物は、立体化の方法が作品によって違います。はこねことパピヨンは、立体化する部分や大きさが決まっていますが、ねずみとウサギは折り手のセンスで丸みを帯びた形を作ります。この立体化のニュアンスは、一度折るだけでは習得が難しく、経験が必要です。

Boxlike Cat

はこねこ

難易度 ★★★★★
山口 真：作
2009年

折り方 P.128

折り図を楽しむ

折り図（折り紙の折り方の説明図）の表現方法や手順は、たとえ同じ作品でも、描く人によって大きく異なります。小松英夫氏は、折り図も作品の一部と考え、誰でも楽しく折れて同じように仕上げられるように、いろいろな表現方法と手順を駆使して描いています。どのような工夫があるか、読み取りながら折ってみましょう。

Papillon

パピヨン

難易度 ★★★★★

小松英夫：作
2011年

折り方 P.137

第6章
大型動物
Large Animals

どれも難しい作品ばかりです。格好よく仕上げるには、それぞれの題材への観察も必要になってきます。

パンダ
折り方 P.157
難易度 ★★☆☆☆
山口 真：作
2013年

Giant Panda

ヒョウ
難易度 ★★☆☆☆
山口 真：作
2013年
折り方 P.154

Leopard

馬
折り方 P.167
難易度 ★★★★☆
デビッド・ブリル：作
1977年

Horse

ライオン
難易度 ★★★★★
デビッド・ブリル：作
1978年

折り方 P.160

Lion

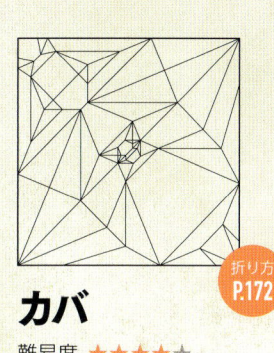

カバ

難易度 ★★★★☆

ロバート・J・ラング：作
2013年

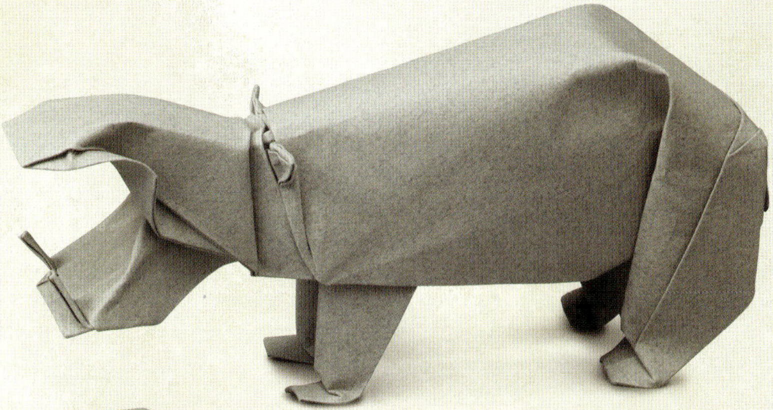

折り方
P.172

Hippo

Large Animals

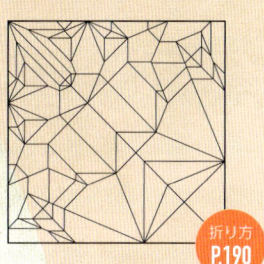

アフリカゾウ

難易度 ★★★★★

宮本宙也：作
2012年

折り方 P.190

African Elephant

アングリーフィッシュ

難易度 ★★★★★

バーニー・ペイトン：作
2013年

折り方 P.218

Angry Fish

キャラクター性を楽しむ

この章には、グリフォンやケルベロス、ドラゴンといった古典的な空想生物から、アングリーフィッシュ、ツル星人などの現代的な架空のキャラクターまで幅広く集めました。特に異彩を放つ「ツル星人」は、笹出晋司氏オリジナルのキャラクターです。題材のユニークさを楽しんでください。

不思議の国の ウサギ

難易度 ★★★★★

松田景吾：作
2010年

折り方 P.224

Rabbit in Wonderland

ツル星人

難易度 ★★★★☆

笹出晋司：作
2001

折り方 P.229

Crane Humanoid

仕上げがセンスの見せどころ

難しい作品は、折り図の通りに最後まで折ることはもちろん、細部の仕上げも大切な要素になります。例えば、ツル星人は手足を、ノーザンドラゴンは羽の段折りを、完成図とは少し違った仕上げをしています。ちょっと変えるだけで、作品はいろいろな表情を見せてくれます。

Tri-Horned Dragon

Northern Dragon

ノーザンドラゴン

難易度 ★★★★★

北條高史：作
1996 年

折り方 P.235

トライホーン・ドラゴン

難易度 ★★★★★

宮本宙也：作
2003 年

折り方 P.241

死神

難易度 ★★★★★
宮島 登：作
1999年

折り方 P.248

本番はとっておきの紙で

★4つ、5つの作品になると、「練習」と「本番」が必要になります。最初は、なるべく本文にある紙のサイズの、市販の折り紙用紙で折って練習してください。そして「本番」では、紙の大きさや色やテクスチャにこだわった紙で折りましょう。仕上がった作品への愛着もひとしおです。

Pegasus

ペガサス

難易度 ★★★★★

神谷哲史：作
2014年

折り方 P.256

High Heels

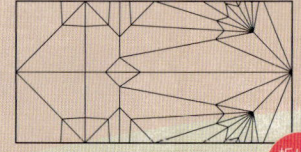

ハイヒール

難易度 ★☆☆☆☆

山口 真：作
1987年

折り方 P.50

A la Carte

アラカルト
A la Carte

動物作品だけが折り紙ではありません。身近な物も折り紙の題材の1つ。バラエティに富んだ作品を集めました。

Geta

下駄

難易度 ★☆☆☆☆

津田良夫：作
1976年

折り方 P.52

Makoto Rose

マコトローズ

難易度 ★★★☆☆

山口 真：作
2011年

折り方 P.69

ピエロ

難易度 ★★★★★

西川誠司：作
1984年

折り方
P.117

Clown

本

難易度 ★★★★★

マーティン・ウォール：作
1974年

折り方
P.122

Book

底のあるブーツ

難易度 ★★★★★

山口 真：作
2014年

折り方
P.88

Boots

25

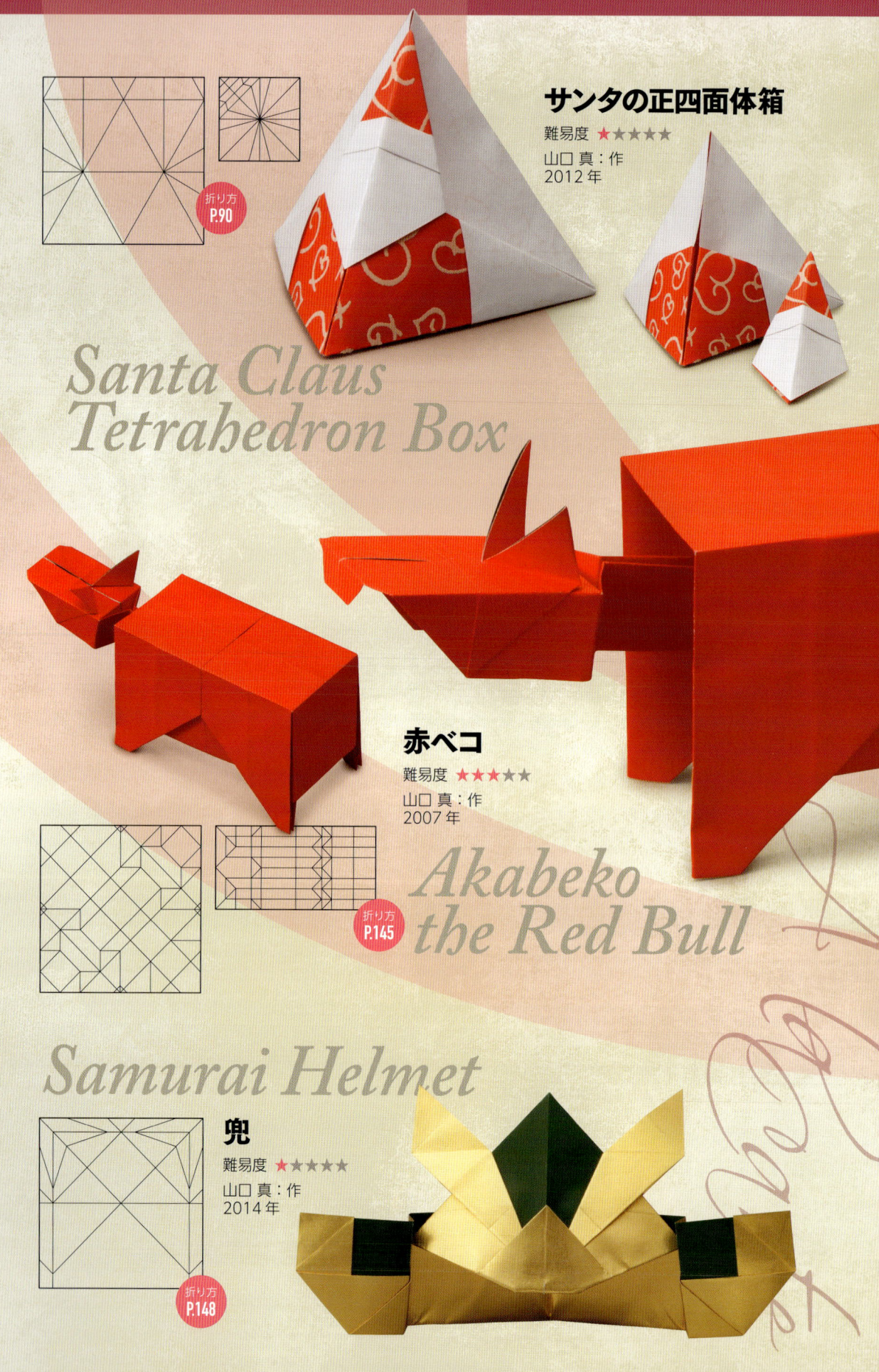

サンタの正四面体箱
難易度 ★★★★★
山口 真：作
2012年

折り方 P.90

Santa Claus
Tetrahedron Box

赤ベコ
難易度 ★★★★★
山口 真：作
2007年

折り方 P.145

Akabeko
the Red Bull

Samurai Helmet

兜
難易度 ★★★★★
山口 真：作
2014年

折り方 P.148

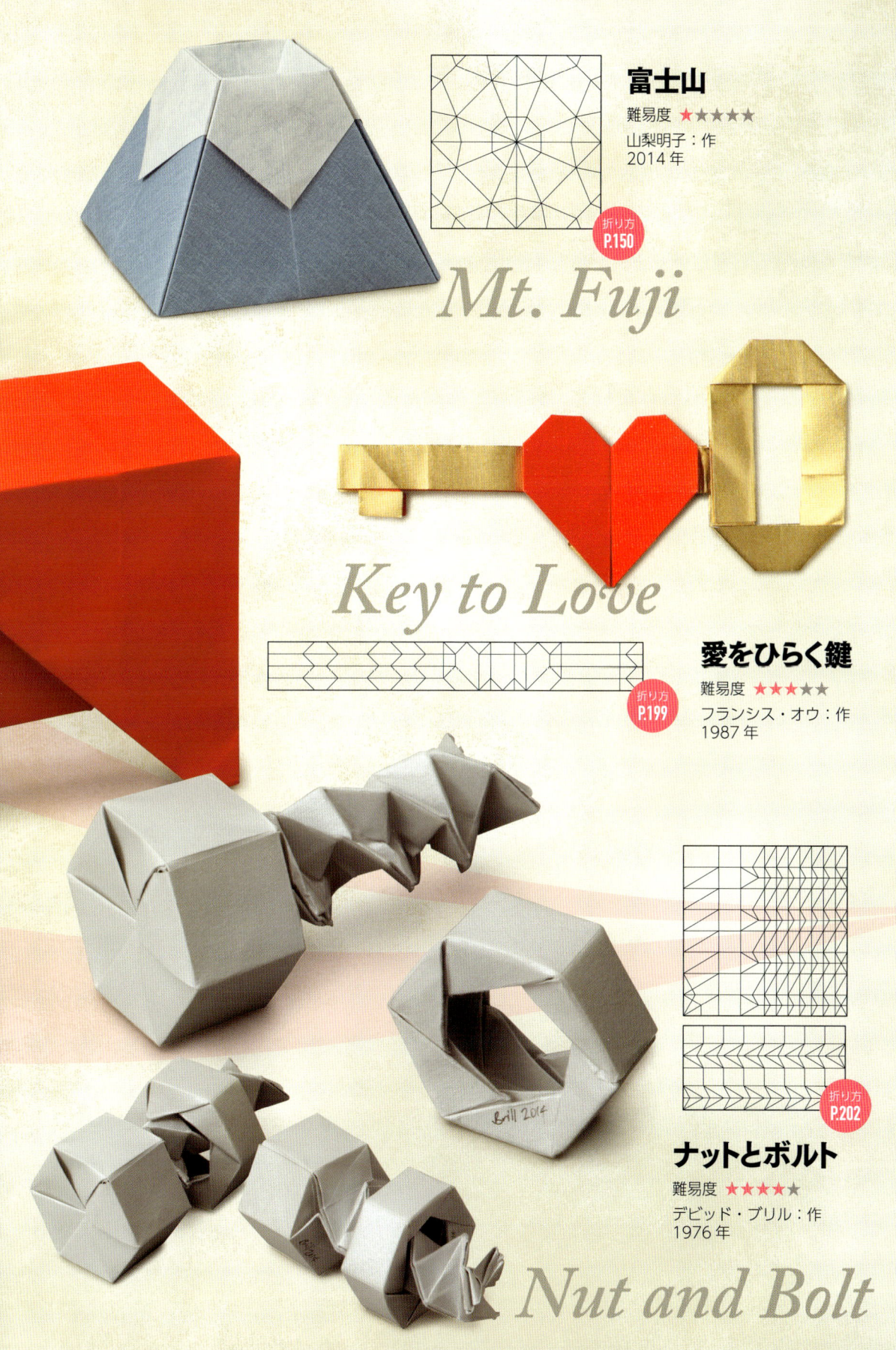

Mt. Fuji

富士山
難易度 ★☆☆☆☆
山梨明子：作
2014 年
折り方 P.150

Key to Love

愛をひらく鍵
難易度 ★★★☆☆
フランシス・オウ：作
1987 年
折り方 P.199

Nut and Bolt

ナットとボルト
難易度 ★★★★☆
デビッド・ブリル：作
1976 年
折り方 P.202

はじめに

　私は折り紙を仕事にしてから40年が経ちますが、ここ20年余りの折り紙の発展には目を見張るものがあります。私は1989年に、世界で初めての折り紙専門展示場、「ギャラリーおりがみはうす」を設立し、そこに集う若者達と4人で「折紙探偵団」というグループを結成しました。それから25年、グループは「日本折紙学会」と名前を変え、国内外で2,000人が登録する会となりました。海外との交流も盛んになり、インターネットの普及も手伝って、今やOrigamiは国際語となり、折り紙作家達は国を超えて作品を見せ合い、刺激しあって作品が作品を生んでいます。

　感動詞の「すごい！」は、折り紙作品にとって最高の褒め言葉です。本書には、その「すごい！」を言わせるための、国内外作家の50作品を集めました。複雑さやリアルさにかかわらず、折る工程が「すごい」作品や、モチーフが「すごい」作品もあります。
　それらの作品を8つのジャンルに区分けし、章ごとで難易度順に並べました。1章の「古代生物」は、全体的に難易度が低く、7章の「空想生物」は、難易度の高いものを多く収録しています。とはいえ、必ずしも難易度順に折ってみる必要はありません。折りたいと思ったものから取り組んでみてください。1回では完成しないかもしれませんが、根気よく取り組んでみましょう。
　また今回は、ユニークなモチーフを集めた「アラカルト」なるカテゴリーも作り、各章の最後に入れました。やさしい作品が多いので、箸休めとして取り組んでみてください。

　古さを感じさせない名作から、若者達の作る最先端の作品まで、折り紙の「すごい！」ところを味わっていただければ幸いです。

折り紙作家　山口 真

目次

| 32 | 折り図記号と折り技法 |
| 36 | Column　紙の種類と選び方 |

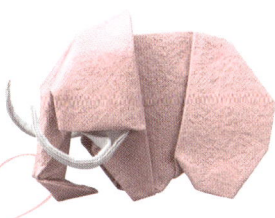

第1章　古代生物 — Prehistoric Animals

38	トリケラトプス	山口 真：作	難易度：★★☆☆
40	ティラノサウルス	山口 真：作	難易度：★★☆☆
42	マンモス	山口 真：作	難易度：★★☆☆
44	プテラノドン	山口 真：作	難易度：★★☆☆
46	始祖鳥	山口 真：作	難易度：★★★☆

第2章　昆虫 — Insects

56	クワガタ	山口 真：作	難易度：★★★☆
60	カブトムシ	山口 真：作	難易度：★★★☆
64	ヘラクレスオオカブト	山口 真：作	難易度：★★★☆
66	マコトチョウ	マイケル・G・ラフォース：作	難易度：★★★☆

第3章　鳥類 — Birds

74	インコ	山口 真：作	難易度：★☆☆☆
76	オオハシ	山口 真：作	難易度：★★☆☆
79	カーディナル	ロマン・ディアス：作	難易度：★★★☆
82	白鳥	津田良夫：作	難易度：★★★☆
84	コウテイペンギン	クエンティン・トロリップ：作	難易度：★★★★

29

第4章 海洋生物 — Oceanic Lifes

頁	作品	作者	難易度
94	魚の骨	山口 真：作	★★☆☆
98	巻き貝	川崎敏和：作	★★★☆
102	ブリ（養殖）	勝田恭平：作	★★★★
108	イルカ	川畑文昭：作	★★★★
124	Column　道具について		

第5章 小動物 — Small Animals

頁	作品	作者	難易度
126	ねずみ	山口 真：作	★★☆☆
128	はこねこ	山口 真：作	★★☆☆
131	ウサギ	ロナルド・コウ：作	★★★★
137	パピヨン	小松英夫：作	★★★★★
152	Column　ウェットフォールディング		

第6章 大型動物 — Large Animals

頁	作品	作者	難易度
154	ヒョウ	山口 真：作	★★☆☆
157	パンダ	山口 真：作	★★☆☆
160	ライオン	デビッド・ブリル：作	★★★★
167	馬	デビッド・ブリル：作	★★★★
172	カバ	ロバート・J・ラング：作	★★★★
181	キリン	萩原 元：作	★★★★★
190	アフリカゾウ	宮本宙也：作	★★★★★
208	Column　仕上げののりづけについて		

第 7 章 空想生物 — Fantasy Creature

頁	作品名	作者	難易度
210	グリフォン	山口 真：作	★★★★★
214	ケルベロス	山口 真：作	★★★★★
218	アングリーフィッシュ	バーニー・ペイトン：作	★★★★★
224	不思議の国のウサギ	松田景吾：作	★★★★★
229	ツル星人	笹出晋司：作	★★★★★
235	ノーザンドラゴン	北條高史：作	★★★★★
241	トライホーン・ドラゴン	宮本宙也：作	★★★★★
248	死神	宮島 登：作	★★★★★
256	ペガサス	神谷哲史：作	★★★★★

アラカルト — A la Carte

頁	作品名	作者	難易度
50	ハイヒール	山口 真：作	★★★★★
52	下駄	津田良夫：作	★★★★★
69	マコトローズ	山口 真：作	★★★★★
88	底のあるブーツ	山口 真：作	★★★★★
90	サンタの正四面体箱	山口 真：作	★★★★★
117	ピエロ	西川誠司：作	★★★★★
122	本	マーティン・ウォール：作	★★★★★
145	赤ベコ	山口 真：作	★★★★★
148	兜	山口 真：作	★★★★★
150	富士山	山梨明子：作	★★★★★
199	愛をひらく鍵	フランシス・オウ：作	★★★★★
202	ナットとボルト	デビッド・ブリル：作	★★★★★

| 265 | 用語集 —本書に出てくる折り紙専門用語— |
| 266 | 作家プロフィール |

折り図記号と折り技法

折り図（折り方の解説図）には、折り紙の専門用語や特殊な技法が出てきます。ここでは、折り図で使われている基本的な記号や技法を説明します。これらの記号を知らなければ、折り図に描かれている内容を正確に読み取ることはできません。

特に複雑な作品では、次の図の形と見比べるだけで折っていると、必ず行き詰まります。ひとつひとつの記号の意味を理解して、正しい形で折り進めていくことが大事です。まずはここに一度目を通して、どのような記号や技法があるのかを確認しましょう。

折り進めるうちに、わからない用語や折り方に出会ったら、このページを見直してみてください。あくまで「基本」なので、必ずしも同一ではありませんが、解決の糸口はきっと見つかるはずです。

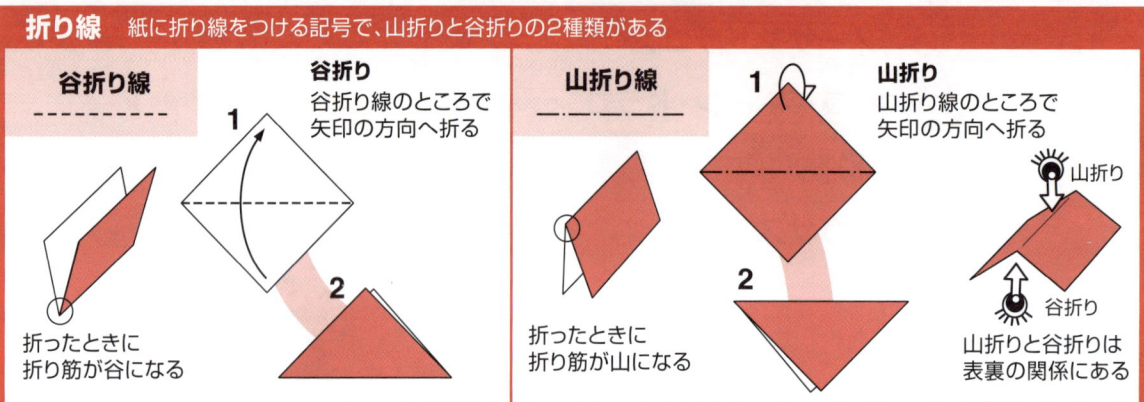

たくさんの折り筋を使って折りたたむような複雑な手順であっても、折り線の種類は「山折り」と「谷折り」の2種類しかないので、まず折り筋の位置と向きをよく確認してみるとよい

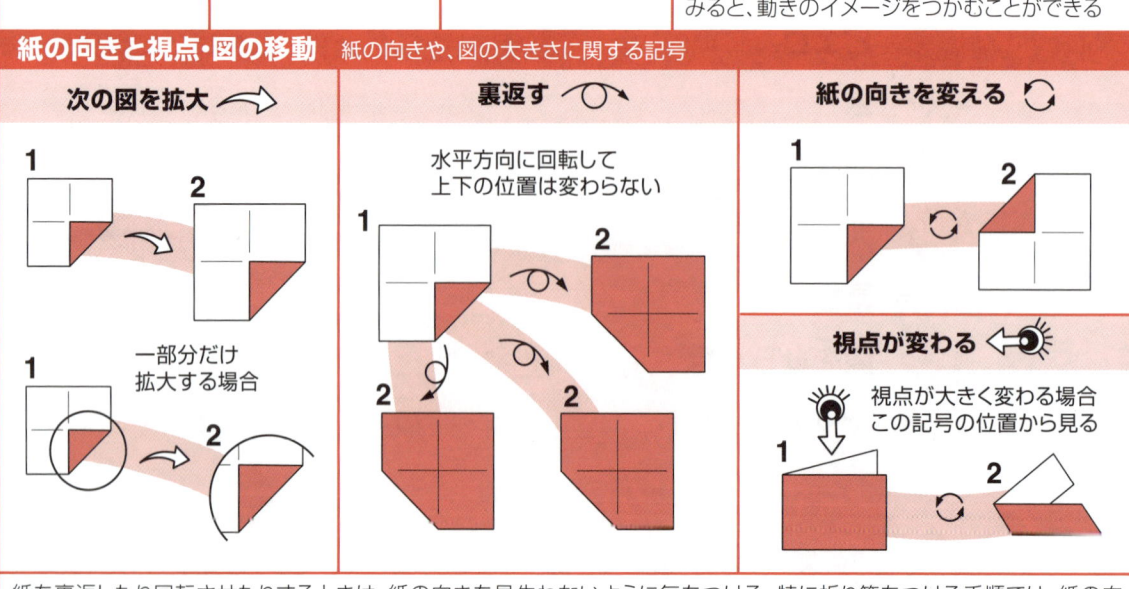

紙を裏返したり回転させたりするときは、紙の向きを見失わないように気をつける。特に折り筋をつける手順では、紙の向きを間違いやすいので、ついている折り筋の位置や紙の表裏を十分に確認し、図の向きの変化を正しく把握する

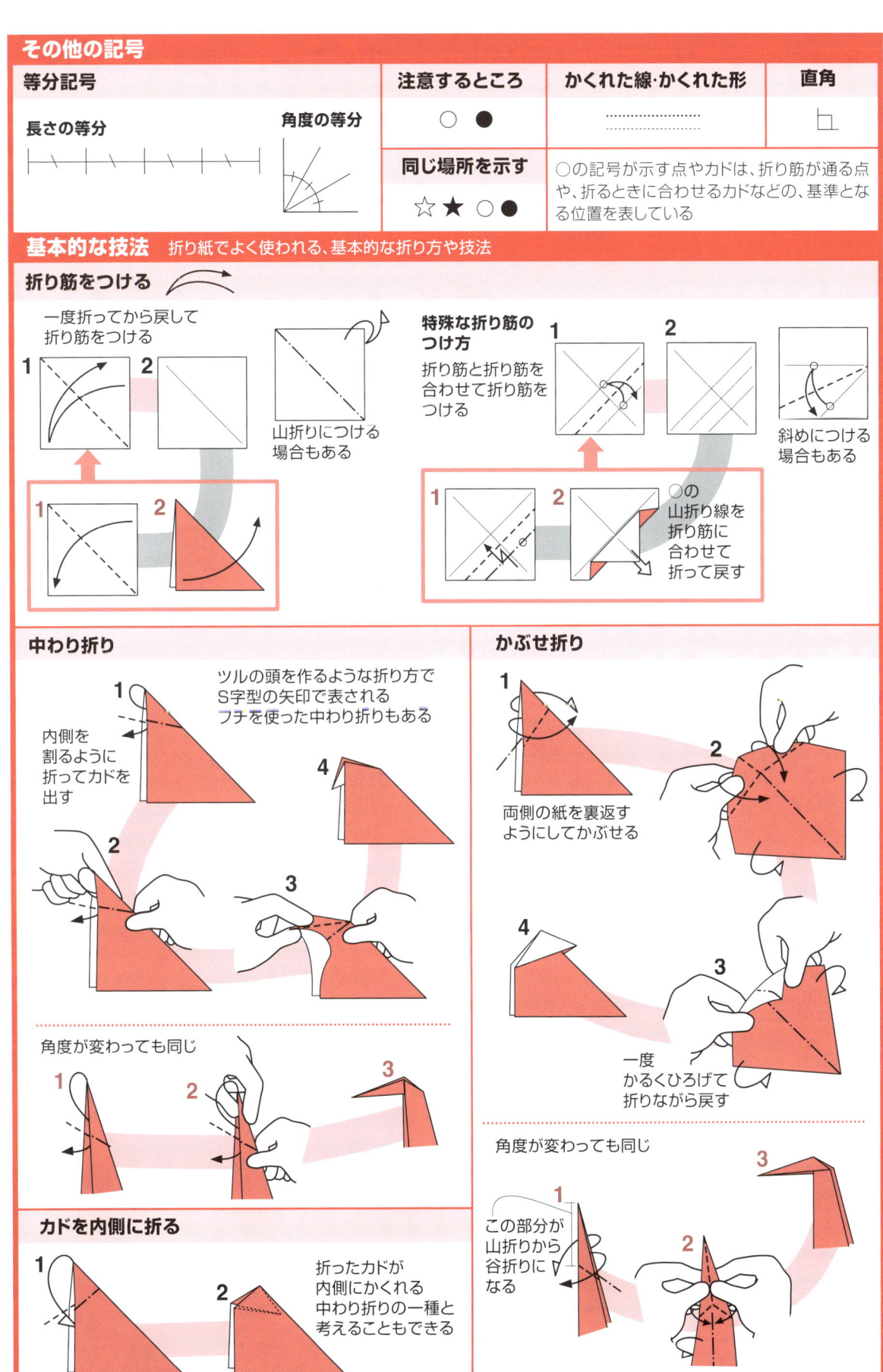

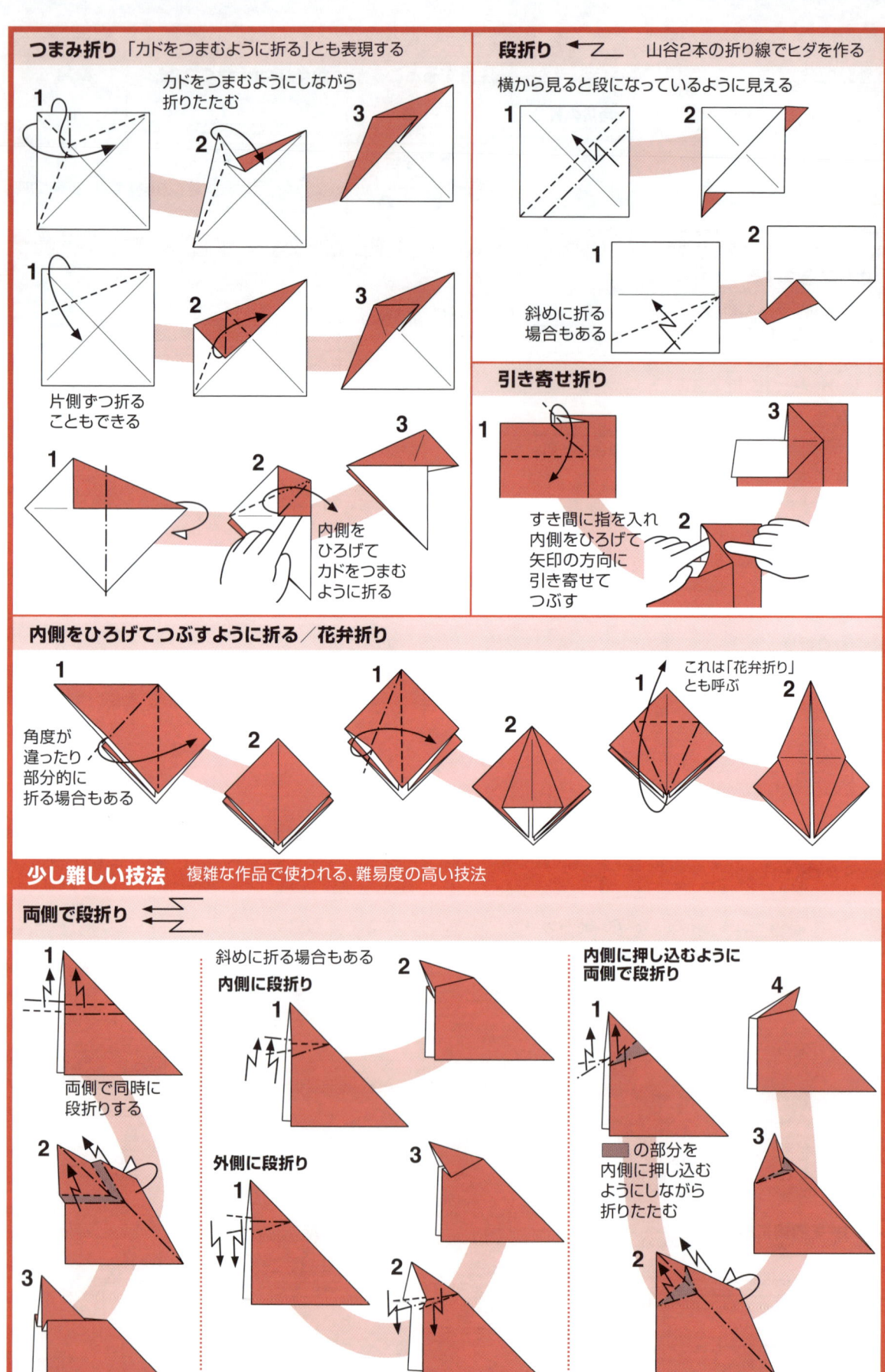

沈め折り　沈めるように折った部分が内側にかくれる

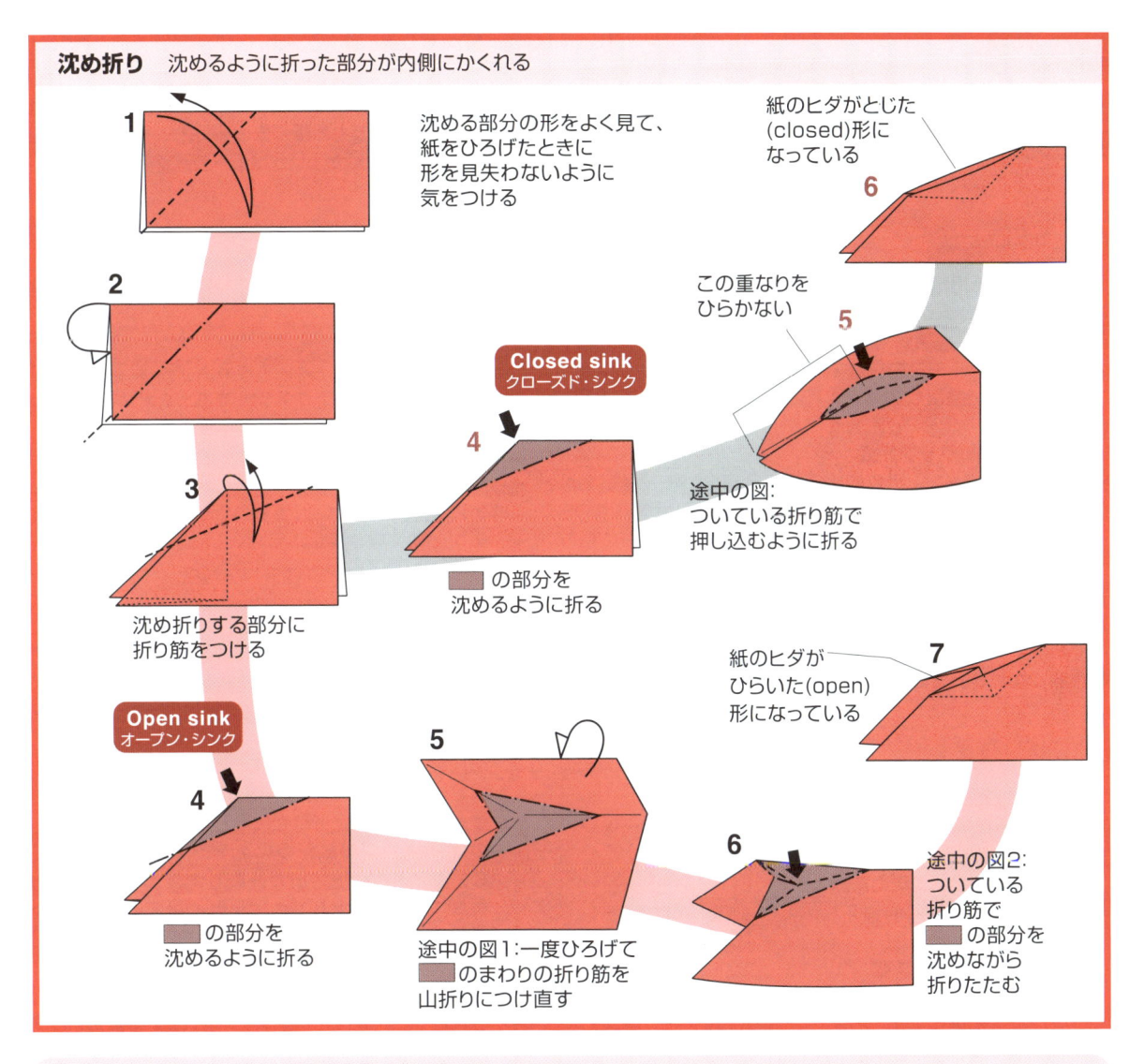

1　沈める部分の形をよく見て、紙をひろげたときに形を見失わないように気をつける

2

3　沈め折りする部分に折り筋をつける

Closed sink クローズド・シンク

4　■の部分を沈めるように折る

途中の図：ついている折り筋で押し込むように折る

5　この重なりをひらかない

6　紙のヒダがとじた(closed)形になっている

Open sink オープン・シンク

4　■の部分を沈めるように折る

5　途中の図1：一度ひろげて■のまわりの折り筋を山折りにつけ直す

6　途中の図2：ついている折り筋で■の部分を沈めながら折りたたむ

7　紙のヒダがひらいた(open)形になっている

本書の使い方
本書に掲載した折り紙作品の情報を、下図のように示しました。折るときの参考にしてください。

- **ジャンル**
- **作品タイトル**
- **英語タイトルと作者名**
- **作者の日本語名**
- **作品区分**
  - 不切正方一枚折り：切り込みなしの正方形1枚で折る作品
  - 不切一枚折り：切り込みなしの1枚で折る作品
  - 複合：複数枚で折る作品

難易度表記
★が多いほど難しくなります。

★☆☆☆☆　易しい
★★☆☆☆
★★★☆☆
★★★★☆
★★★★★　難しい

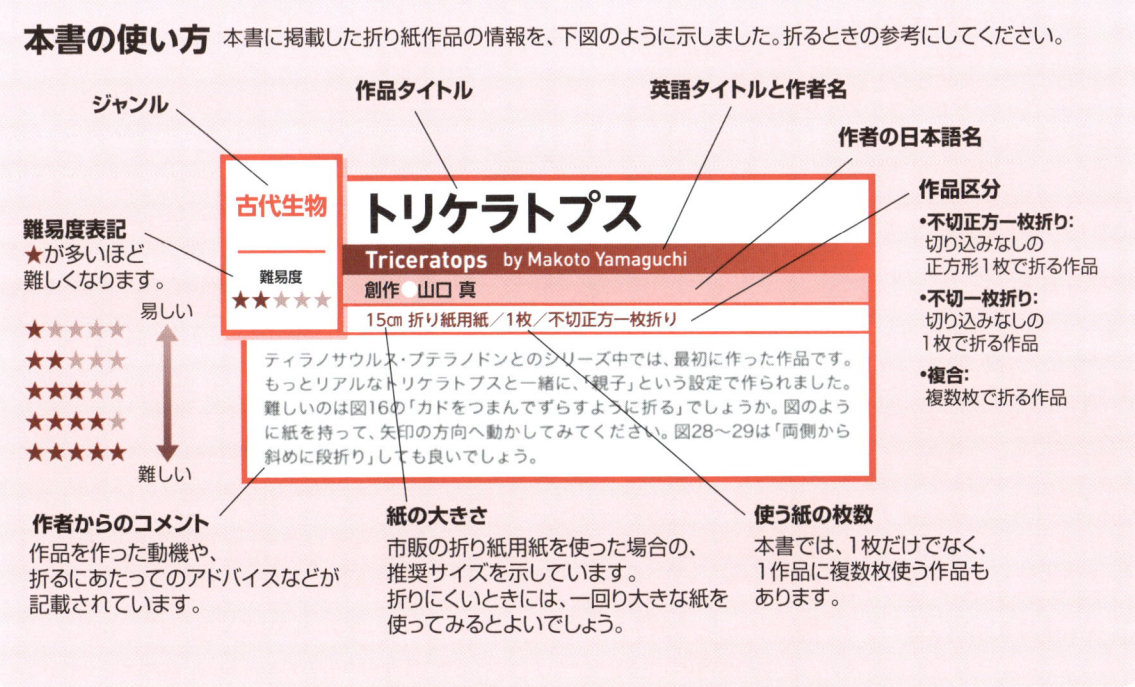

古代生物／**トリケラトプス**　Triceratops　by Makoto Yamaguchi
創作●山口 真
15cm 折り紙用紙／1枚／不切正方一枚折り

ティラノサウルス・プテラノドンとのシリーズ中では、最初に作った作品です。もっとリアルなトリケラトプスと一緒に、「親子」という設定で作られました。難しいのは図16の「カドをつまんでずらすように折る」でしょうか。図のように紙を持って、矢印の方向へ動かしてみてください。図28〜29は「両側から斜めに段折り」しても良いでしょう。

- **作者からのコメント**：作品を作った動機や、折るにあたってのアドバイスなどが記載されています。
- **紙の大きさ**：市販の折り紙用紙を使った場合の推奨サイズを示しています。折りにくいときには、一回り大きな紙を使ってみるとよいでしょう。
- **使う紙の枚数**：本書では、1枚だけでなく、1作品に複数枚使う作品もあります。

Column

紙の種類と選び方

> ⚠ **まずは身近な紙で試し折りを**
> 本書で紹介している作品の多くは、1回で完璧に折ることが難しいものばかりです。いきなりよい紙を使って折るのではなく、練習用の紙で試し折りをしましょう。指の力や折り方の癖、折り手の技量など、個人差があるので、どのような紙がよいかは折って試すのが一番です。

練習用の紙

● 市販の折り紙用紙
ほとんどの場合、試し折りは普通の折り紙用紙で十分です。安価で折りやすく、入手も簡単、サイズのバリエーションもあります。片面に色がついていて、裏表がわかりやすいのも利点です。一番種類が豊富なのは15×15cmで、大きいものでは35×35cmがあります。

● 薄手の上質紙、クラフト紙
安価で入手が容易で、比較的丈夫で折りやすい紙です。文具店などで市販されている折り紙用紙は、35×35cmが最大です。それ以上の大きさが必要なとき、これらを適切な大きさに切って使うとよいでしょう。

● ホイル紙
折りやすいとはいえない紙ですが、のりづけや固定をしなくても形が決まるので、完成状態(きちんとした仕上げをした状態)を想像しながら折ることができます。

試し折りで確認したいこと

● 必要な紙の大きさと厚み
一番基本的な部分です。使った紙と比べて、もっと大きな紙がいいか薄い方がいいか、考えてみましょう。

● つまずきやすい工程の確認
良い紙を使うときに間違えないよう、練習段階で把握しておきましょう。

● ぐらい折りの位置確認
折り線の位置に明確な基準がない「ぐらい折り」は、時には完成形に影響します。どのくらい折ればいいか、確認しましょう。

● 補強ポイントのチェック
複雑な作品になると、折り目のところで紙が割れたり破れたりします。そのようなところは、練習用の紙ならセロハンテープを貼って折り続けることができますが、本番用の紙では事前にそういう場所をチェックし十分注意して、場合によっては裏から補強するなどして折りましょう。

本番用の紙

紙を選ぶポイントは以下の5つが挙げられます。

❶ 色・質感
完成作品のイメージを決める大事な要素です。最近は、さまざまなテクスチャをもった紙がたくさんあります。調べてよく吟味してください。

❷ 強度
特に複雑な作品は、何度もの折り込みに耐えられる紙が必要になります。

❸ 大きさ
紙のサイズは「作りたい完成サイズ」で決めましょう。洋紙で一般的に入手できる最大の大きさは、四六判(788×1091mm)や、菊判(636×939mm)等があります。大きな紙は、ここから正方形に切って使います。

❹ 厚さ
洋紙の厚みについては斤量(1000枚重ねたときの重さ)という単位が参考になります。折り紙に向くのは70kg以下の紙が多いようです。ちなみに普通の折り紙用紙は、メーカーにもよりますが約50kg程度です。ウェットフォールディングには、100kg程度の紙がよく使われます。

❺ 折りやすさ
「折りやすい紙」と「よい外見に仕上がる紙」は同じではありません。例えば、厚手の紙は折りにくいのですが、その代わりに重厚感のある仕上がりになります。
また本番用の紙で、和紙を使おうとする人が少なくないようですが、強度はあるもののコシや張りが弱く、難しい折り紙には向かないものが多いので、裏側から紙をもう1枚裏打ちしたり、のり引きをする等して紙を補強した方がよいでしょう。

紙の入手方法

洋紙は大きな文具店や紙の専門店、和紙は和紙の専門店で入手することができます。できれば、実際に紙に触って確かめられる場所で入手するのが一番よいのですが、紙の種類が決まっている場合には、通信販売も増えてきているので、インターネットで探してみるのもよいでしょう。

紙を販売しているお店

おりがみはうすオンラインショップ (折り紙用紙)	http://www.olshop.origamihouse.jp/ (インターネット上だけでのショップです)
株式会社　竹尾　見本帖 (主に洋紙)	http://www.takeo.co.jp/
小津和紙博物舗 (和紙)	http://www.ozuwashi.net/
紙友館　ますたけ (和紙・折り紙用紙)	http://masutake.com/
紙の温度 (洋紙・和紙)	https://www.kaminoondo.co.jp/
世界堂 (洋紙・折り紙用紙)	http://www.sekaido.co.jp/
東急ハンズ (洋紙・和紙・折り紙用紙)	http://www.tokyu-hands.co.jp/
Origamido Studio (手すき紙)	http://www.origamido.com/

Prehistoric Animals

第1章 古代生物

難易度
★★
☆☆

トリケラトプス
P.38

ティラノサウルス
P.40

マンモス
P.42

プテラノドン
P.44

難易度
★★
★☆☆

始祖鳥
P.46

アラカルト

ハイヒール
P.50
難易度 ★

下駄
P.52
難易度 ★

古代生物

トリケラトプス
Triceratops by Makoto Yamaguchi
創作●山口 真
15cm 折り紙用紙／1枚／不切正方一枚折り

難易度 ★★☆☆☆

ティラノサウルス・プテラノドンとのシリーズ中では、最初に作った作品です。もっとリアルなトリケラトプスと一緒に、「親子」という設定で作られました。難しいのは図16の「カドをつまんでずらすように折る」でしょうか。図のように紙を持って、矢印の方向へ動かしてみてください。図28〜29は「両側から斜めに段折り」してもよいでしょう。

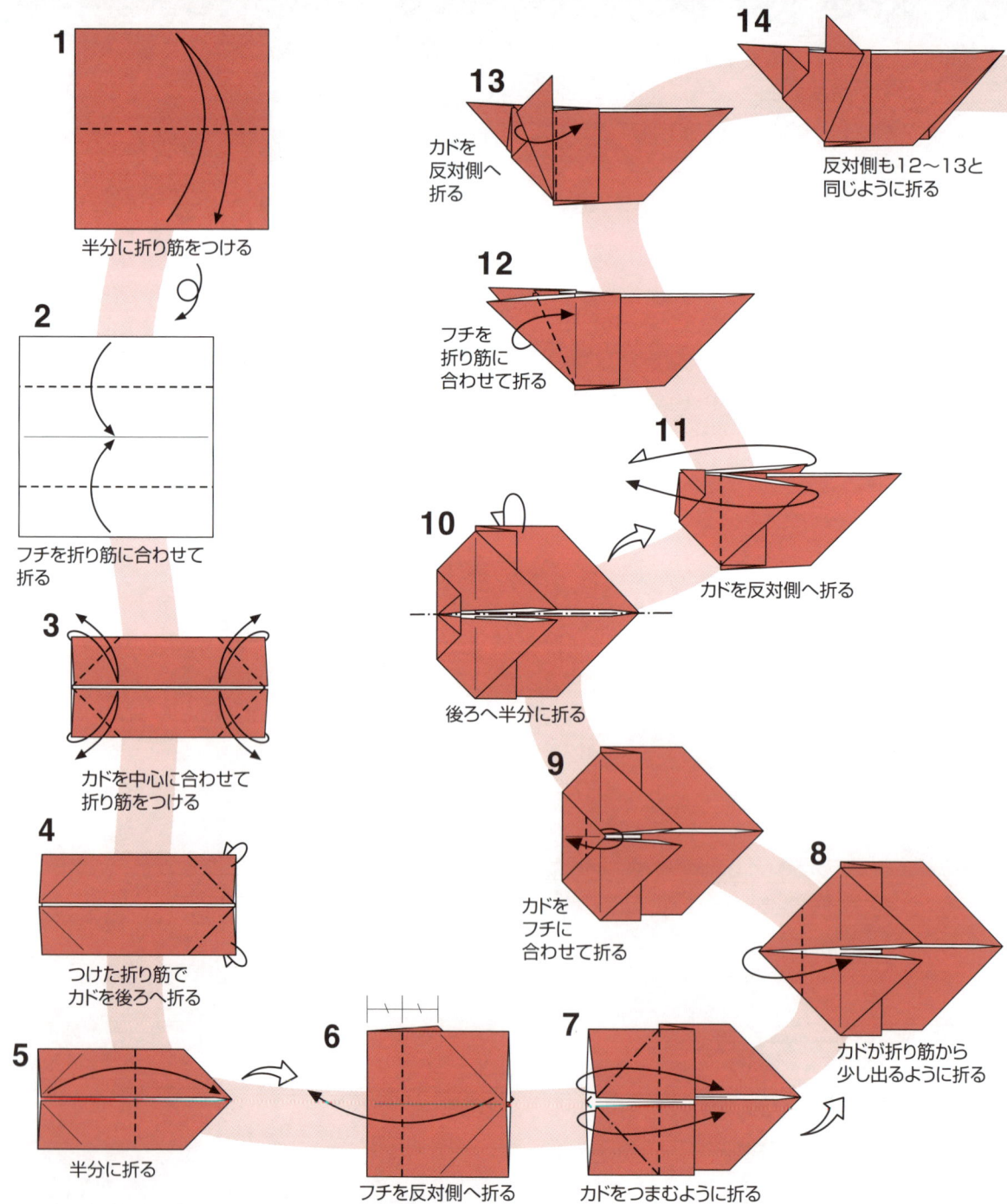

1　半分に折り筋をつける

2　フチを折り筋に合わせて折る

3　カドを中心に合わせて折り筋をつける

4　つけた折り筋でカドを後ろへ折る

5　半分に折る

6　フチを反対側へ折る

7　カドをつまむように折る

8　カドが折り筋から少し出るように折る

9　カドをフチに合わせて折る

10　後ろへ半分に折る

11　カドを反対側へ折る

12　フチを折り筋に合わせて折る

13　カドを反対側へ折る

14　反対側も12〜13と同じように折る

38

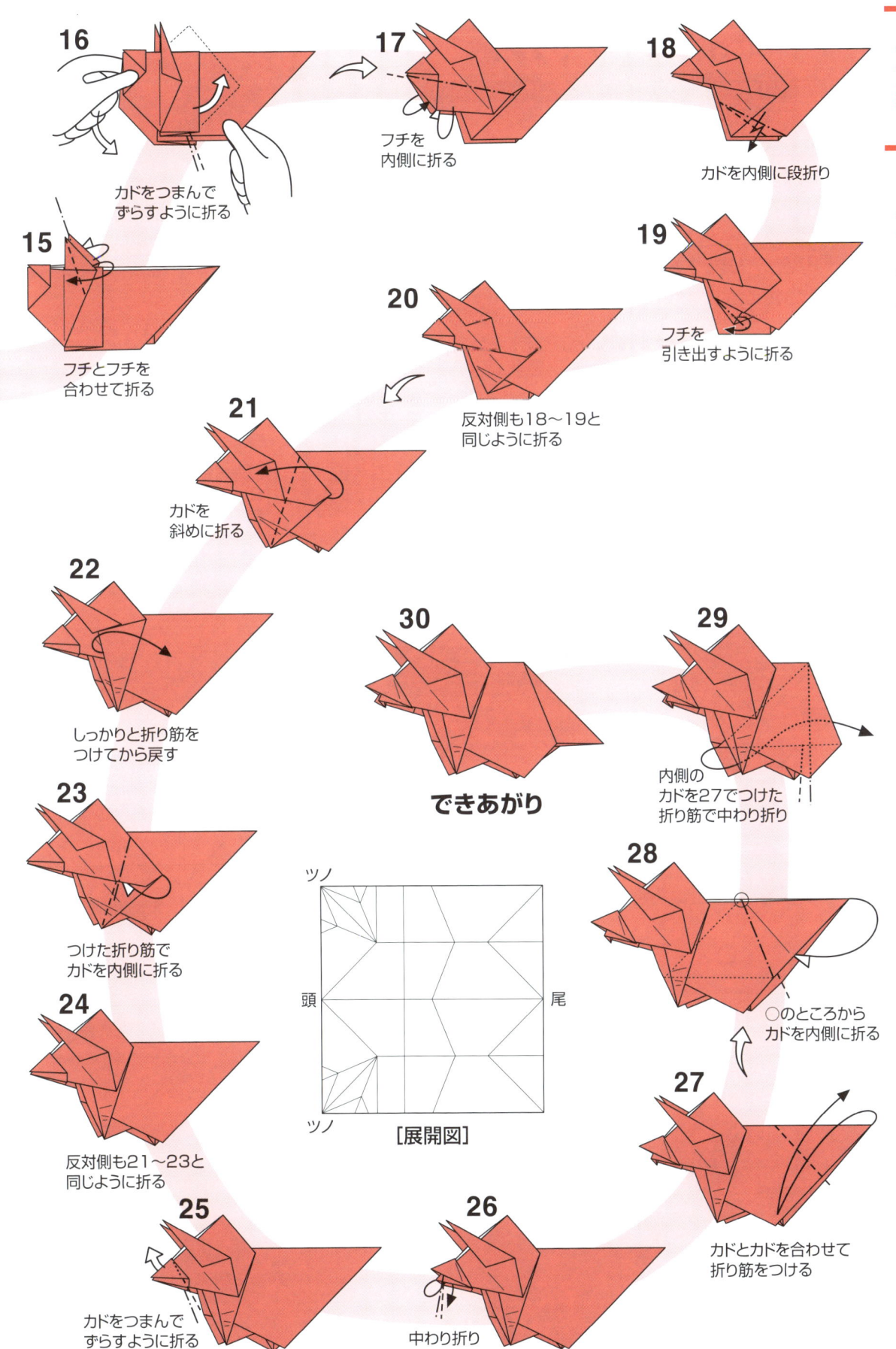

16
カドをつまんで
ずらすように折る

17
フチを
内側に折る

18
カドを内側に段折り

15
フチとフチを
合わせて折る

19
フチを
引き出すように折る

20
反対側も18～19と
同じように折る

21
カドを
斜めに折る

22
しっかりと折り筋を
つけてから戻す

23
つけた折り筋で
カドを内側に折る

24
反対側も21～23と
同じように折る

25
カドをつまんで
ずらすように折る

26
中わり折り

27
カドとカドを合わせて
折り筋をつける

28
○のところから
カドを内側に折る

29
内側の
カドを27でつけた
折り筋で中わり折り

30
できあがり

[展開図]
ツノ / 頭 / 尾 / ツノ

古代生物 トリケラトプス

古代生物	**ティラノサウルス**
難易度 ★★☆☆☆	Tyrannosaurus by Makoto Yamaguchi 創作●山口 真 25cm 折り紙用紙／1枚／不切正方一枚折り

「やさしくてかわいい感じの恐竜」というテーマで、ティラノサウルス、トリケラトプス、プテラノドンと3作品がそろうように作りました。見た目の形はシンプルですが、意外と工程数が多くて、折りごたえのある作品になっていると思います。図8〜13は、混乱しやすいので、図をよく見て折り進めてください。

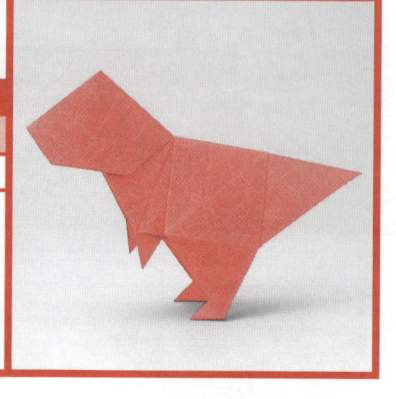

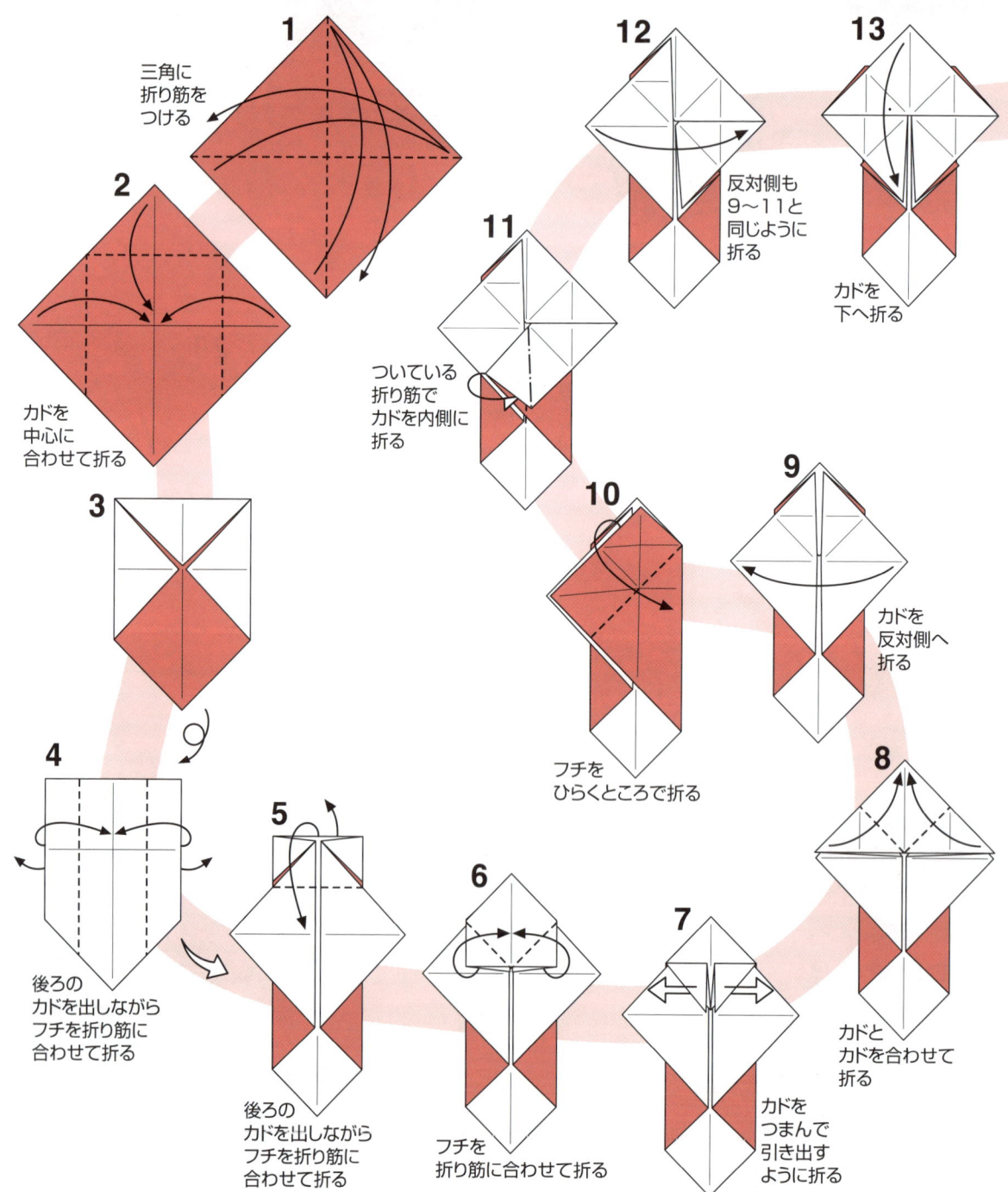

1 三角に折り筋をつける

2 カドを中心に合わせて折る

3

4 後ろのカドを出しながらフチを折り筋に合わせて折る

5 後ろのカドを出しながらフチを折り筋に合わせて折る

6 フチを折り筋に合わせて折る

7 カドをつまんで引き出すように折る

8 カドとカドを合わせて折る

9 カドを反対側へ折る

10 フチをひらくところで折る

11 ついている折り筋でカドを内側に折る

12 反対側も9〜11と同じように折る

13 カドを下へ折る

40

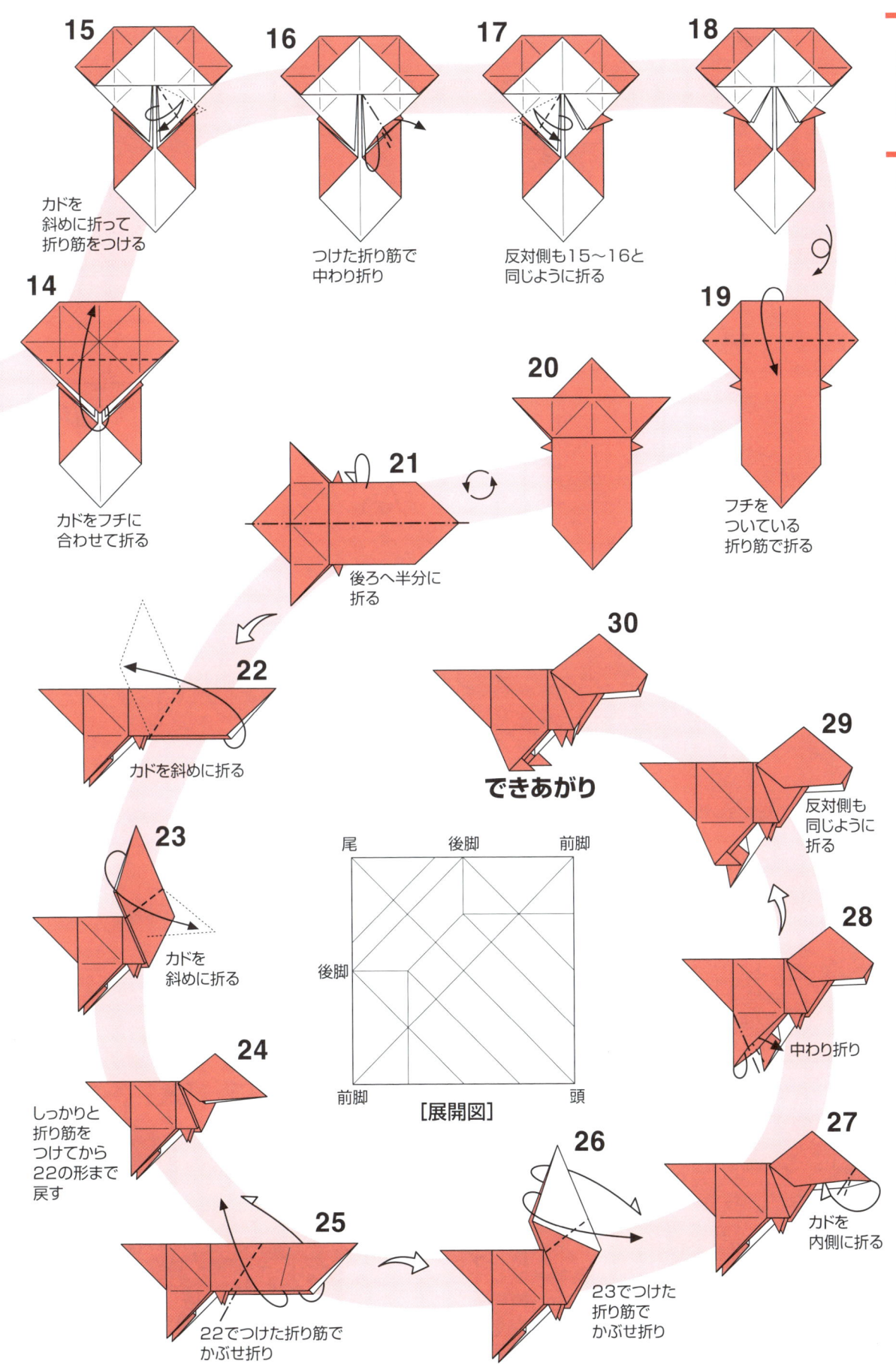

15
カドを斜めに折って折り筋をつける

16
つけた折り筋で中わり折り

17
反対側も15～16と同じように折る

18

14
カドをフチに合わせて折る

19
フチをついている折り筋で折る

20

21
後ろへ半分に折る

22
カドを斜めに折る

23
カドを斜めに折る

24
しっかりと折り筋をつけてから22の形まで戻す

25
22でつけた折り筋でかぶせ折り

26
23でつけた折り筋でかぶせ折り

27
カドを内側に折る

28
中わり折り

29
反対側も同じように折る

30
できあがり

[展開図]
尾　後脚　前脚
後脚
前脚　頭

古代生物 ティラノサウルス

41

古代生物

マンモス
Mammoth by Makoto Yamaguchi
創作●山口 真

難易度 ★★☆☆☆

25cm 折り紙用紙／1枚／不切正方一枚折り

小学生向けの知育雑誌に掲載したいと依頼されて、20年程前に作りました。シンプルな外観ですが、わりと「ぐらい折り」（「これくらい」として明確な基準がない折りのこと）が多く、数か所技術的に難しいところもあります。図19が一番難しいのですが、えいっと頭のカドを引っ張り上げてください。かわいく仕上げるには数回折ることが必要かもしれません。

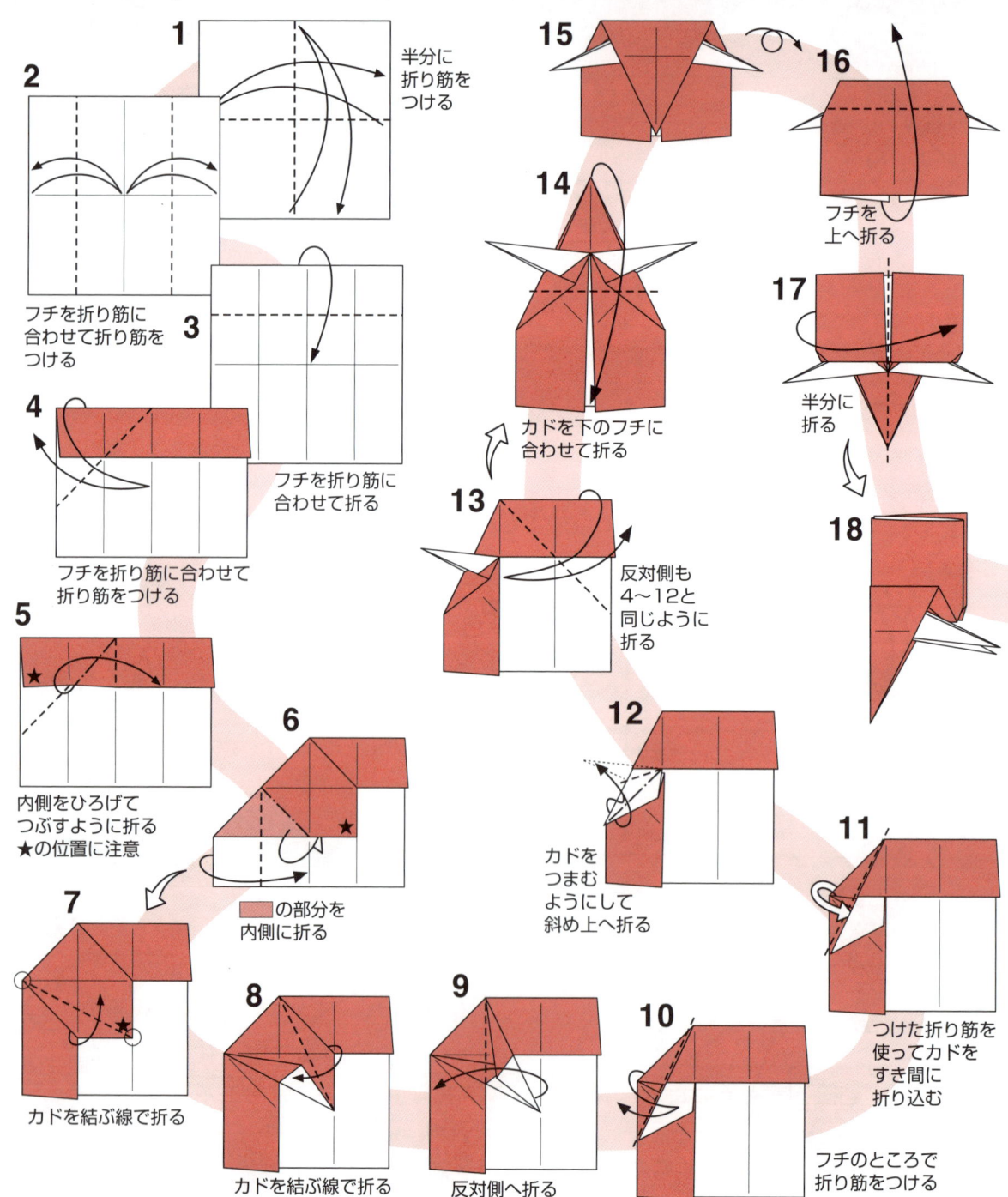

1 半分に折り筋をつける

2 フチを折り筋に合わせて折り筋をつける

3 フチを折り筋に合わせて折る

4 フチを折り筋に合わせて折り筋をつける

5 内側をひろげてつぶすように折る ★の位置に注意

6 ■の部分を内側に折る

7 カドを結ぶ線で折る

8 カドを結ぶ線で折る

9 反対側へ折る

10 フチのところで折り筋をつける

11 つけた折り筋を使ってカドをすき間に折り込む

12 カドをつまむようにして斜め上へ折る

13 反対側も4〜12と同じように折る

14 カドを下のフチに合わせて折る

15

16 フチを上へ折る

17 半分に折る

18

42

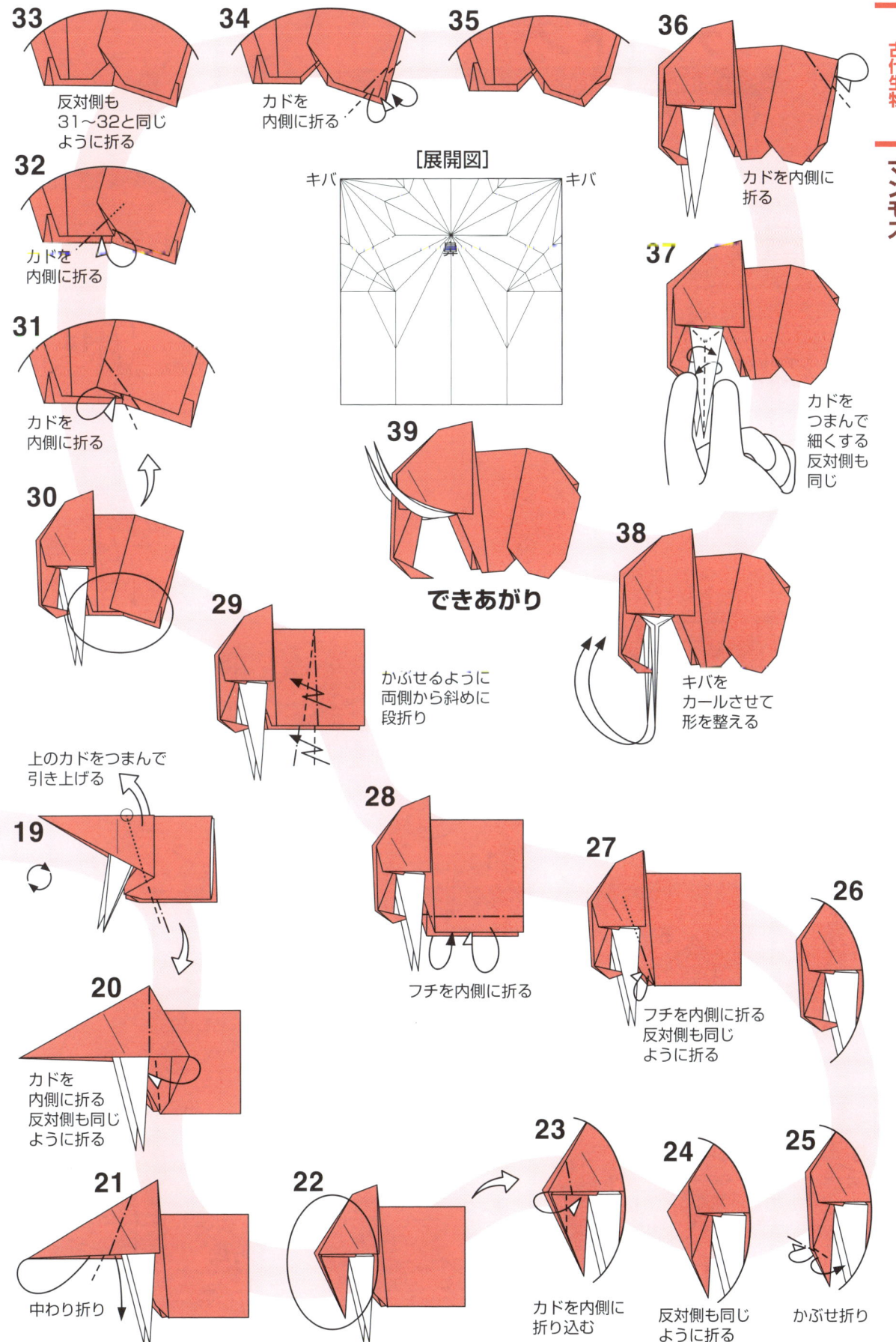

33
反対側も
31〜32と同じ
ように折る

34
カドを
内側に折る

35

36
カドを内側に
折る

[展開図]
キバ　　キバ
鼻

古代生物 | マンモス

37
カドを
つまんで
細くする
反対側も
同じ

32
カドを
内側に折る

31
カドを
内側に折る

39
できあがり

38
キバを
カールさせて
形を整える

30

29
かぶせるように
両側から斜めに
段折り

19
上のカドをつまんで
引き上げる

28
フチを内側に折る

27
フチを内側に折る
反対側も同じ
ように折る

26

20
カドを
内側に折る
反対側も同じ
ように折る

21
中わり折り

22

23
カドを内側に
折り込む

24
反対側も
同じように
折る

25
かぶせ折り

43

古代生物	プテラノドン
難易度 ★★☆☆☆	Pteranodon　by Makoto Yamaguchi 創作●山口 真 15cm 折り紙用紙／1枚／不切正方一枚折り

ティラノサウルス・トリケラトプスと並べると、プテラノドンは特にやさしい形と工程だったので、本書向けに少しリアルさを出して難易度を上げました。とはいっても、特に難しい技法はありません。図8では、片方ずつていねいにカドを引っ張り出して、図9に示したように平行になるよう折ってください。

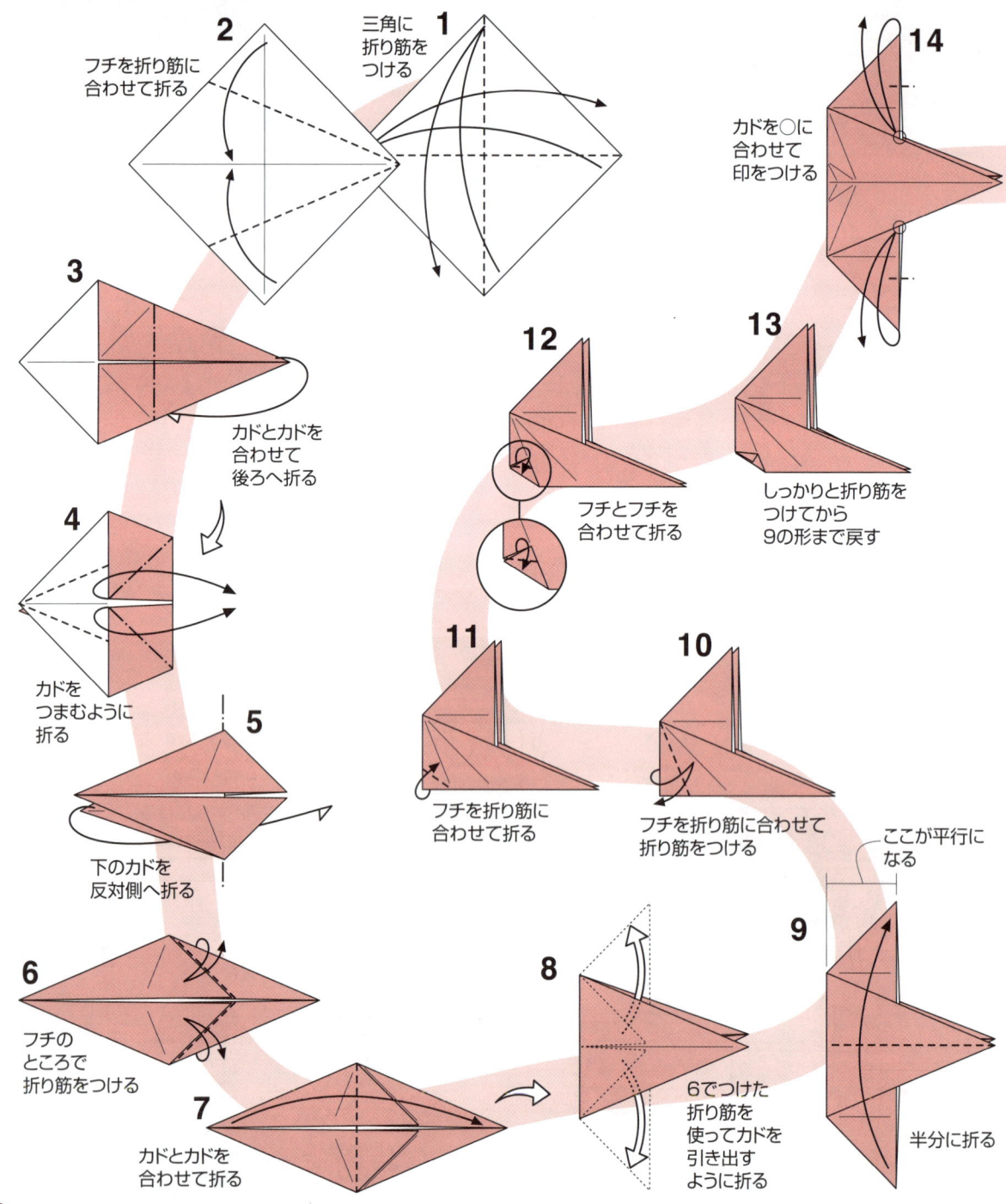

1 三角に折り筋をつける

2 フチを折り筋に合わせて折る

3 カドとカドを合わせて後ろへ折る

4 カドをつまむように折る

5 下のカドを反対側へ折る

6 フチのところで折り筋をつける

7 カドとカドを合わせて折る

8 6でつけた折り筋を使ってカドを引き出すように折る

9 半分に折る / ここが平行になる

10 フチを折り筋に合わせて折り筋をつける

11 フチを折り筋に合わせて折る

12 フチとフチを合わせて折る

13 しっかりと折り筋をつけてから9の形まで戻す

14 カドを○に合わせて印をつける

44

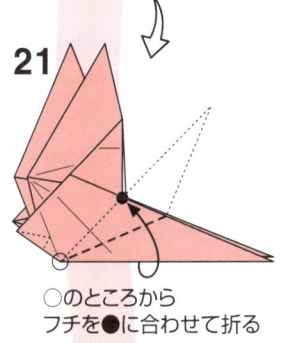

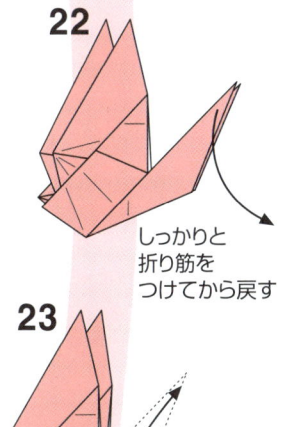

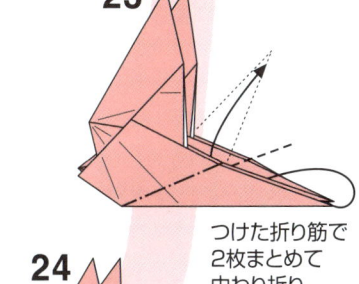

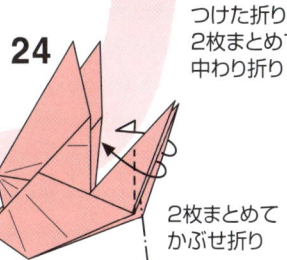

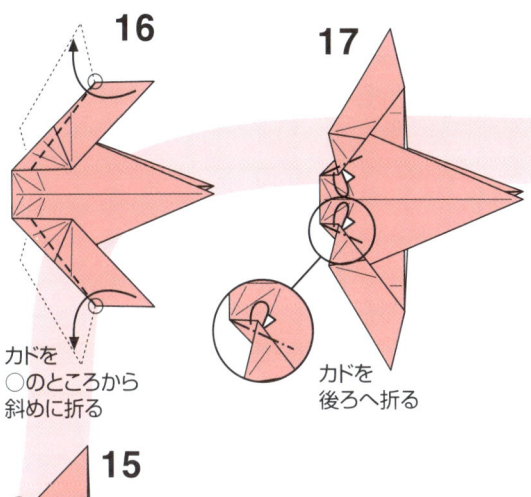

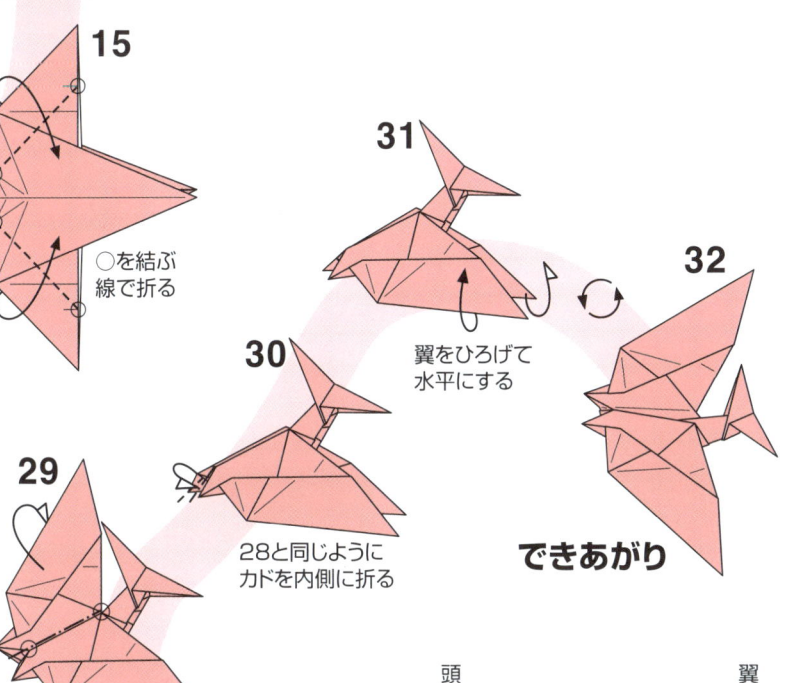

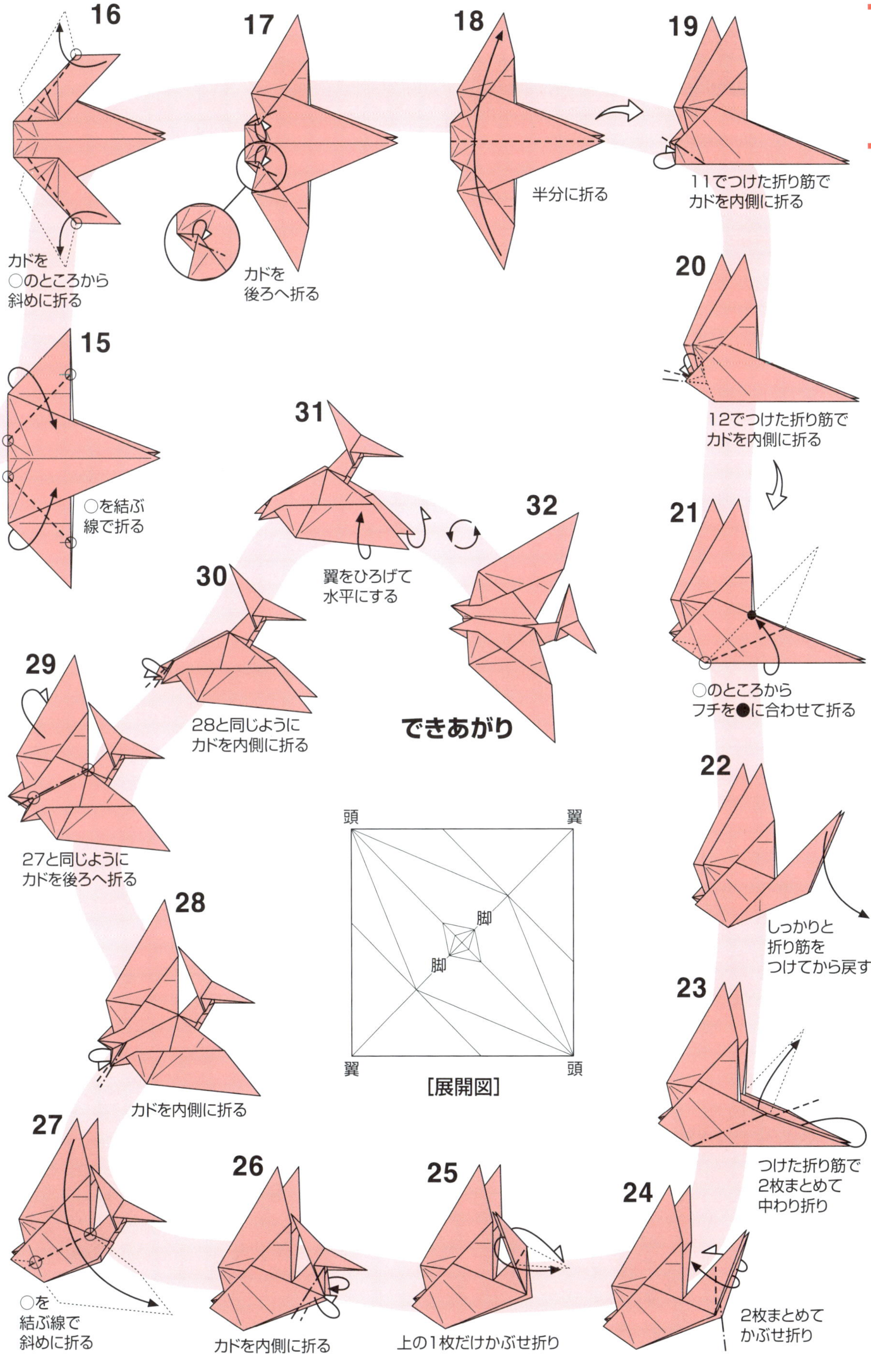

16
カドを○のところから斜めに折る

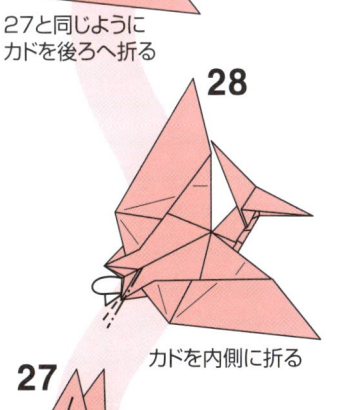

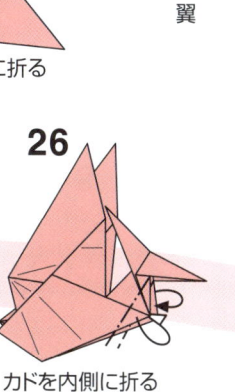

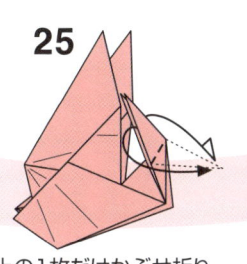

17
カドを後ろへ折る

18
半分に折る

19
11でつけた折り筋でカドを内側に折る

15
○を結ぶ線で折る

20
12でつけた折り筋でカドを内側に折る

21
○のところからフチを●に合わせて折る

22
しっかりと折り筋をつけてから戻す

23
つけた折り筋で2枚まとめて中わり折り

24
2枚まとめてかぶせ折り

25
上の1枚だけかぶせ折り

26
カドを内側に折る

27
○を結ぶ線で斜めに折る

28
カドを内側に折る

29
27と同じようにカドを後ろへ折る

30
28と同じようにカドを内側に折る

31
翼をひろげて水平にする

32

できあがり

[展開図]

頭　翼
脚
脚
翼　頭

古代生物　プテラノドン

古代生物	始祖鳥
難易度 ★★★☆☆	**Archaeopteryx** by Makoto Yamaguchi 創作●山口 真 20cm 折り紙用紙／2枚／複合

折り紙を2枚使う「複合」作品ですが、あまり難しくなくて、ちょっとリアルな形に仕上げることができる作品です。「羽根」と「体」を重ねて折るというちょっとユニークな工程があり、のりを使わなくても完成させることができます。もしのりづけする場合は、くちばし部分が少しひらくよう、のりづけ位置に注意してください。

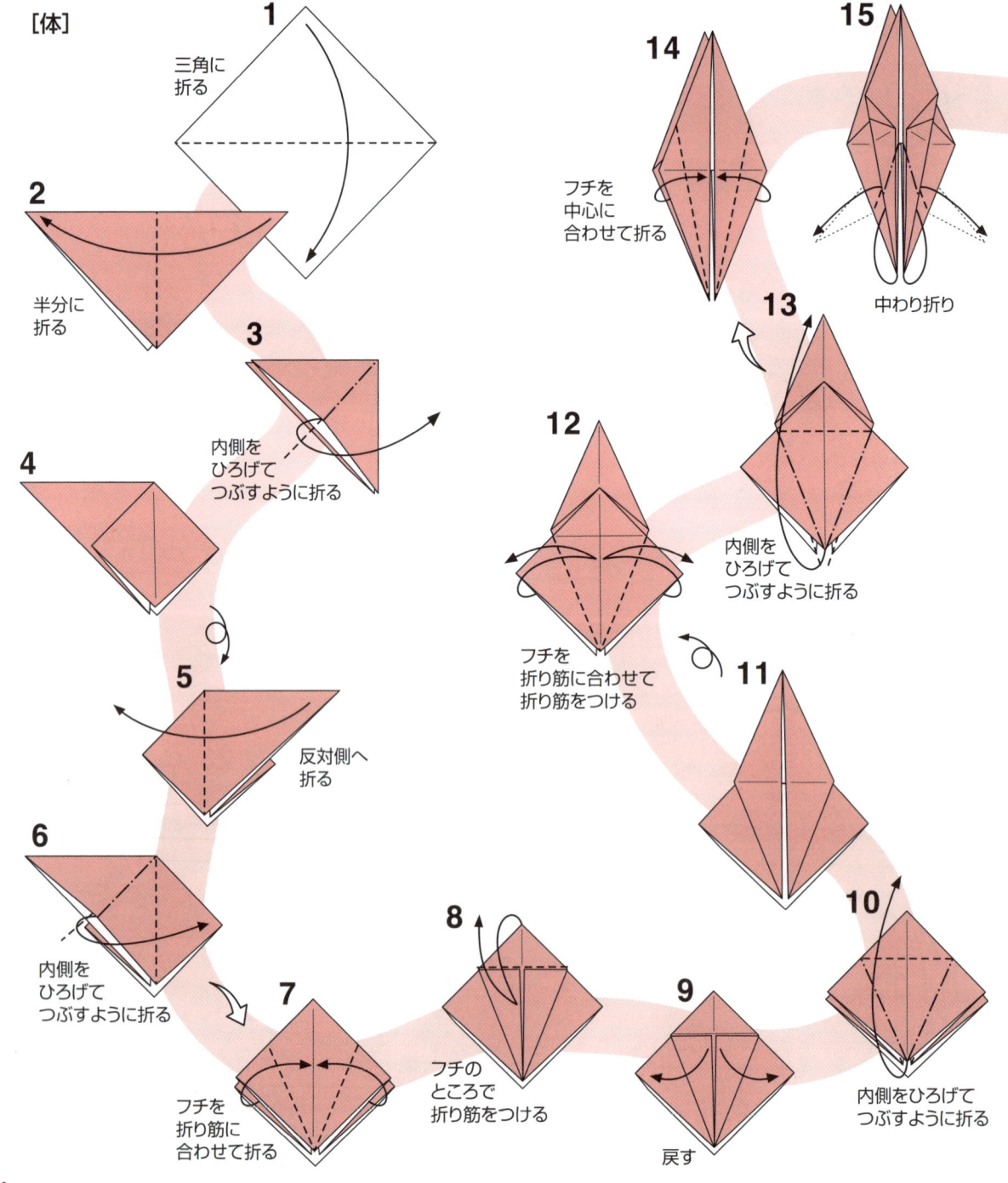

[体]

1. 三角に折る
2. 半分に折る
3. 内側をひろげてつぶすように折る
4.
5. 反対側へ折る
6. 内側をひろげてつぶすように折る
7. フチを折り筋に合わせて折る
8. フチのところで折り筋をつける
9. 戻す
10. 内側をひろげてつぶすように折る
11.
12. フチを折り筋に合わせて折り筋をつける
13. 内側をひろげてつぶすように折る
14. フチを中心に合わせて折る
15. 中わり折り

46

古代生物 | 始祖鳥

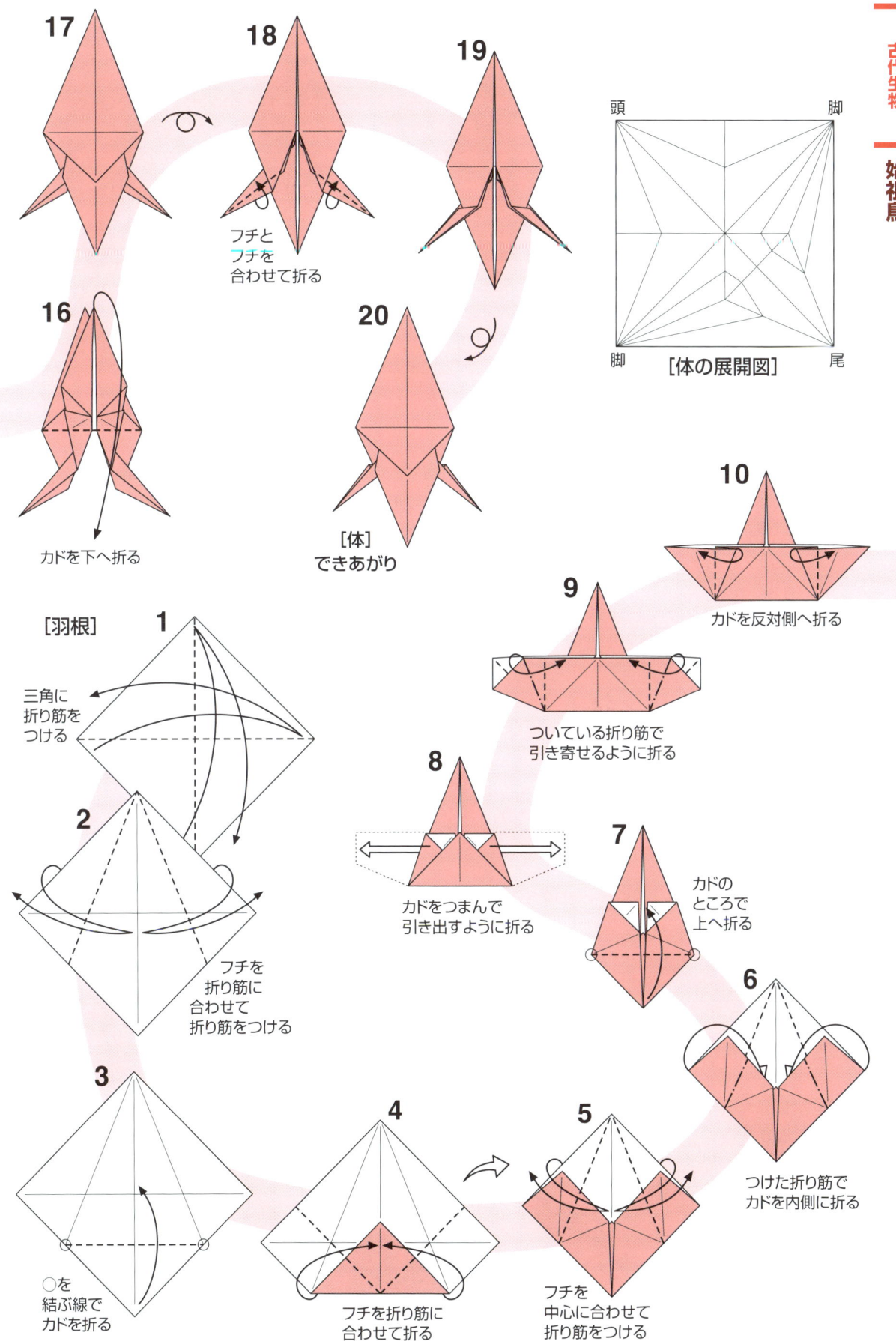

17

18 フチと
フチを
合わせて折る

19

[体の展開図]
頭 / 脚 / 脚 / 尾

16 カドを下へ折る

20 [体]
できあがり

10 カドを反対側へ折る

9 ついている折り筋で
引き寄せるように折る

8 カドをつまんで
引き出すように折る

7 カドの
ところで
上へ折る

6 つけた折り筋で
カドを内側に折る

[羽根]

1 三角に
折り筋を
つける

2 フチを
折り筋に
合わせて
折り筋をつける

3 ○を
結ぶ線で
カドを折る

4 フチを折り筋に
合わせて折る

5 フチを
中心に合わせて
折り筋をつける

47

13
●と●を合わせて斜めに折る

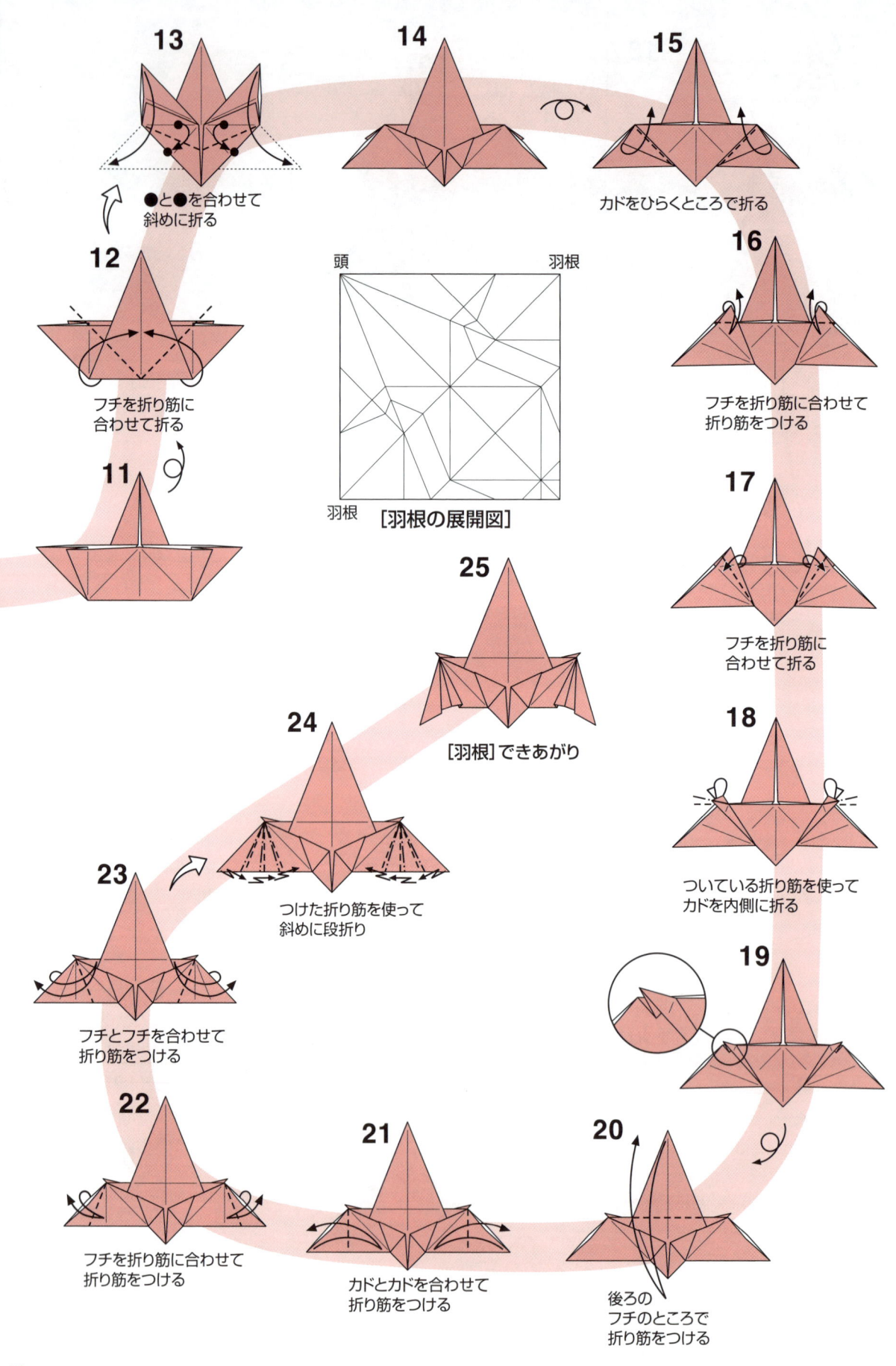

12
フチを折り筋に合わせて折る

11

[羽根の展開図]
頭　羽根
羽根

14

15
カドをひらくところで折る

16
フチを折り筋に合わせて折り筋をつける

17
フチを折り筋に合わせて折る

18
ついている折り筋を使ってカドを内側に折る

19

20
後ろのフチのところで折り筋をつける

21
カドとカドを合わせて折り筋をつける

22
フチを折り筋に合わせて折り筋をつける

23
フチとフチを合わせて折り筋をつける

24
つけた折り筋を使って斜めに段折り

25
[羽根]できあがり

48

[組み立て方]

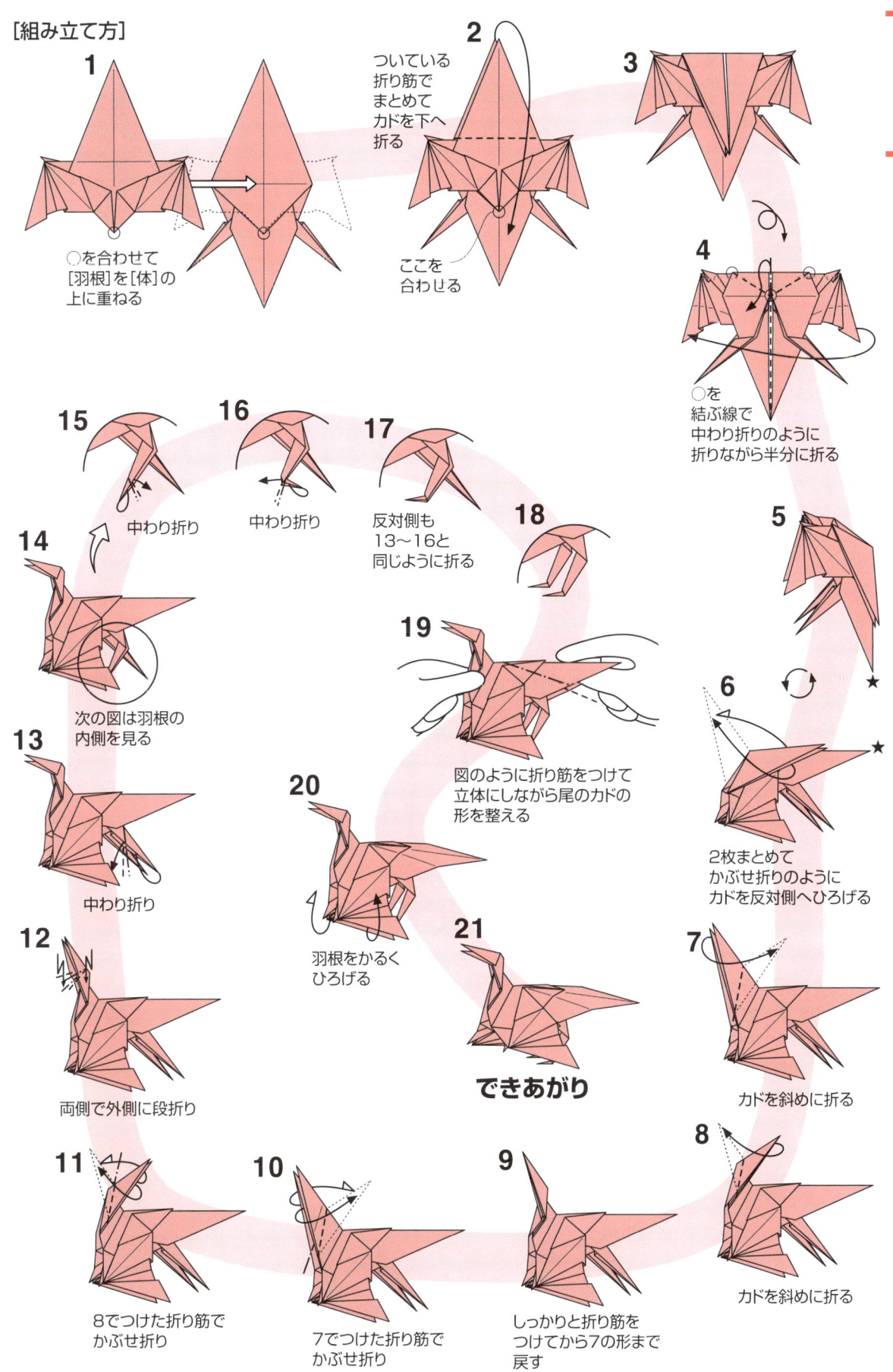

1 ○を合わせて[羽根]を[体]の上に重ねる

2 ついている折り筋でまとめてカドを下へ折る / ここを合わせる

3

4 ○を結ぶ線で中わり折りのように折りながら半分に折る

5

6 2枚まとめてかぶせ折りのようにカドを反対側へひろげる

7 カドを斜めに折る

8 カドを斜めに折る

9 しっかりと折り筋をつけてから7の形まで戻す

10 7でつけた折り筋でかぶせ折り

11 8でつけた折り筋でかぶせ折り

12 両側で外側に段折り

13 中わり折り

14 次の図は羽根の内側を見る

15 中わり折り

16 中わり折り

17 反対側も13〜16と同じように折る

18

19 図のように折り筋をつけて立体にしながら尾のカドの形を整える

20 羽根をかるくひろげる

21 できあがり

古代生物 | 始祖鳥

49

アラカルト	**ハイヒール**
難易度 ★☆☆☆☆	High Heels by Makoto Yamaguchi 創作●山口 真 15×7.5㎝ 折り紙用紙／1枚／不切一枚折り

「シンデレラ」の折り紙セットを作りたいという依頼があって作った作品です。正方形でも長方形でも折れるのですが、今回は、長方形バージョンを主体にしました。お札でも折ることができるので、この図を見ながらぜひ試してみてください。

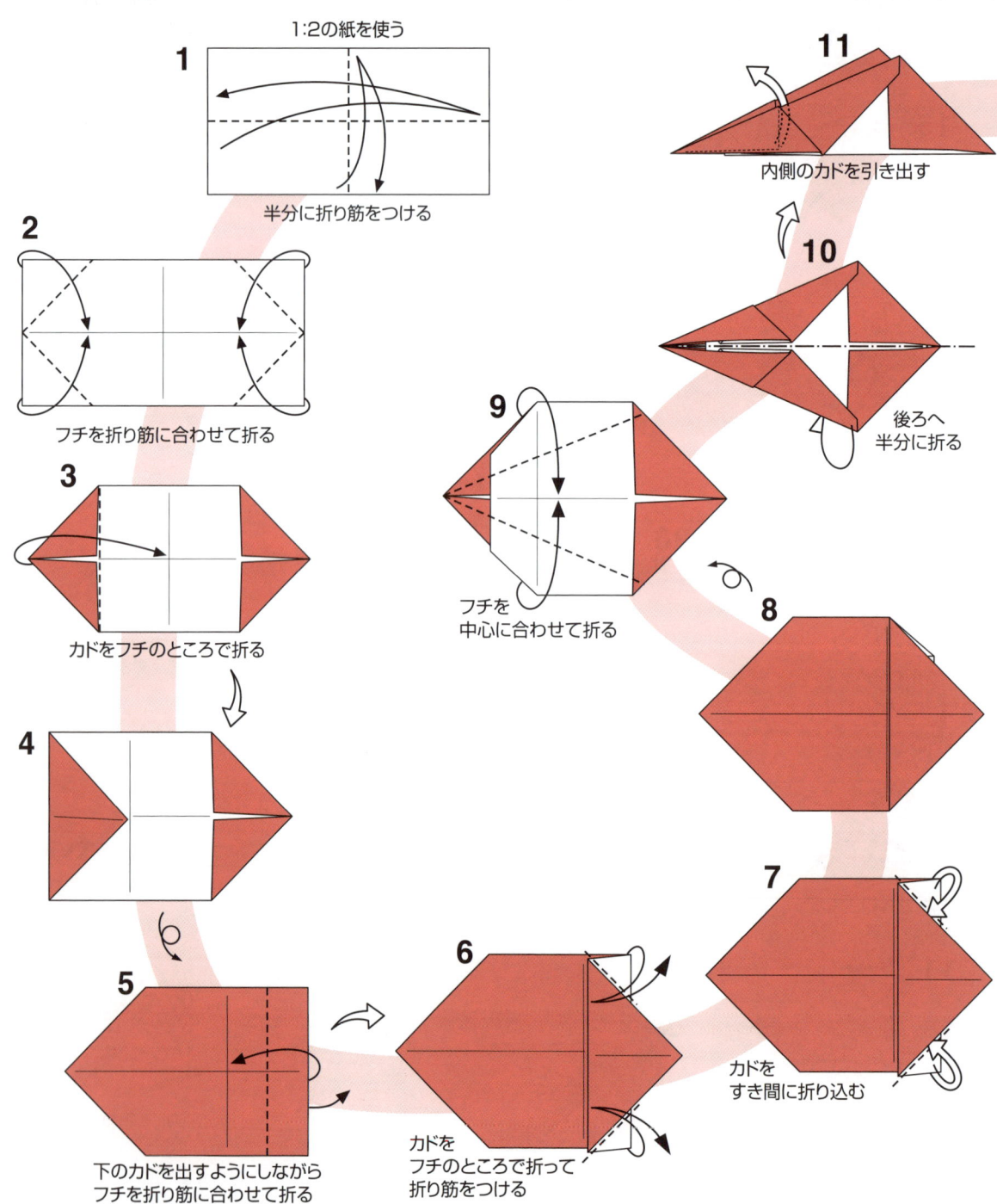

1 1:2の紙を使う
半分に折り筋をつける

2 フチを折り筋に合わせて折る

3 カドをフチのところで折る

4

5 下のカドを出すようにしながらフチを折り筋に合わせて折る

6 カドをフチのところで折って折り筋をつける

7 カドをすき間に折り込む

8

9 フチを中心に合わせて折る

10 後ろへ半分に折る

11 内側のカドを引き出す

50

13
途中の図

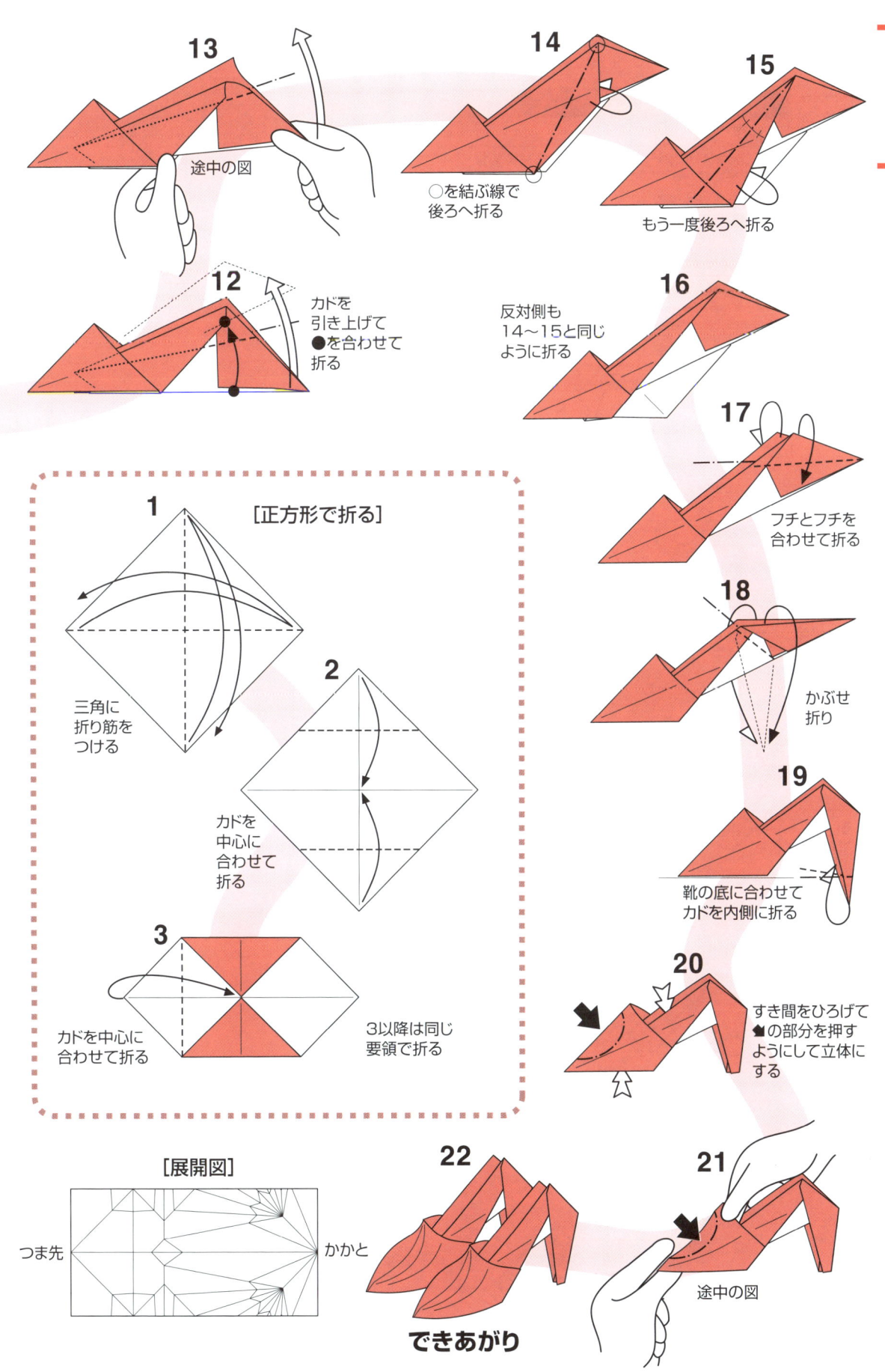

14
○を結ぶ線で後ろへ折る

15
もう一度後ろへ折る

12
カドを引き上げて●を合わせて折る

16
反対側も14〜15と同じように折る

17
フチとフチを合わせて折る

18
かぶせ折り

19
靴の底に合わせてカドを内側に折る

20
すき間をひろげて◆の部分を押すようにして立体にする

[正方形で折る]

1
三角に折り筋をつける

2
カドを中心に合わせて折る

3
カドを中心に合わせて折る

3以降は同じ要領で折る

[展開図]
つま先　かかと

21
途中の図

22
できあがり

アラカルト　ハイヒール

アラカルト

下駄
Geta by Yoshio Tsuda
創作●津田良夫

15cm 折り紙用紙／1枚／不切正方一枚折り

難易度 ★☆☆☆☆

高校は下駄で通学することが伝統だったので、下駄を履き慣れていただけでなく構造もよく知っていた。そのため大学で先輩に下駄を折れないかと聞かれたとき、鼻緒を左右に広げて下駄の歯を上下に引き延ばした十文字の形がぱっと頭に浮かんだ。鶴の基本形から創作を始めて、とても短い時間で完成した。（初出：雑誌おりがみ13号、1977年）

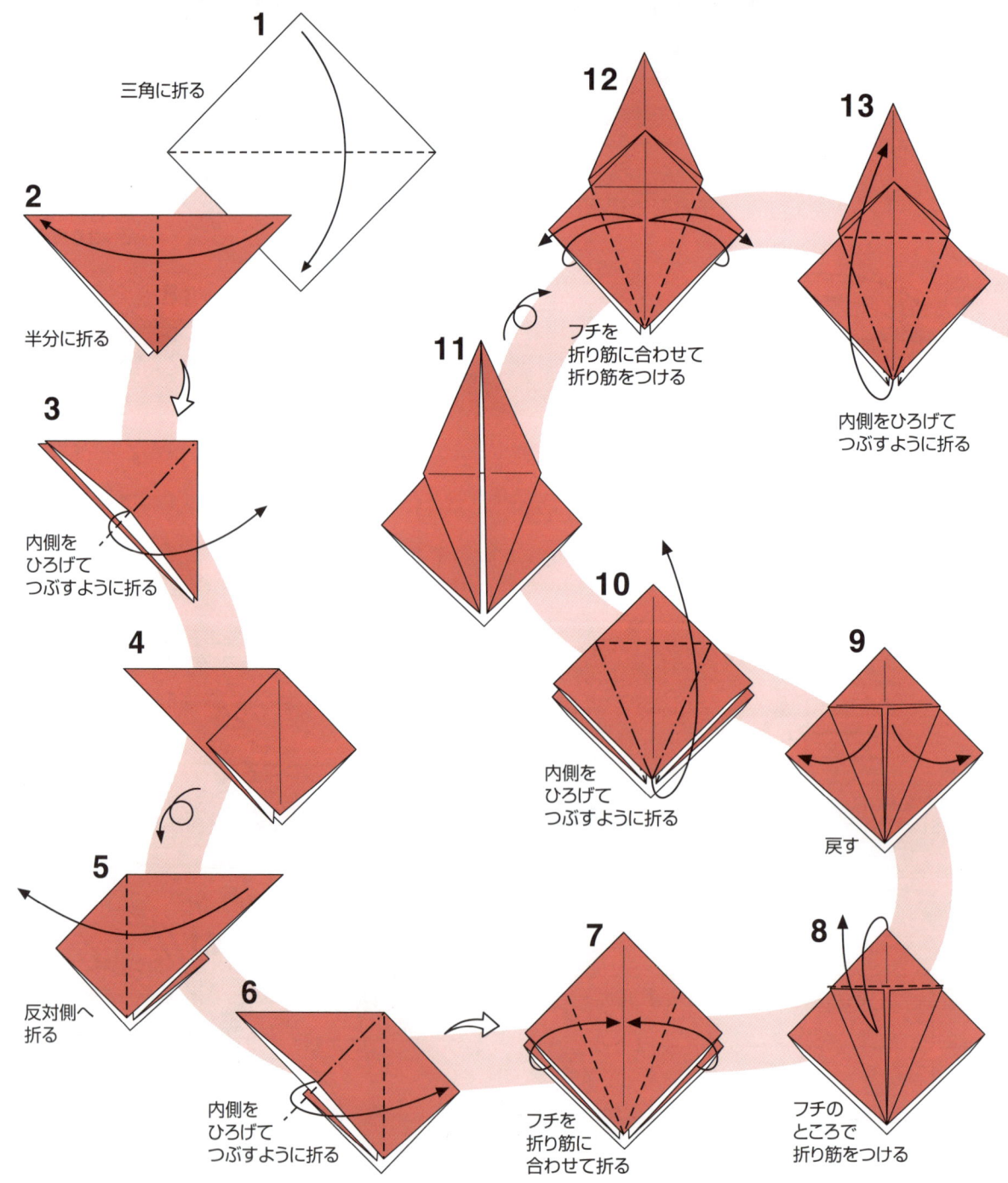

1 三角に折る

2 半分に折る

3 内側をひろげてつぶすように折る

4

5 反対側へ折る

6 内側をひろげてつぶすように折る

7 フチを折り筋に合わせて折る

8 フチのところで折り筋をつける

9 戻す

10 内側をひろげてつぶすように折る

11

12 フチを折り筋に合わせて折り筋をつける

13 内側をひろげてつぶすように折る

52

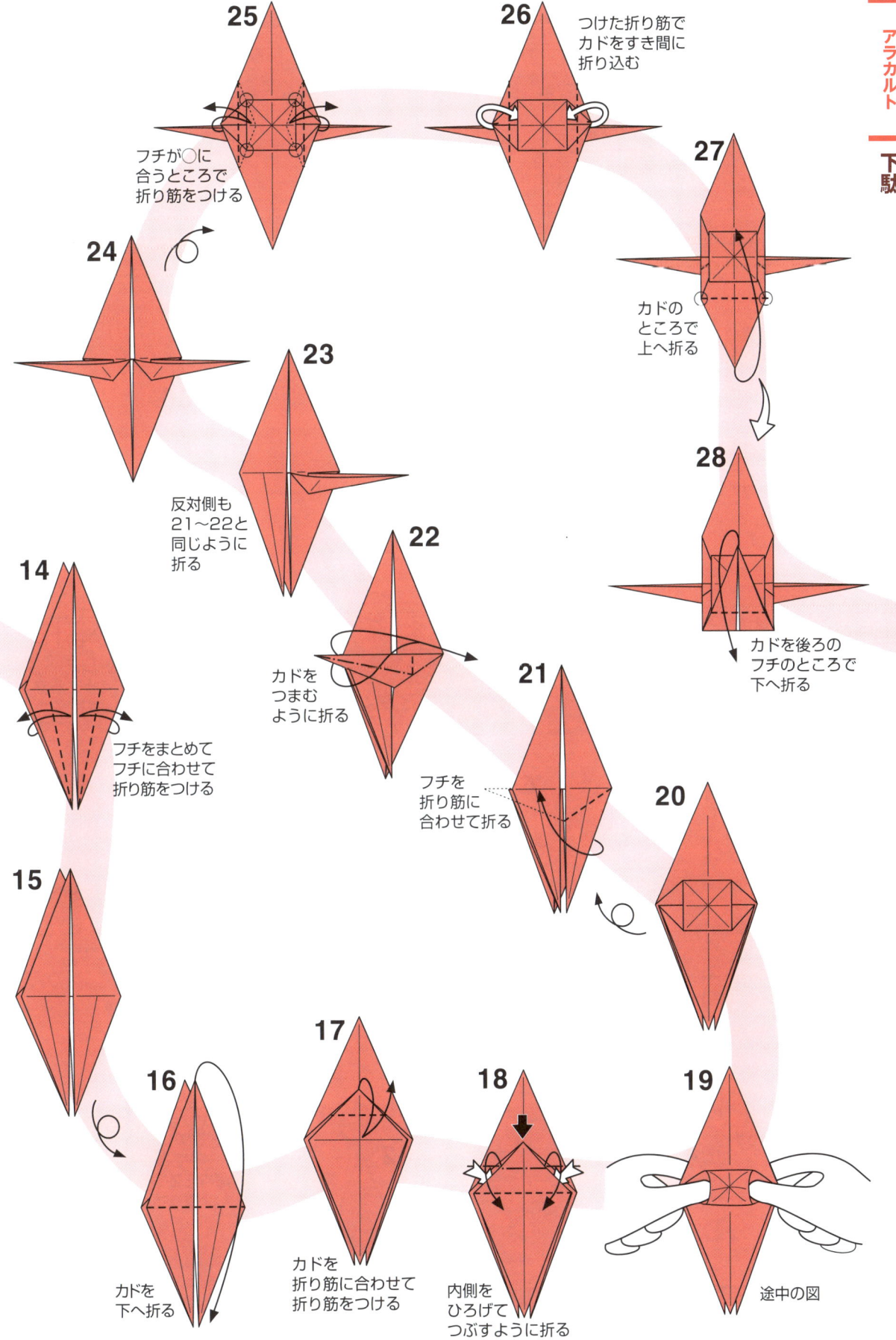

25
フチが○に合うところで折り筋をつける

26
つけた折り筋でカドをすき間に折り込む

27
カドのところで上へ折る

24

23
反対側も21〜22と同じように折る

22
カドをつまむように折る

21
フチを折り筋に合わせて折る

20

28
カドを後ろのフチのところで下へ折る

14
フチをまとめてフチに合わせて折り筋をつける

15

16
カドを下へ折る

17
カドを折り筋に合わせて折り筋をつける

18
内側をひろげてつぶすように折る

19
途中の図

アラカルト　下駄

53

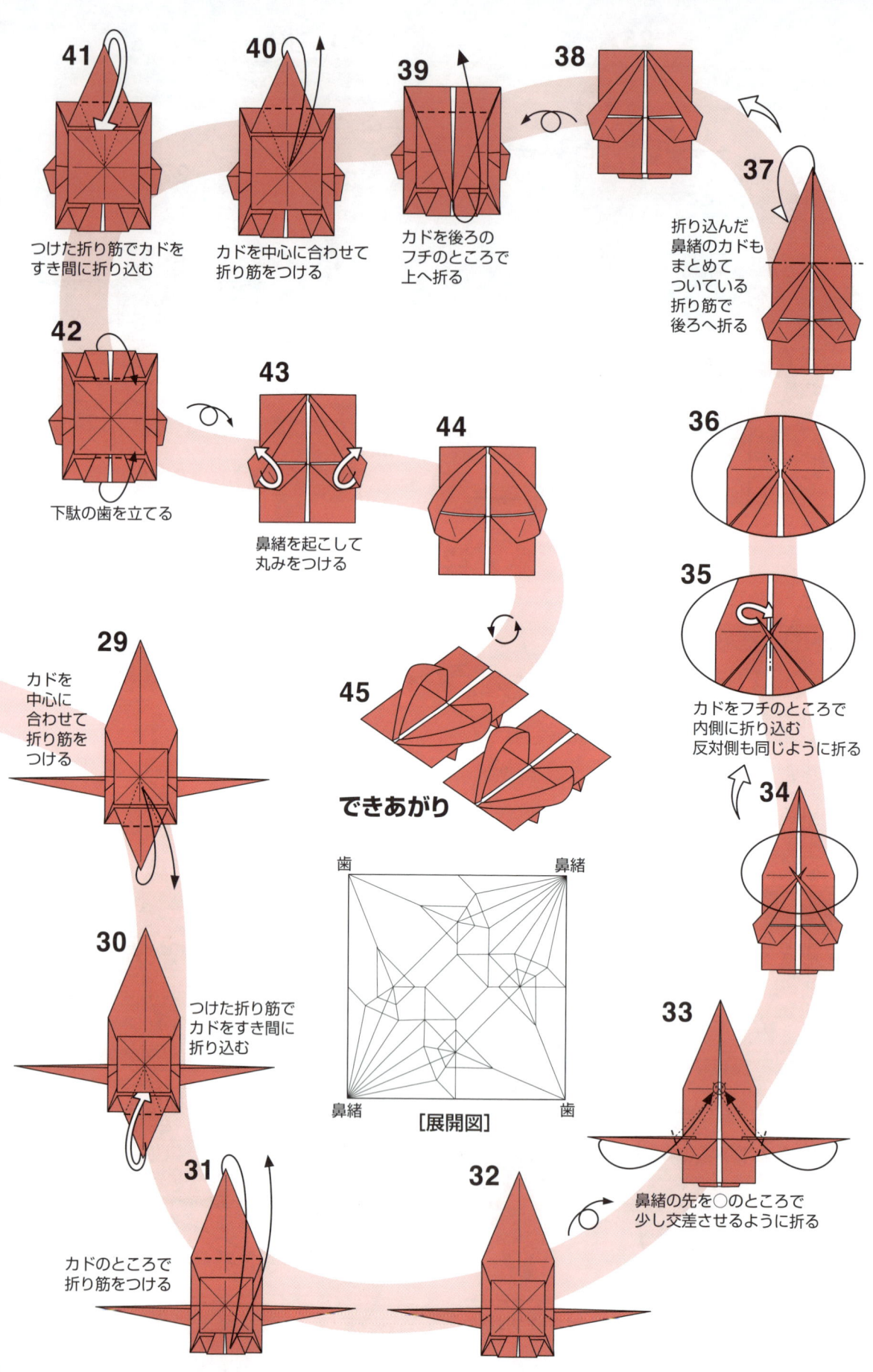

41 つけた折り筋でカドをすき間に折り込む

40 カドを中心に合わせて折り筋をつける

39 カドを後ろのフチのところで上へ折る

38

37 折り込んだ鼻緒のカドもまとめてついている折り筋で後ろへ折る

36

35 カドをフチのところで内側に折り込む 反対側も同じように折る

34

33 鼻緒の先を○のところで少し交差させるように折る

32

31 カドのところで折り筋をつける

30 つけた折り筋でカドをすき間に折り込む

29 カドを中心に合わせて折り筋をつける

42 下駄の歯を立てる

43 鼻緒を起こして丸みをつける

44

45

できあがり

歯　鼻緒
鼻緒　歯
[展開図]

第2章　昆虫

Insects

難易度
★★
★☆☆

クワガタ
P.56

カブトムシ
P.60

ヘラクレスオオカブト
P.64

マコトチョウ
P.66

アラカルト

マコトローズ
P.69
難易度 ★★★

昆虫	# クワガタ
難易度 ★★★☆☆	**Stag Beetle** by Makoto Yamaguchi 創作●山口 真 15cm 折り紙用紙／2枚／複合

［カブトムシ］、［ヘラクレスオオカブト］よりも比較的やさしい作品です。［後ろ］は［カブトムシ］の［後ろ］よりも全体的に細長く、平べったくすることで差別化をしています。この作品も［前］の大あごの形を変えれば、別の種類のクワガタを作ることができそうです。

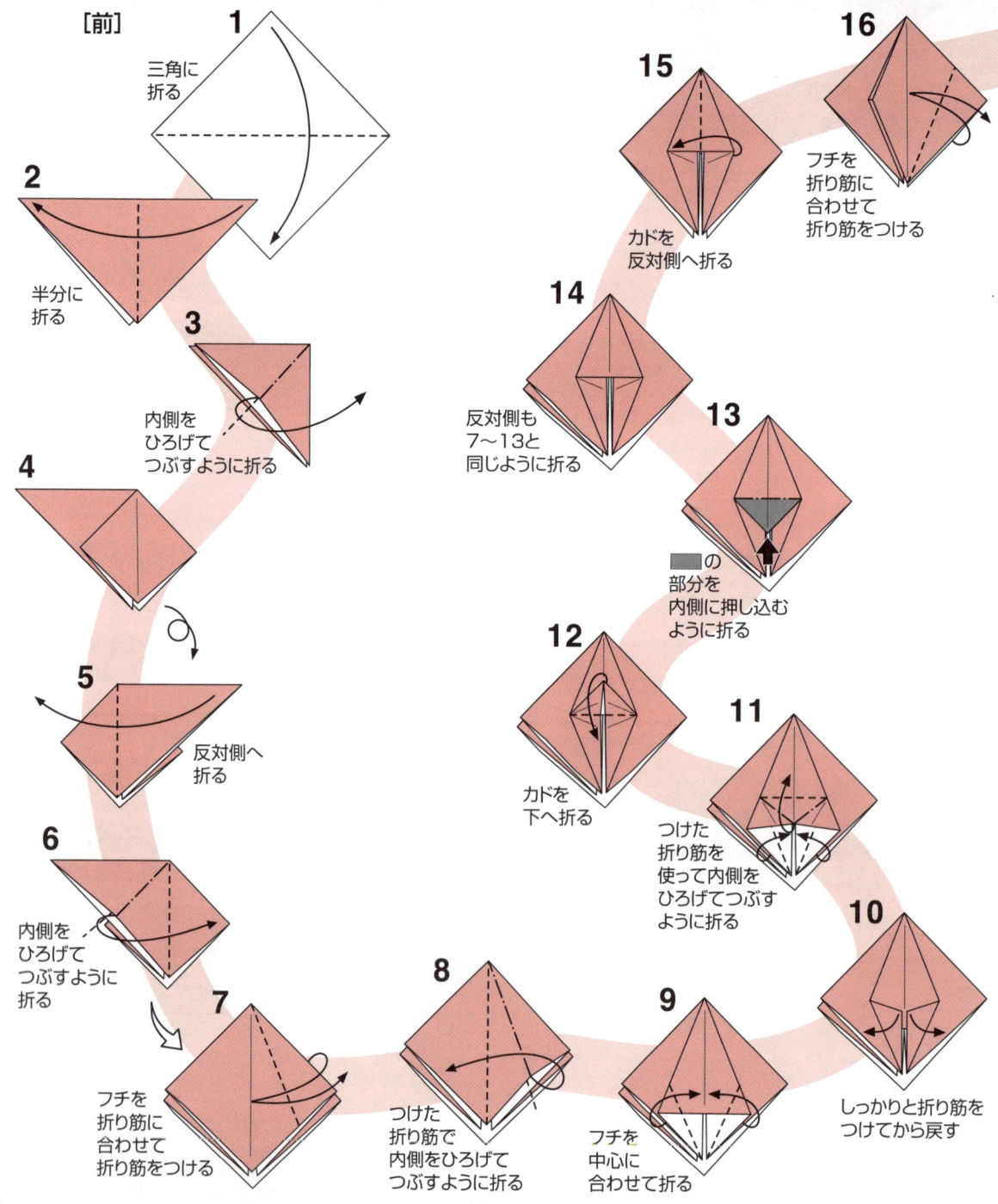

［前］

1 三角に折る

2 半分に折る

3 内側をひろげてつぶすように折る

4

5 反対側へ折る

6 内側をひろげてつぶすように折る

7 フチを折り筋に合わせて折り筋をつける

8 つけた折り筋で内側をひろげてつぶすように折る

9 フチを中心に合わせて折る

10 しっかりと折り筋をつけてから戻す

11 つけた折り筋を使って内側をひろげてつぶすように折る

12 カドを下へ折る

13 ■の部分を内側に押し込むように折る

14 反対側も7～13と同じように折る

15 カドを反対側へ折る

16 フチを折り筋に合わせて折り筋をつける

56

18
カドを
上の1枚だけ
反対側へ折る

19
反対側も
15～18と
同じように折る

20
カドのところで
上へ折る

21

22
フチを
下へ折る

17
つけた
折り筋で
カドを内側に折る

24
フチを
上へ折る

23
内側の
1枚だけ
カドを上へ
折る

25
カドを
ついている
折り筋で
斜めに折る

26
フチとフチを
合わせて折る

33

32
カドを
ひらく
ところで
横へ折る

34
カドを○に
合わせて折る

27
カドを
反対側へ
折る

35
○を合わせてカドを
反対側へ折る

28
内側の
1枚だけカドを
反対側へ折る

31
カドを
斜めに折る

36
カドを
反対側へ折る 少しあける

29
ついている
折り筋で
カドを後ろへ
折る

30
反対側も
25～29と
同じように折る

37
反対側も
35～36と同じ
ように折る

昆虫　クワガタ

57

[後ろ]

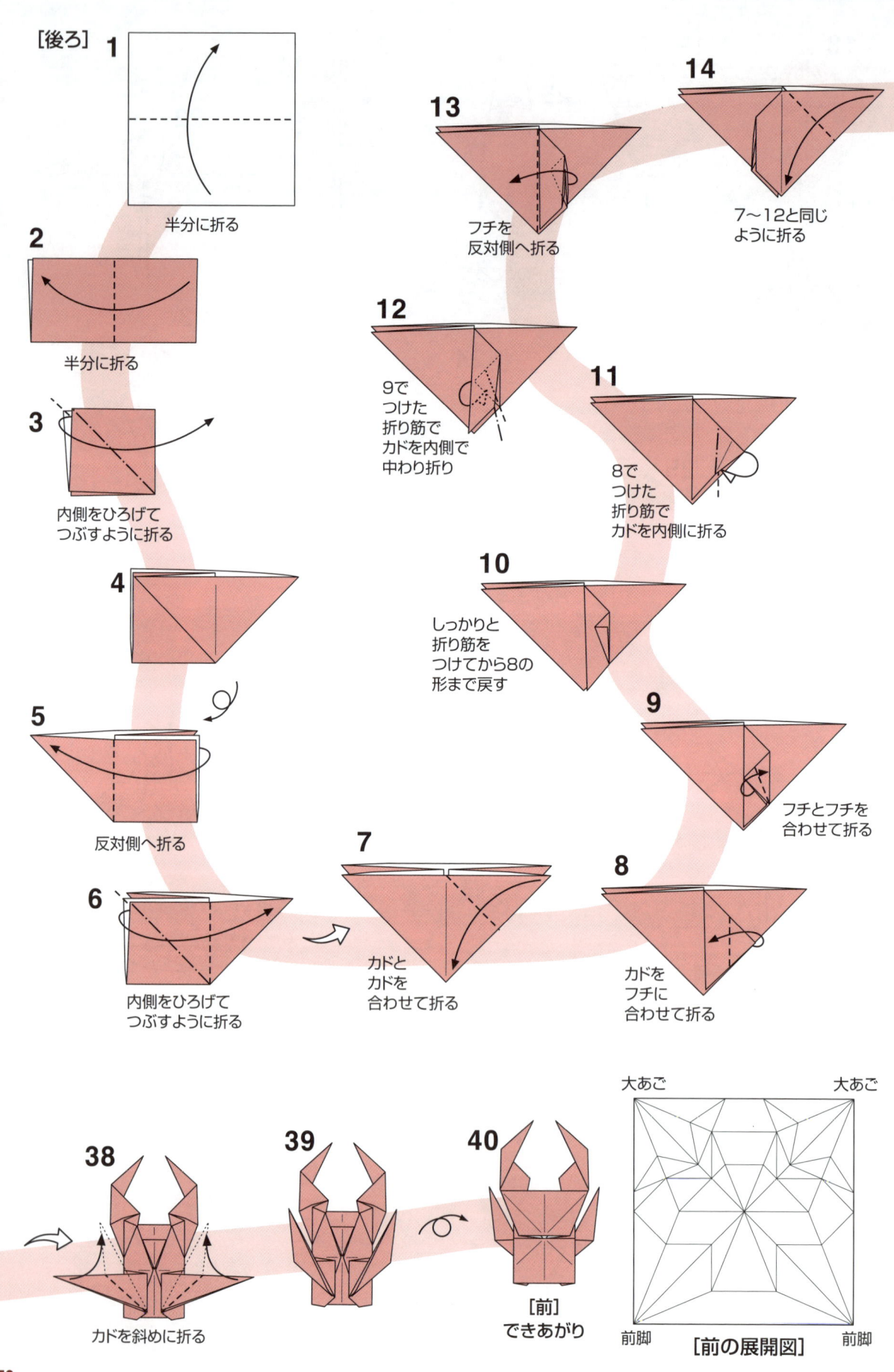

1 半分に折る

2 半分に折る

3 内側をひろげてつぶすように折る

4

5 反対側へ折る

6 内側をひろげてつぶすように折る

7 カドとカドを合わせて折る

8 カドをフチに合わせて折る

9 フチとフチを合わせて折る

10 しっかりと折り筋をつけてから8の形まで戻す

11 8でつけた折り筋でカドを内側に折る

12 9でつけた折り筋でカドを内側で中わり折り

13 フチを反対側へ折る

14 7〜12と同じように折る

38 カドを斜めに折る

39

40 [前] できあがり

大あご　大あご
前脚　前脚
[前の展開図]

15
○のところで
カドを横へ折る

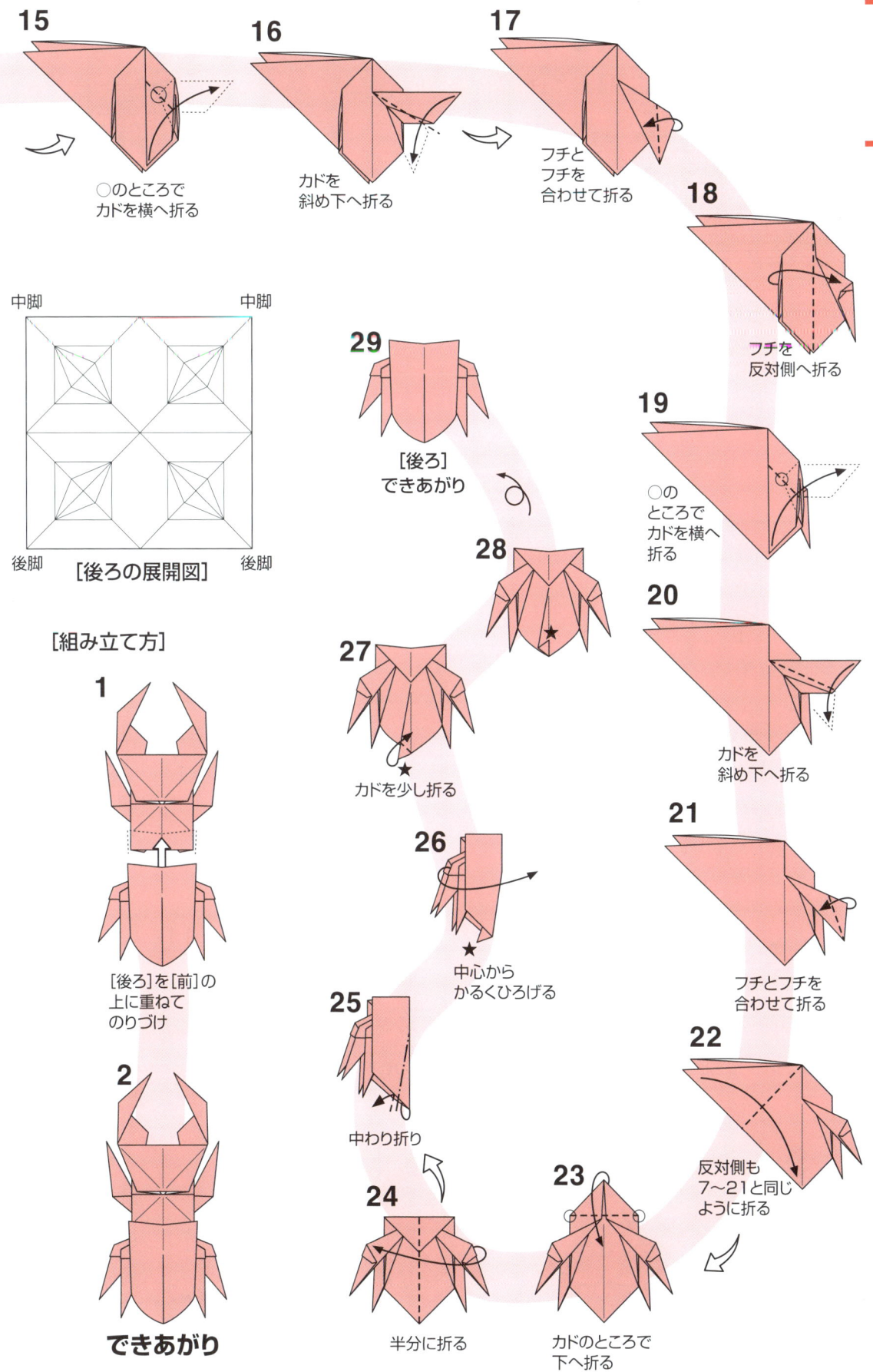

16
カドを
斜め下へ折る

17
フチと
フチを
合わせて折る

18
フチを
反対側へ折る

19
○の
ところで
カドを横へ
折る

20
カドを
斜め下へ折る

21
フチとフチを
合わせて折る

22
反対側も
7〜21と同じ
ように折る

23
カドのところで
下へ折る

24
半分に折る

25
中わり折り

26
★
中心から
かるくひろげる

27
カドを少し折る

28

29
[後ろ]
できあがり

昆虫 クワガタ

[後ろの展開図]
中脚　中脚
後脚　後脚

[組み立て方]

1
[後ろ]を[前]の
上に重ねて
のりづけ

2
できあがり

59

| 昆虫 | # カブトムシ
Japanese Rhinoceros Beetle by Makoto Yamaguchi
創作● 山口 真
15cm 折り紙用紙／2枚／複合

難易度 ★★★☆☆

20年程前、若手折り紙作家の間で「昆虫戦争」が起こりました。1枚の紙でどこまでリアルで複雑な昆虫を表現できるかという「戦い」です。そこでたくさんの超難解作品が生まれました。この作品は2枚複合ですが、立体的で結構リアルな仕上がりになります。ぜひ格好よく折ってください。

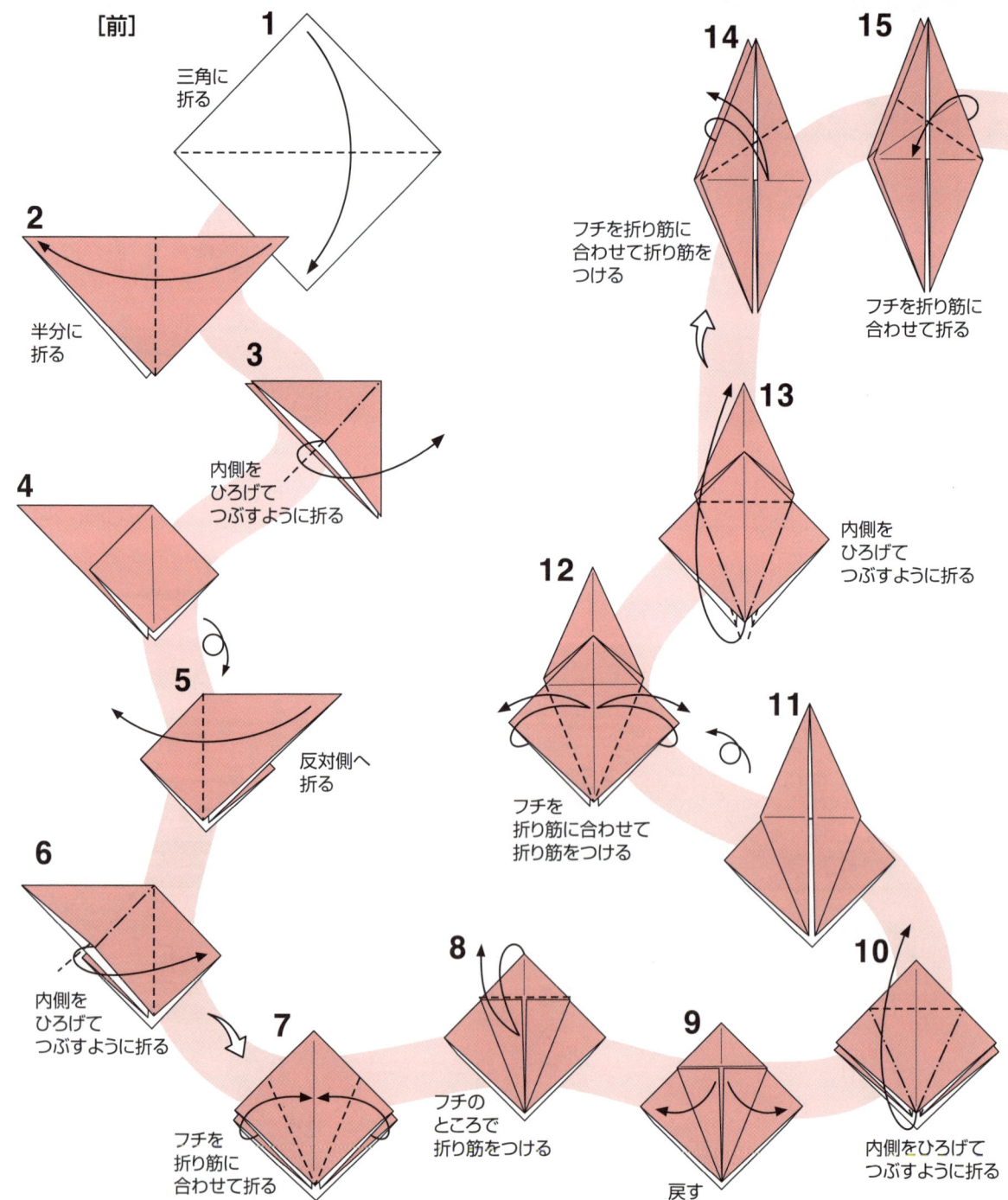

[前]

1 三角に折る

2 半分に折る

3 内側をひろげてつぶすように折る

4

5 反対側へ折る

6 内側をひろげてつぶすように折る

7 フチを折り筋に合わせて折る

8 フチのところで折り筋をつける

9 戻す

10 内側をひろげてつぶすように折る

11

12 フチを折り筋に合わせて折り筋をつける

13 内側をひろげてつぶすように折る

14 フチを折り筋に合わせて折り筋をつける

15 フチを折り筋に合わせて折る

60

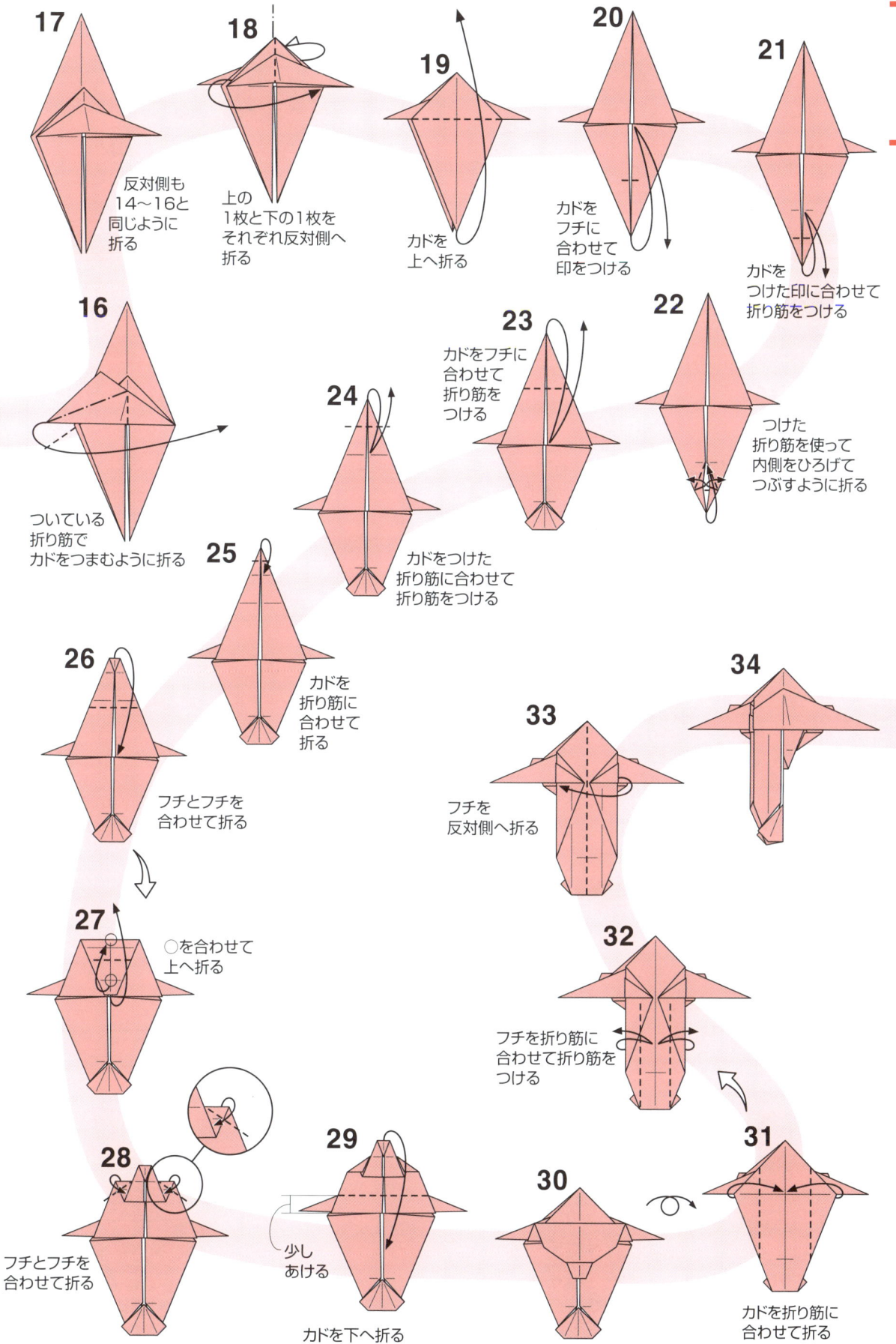

17 反対側も14〜16と同じように折る

18 上の1枚と下の1枚をそれぞれ反対側へ折る

19 カドを上へ折る

20 カドをフチに合わせて印をつける

21 カドをつけた印に合わせて折り筋をつける

昆虫 | カブトムシ

16 ついている折り筋でカドをつまむように折る

24

23 カドをフチに合わせて折り筋をつける

22 つけた折り筋を使って内側をひろげてつぶすように折る

カドをつけた折り筋に合わせて折り筋をつける

25 カドを折り筋に合わせて折る

34

26 フチとフチを合わせて折る

33 フチを反対側へ折る

32 フチを折り筋に合わせて折り筋をつける

27 ○を合わせて上へ折る

28 フチとフチを合わせて折る

29 少しあける　カドを下へ折る

30

31 カドを折り筋に合わせて折る

61

44
カドを内側に折る

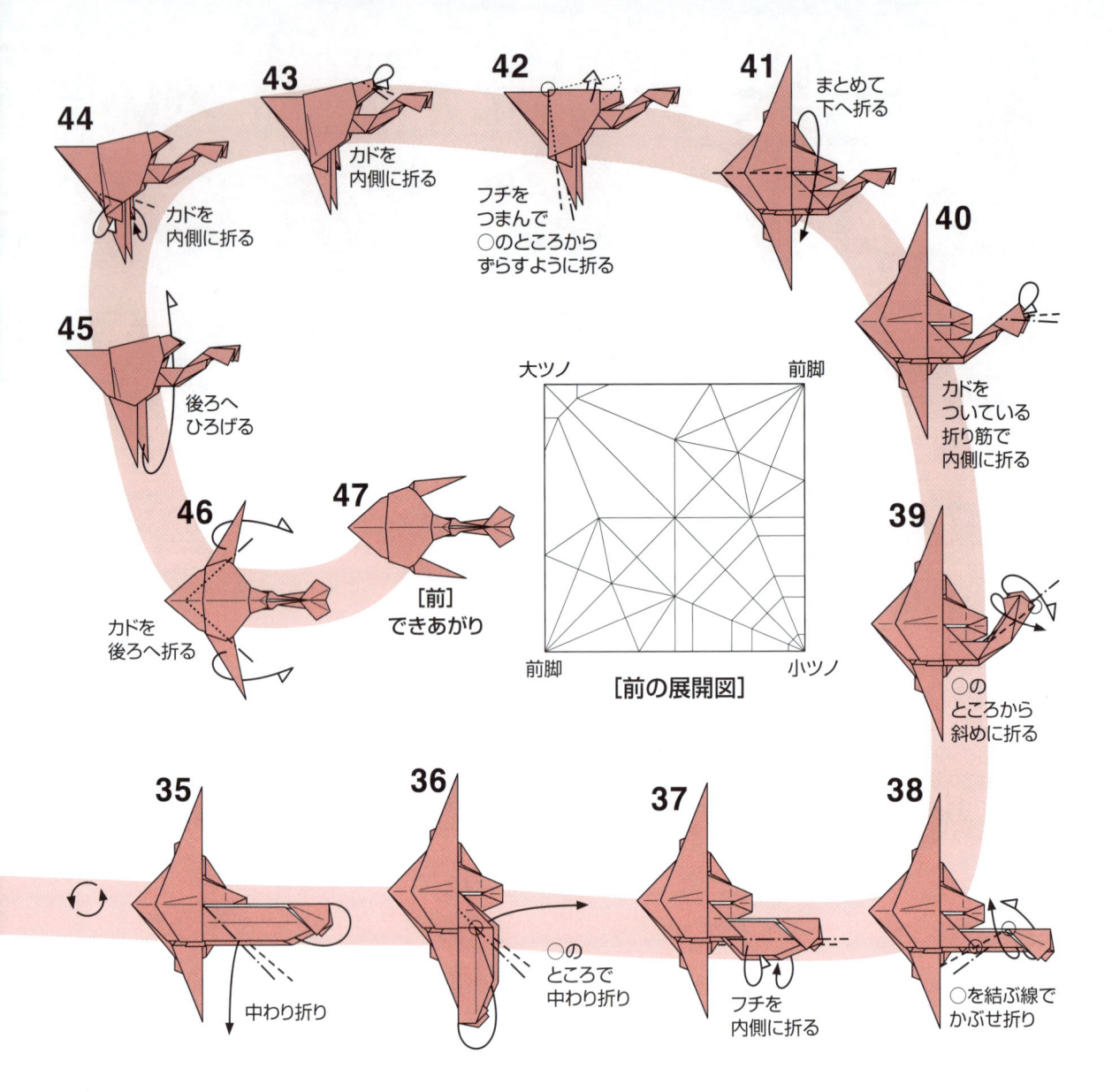

43
カドを内側に折る

42
フチをつまんで○のところからずらすように折る

41
まとめて下へ折る

40
カドをついている折り筋で内側に折る

45
後ろへひろげる

46
カドを後ろへ折る

47
[前]できあがり

大ツノ　前脚
前脚　小ツノ
[前の展開図]

39
○のところから斜めに折る

35
中わり折り

36
○のところで中わり折り

37
フチを内側に折る

38
○を結ぶ線でかぶせ折り

[後ろ]（カブトムシとヘラクレスオオカブトの[後ろ]は同じものです）

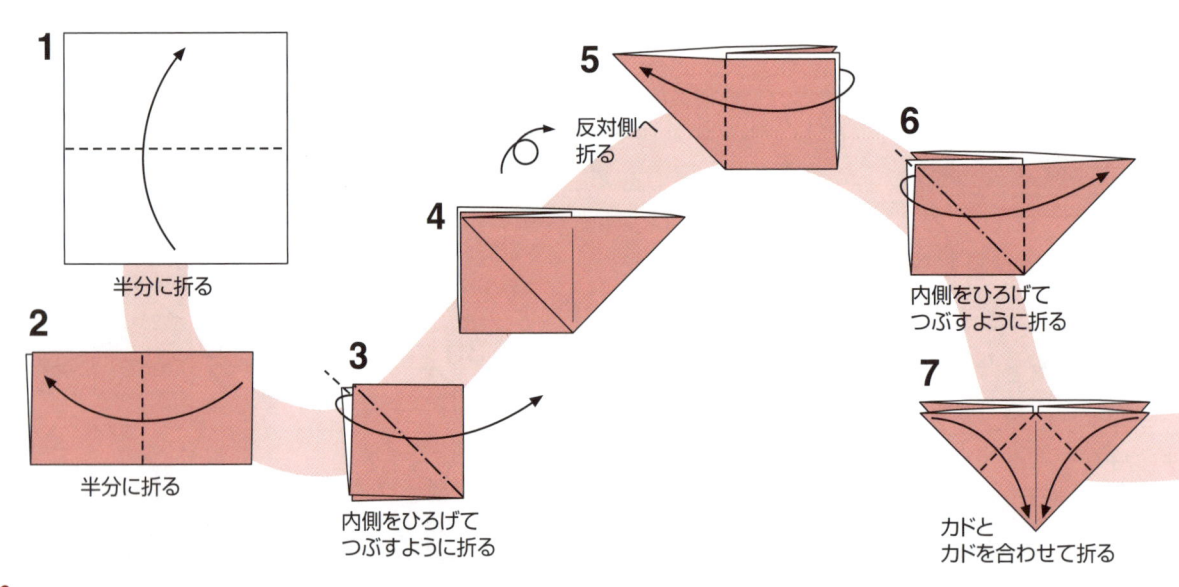

1
半分に折る

2
半分に折る

3
内側をひろげてつぶすように折る

4

5
反対側へ折る

6
内側をひろげてつぶすように折る

7
カドとカドを合わせて折る

昆虫

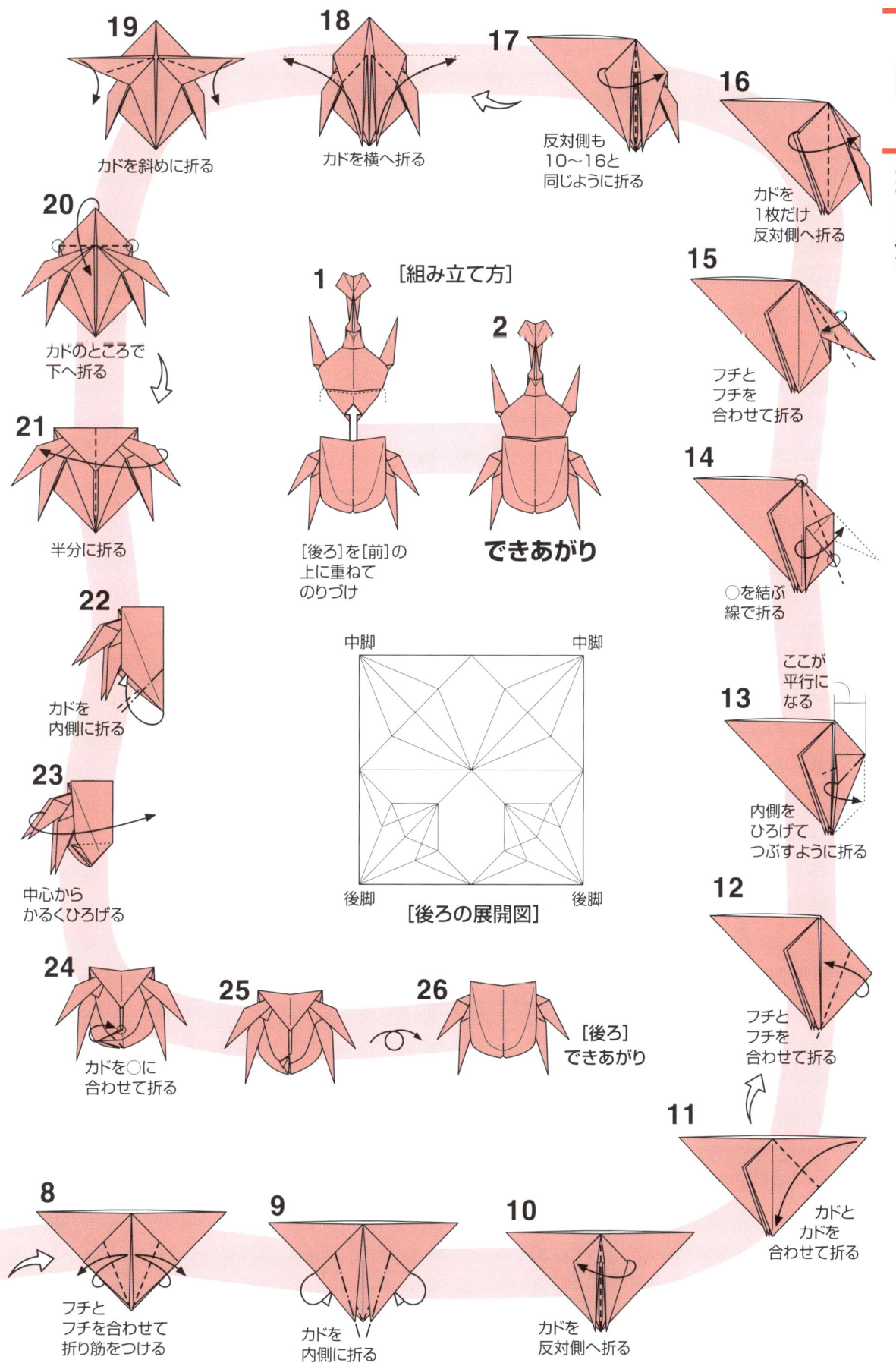

カブトムシ

19 カドを斜めに折る

18 カドを横へ折る

17 反対側も10〜16と同じように折る

16 カドを1枚だけ反対側へ折る

15 フチとフチを合わせて折る

14 ○を結ぶ線で折る

ここが平行になる

13 内側をひろげてつぶすように折る

20 カドのところで下へ折る

1 [組み立て方]

2 できあがり

[後ろ]を[前]の上に重ねてのりづけ

21 半分に折る

22 カドを内側に折る

23 中心からかるくひろげる

中脚　　中脚

後脚　　後脚

[後ろの展開図]

12 フチとフチを合わせて折る

24 カドを○に合わせて折る

25

26 [後ろ]できあがり

11 カドとカドを合わせて折る

8 フチとフチを合わせて折り筋をつける

9 カドを内側に折る

10 カドを反対側へ折る

63

ヘラクレスオオカブト

Hercules Beetle by Makoto Yamaguchi

昆虫

難易度 ★★★☆☆

創作●山口 真

15cm 折り紙用紙／2枚／複合

[カブトムシ]ができてから、[後ろ]は同じ折り方で、[前]を変えることで別の種類のカブトムシを作ることができるだろうと考えて生まれた作品です。他にもアレンジすることで、いろいろな種類のカブトムシを作ることができそうです。[前]の仕上げは立体的な工程が多いので、図と解説をよく見て仕上げてください。

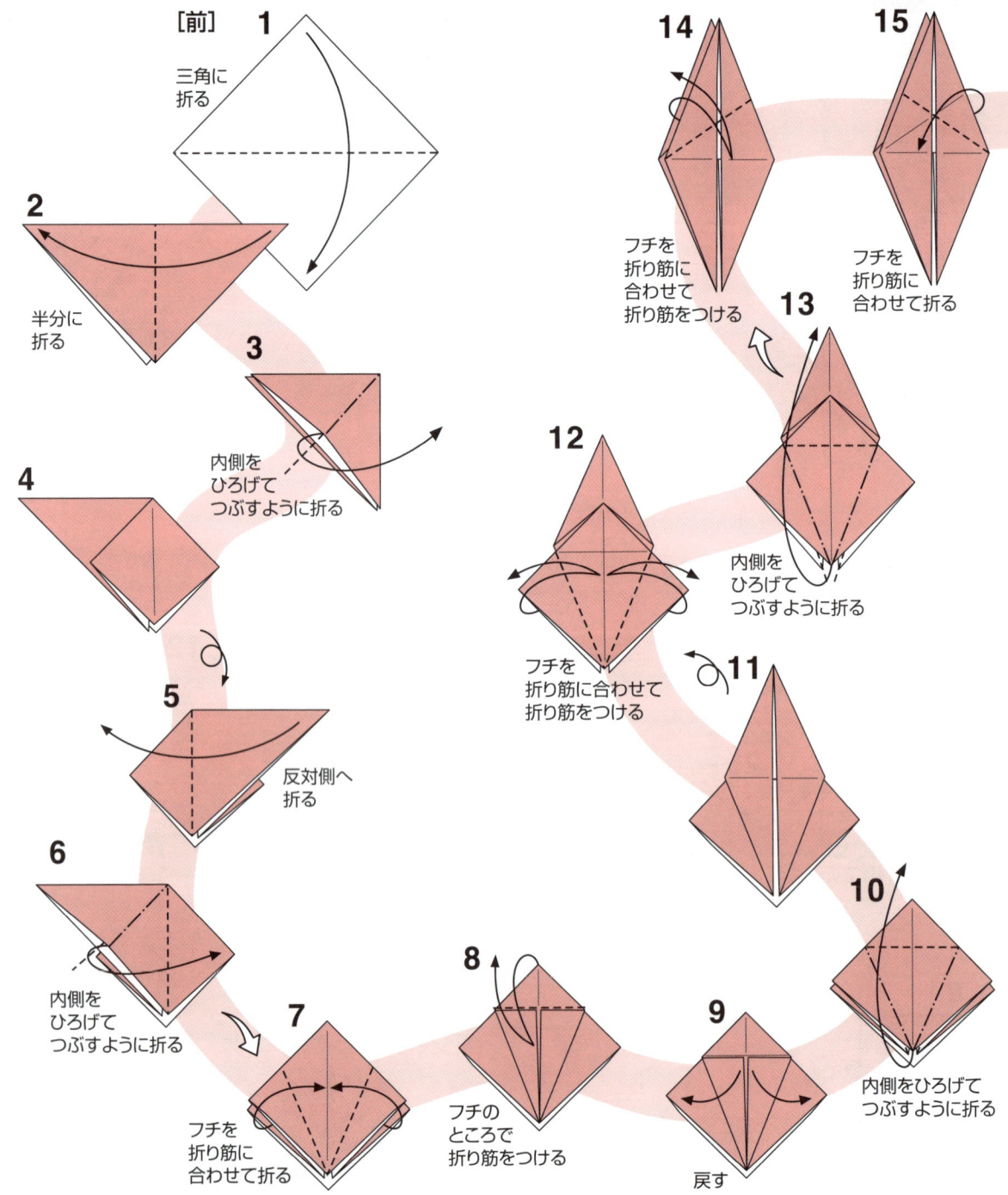

[前]

1. 三角に折る
2. 半分に折る
3. 内側をひろげてつぶすように折る
4.
5. 反対側へ折る
6. 内側をひろげてつぶすように折る
7. フチを折り筋に合わせて折る
8. フチのところで折り筋をつける
9. 戻す
10. 内側をひろげてつぶすように折る
11.
12. フチを折り筋に合わせて折り筋をつける
13. 内側をひろげてつぶすように折る
14. フチを折り筋に合わせて折り筋をつける
15. フチを折り筋に合わせて折る

64

17

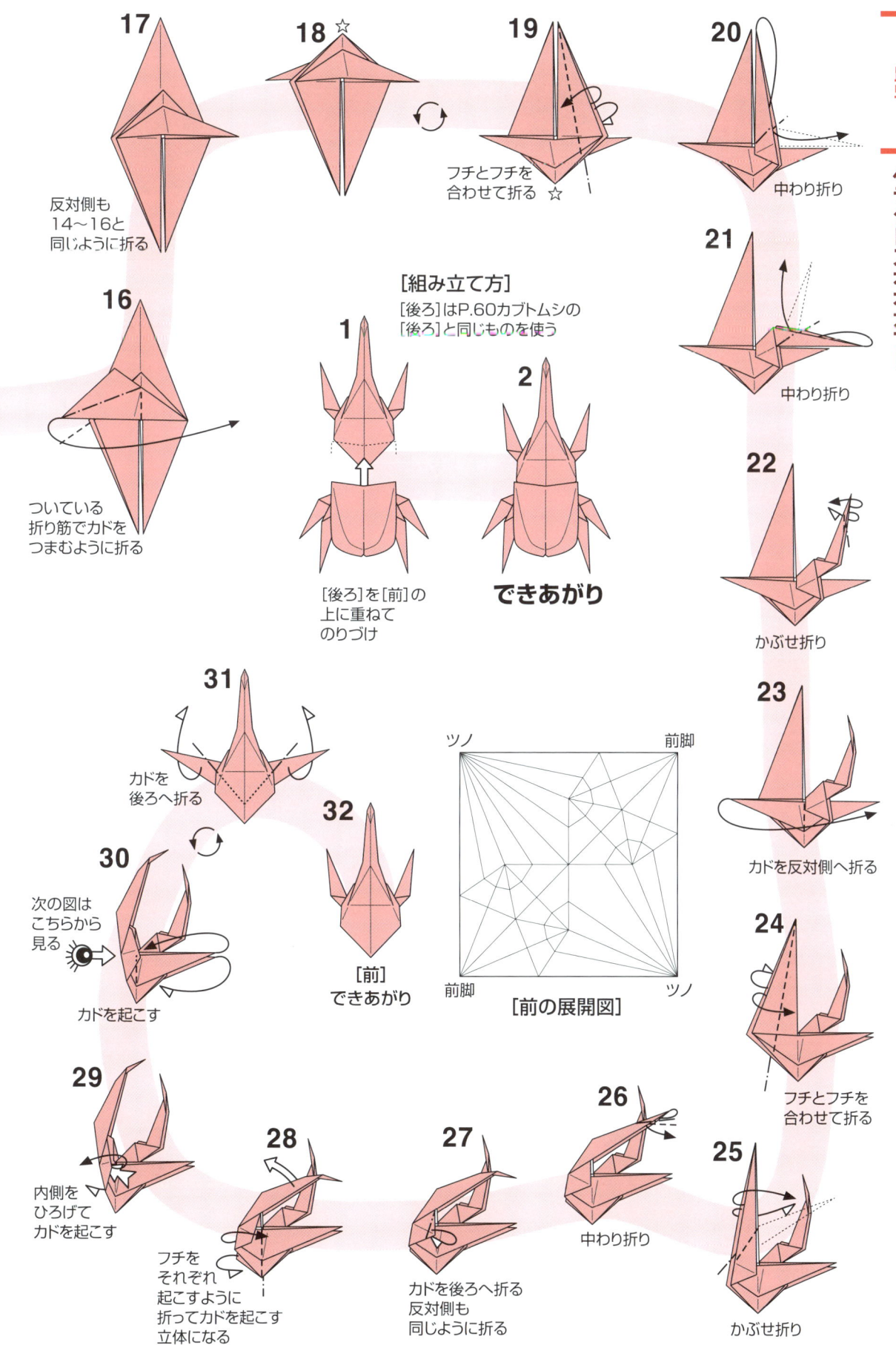

18 ☆

19
フチとフチを
合わせて折る ☆

20
中わり折り

昆虫

ヘラクレスオオカブト

16
ついている
折り筋でカドを
つまむように折る

反対側も
14〜16と
同じように折る

[組み立て方]
[後ろ]はP.60カブトムシの
[後ろ]と同じものを使う

1
[後ろ]を[前]の
上に重ねて
のりづけ

2
できあがり

21
中わり折り

22
かぶせ折り

23
カドを反対側へ折る

24
フチとフチを
合わせて折る

31
カドを
後ろへ折る

30
次の図は
こちらから
見る
カドを起こす

32
[前]
できあがり

[前の展開図]

ツノ　　前脚

前脚　　ツノ

29
内側を
ひろげて
カドを起こす

28
フチを
それぞれ
起こすように
折ってカドを起こす
立体になる

27
カドを後ろへ折る
反対側も
同じように折る

26
中わり折り

25
かぶせ折り

65

昆虫
難易度 ★★★☆☆

マコトチョウ

Makoto-cho by Michael G. LaFosse
創作●マイケル・G・ラフォース

15cm 折り紙用紙／1枚／不切正方一枚折り

この蝶の作品名「マコトチョウ」は、山口真さんの名前を冠しています。彼の長年にわたる折り紙の普及活動、国境を越えた世界的な交流への貢献と、折り紙への情熱に対する敬意と尊敬を込めて、私たちはこの蝶の名前を、「マコトチョウ」と名づけました。

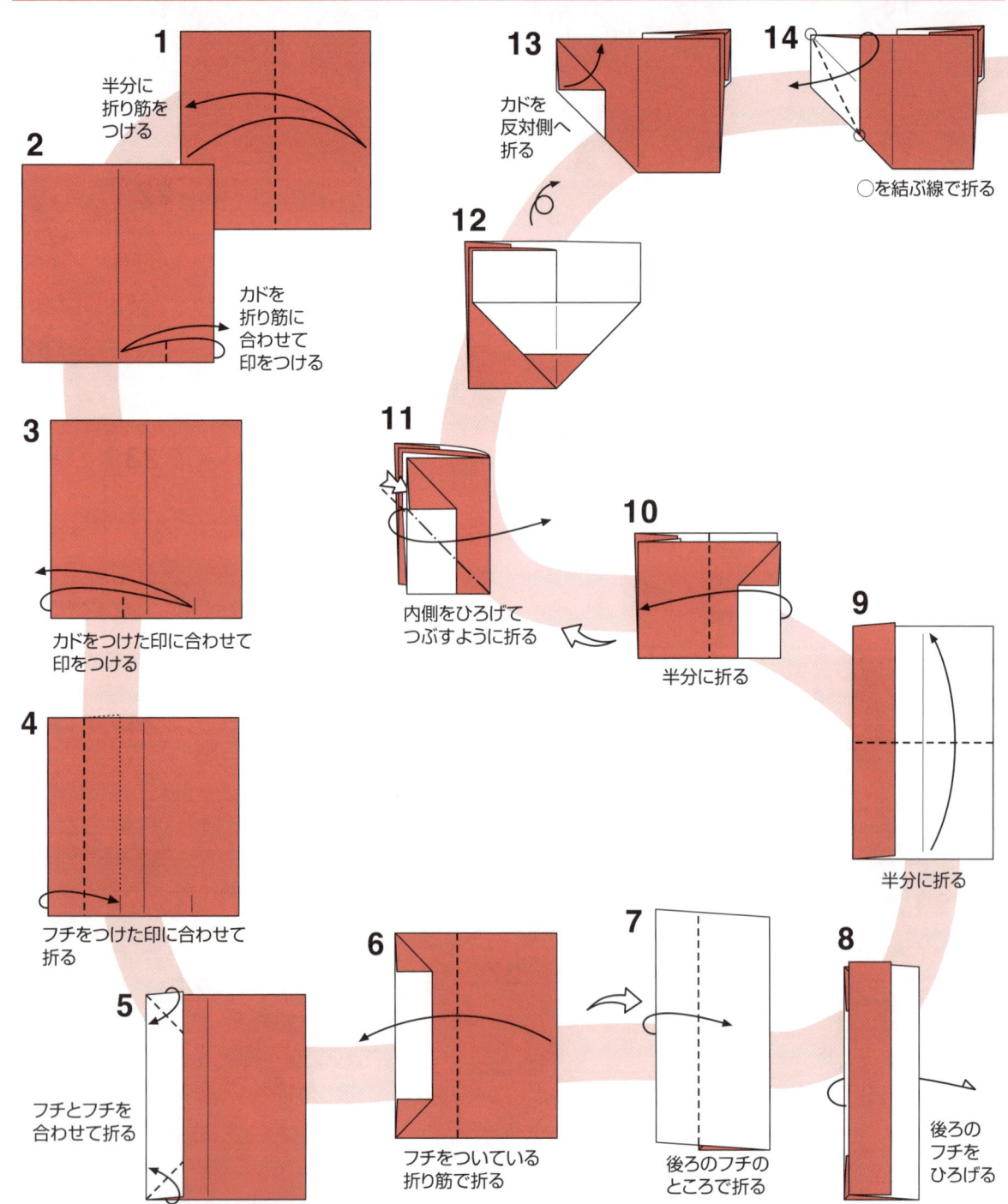

1 半分に折り筋をつける

2

3 カドを折り筋に合わせて印をつける

3 カドをつけた印に合わせて印をつける

4 フチをつけた印に合わせて折る

5 フチとフチを合わせて折る

6 フチをついている折り筋で折る

7 後ろのフチのところで折る

8 後ろのフチをひろげる

9 半分に折る

10 半分に折る

11 内側をひろげてつぶすように折る

12

13 カドを反対側へ折る

14 ○を結ぶ線で折る

66

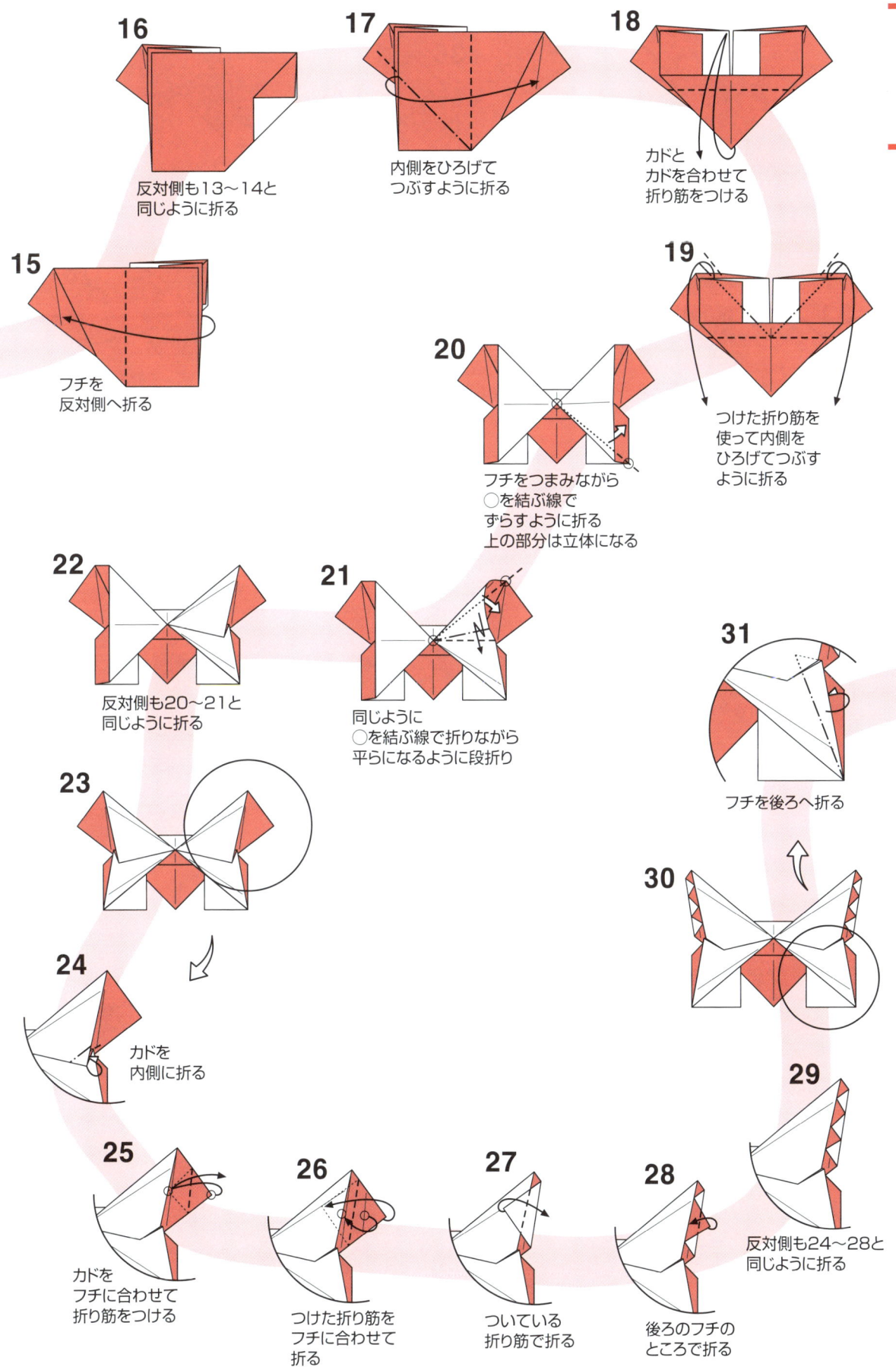

マコトチョウ

昆虫

16 反対側も13〜14と同じように折る

17 内側をひろげてつぶすように折る

18 カドとカドを合わせて折り筋をつける

15 フチを反対側へ折る

19 つけた折り筋を使って内側をひろげてつぶすように折る

20 フチをつまみながら○を結ぶ線でずらすように折る 上の部分は立体になる

22 反対側も20〜21と同じように折る

21 同じように○を結ぶ線で折りながら平らになるように段折り

31 フチを後ろへ折る

23

30

24 カドを内側に折る

29 反対側も24〜28と同じように折る

25 カドをフチに合わせて折り筋をつける

26 つけた折り筋をフチに合わせて折る

27 ついている折り筋で折る

28 後ろのフチのところで折る

67

34
フチとフチを
合わせて折る

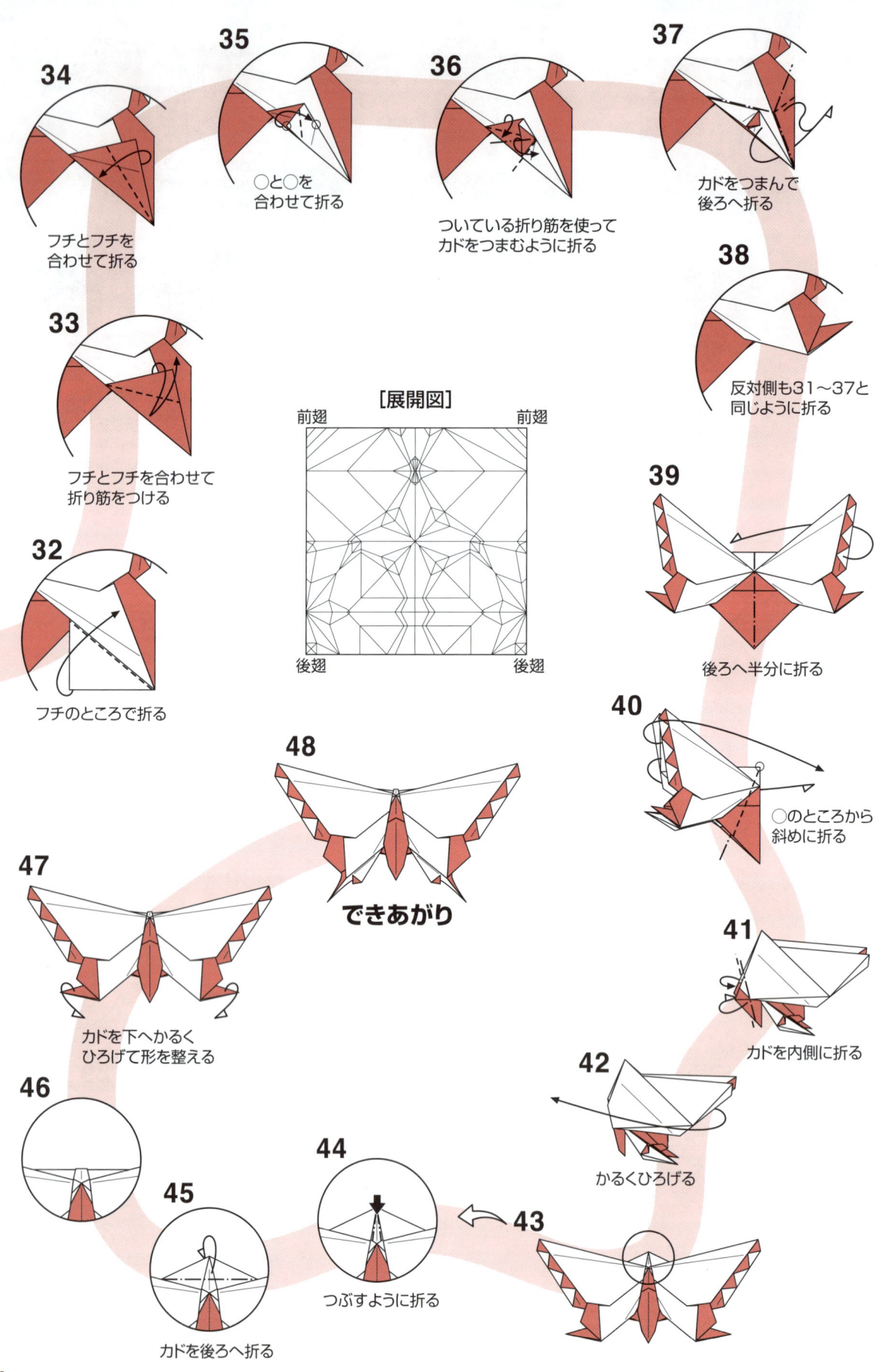

35
○と○を
合わせて折る

36
ついている折り筋を使って
カドをつまむように折る

37
カドをつまんで
後ろへ折る

33
フチとフチを合わせて
折り筋をつける

38
反対側も31〜37と
同じように折る

32
フチのところで折る

[展開図]

前翅　　　前翅

後翅　　　後翅

39
後ろへ半分に折る

40
○のところから
斜めに折る

48
できあがり

47
カドを下へかるく
ひろげて形を整える

41
カドを内側に折る

42
かるくひろげる

46

45
カドを後ろへ折る

44
つぶすように折る

43

68

マコトローズ

Makoto Rose by Makoto Yamaguchi
創作●山口 真

アラカルト
難易度 ★★★☆☆

20cm 折り紙用紙／1枚／不切正方一枚折り

以前花の本を依頼されたとき、メインになる新作の花が必要だろうと思って考案しました。メインにするならバラしかないと思ったのですが、これがなかなか難しくて、オリジナリティのある形になるまで、何度も何度も試作を重ねました。苦労した甲斐があって、私の作品としてはかなり難しいほうですが、お気に入りの作品の1つになっています。

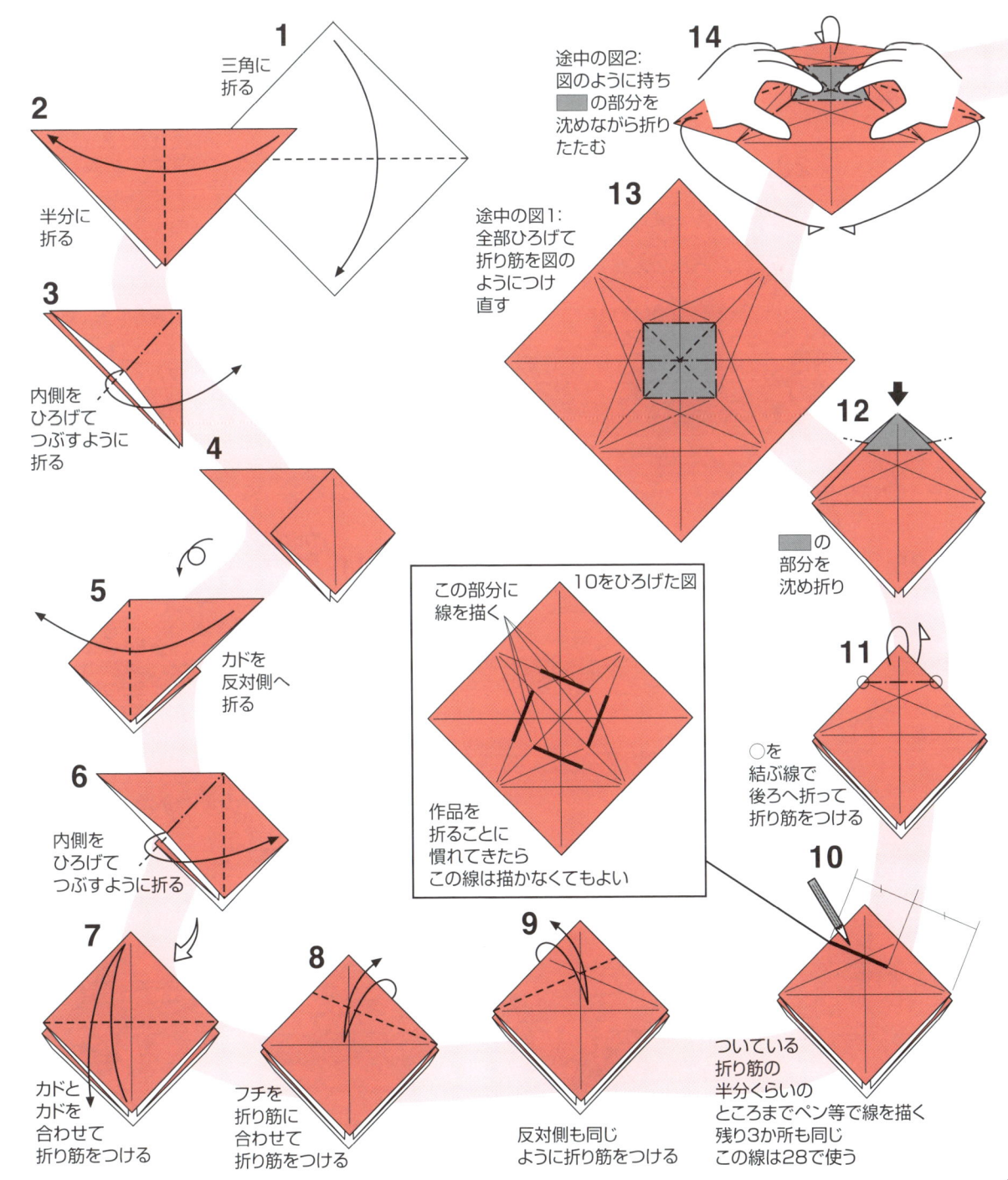

---

1 三角に折る

2 半分に折る

3 内側をひろげてつぶすように折る

4

5 カドを反対側へ折る

6 内側をひろげてつぶすように折る

7 カドとカドを合わせて折り筋をつける

8 フチを折り筋に合わせて折り筋をつける

9 反対側も同じように折り筋をつける

10 ついている折り筋の半分くらいのところまでペン等で線を描く 残り3か所も同じ この線は28で使う

10をひろげた図
この部分に線を描く
作品を折ることに慣れてきたらこの線は描かなくてもよい

11 ○を結ぶ線で後ろへ折って折り筋をつける

12 ■の部分を沈め折り

13 途中の図1: 全部ひろげて折り筋を図のようにつけ直す

14 途中の図2: 図のように持ち■の部分を沈めながら折りたたむ

69

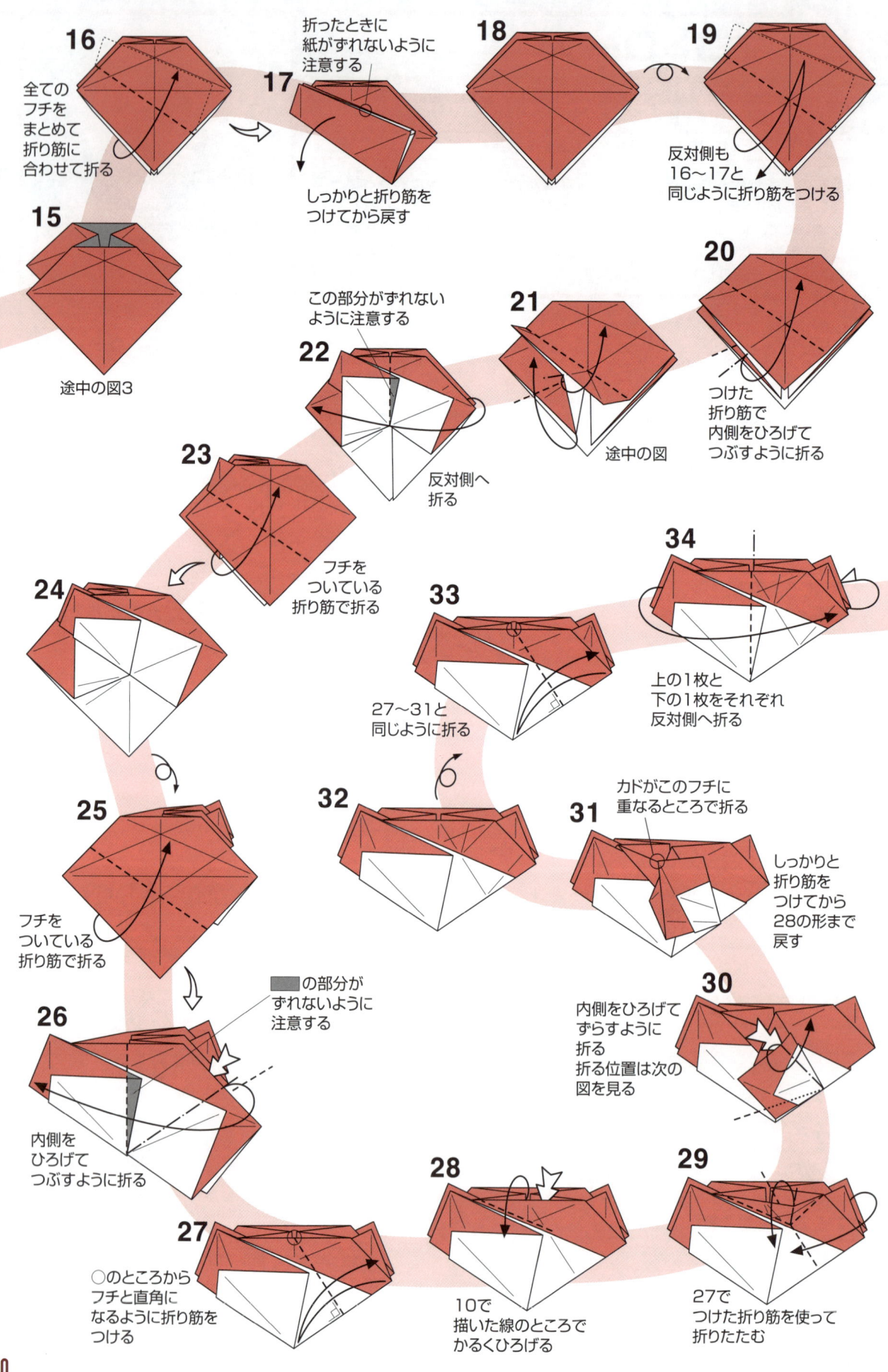

16
全てのフチを
まとめて
折り筋に
合わせて折る

17
折ったときに
紙がずれないように
注意する

しっかりと折り筋を
つけてから戻す

18

19
反対側も
16〜17と
同じように折り筋をつける

15
途中の図3

20
つけた
折り筋で
内側をひろげて
つぶすように折る

21
途中の図

22
この部分がずれない
ように注意する

反対側へ
折る

23
フチを
ついている
折り筋で折る

24

25
フチを
ついている
折り筋で折る

26
内側を
ひろげて
つぶすように折る

■の部分が
ずれないように
注意する

27
○のところから
フチと直角に
なるように折り筋を
つける

28
10で
描いた線のところで
かるくひろげる

29
27で
つけた折り筋を使って
折りたたむ

30
内側をひろげて
ずらすように
折る
折る位置は次の
図を見る

31
カドがこのフチに
重なるところで折る

しっかりと折り筋を
つけてから
28の形まで
戻す

32

33
27〜31と
同じように折る

34
上の1枚と
下の1枚をそれぞれ
反対側へ折る

70

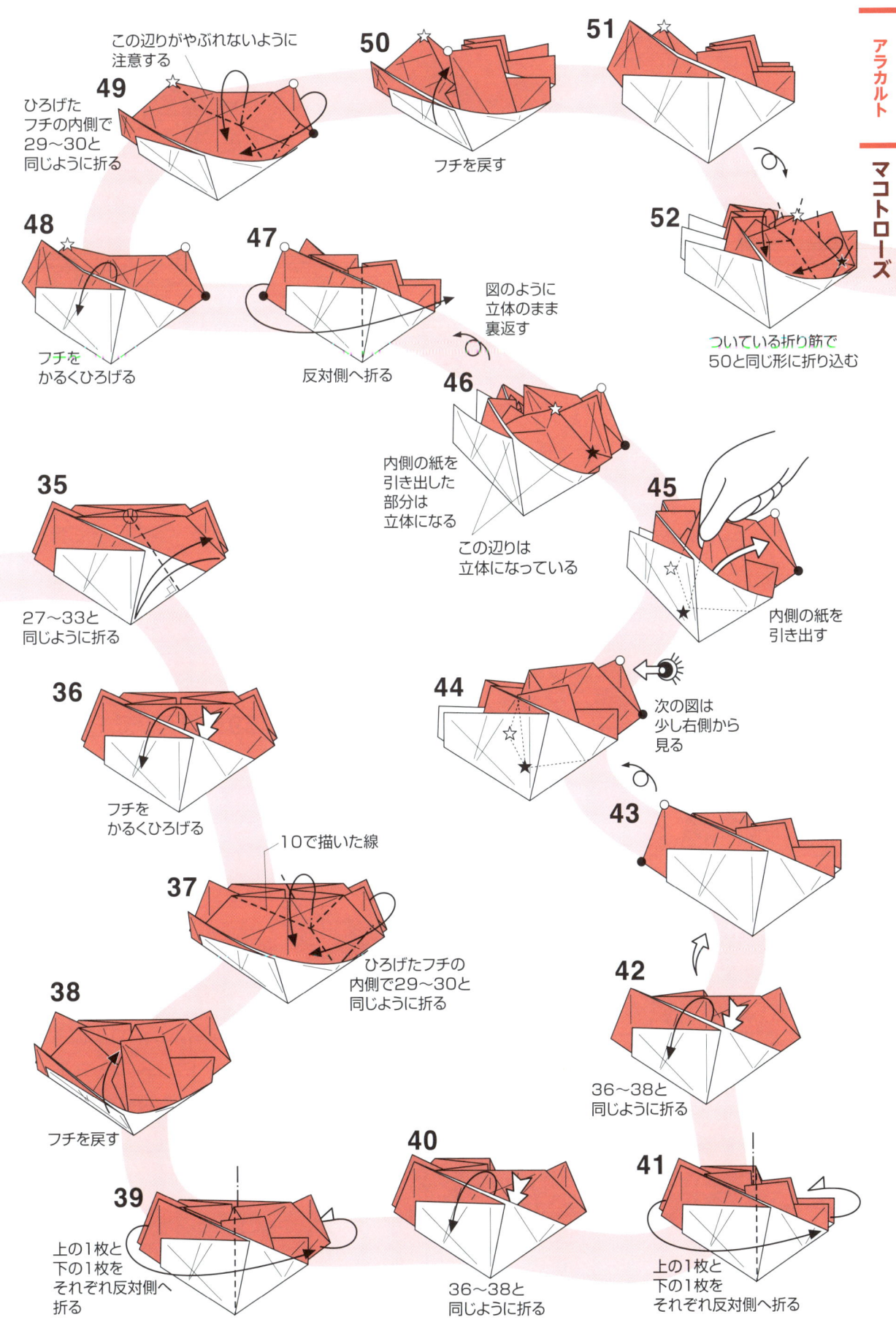

マコトローズ

35 27〜33と同じように折る

36 フチをかるくひろげる

37 10で描いた線　ひろげたフチの内側で29〜30と同じように折る

38 フチを戻す

39 上の1枚と下の1枚をそれぞれ反対側へ折る

40 36〜38と同じように折る

41 上の1枚と下の1枚をそれぞれ反対側へ折る

42 36〜38と同じように折る

43

44 次の図は少し右側から見る

45 内側の紙を引き出す

46 内側の紙を引き出した部分は立体になる　この辺りは立体になっている

47 図のように立体のまま裏返す　反対側へ折る

48 フチをかるくひろげる

49 ひろげたフチの内側で29〜30と同じように折る　この辺りがやぶれないように注意する

50 フチを戻す

51

52 ついている折り筋で50と同じ形に折り込む

71

54
フチを
かるく
ひろげる

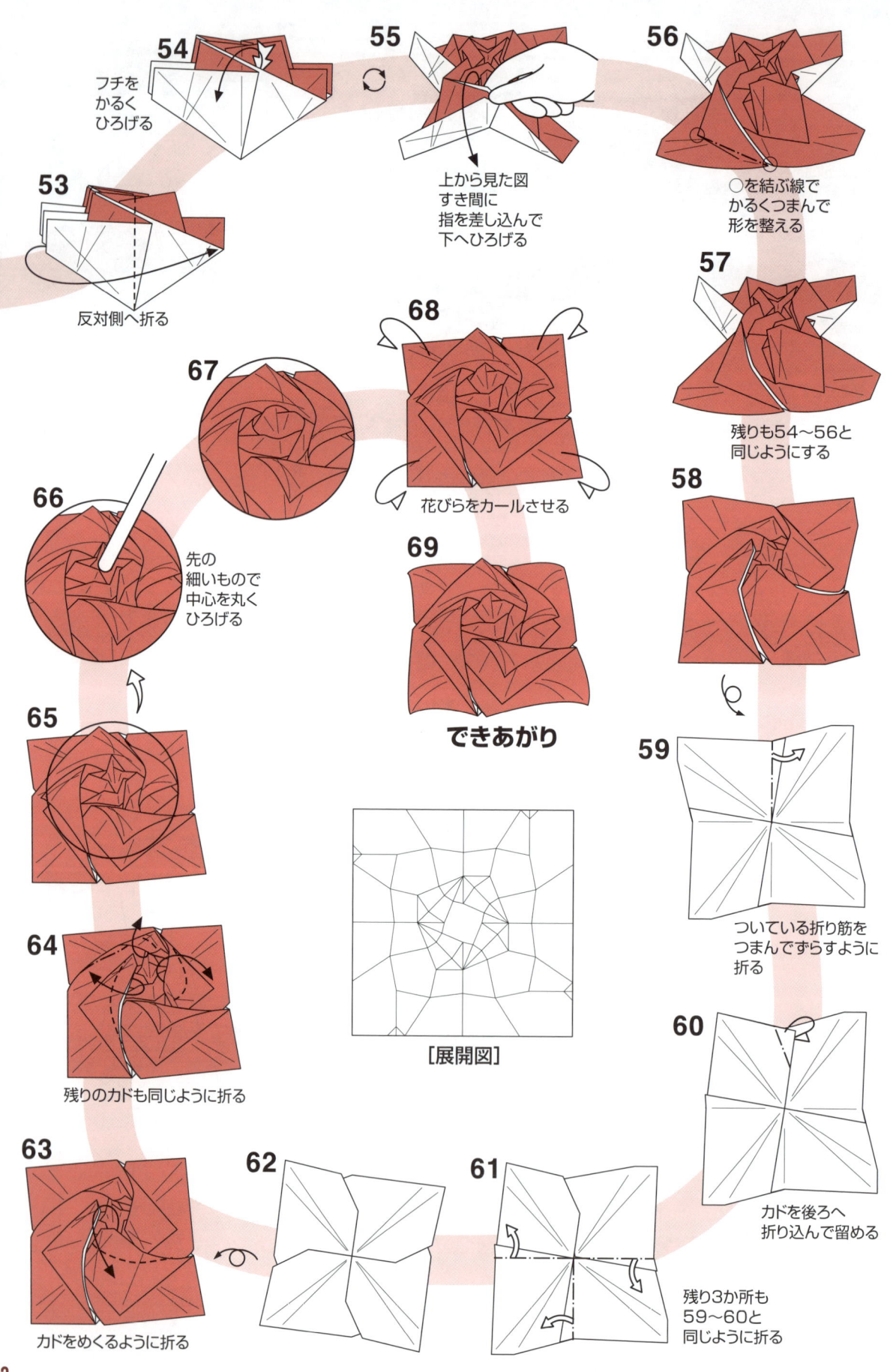

55
上から見た図
すき間に
指を差し込んで
下へひろげる

56
○を結ぶ線で
かるくつまんで
形を整える

57
残りも54〜56と
同じようにする

53
反対側へ折る

58

59
ついている折り筋を
つまんでずらすように
折る

60
カドを後ろへ
折り込んで留める

61
残り3か所も
59〜60と
同じように折る

62

63
カドをめくるように折る

64
残りのカドも同じように折る

65

66
先の
細いもので
中心を丸く
ひろげる

67

68
花びらをカールさせる

69
できあがり

[展開図]

第3章 鳥類

Birds

難易度
★☆
☆☆☆

インコ
P.74

難易度
★★
☆☆☆

オオハシ
P.76

難易度
★★
★☆☆

カーディナル
P.79

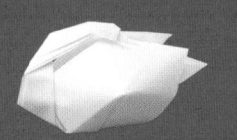

白鳥
P.82

コウテイペンギン
P.84

アラカルト

底のあるブーツ
P.88
難易度 ★

サンタの正四面体箱
P.90
難易度 ★

鳥類
難易度
★☆☆☆☆

インコ

Macaw by Makoto Yamaguchi
創作●山口 真
15cm 折り紙用紙／1枚／不切正方一枚折り

20年以上前に発表したシンプル作品を基本にしてアレンジしました。羽ばたいている格好ですが、机や本棚の端など90度のフチに立たせることができます。インコが羽ばたいて飛んでいこうとするように見えます。色違いで数羽作って並べるとかわいいですよ。

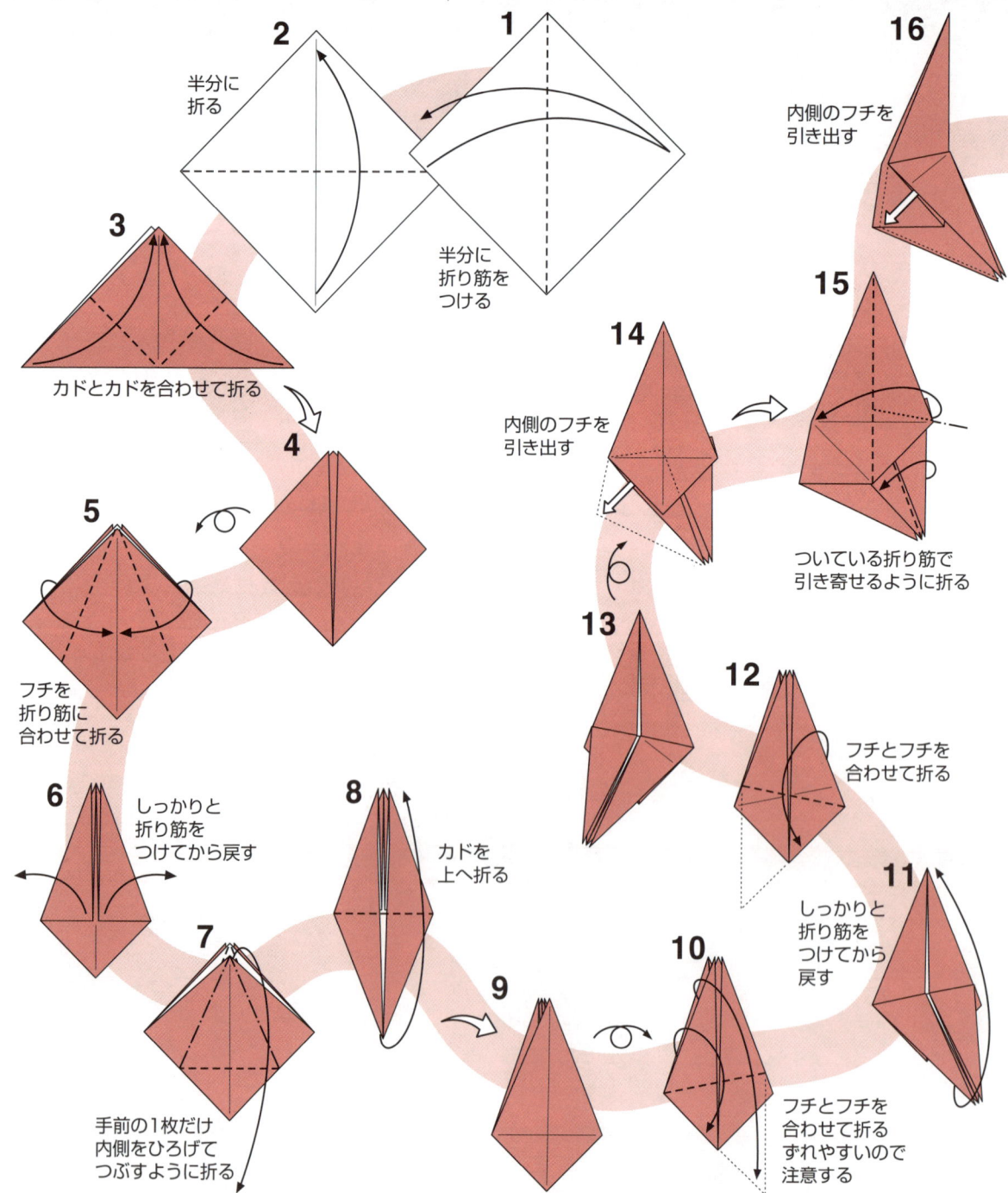

1 半分に折り筋をつける

2 半分に折る

3 カドとカドを合わせて折る

4

5 フチを折り筋に合わせて折る

6 しっかりと折り筋をつけてから戻す

7 手前の1枚だけ内側をひろげてつぶすように折る

8 カドを上へ折る

9

10 フチとフチを合わせて折る　ずれやすいので注意する

11 しっかりと折り筋をつけてから戻す

12 フチとフチを合わせて折る

13

14 内側のフチを引き出す

15 ついている折り筋で引き寄せるように折る

16 内側のフチを引き出す

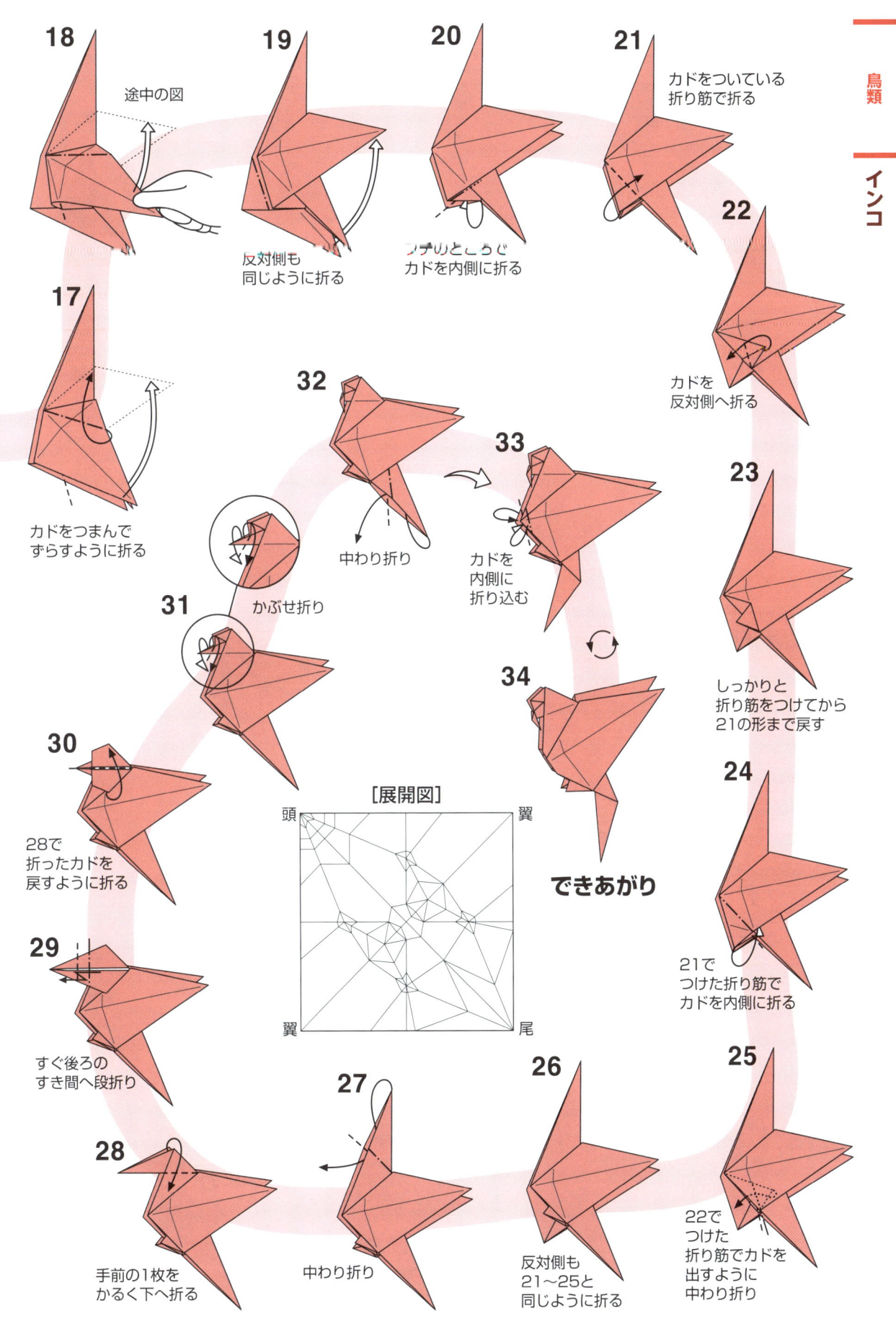

鳥類 インコ

18 途中の図

19 反対側も同じように折る

20 フチのところでカドを内側に折る

21 カドをついている折り筋で折る

22 カドを反対側へ折る

17 カドをつまんでずらすように折る

32 中わり折り

33 カドを内側に折り込む

かぶせ折り

31

23 しっかりと折り筋をつけてから21の形まで戻す

30 28で折ったカドを戻すように折る

34

[展開図]
頭　翼
翼　尾

できあがり

24 21でつけた折り筋でカドを内側に折る

29 すぐ後ろのすき間へ段折り

28 手前の1枚をかるく下へ折る

27 中わり折り

26 反対側も21〜25と同じように折る

25 22でつけた折り筋でカドを出すように中わり折り

75

オオハシ

Toucan by Makoto Yamaguchi

創作 ● 山口 真

鳥類

難易度 ★★☆☆☆

15cm 折り紙用紙／1枚／不切正方一枚折り

私は、自分の好きなモチーフの作品を作るより、具体的に依頼されて折り紙作品を作ることがとても多く、この作品もその1つです。口絵の写真では、体とクチバシの色を分けていますが、このように色を変えたい場合は、別の紙を表に貼らなければなりません。P.78の展開図を参考にしてください。

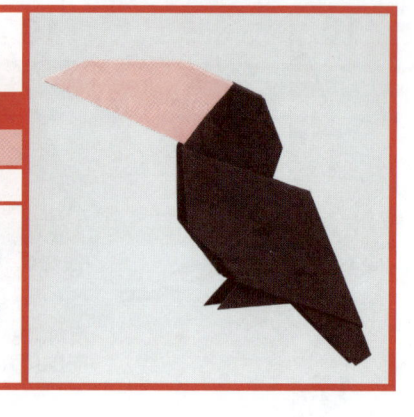

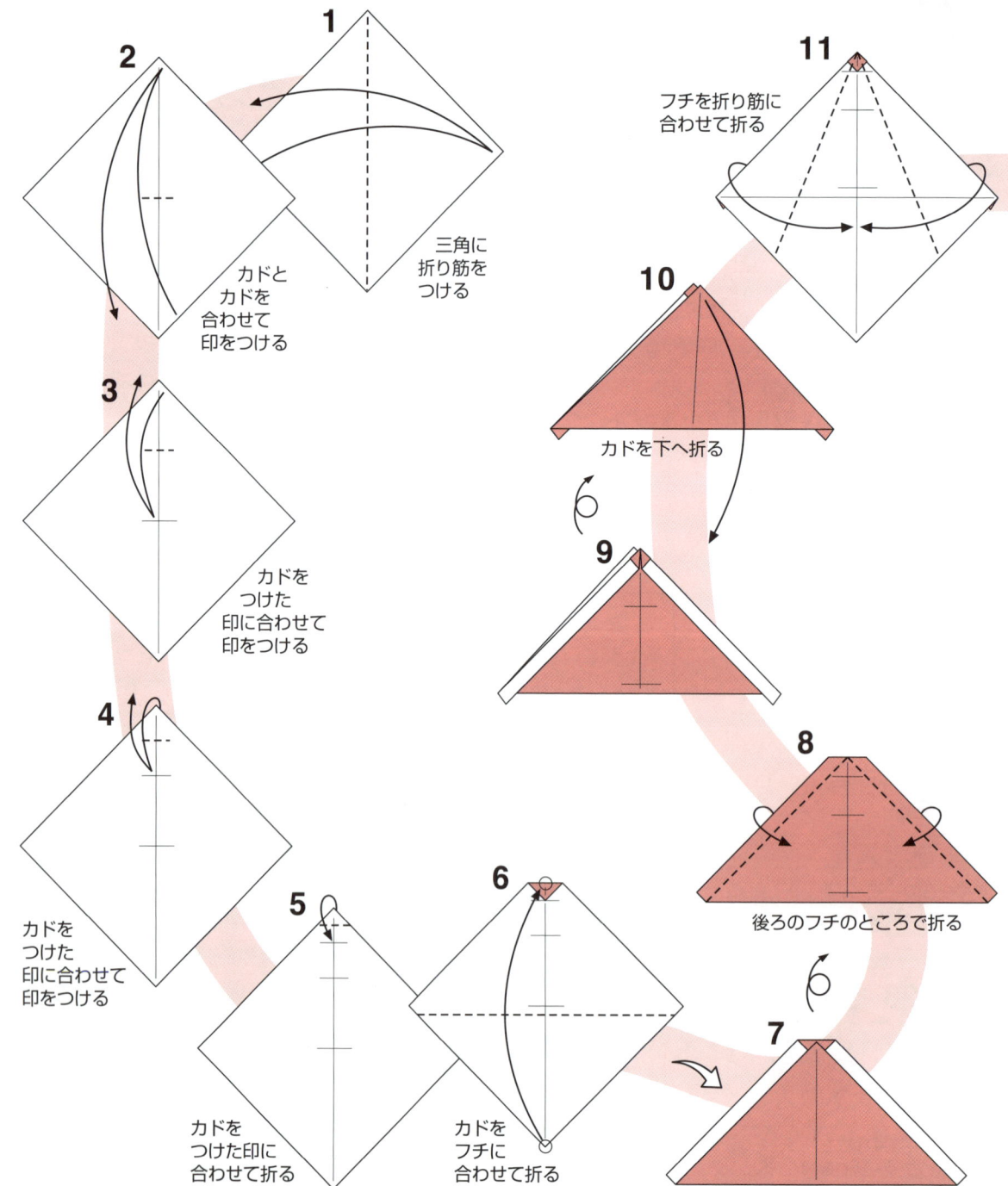

1. 三角に折り筋をつける
2. カドとカドを合わせて印をつける
3. カドをつけた印に合わせて印をつける
4. カドをつけた印に合わせて印をつける
5. カドをつけた印に合わせて折る
6. カドをフチに合わせて折る
7.
8. 後ろのフチのところで折る
9.
10. カドを下へ折る
11. フチを折り筋に合わせて折る

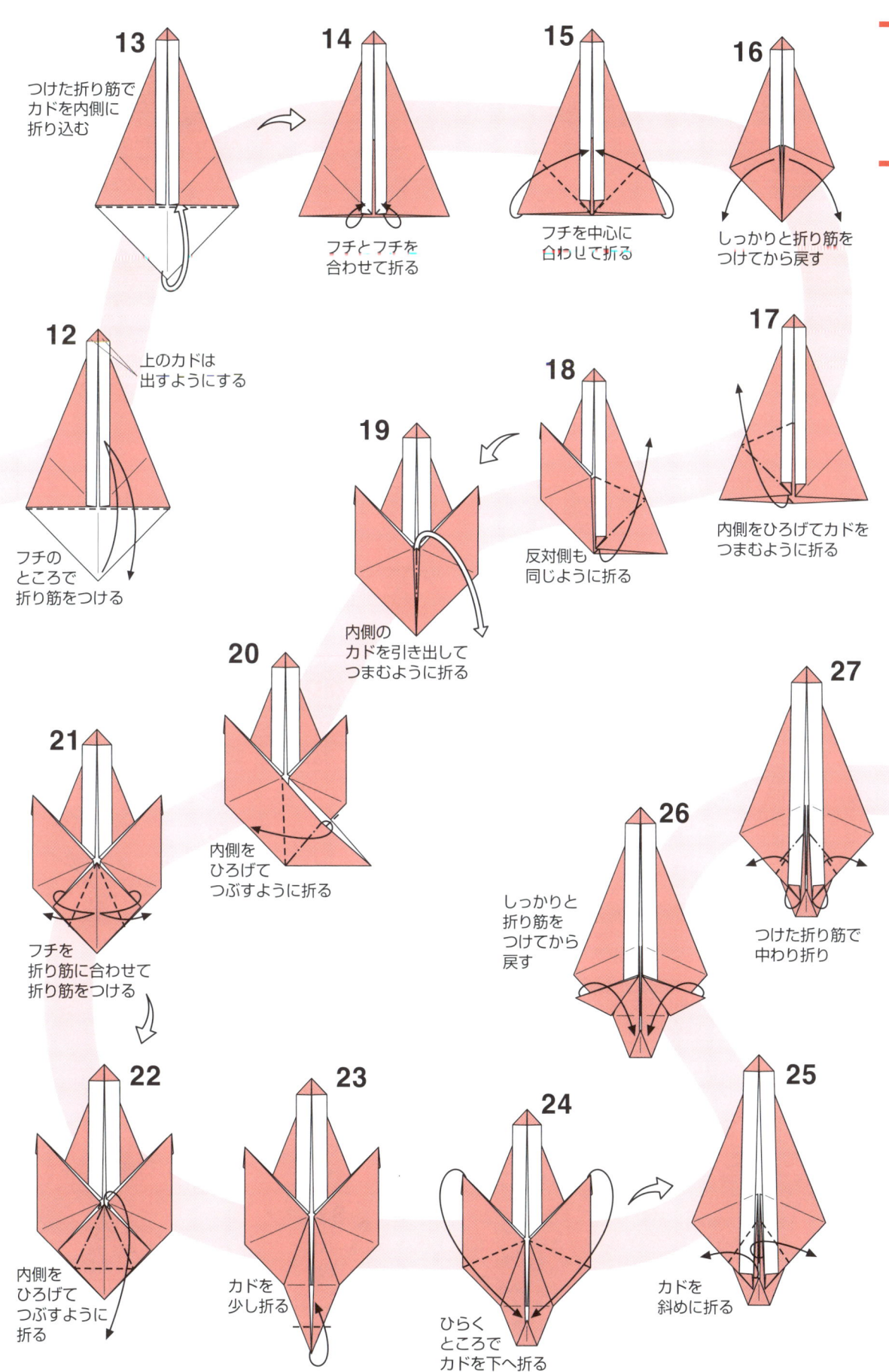

13 つけた折り筋でカドを内側に折り込む

14 フチとフチを合わせて折る

15 フチを中心に合わせて折る

16 しっかりと折り筋をつけてから戻す

12 上のカドは出すようにする／フチのところで折り筋をつける

17 内側をひろげてカドをつまむように折る

18 反対側も同じように折る

19 内側のカドを引き出してつまむように折る

20 内側をひろげてつぶすように折る

21 フチを折り筋に合わせて折り筋をつける

22 内側をひろげてつぶすように折る

23 カドを少し折る

24 ひらくところでカドを下へ折る

25 カドを斜めに折る

26 しっかりと折り筋をつけてから戻す

27 つけた折り筋で中わり折り

鳥類 オオハシ

77

38
内側のカドを引き出す

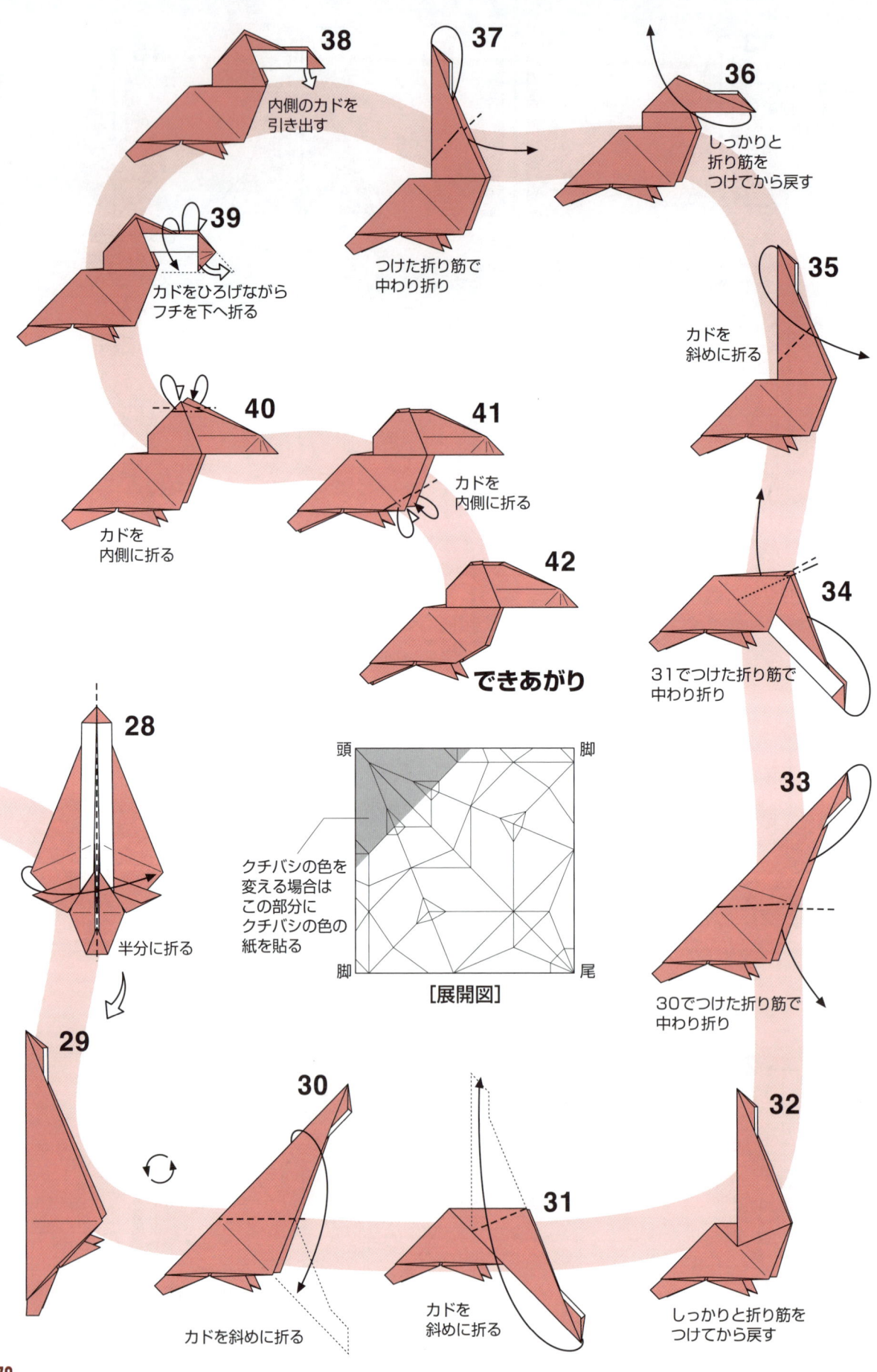

37
つけた折り筋で中わり折り

36
しっかりと折り筋をつけてから戻す

39
カドをひろげながらフチを下へ折る

35
カドを斜めに折る

40
カドを内側に折る

41
カドを内側に折る

42
できあがり

34
31でつけた折り筋で中わり折り

28
半分に折る

クチバシの色を変える場合はこの部分にクチバシの色の紙を貼る

頭　脚
脚　尾

[展開図]

33
30でつけた折り筋で中わり折り

29

30
カドを斜めに折る

31
カドを斜めに折る

32
しっかりと折り筋をつけてから戻す

78

カーディナル

Cardinal by Roman Diaz
創作●ロマン・ディアス

鳥類
難易度 ★★★☆☆

15㎝ 折り紙用紙／1枚／不切正方一枚折り

この作品は、カーディナルをモチーフとして私が創作した3つめの作品です。折り紙にとってすばらしい題材となるこの鳥の特徴的な模様を、必要最低限の折り方で表現しており、シンプルな比率を使うことでとても折りやすい作品になっています。また、紙の広い面を山し、フチが山ないようにすることで、よりシンプルな印象になっています。

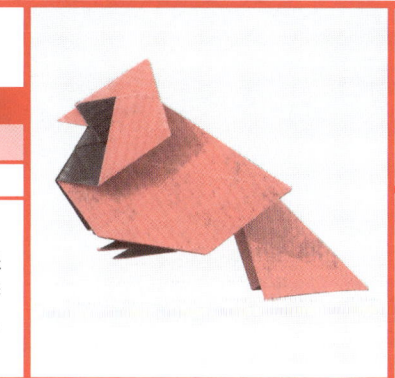

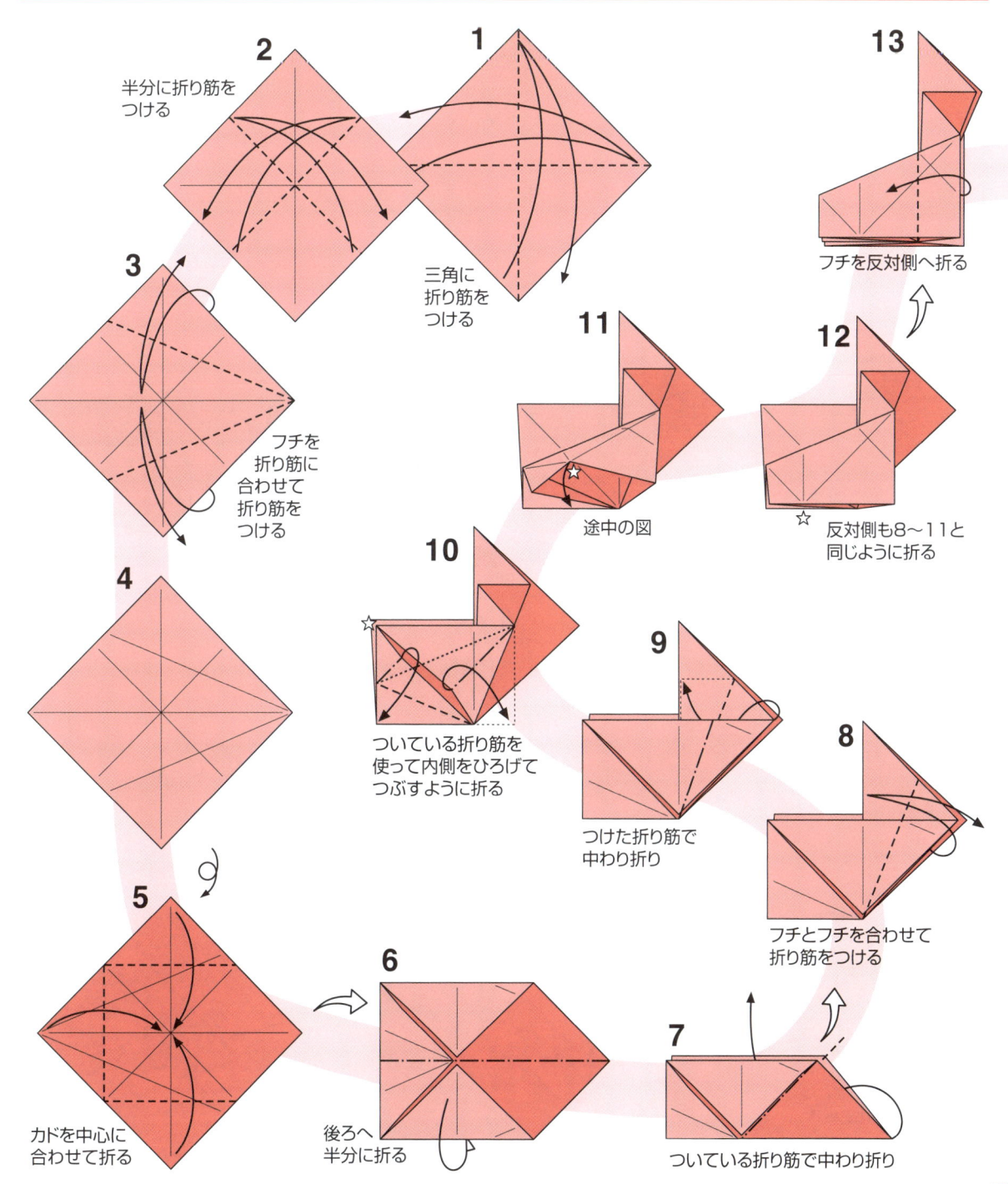

1 三角に折り筋をつける

2 半分に折り筋をつける

3 フチを折り筋に合わせて折り筋をつける

4

5 カドを中心に合わせて折る

6 後ろへ半分に折る

7 ついている折り筋で中わり折り

8 フチとフチを合わせて折り筋をつける

9 つけた折り筋で中わり折り

10 ついている折り筋を使って内側をひろげてつぶすように折る

11 途中の図

12 反対側も8〜11と同じように折る

13 フチを反対側へ折る

79

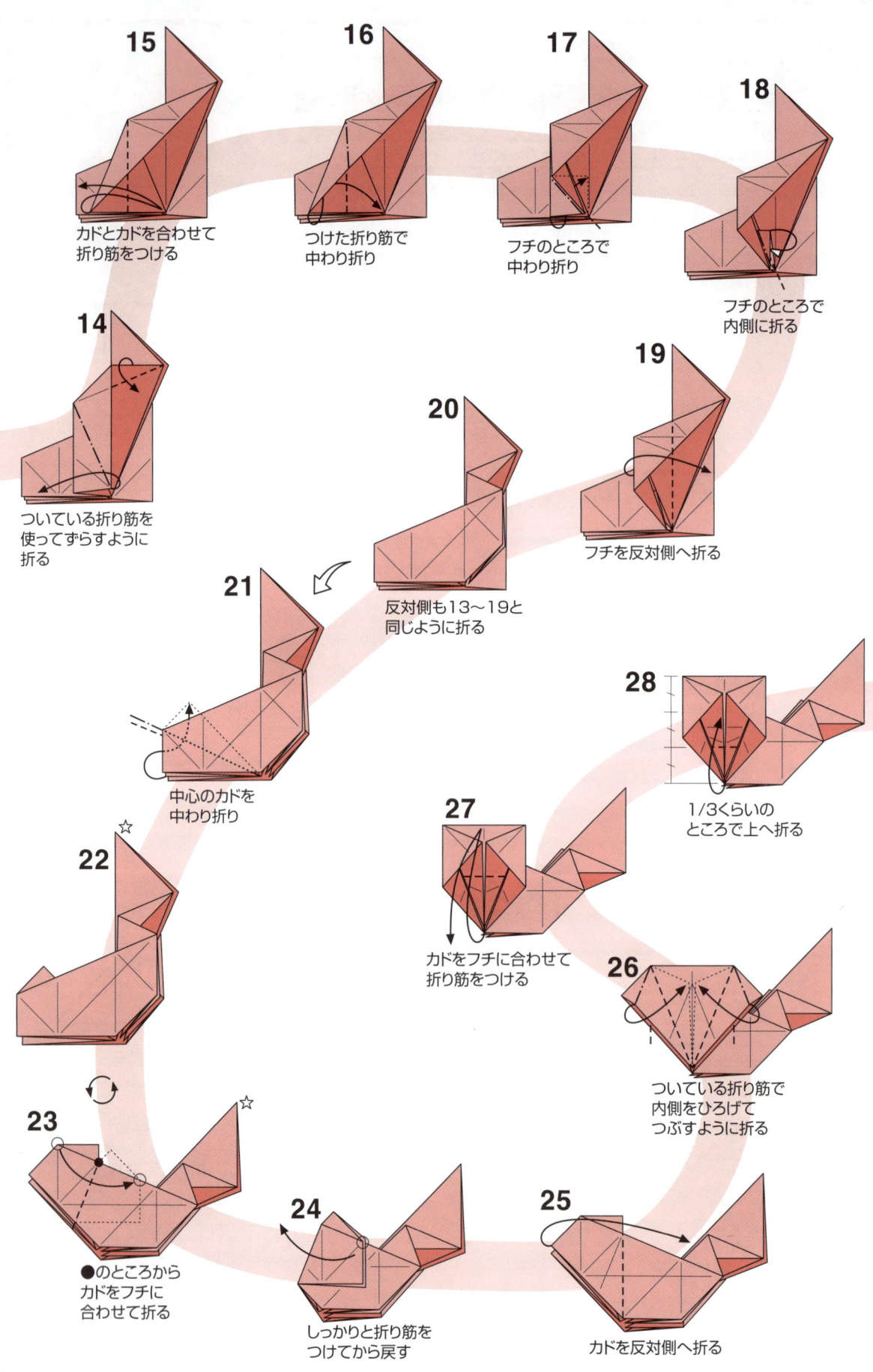

15 カドとカドを合わせて折り筋をつける

16 つけた折り筋で中わり折り

17 フチのところで中わり折り

18 フチのところで内側に折る

14 ついている折り筋を使ってずらすように折る

19 フチを反対側へ折る

20 反対側も13〜19と同じように折る

21 中心のカドを中わり折り

28 1/3くらいのところで上へ折る

27 カドをフチに合わせて折り筋をつける

26 ついている折り筋で内側をひろげてつぶすように折る

22

23 ●のところからカドをフチに合わせて折る

24 しっかりと折り筋をつけてから戻す

25 カドを反対側へ折る

80

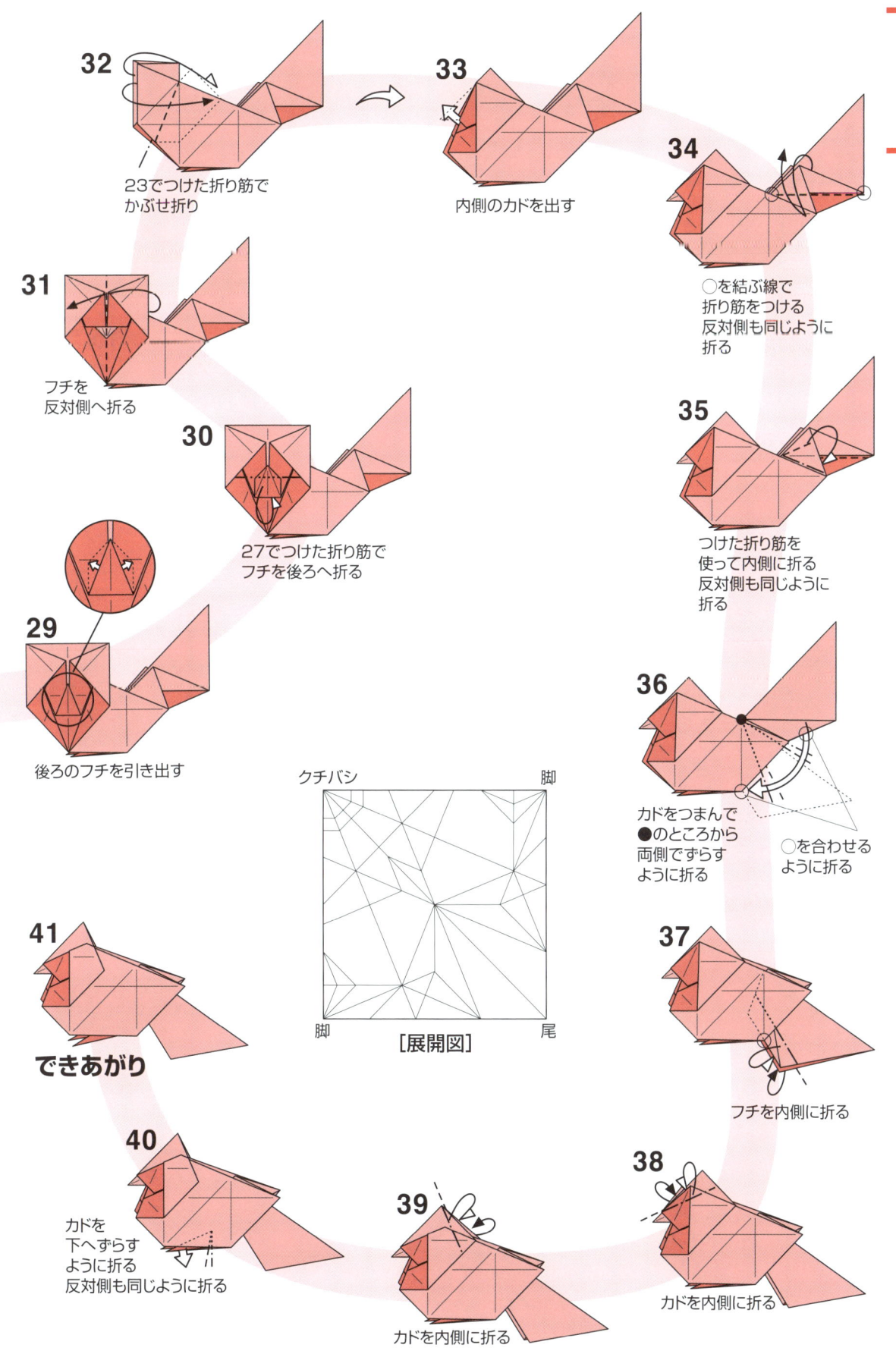

32
23でつけた折り筋で
かぶせ折り

33
内側のカドを出す

34
○を結ぶ線で
折り筋をつける
反対側も同じように
折る

31
フチを
反対側へ折る

30
27でつけた折り筋で
フチを後ろへ折る

35
つけた折り筋を
使って内側に折る
反対側も同じように
折る

29
後ろのフチを引き出す

36
カドをつまんで
●のところから
両側でずらす
ように折る

○を合わせる
ように折る

[展開図]
クチバシ　脚
脚　尾

41
できあがり

37
フチを内側に折る

40
カドを
下へずらす
ように折る
反対側も同じように折る

39
カドを内側に折る

38
カドを内側に折る

鳥類 カーディナル

鳥類	# 白鳥
難易度 ★★★★☆	**Swan** by Yoshio Tsuda 創作●津田良夫 15cm 折り紙用紙／1枚／不切正方一枚折り

立体感をもたせる折り方が好きで、これまでいろいろ工夫してきた。いくつか思いついた立体化技法のなかで、ふくらみのある鶴を折った方法をいろいろな鳥類作品に応用してきた。それらの作品のなかで、この技法のおもしろさをもっともシンプルにいかしたのがこの作品で、特に気に入っている。(初出：雑誌おりがみ8号、1976年)

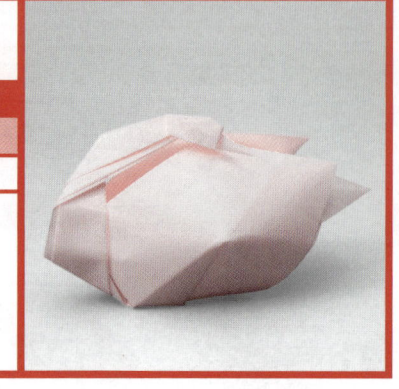

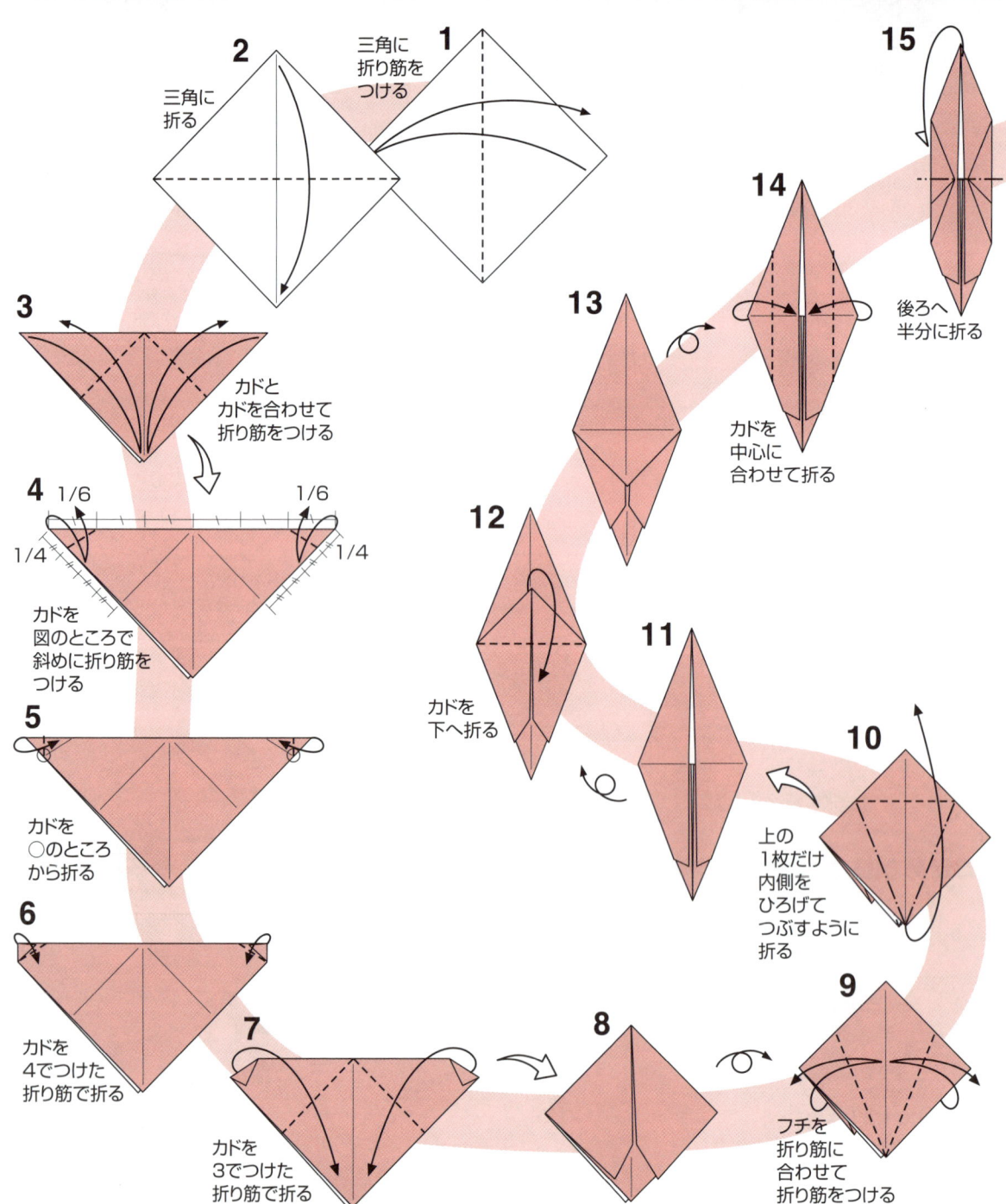

1 三角に折り筋をつける

2 三角に折る

3 カドとカドを合わせて折り筋をつける

4 1/6　1/4　カドを図のところで斜めに折り筋をつける

5 カドを○のところから折る

6 カドを4でつけた折り筋で折る

7 カドを3でつけた折り筋で折る

8

9 フチを折り筋に合わせて折り筋をつける

10 上の1枚だけ内側をひろげてつぶすように折る

11

12 カドを下へ折る

13

14 カドを中心に合わせて折る

15 後ろへ半分に折る

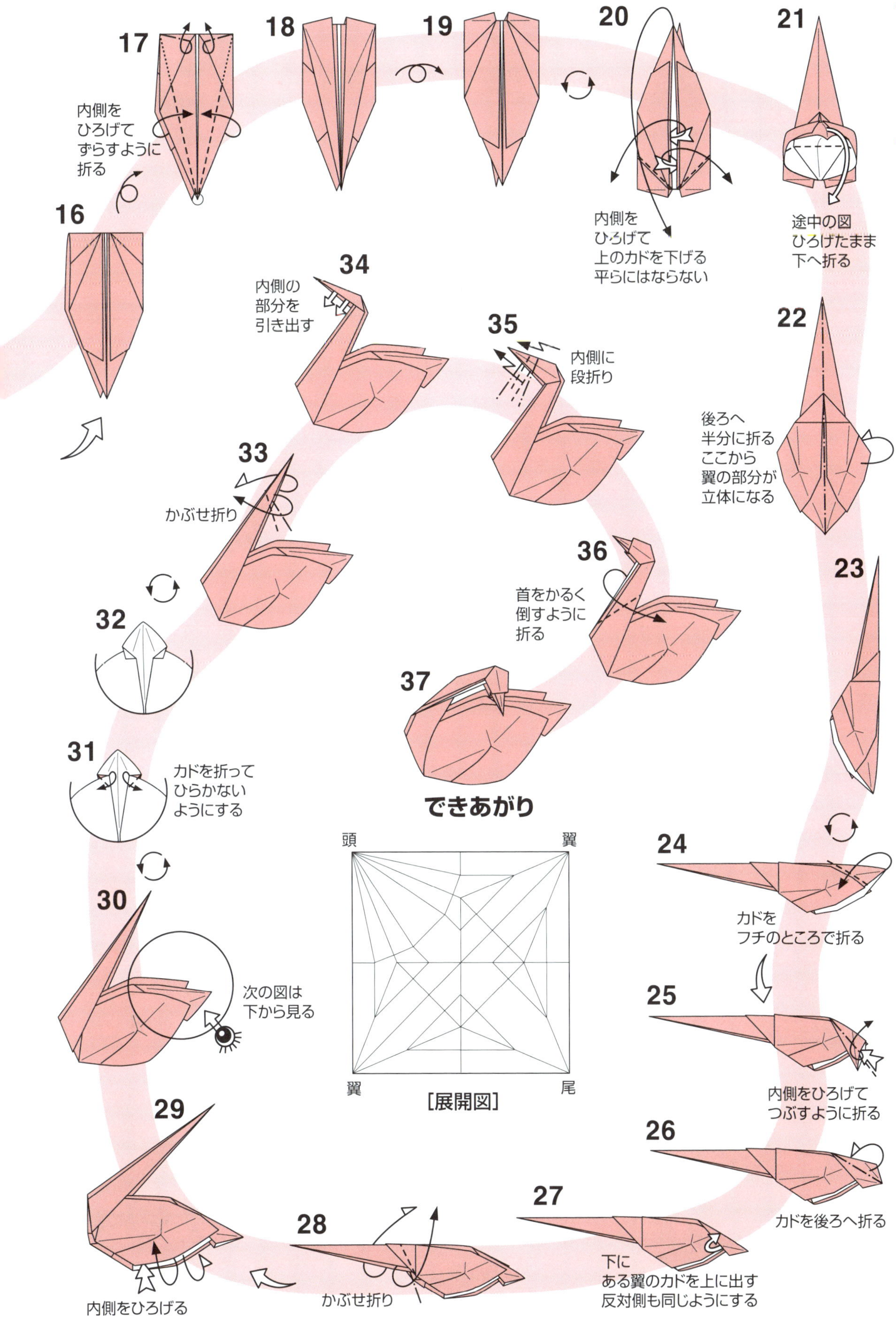

鳥類

白鳥

17 内側を
ひろげて
ずらすように
折る

18

19

20 内側を
ひろげて
上のカドを下げる
平らにはならない

21 途中の図
ひろげたまま
下へ折る

16

22 後ろへ
半分に折る
ここから
翼の部分が
立体になる

34 内側の
部分を
引き出す

35 内側に
段折り

23

33 かぶせ折り

36 首をかるく
倒すように
折る

32

37

できあがり

24 カドを
フチのところで折る

31 カドを折って
ひらかない
ようにする

[展開図]
頭　翼
翼　尾

25 内側をひろげて
つぶすように
折る

30 次の図は
下から見る

26 カドを後ろへ折る

29

28 かぶせ折り

27 下に
ある翼のカドを上に出す
反対側も同じようにする

内側をひろげる

83

コウテイペンギン

Emperor Penguin by Quentin Trollip
創作●クエンティン・トロリップ
20cm 折り紙用紙／1枚／不切正方一枚折り

難易度 ★★★☆☆
鳥類

コウテイペンギンは世界最大のペンギンです。色分けは、多くの折り紙のペンギンとあまり変わりませんが、特徴的な体型、特に大きな胸や頭の形、長いクチバシなどで、コウテイペンギンという題材を表現しています。
厚めの紙を使って、ウェットフォールディングをすると、よい仕上がりを得ることができるでしょう。

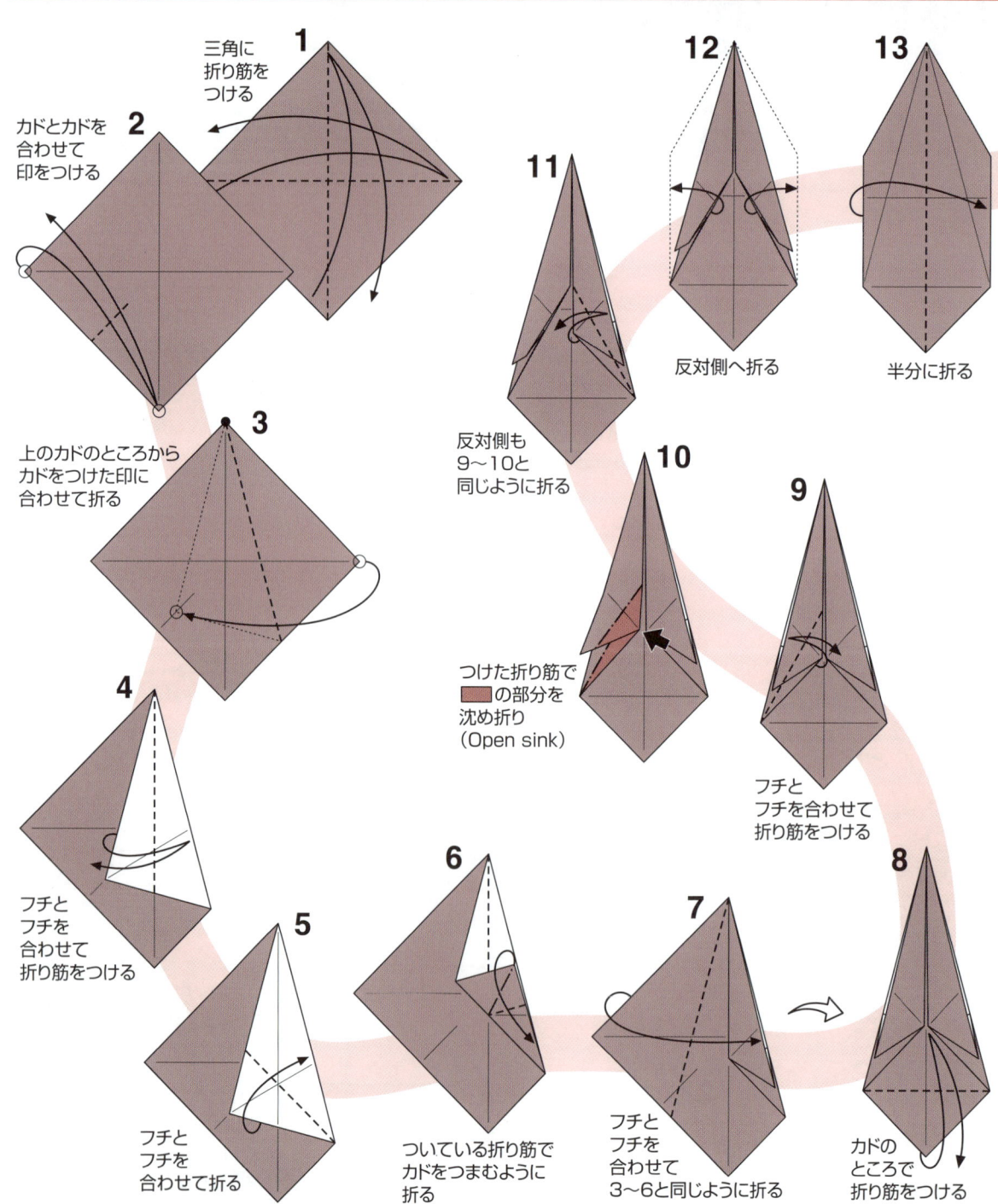

1 三角に折り筋をつける

2 カドとカドを合わせて印をつける

3 上のカドのところからカドをつけた印に合わせて折る

4 フチとフチを合わせて折り筋をつける

5 フチとフチを合わせて折る

6 ついている折り筋でカドをつまむように折る

7 フチとフチを合わせて3〜6と同じように折る

8 カドのところで折り筋をつける

9 フチとフチを合わせて折り筋をつける

10 つけた折り筋で■の部分を沈め折り (Open sink)

11 反対側も9〜10と同じように折る

12 反対側へ折る

13 半分に折る

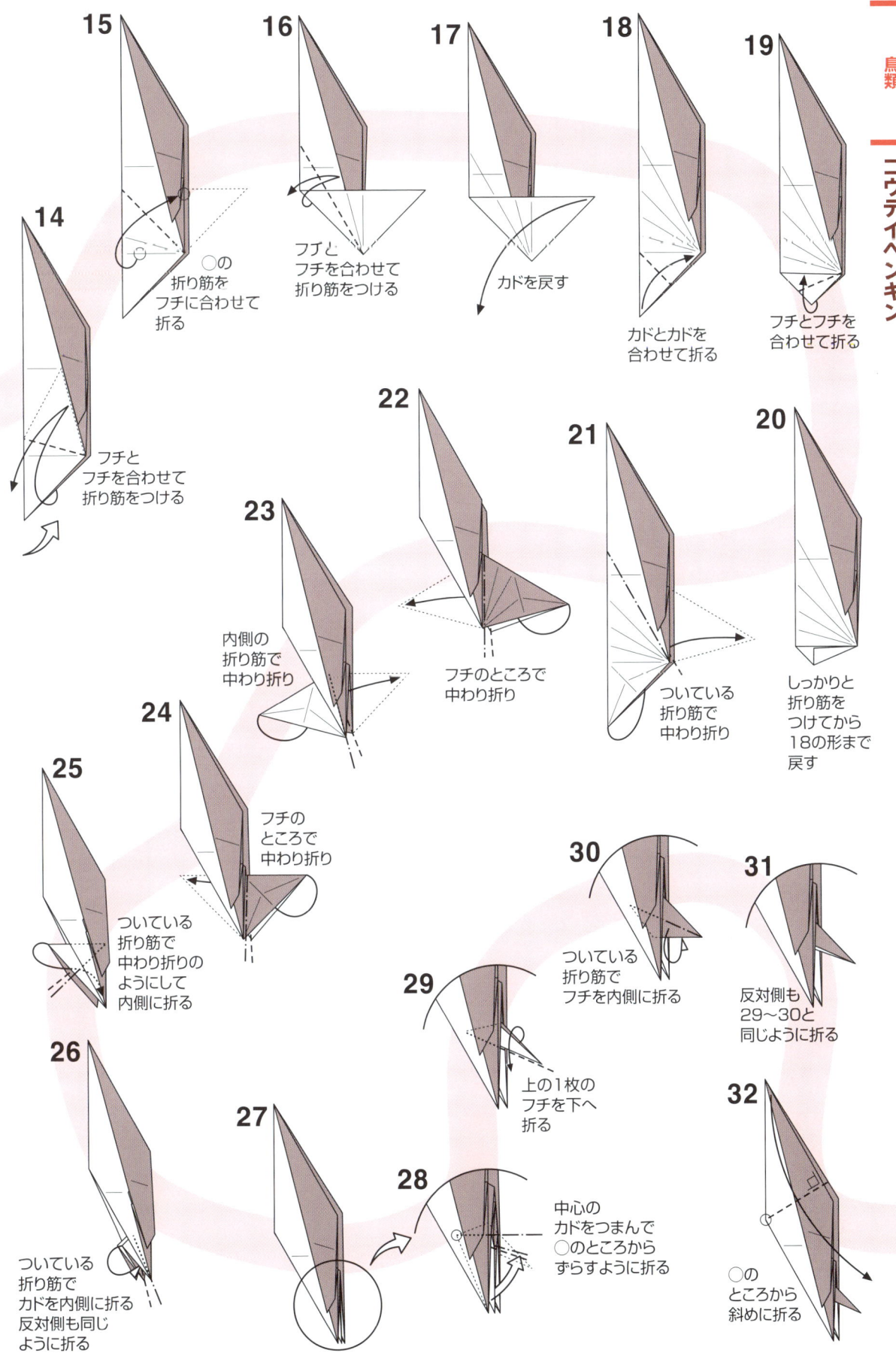

コウテイペンギン

14 フチとフチを合わせて折り筋をつける

15 ○の折り筋をフチに合わせて折る

16 フチとフチを合わせて折り筋をつける

17 カドを戻す

18 カドとカドを合わせて折る

19 フチとフチを合わせて折る

20 しっかりと折り筋をつけてから18の形まで戻す

21 ついている折り筋で中わり折り

22 フチのところで中わり折り

23 内側の折り筋で中わり折り

24 フチのところで中わり折り

25 ついている折り筋で中わり折りのようにして内側に折る

26 ついている折り筋でカドを内側に折る 反対側も同じように折る

27

28 中心のカドをつまんで○のところからずらすように折る

29 上の1枚のフチを下へ折る

30 ついている折り筋でフチを内側に折る

31 反対側も29〜30と同じように折る

32 ○のところから斜めに折る

85

43
段折り

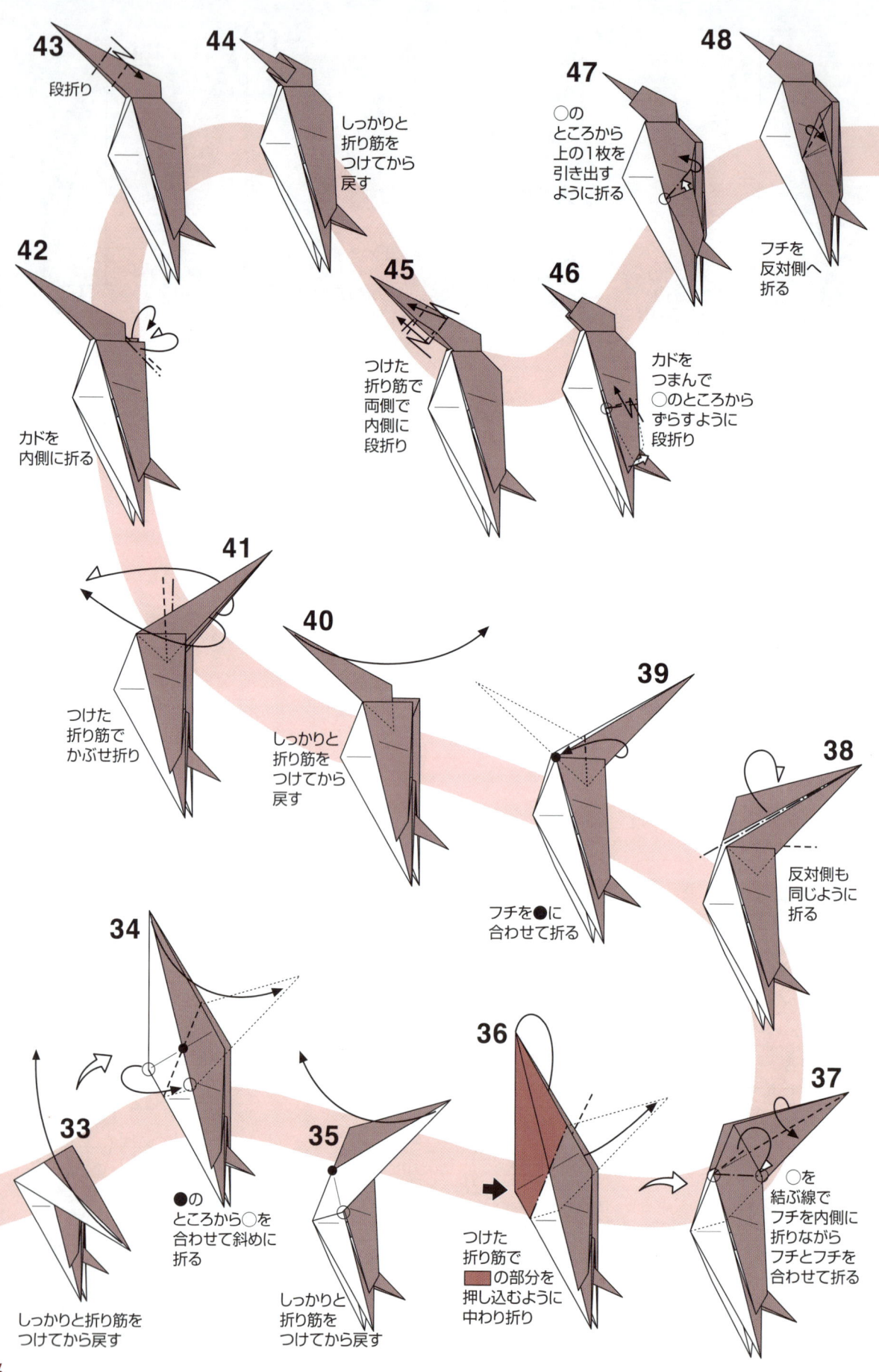

44
しっかりと折り筋をつけてから戻す

47
○のところから上の1枚を引き出すように折る

48
フチを反対側へ折る

42
カドを内側に折る

45
つけた折り筋で両側で内側に段折り

46
カドをつまんで○のところからずらすように段折り

41
つけた折り筋でかぶせ折り

40
しっかりと折り筋をつけてから戻す

39
フチを●に合わせて折る

38
反対側も同じように折る

34
●のところから○を合わせて斜めに折る

33
しっかりと折り筋をつけてから戻す

35
しっかりと折り筋をつけてから戻す

36
つけた折り筋で■の部分を押し込むように中わり折り

37
○を結ぶ線でフチを内側に折りながらフチとフチを合わせて折る

86

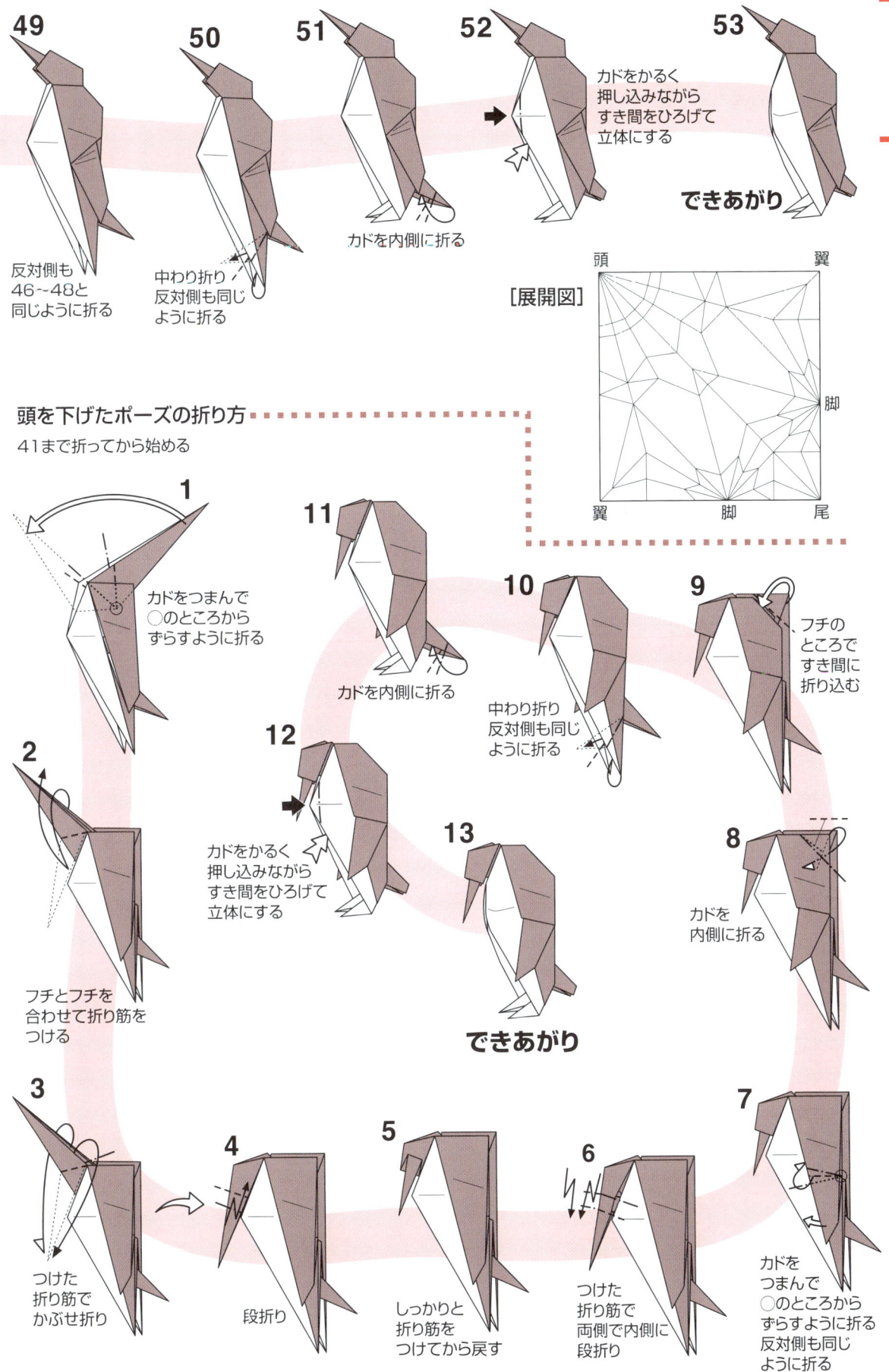

49
反対側も
46〜48と
同じように折る

50
中わり折り
反対側も同じ
ように折る

51
カドを内側に折る

52
カドをかるく
押し込みながら
すき間をひろげて
立体にする

53
できあがり

鳥類 — コウテイペンギン

[展開図]

頭　翼
脚
翼　脚　尾

頭を下げたポーズの折り方
41まで折ってから始める

1
カドをつまんで
○のところから
ずらすように折る

2
フチとフチを
合わせて折り筋を
つける

3
つけた
折り筋で
かぶせ折り

4
段折り

5
しっかりと
折り筋を
つけてから戻す

6
つけた
折り筋で
両側で内側に
段折り

7
カドを
つまんで
○のところから
ずらすように折る
反対側も同じ
ように折る

8
カドを
内側に折る

9
フチの
ところで
すき間に
折り込む

10
中わり折り
反対側も同じ
ように折る

11
カドを内側に折る

12
カドをかるく
押し込みながら
すき間をひろげて
立体にする

13
できあがり

アラカルト

底のあるブーツ

Boots by Makoto Yamaguchi
創作 ● 山口 真

難易度 ★☆☆☆☆

15cm 折り紙用紙／1枚／不切正方一枚折り

私は実用的な作品が結構好きです。特に実用に耐える構造や丈夫さをもったものをたくさん作っています。この「底のあるブーツ」は、実際に物を入れることができます。15cm四方の紙を使うと、あめ玉が数個入る大きさになります。大きめの丈夫な紙を使って、クリスマスのお菓子入れにもどうぞ。

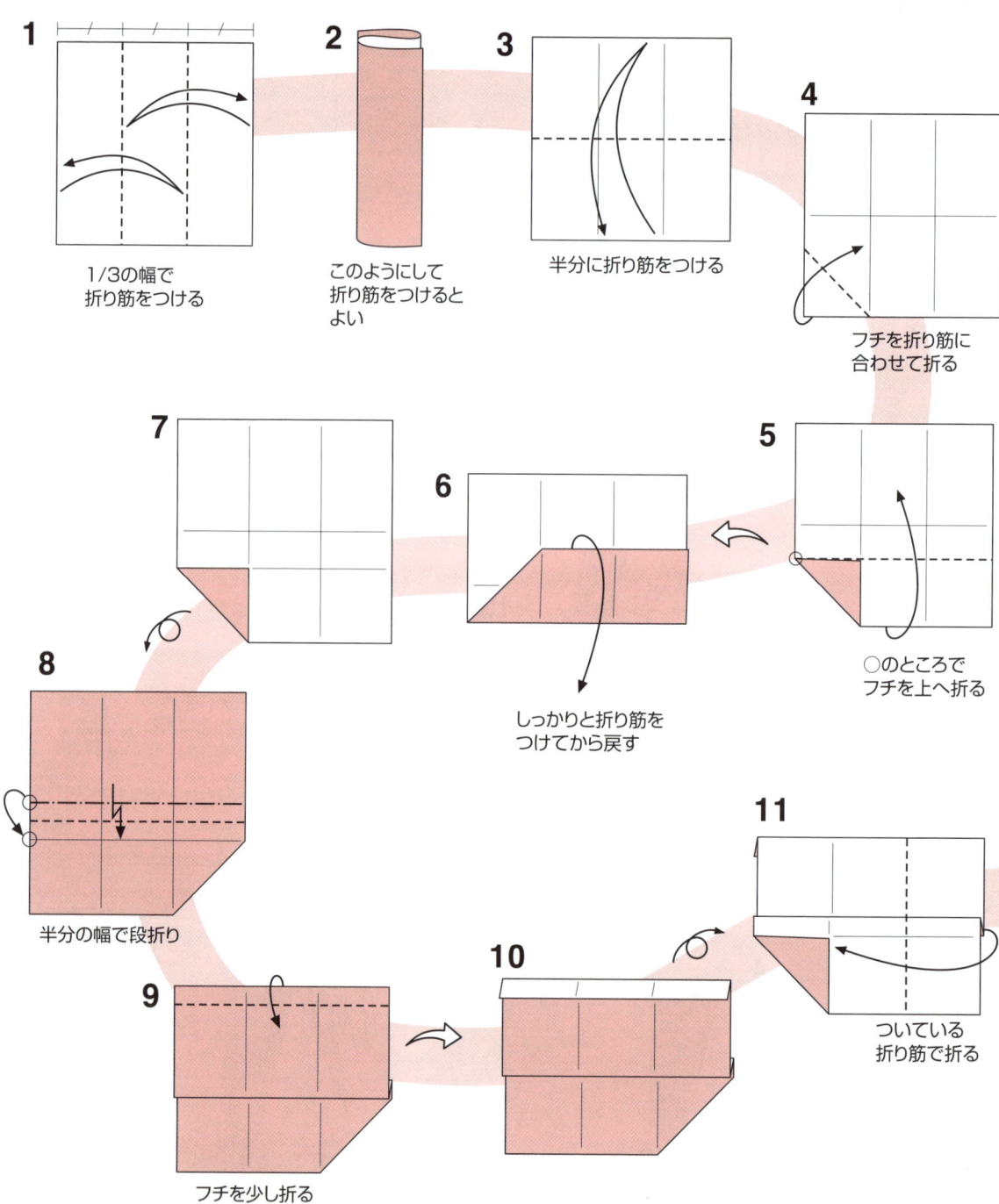

1 1/3の幅で折り筋をつける

2 このようにして折り筋をつけるとよい

3 半分に折り筋をつける

4 フチを折り筋に合わせて折る

5 ○のところでフチを上へ折る

6 しっかりと折り筋をつけてから戻す

7

8 半分の幅で段折り

9 フチを少し折る

10

11 ついている折り筋で折る

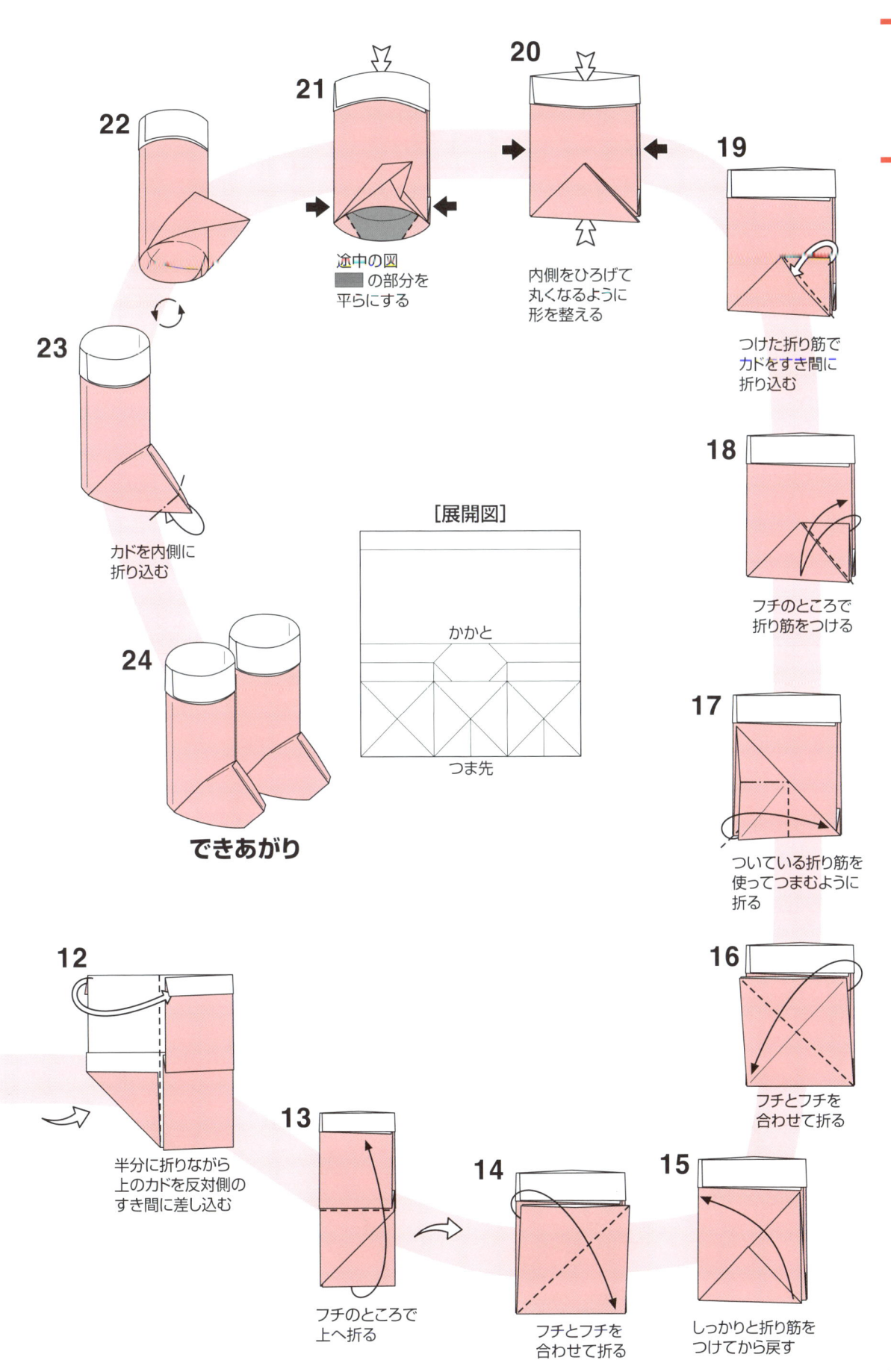

アラカルト 底のあるブーツ

21 途中の図 ■の部分を平らにする

20 内側をひろげて丸くなるように形を整える

19 つけた折り筋でカドをすき間に折り込む

22

23 カドを内側に折り込む

18 フチのところで折り筋をつける

17 ついている折り筋を使ってつまむように折る

24 できあがり

[展開図]
かかと
つま先

16 フチとフチを合わせて折る

12 半分に折りながら上のカドを反対側のすき間に差し込む

13 フチのところで上へ折る

14 フチとフチを合わせて折る

15 しっかりと折り筋をつけてから戻す

89

アラカルト	**サンタの正四面体箱**
難易度 ★☆☆☆☆	Santa Claus Tetrahedron Box by Makoto Yamaguchi
	創作●山口 真
	15cm、7.5cm 折り紙用紙／2枚／複合

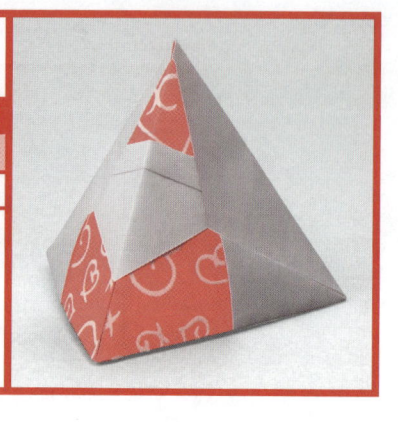

これは、ずいぶん昔に創作した「正四面体ボックス」をアレンジしたもので、旧作と同じくらい気に入っている作品です。ギフトボックスとして使うもよし、ちょっとずつ小さいサイズで作ると、マトリョーシカのようになって楽しいですし、天辺にひもを取りつけると、ツリーのオーナメントとしても使えます。いろいろなアイデアで楽しんでください。

[本体]

1 半分に折り筋をつける

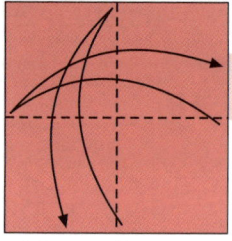

2 下のカドのところからカドを○の折り筋に合わせて折る

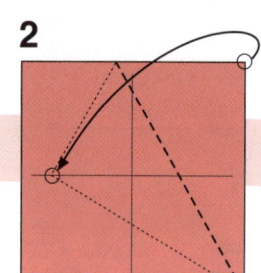

3 戻す

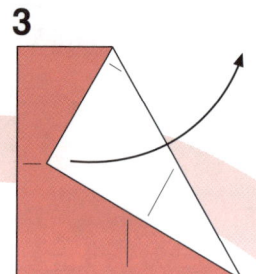

4 反対側も同じようにして折り筋をつける

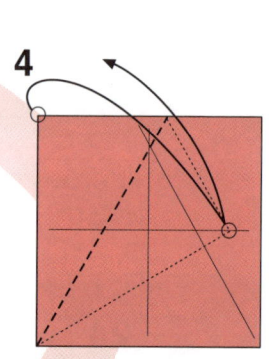

5 フチをつけた折り筋の交点のところで折る

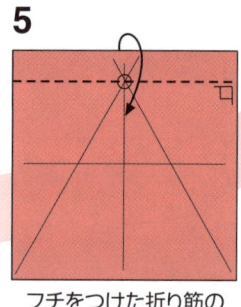

6 半分に折り筋をつける

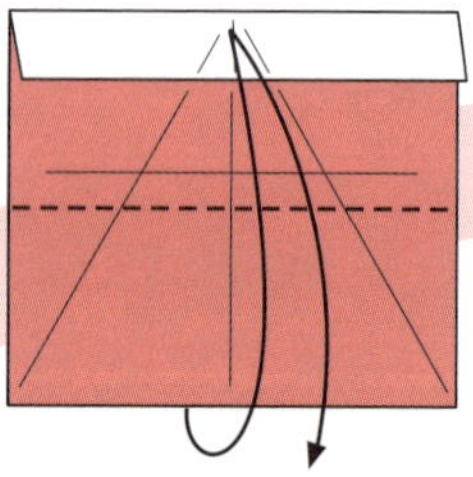

7 上のカドのところからカドを○に合わせて折る

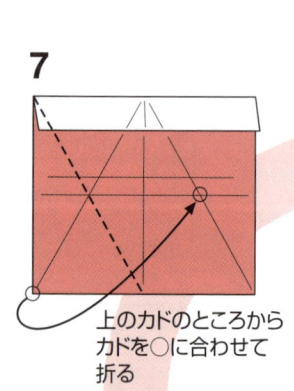

8 戻す

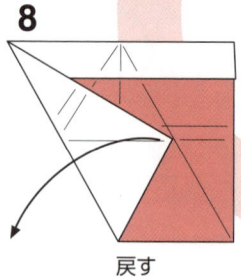

9 反対側も同じようにして折り筋をつける

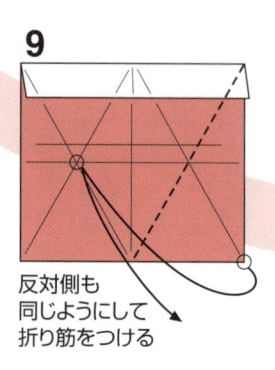

10 戻す

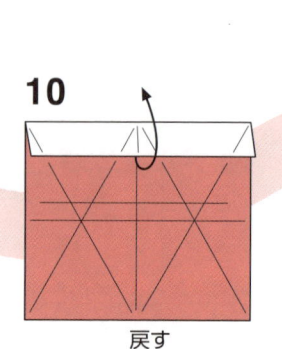

11 ついている折り筋で折る

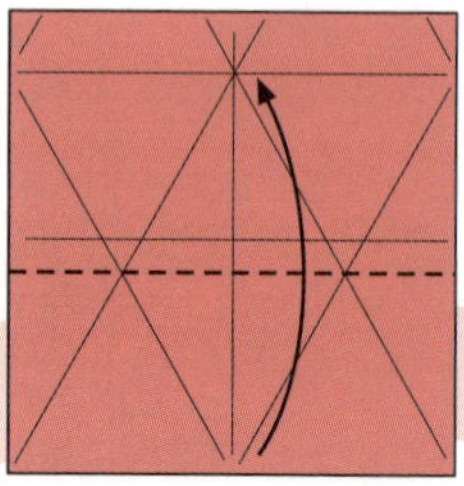

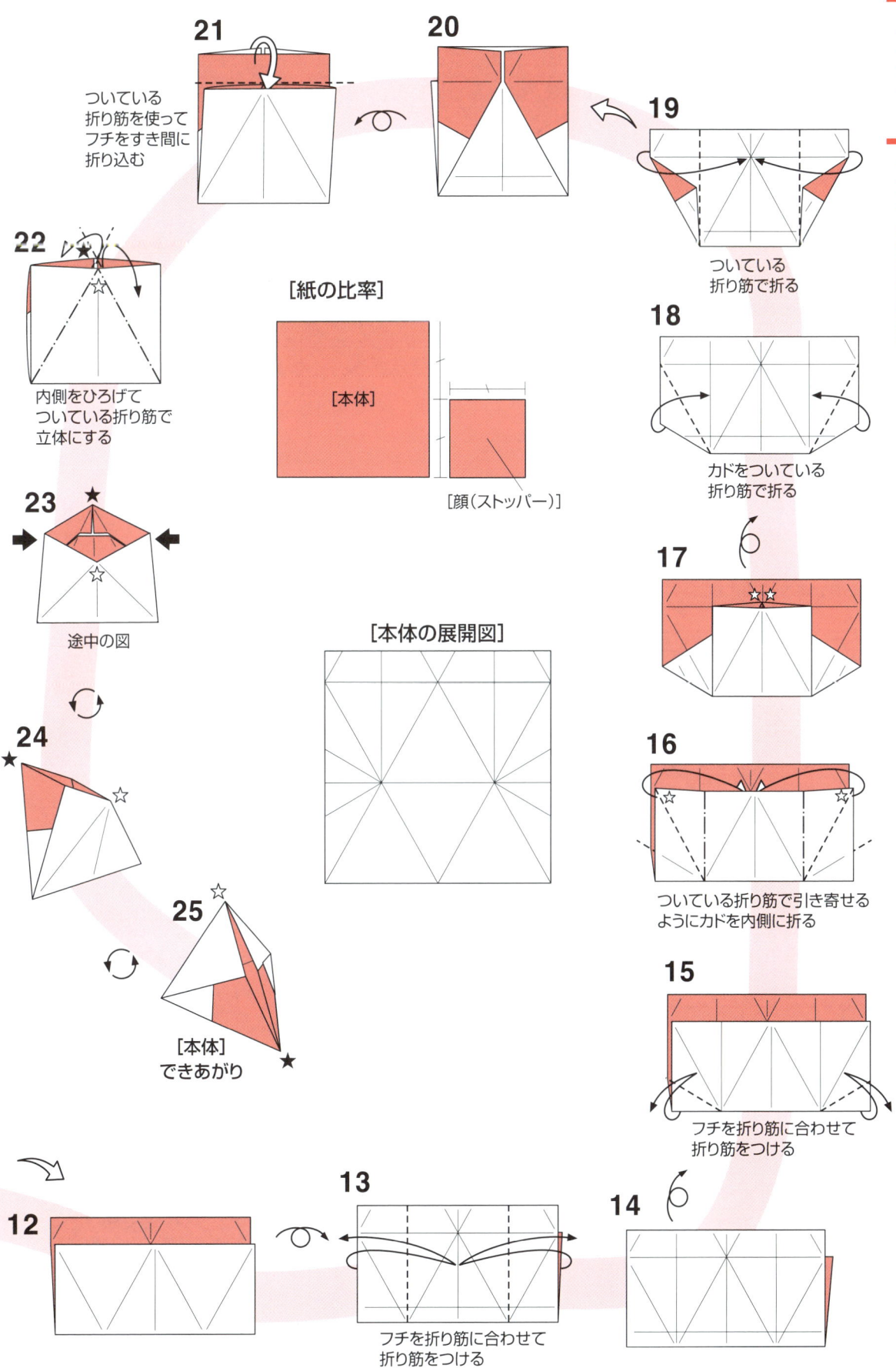

サンタの正四面体箱

21 ついている折り筋を使ってフチをすき間に折り込む

20

19 ついている折り筋で折る

22 内側をひろげてついている折り筋で立体にする

[紙の比率]
[本体]
[顔（ストッパー）]

18 カドをついている折り筋で折る

17

23 途中の図

[本体の展開図]

16 ついている折り筋で引き寄せるようにカドを内側に折る

24

25 [本体]できあがり

15 フチを折り筋に合わせて折り筋をつける

12

13 フチを折り筋に合わせて折り筋をつける

14

91

[顔(ストッパー)]

1 三角に折り筋をつける

2 三角に折る

[顔(ストッパー)の展開図]

[組み立て方]

1 [顔(ストッパー)]の後ろのカドをそれぞれ[本体]のすき間に差し込む

2 できあがり

3 カドとカドを合わせて折る

4

5 カドとカドを合わせて折り筋をつける

6 カドを折り筋に合わせて折る

7 フチを折り筋に合わせて折る

8 ついている折り筋で上へ折る

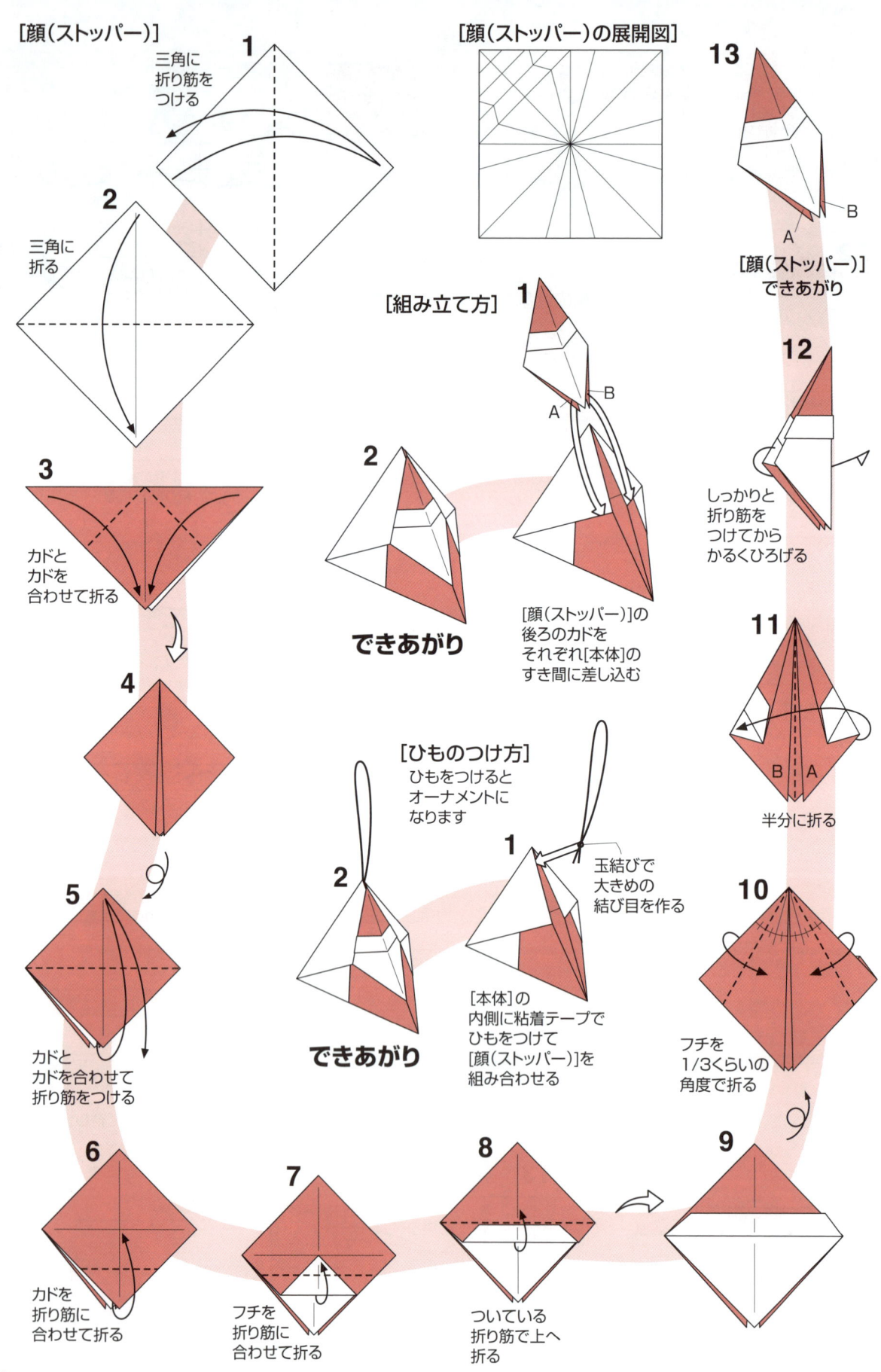

9

10 フチを1/3くらいの角度で折る

11 半分に折る

12 しっかりと折り筋をつけてからかるくひろげる

13

[顔(ストッパー)]できあがり

[ひものつけ方] ひもをつけるとオーナメントになります

1 玉結びで大きめの結び目を作る

[本体]の内側に粘着テープでひもをつけて[顔(ストッパー)]を組み合わせる

2 できあがり

第4章 海洋生物

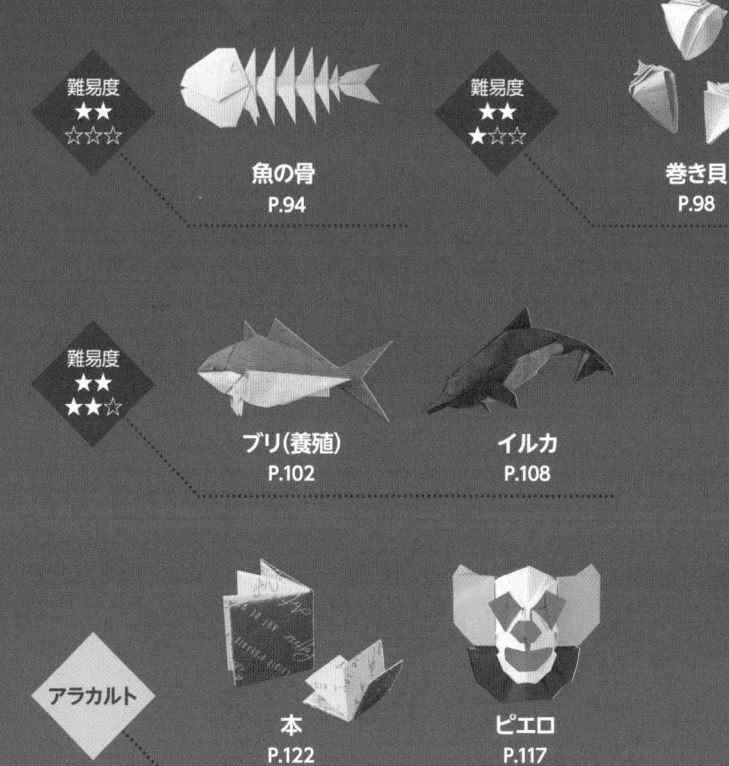

Oceanic Lifes

難易度
★★
☆☆☆

魚の骨
P.94

難易度
★☆☆

巻き貝
P.98

難易度
★★
★★☆

ブリ(養殖)
P.102

イルカ
P.108

アラカルト

本
P.122
難易度 ★

ピエロ
P.117
難易度 ★★★

海洋生物	**魚の骨**
難易度 ★★☆☆☆	Fish Skeleton by Makoto Yamaguchi 創作●山口 真 15cm:1枚、7.5cm:5枚、5.6cm:1枚、3.8cm:1枚／複合

これは30年くらい前に作った作品で、私のお気に入りの1つです。骨の大きさや数を調節することで、いろいろな種類の魚を表現することができます。[骨]と[尾ビレ]には、とても基本的な「沈め折り」がでてきます。直前の沈める部分の折り筋は、ズレないように気をつけてしっかりと折ってください。

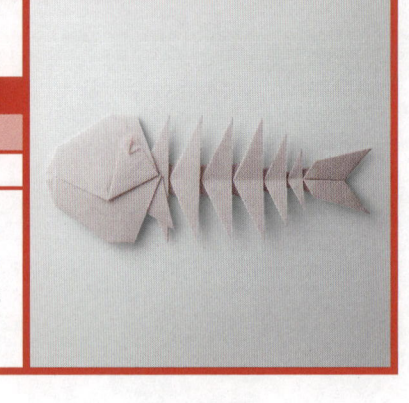

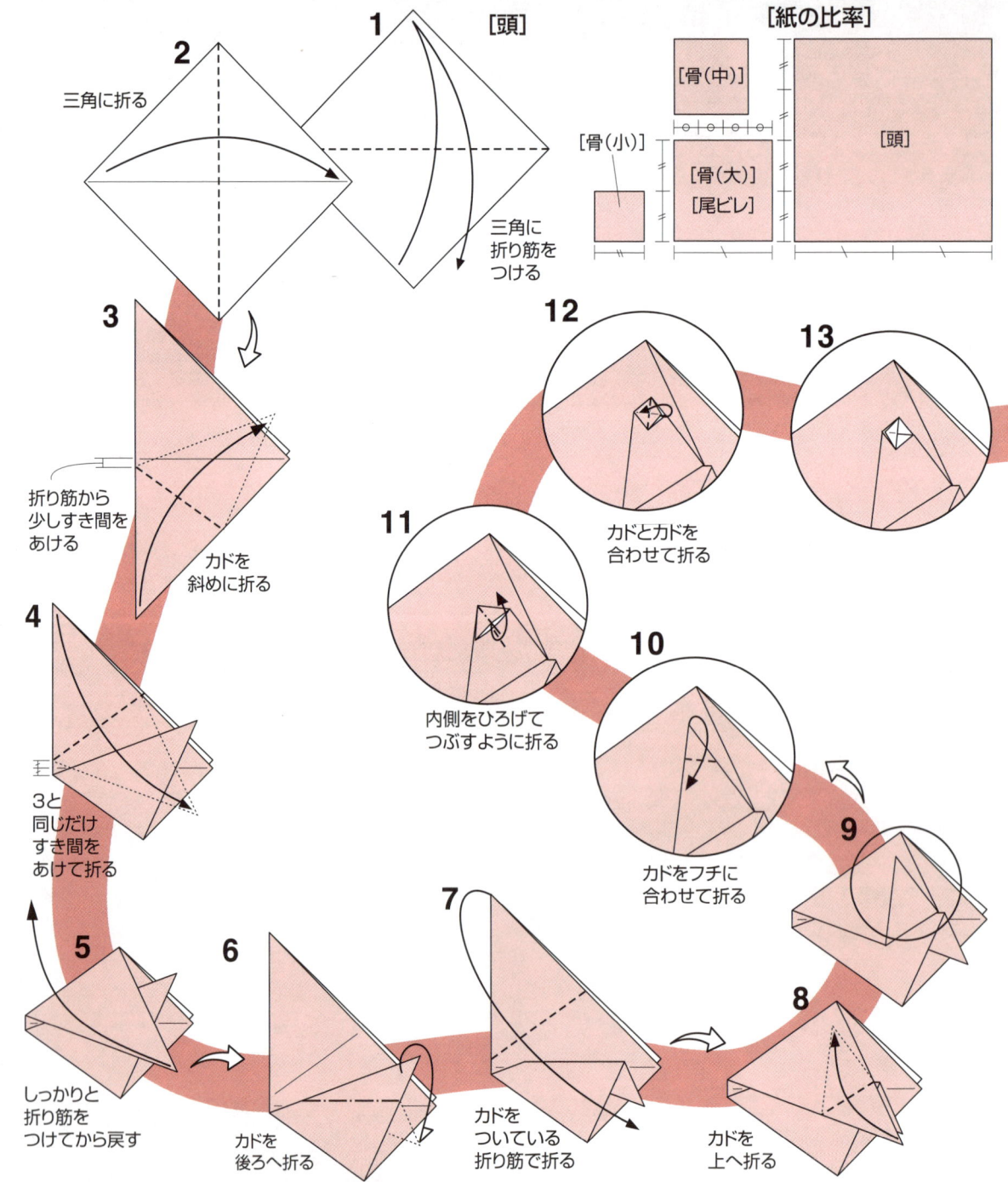

[紙の比率]

[骨(中)] [骨(小)] [骨(大)] [尾ビレ] [頭]

1 [頭] 三角に折り筋をつける
2 三角に折る
3 折り筋から少しすき間をあける／カドを斜めに折る
4 3と同じだけすき間をあけて折る
5 しっかりと折り筋をつけてから戻す
6 カドを後ろへ折る
7 カドをついている折り筋で折る
8 カドを上へ折る
9
10 カドをフチに合わせて折る
11 内側をひろげてつぶすように折る
12 カドとカドを合わせて折る
13

94

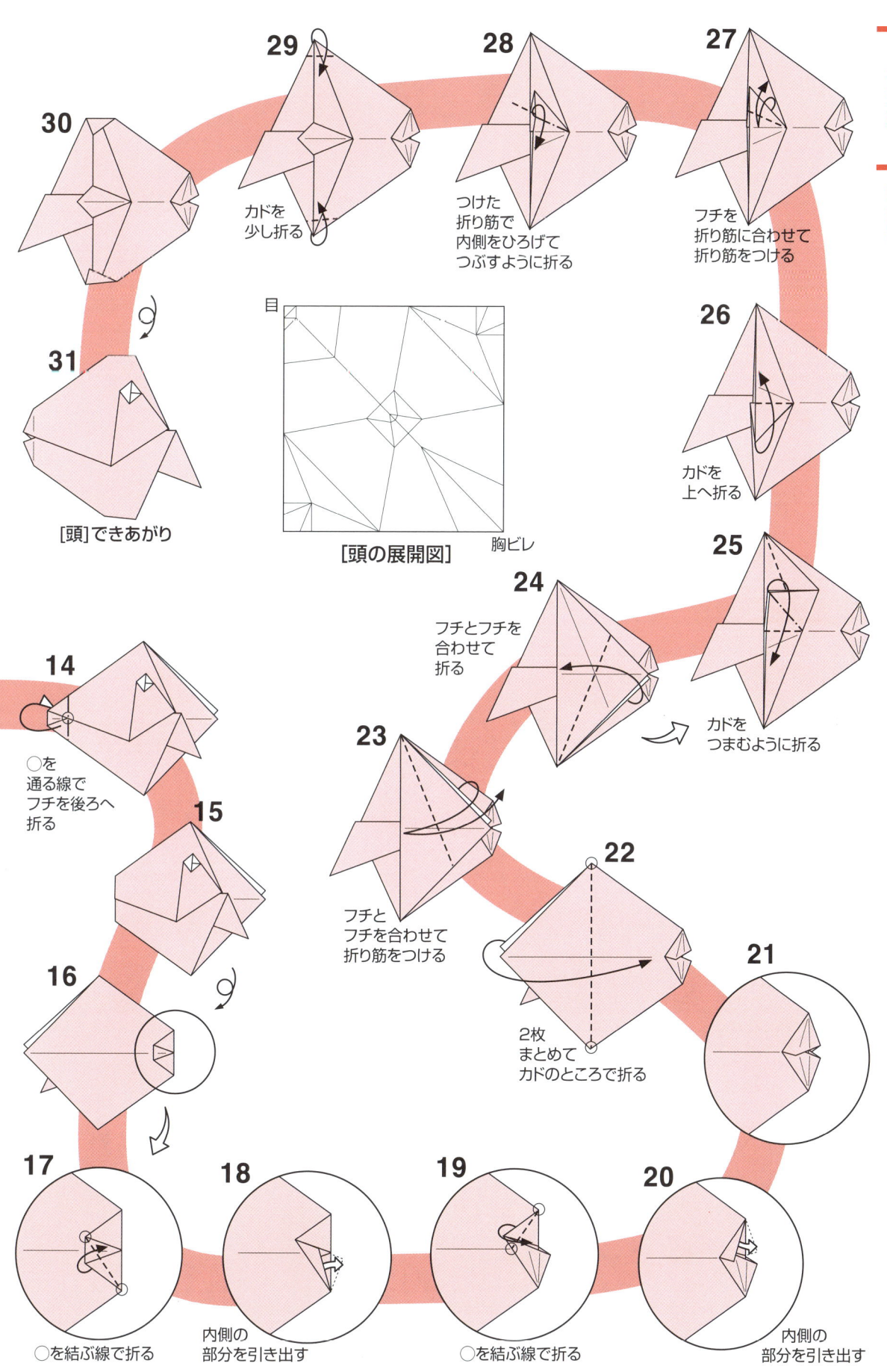

海洋生物 | 魚の骨

30

29 カドを少し折る

28 つけた折り筋で内側をひろげてつぶすように折る

27 フチを折り筋に合わせて折り筋をつける

26 カドを上へ折る

25 カドをつまむように折る

31 [頭]できあがり

[頭の展開図] 目／胸ビレ

24 フチとフチを合わせて折る

23 フチとフチを合わせて折り筋をつける

22 2枚まとめてカドのところで折る

21

14 ○を通る線でフチを後ろへ折る

15

16

17 ○を結ぶ線で折る

18 内側の部分を引き出す

19 ○を結ぶ線で折る

20 内側の部分を引き出す

95

[骨(大)、骨(中)、骨(小)]

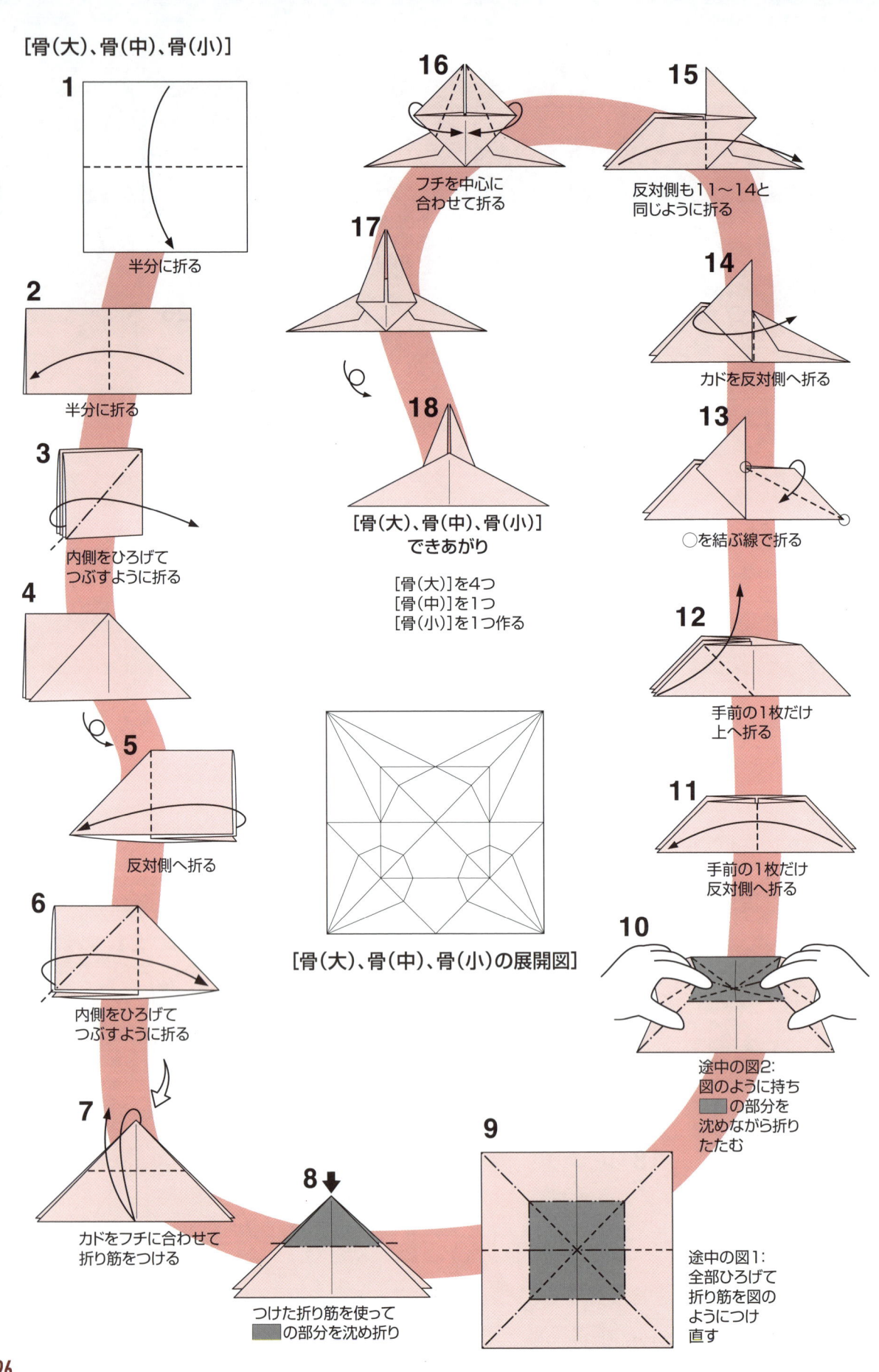

1. 半分に折る
2. 半分に折る
3. 内側をひろげてつぶすように折る
4.
5. 反対側へ折る
6. 内側をひろげてつぶすように折る
7. カドをフチに合わせて折り筋をつける
8. つけた折り筋を使って ■ の部分を沈め折り
9. 途中の図1: 全部ひろげて折り筋を図のようにつけ直す
10. 途中の図2: 図のように持ち ■ の部分を沈めながら折りたたむ
11. 手前の1枚だけ反対側へ折る
12. 手前の1枚だけ上へ折る
13. ○を結ぶ線で折る
14. カドを反対側へ折る
15. 反対側も11〜14と同じように折る
16. フチを中心に合わせて折る
17.
18. [骨(大)、骨(中)、骨(小)] できあがり

[骨(大)]を4つ
[骨(中)]を1つ
[骨(小)]を1つ作る

[骨(大)、骨(中)、骨(小)の展開図]

[尾ビレ] [骨(大)、骨(中)、骨(小)]の7から始める

1. 1/3のところで折り筋をつける
2. つけた折り筋を使って■の部分を沈め折り
3. 途中の図1: 全部ひろげて折り筋を図のようにつけ直す
4. 途中の図2: 図のように持ち■の部分を沈めながら折りたたむ
5. 手前の1枚だけ反対側へ折る
6. 手前の1枚だけ上へ折る
7. カドを反対側へ折る
8. 反対側も5〜7と同じように折る
9. フチを折り筋に合わせて折る
10.
11. ○のところから斜めに折る
12. 中心の折り筋のところで反対側へ折る
13. 反対側も11〜12と同じように折る
14. フチを後ろへ折る
15. [尾ビレ]できあがり

[尾ビレの展開図]

[組み合わせ方]

カドの分かれている部分を差し込んで[頭][骨(大)、骨(中)、骨(小)][尾ビレ]をつなげる

尾ビレ　骨(小)　骨(中)　骨(大)　頭

1.
2.
3. できあがり

海洋生物	**巻き貝**
難易度 ★★★☆☆	**Spiral Shell** by Toshikazu Kawasaki 創作●川崎敏和 20cm 折り紙用紙／1枚／不切正方一枚折り

巻き貝誕生のきっかけはバラの改良でした。花のつけ根には子房という、成熟すると種になるふくらみがあります。私のバラに子房をつけるためにガクで形成することを試みました。その試作を鶴の基本形で行っているうちにらせん折りが生まれ、その美しい構造を活かそうとして巻き貝ができました。だから、4重らせんなのです。

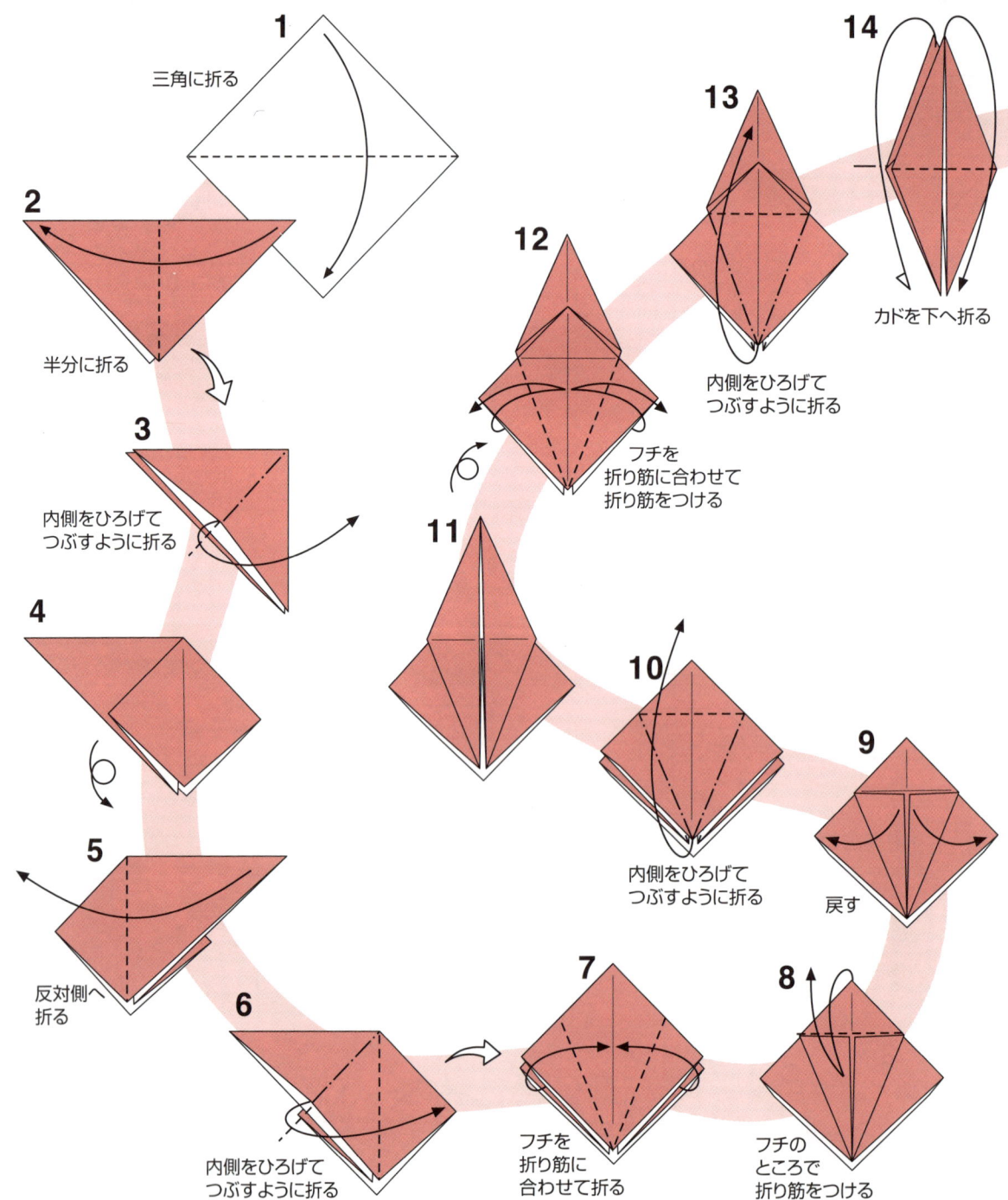

1 三角に折る

2 半分に折る

3 内側をひろげてつぶすように折る

4

5 反対側へ折る

6 内側をひろげてつぶすように折る

7 フチを折り筋に合わせて折る

8 フチのところで折り筋をつける

9 戻す

10 内側をひろげてつぶすように折る

11

12 フチを折り筋に合わせて折り筋をつける

13 内側をひろげてつぶすように折る

14 カドを下へ折る

98

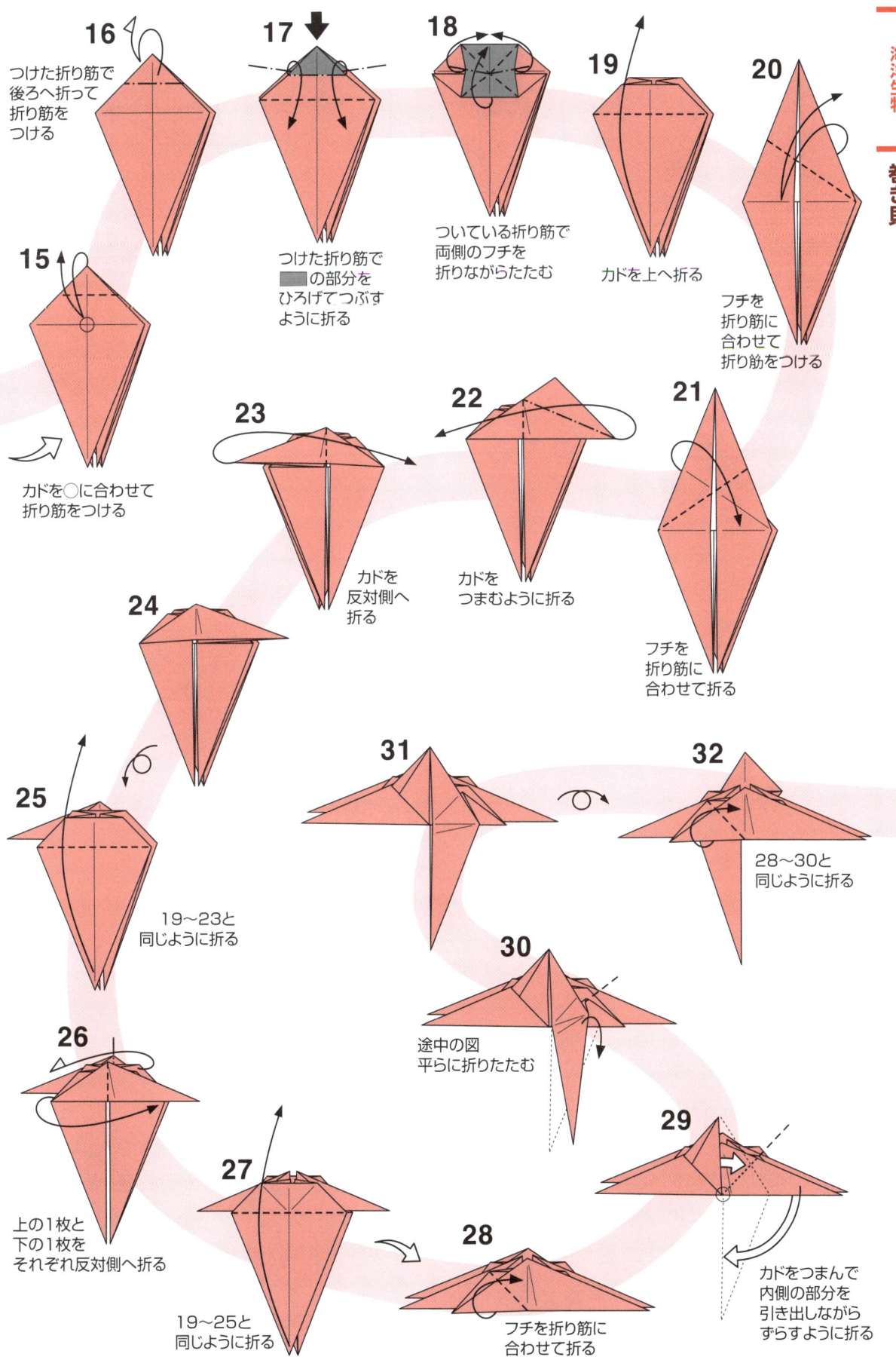

海洋生物 | 巻き貝

15 カドを○に合わせて折り筋をつける

16 つけた折り筋で後ろへ折って折り筋をつける

17 つけた折り筋で■の部分をひろげてつぶすように折る

18 ついている折り筋で両側のフチを折りながらたたむ

19 カドを上へ折る

20 フチを折り筋に合わせて折り筋をつける

21 フチを折り筋に合わせて折る

22 カドをつまむように折る

23 カドを反対側へ折る

24

25 19〜23と同じように折る

26 上の1枚と下の1枚をそれぞれ反対側へ折る

27 19〜25と同じように折る

28 フチを折り筋に合わせて折る

29 カドをつまんで内側の部分を引き出しながらずらすように折る

30 途中の図 平らに折りたたむ

31

32 28〜30と同じように折る

99

42 カドを上へ折る

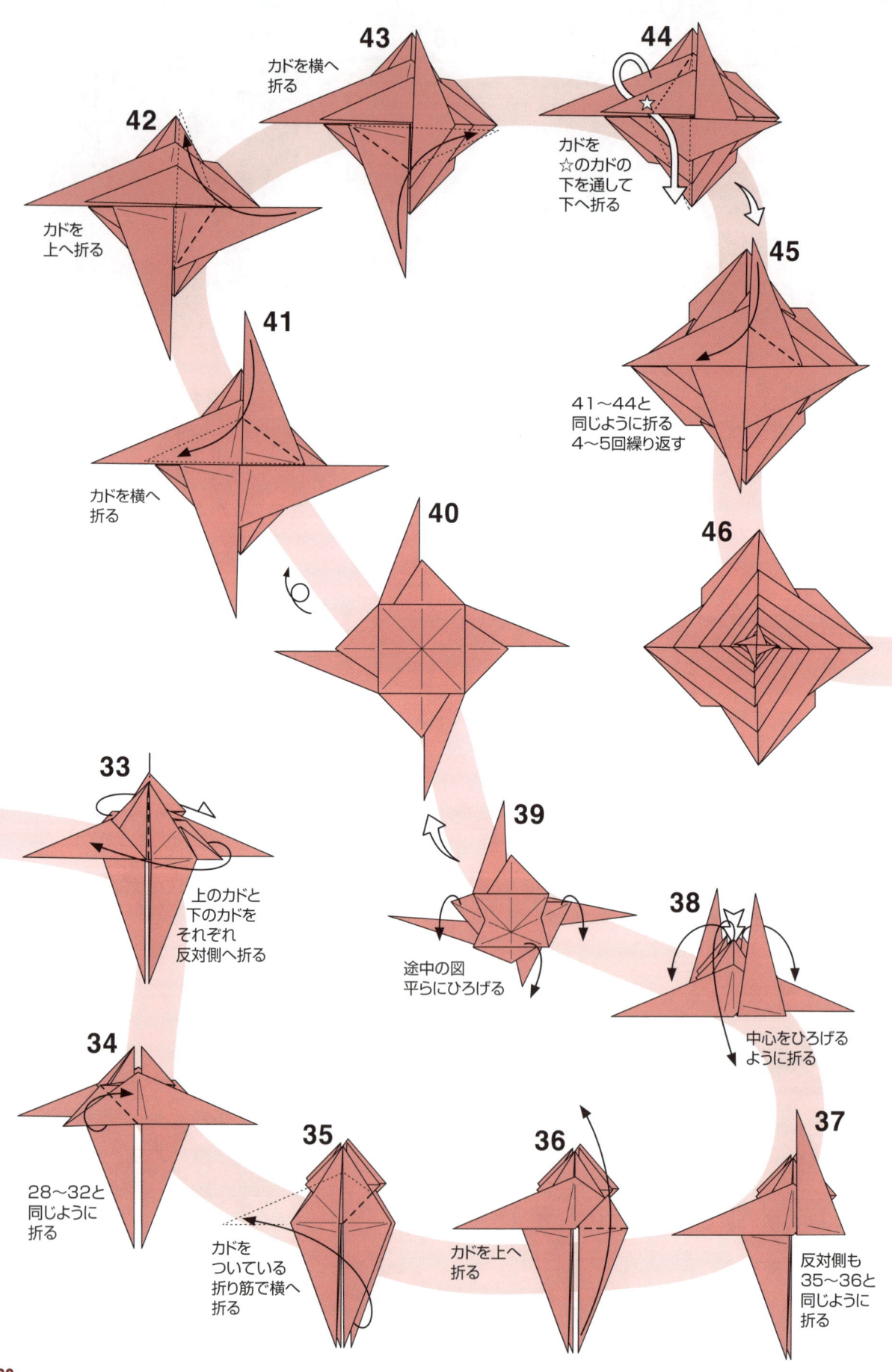

43 カドを横へ折る

44 カドを☆のカドの下を通して下へ折る

45 41〜44と同じように折る 4〜5回繰り返す

46

41 カドを横へ折る

40

33 上のカドと下のカドをそれぞれ反対側へ折る

34 28〜32と同じように折る

35 カドをついている折り筋で横へ折る

36 カドを上へ折る

37 反対側も35〜36と同じように折る

38 中心をひろげるように折る

39 途中の図 平らにひろげる

100

55

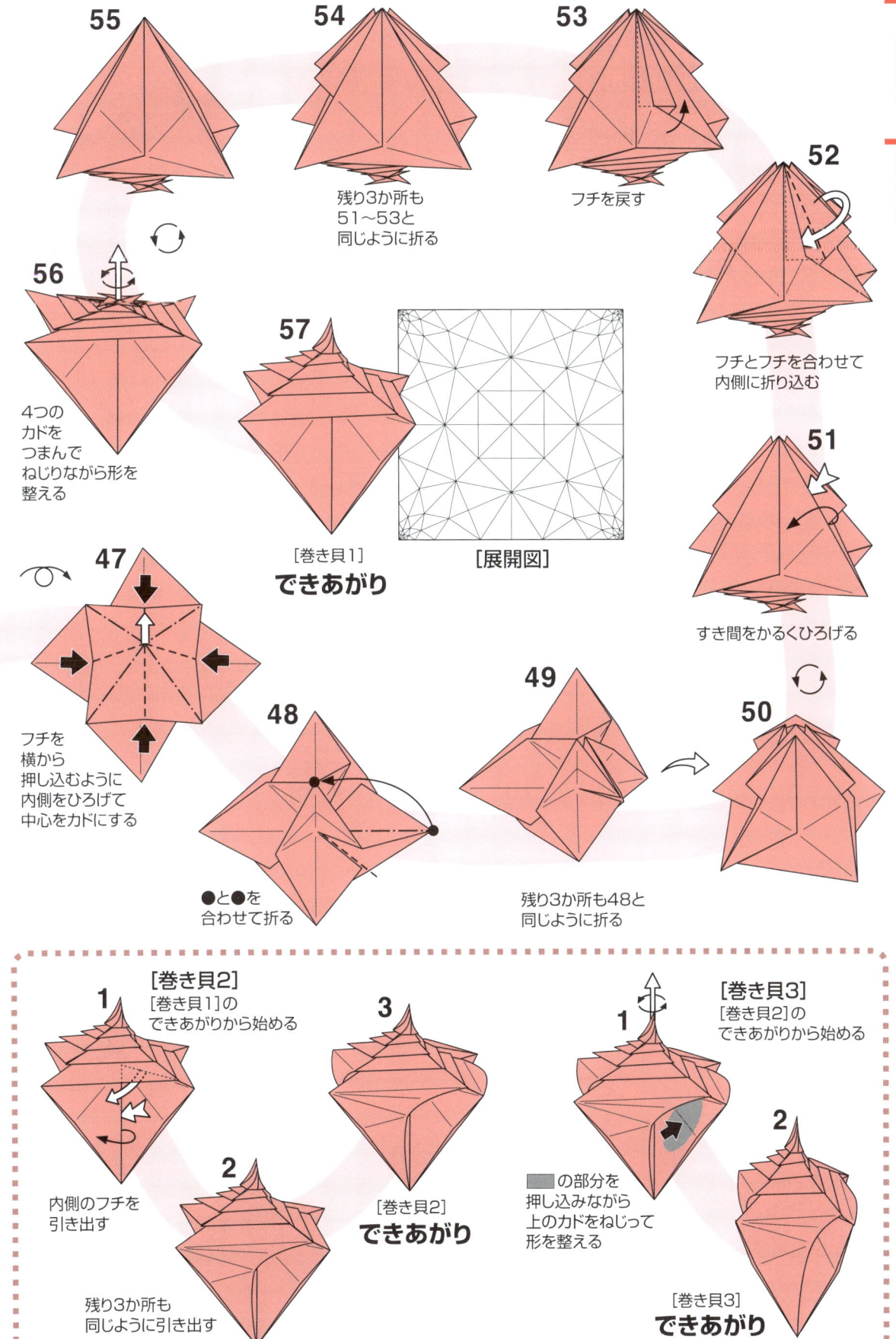

54
残り3か所も
51〜53と
同じように折る

53
フチを戻す

52
フチとフチを合わせて
内側に折り込む

56
4つの
カドを
つまんで
ねじりながら形を
整える

57
[巻き貝1]
できあがり

[展開図]

51
すき間をかるくひろげる

47
フチを
横から
押し込むように
内側をひろげて
中心をカドにする

48
●と●を
合わせて折る

49
残り3か所も48と
同じように折る

50

[巻き貝2]
[巻き貝1]の
できあがりから始める

1
内側のフチを
引き出す

2
残り3か所も
同じように引き出す

3
[巻き貝2]
できあがり

[巻き貝3]
[巻き貝2]の
できあがりから始める

1
■の部分を
押し込みながら
上のカドをねじって
形を整える

2
[巻き貝3]
できあがり

海洋生物 | 巻き貝

101

海洋生物

難易度
★★★★☆

ブリ(養殖)

Yellowtail (Farmed) by Kyohei Katsuta
創作●勝田恭平

25cm 折り紙用紙／1枚／不切正方一枚折り

この作品はあるTV番組の撮影で九州のブリの養殖が行われている島に行った際に、地元の方と実物のブリと折り紙のブリを交換しようという話になり、その場で見た丸まると太った養殖のブリを参考に製作したものです。
無駄の少ない構造で、必要なカドをすべて出しつつ完成サイズが比較的大きくできるところが気に入っています。

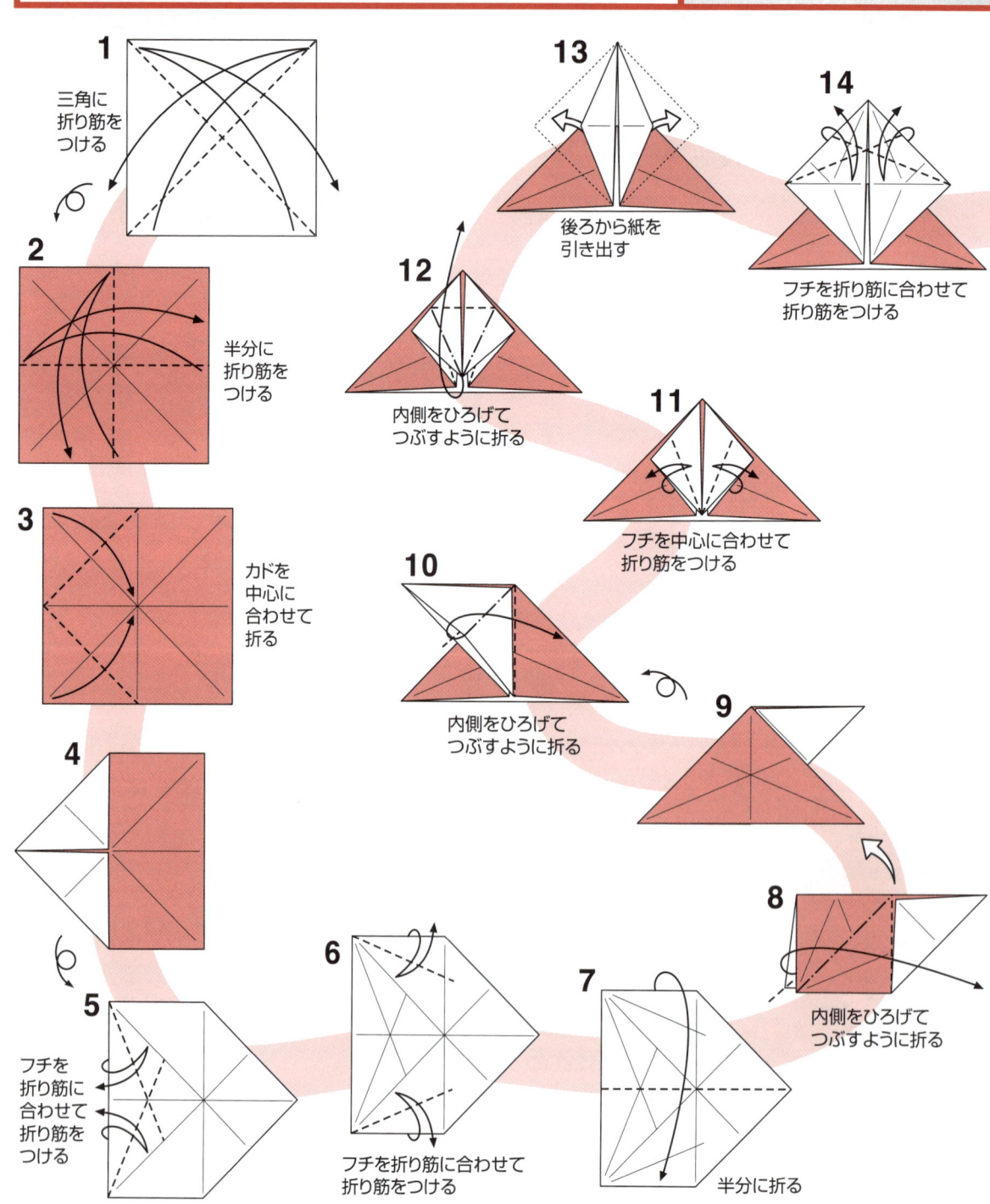

1
三角に
折り筋を
つける

2
半分に
折り筋を
つける

3
カドを
中心に
合わせて
折る

4

5
フチを
折り筋に
合わせて
折り筋を
つける

6
フチを折り筋に合わせて
折り筋をつける

7
半分に折る

8
内側をひろげて
つぶすように折る

9

10
内側をひろげて
つぶすように折る

11
フチを中心に合わせて
折り筋をつける

12
内側をひろげて
つぶすように折る

13
後ろから紙を
引き出す

14
フチを折り筋に合わせて
折り筋をつける

16 カドを反対側へ折る

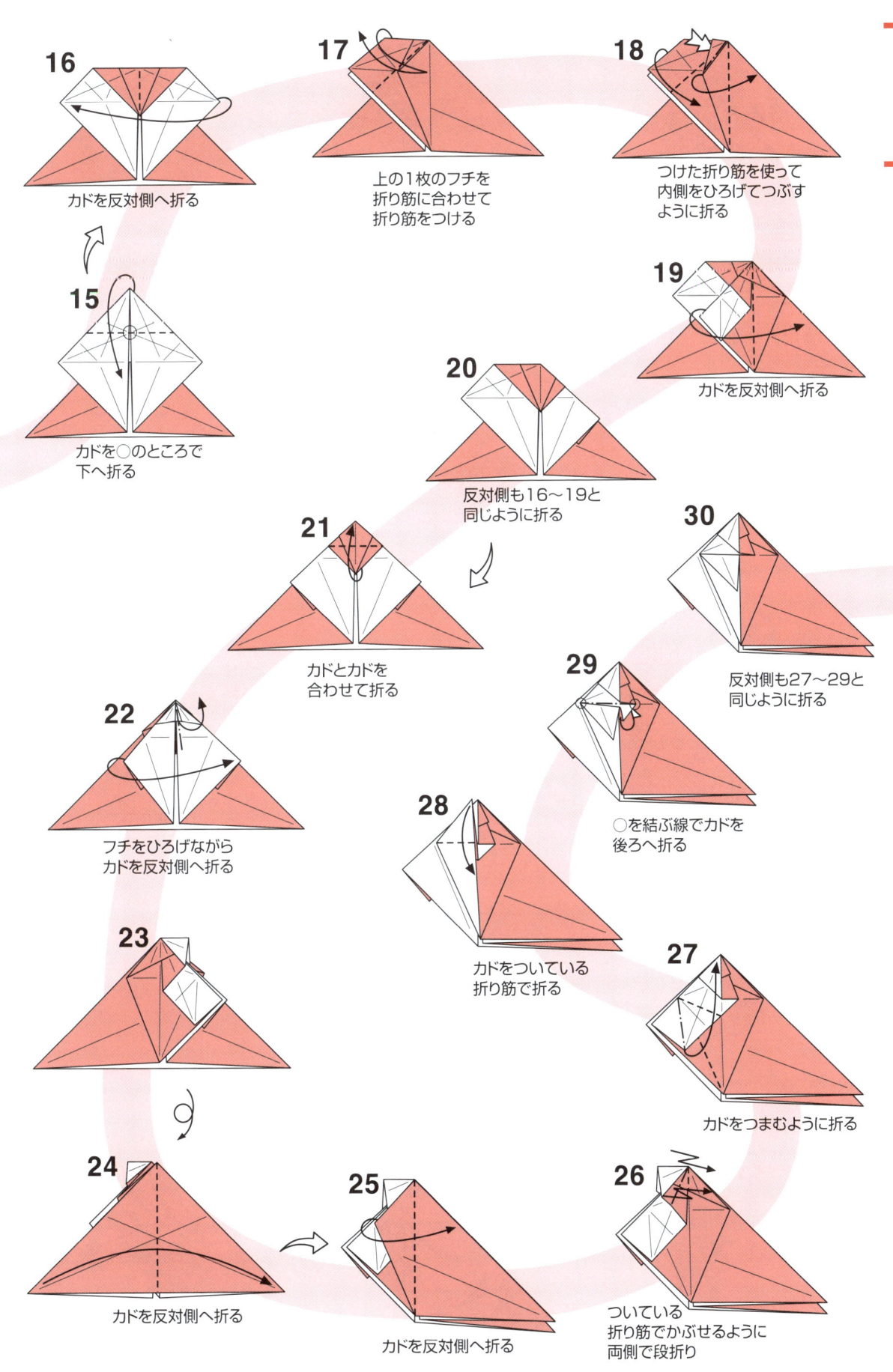

15 カドを○のところで下へ折る

17 上の1枚のフチを折り筋に合わせて折り筋をつける

18 つけた折り筋を使って内側をひろげてつぶすように折る

19 カドを反対側へ折る

20 反対側も16〜19と同じように折る

21 カドとカドを合わせて折る

22 フチをひろげながらカドを反対側へ折る

23

24 カドを反対側へ折る

25 カドを反対側へ折る

26 ついている折り筋でかぶせるように両側で段折り

27 カドをつまむように折る

28 カドをついている折り筋で折る

29 ○を結ぶ線でカドを後ろへ折る

30 反対側も27〜29と同じように折る

海洋生物　ブリ(養殖)

103

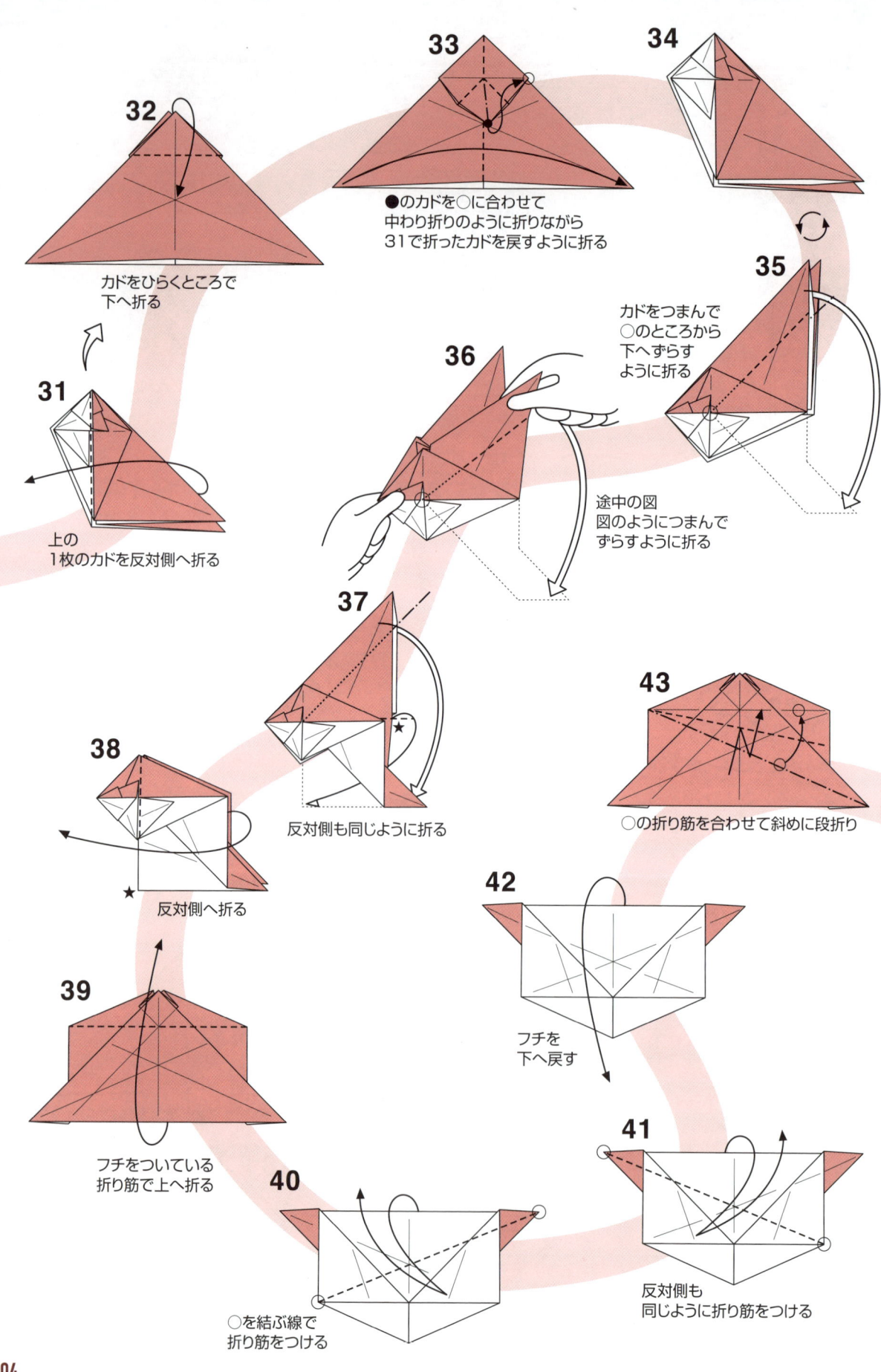

32 カドをひらくところで下へ折る

33 ●のカドを○に合わせて中わり折りのように折りながら31で折ったカドを戻すように折る

34

31 上の1枚のカドを反対側へ折る

35 カドをつまんで○のところから下へずらすように折る

36 途中の図 図のようにつまんでずらすように折る

37 反対側も同じように折る

38 反対側へ折る

39 フチをついている折り筋で上へ折る

40 ○を結ぶ線で折り筋をつける

41 反対側も同じように折り筋をつける

42 フチを下へ戻す

43 ○の折り筋を合わせて斜めに段折り

104

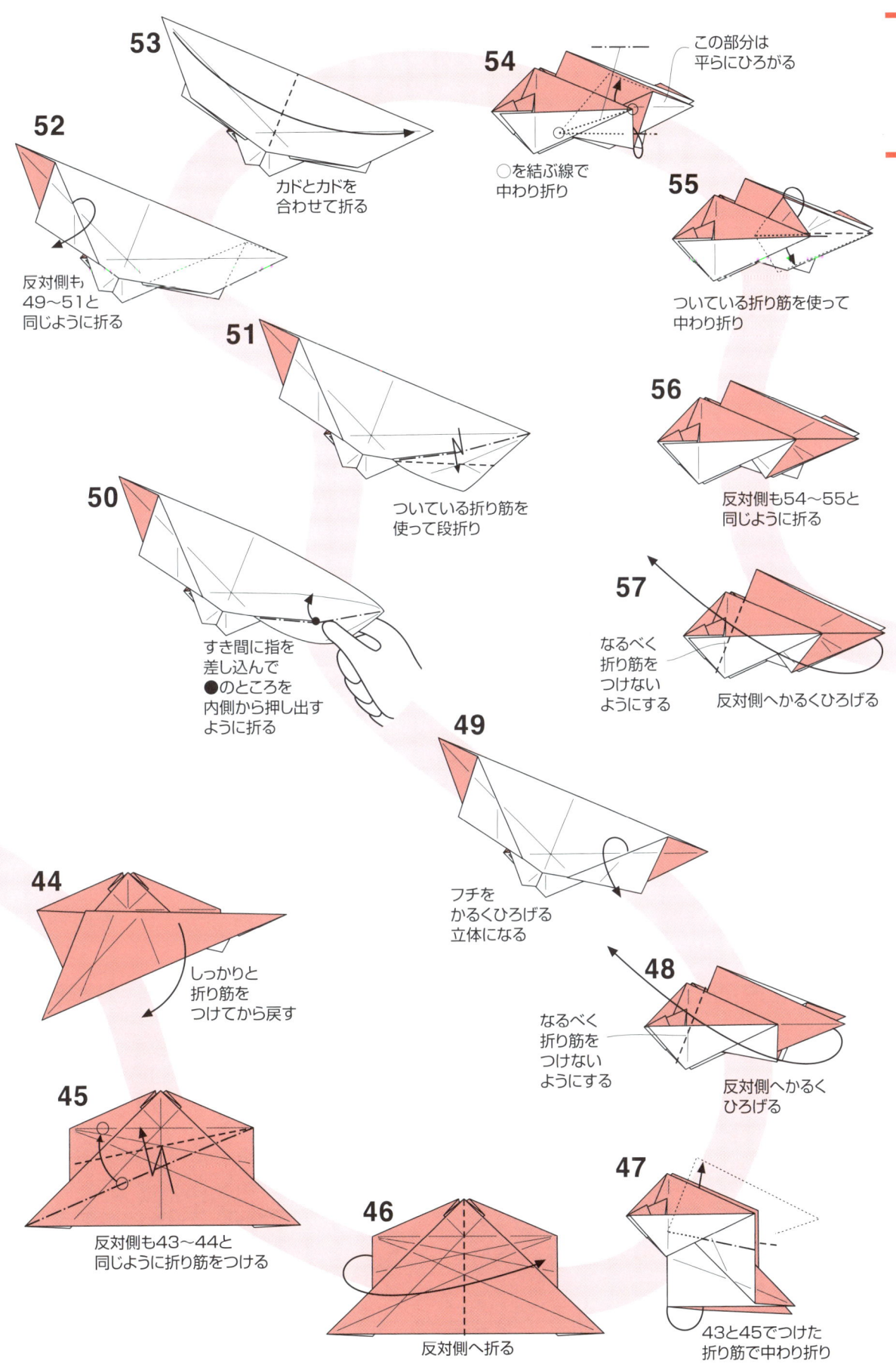

海洋生物 ブリ(養殖)

53 カドとカドを合わせて折る

54 この部分は平らにひろがる / ○を結ぶ線で中わり折り

55 ついている折り筋を使って中わり折り

52 反対側も49〜51と同じように折る

51 ついている折り筋を使って段折り

56 反対側も54〜55と同じように折る

50 すき間に指を差し込んで●のところを内側から押し出すように折る

57 なるべく折り筋をつけないようにする / 反対側へかるくひろげる

49 フチをかるくひろげる立体になる

44 しっかりと折り筋をつけてから戻す

48 なるべく折り筋をつけないようにする / 反対側へかるくひろげる

45 反対側も43〜44と同じように折り筋をつける

46 反対側へ折る

47 43と45でつけた折り筋で中わり折り

105

69
フチとフチを
合わせて折る

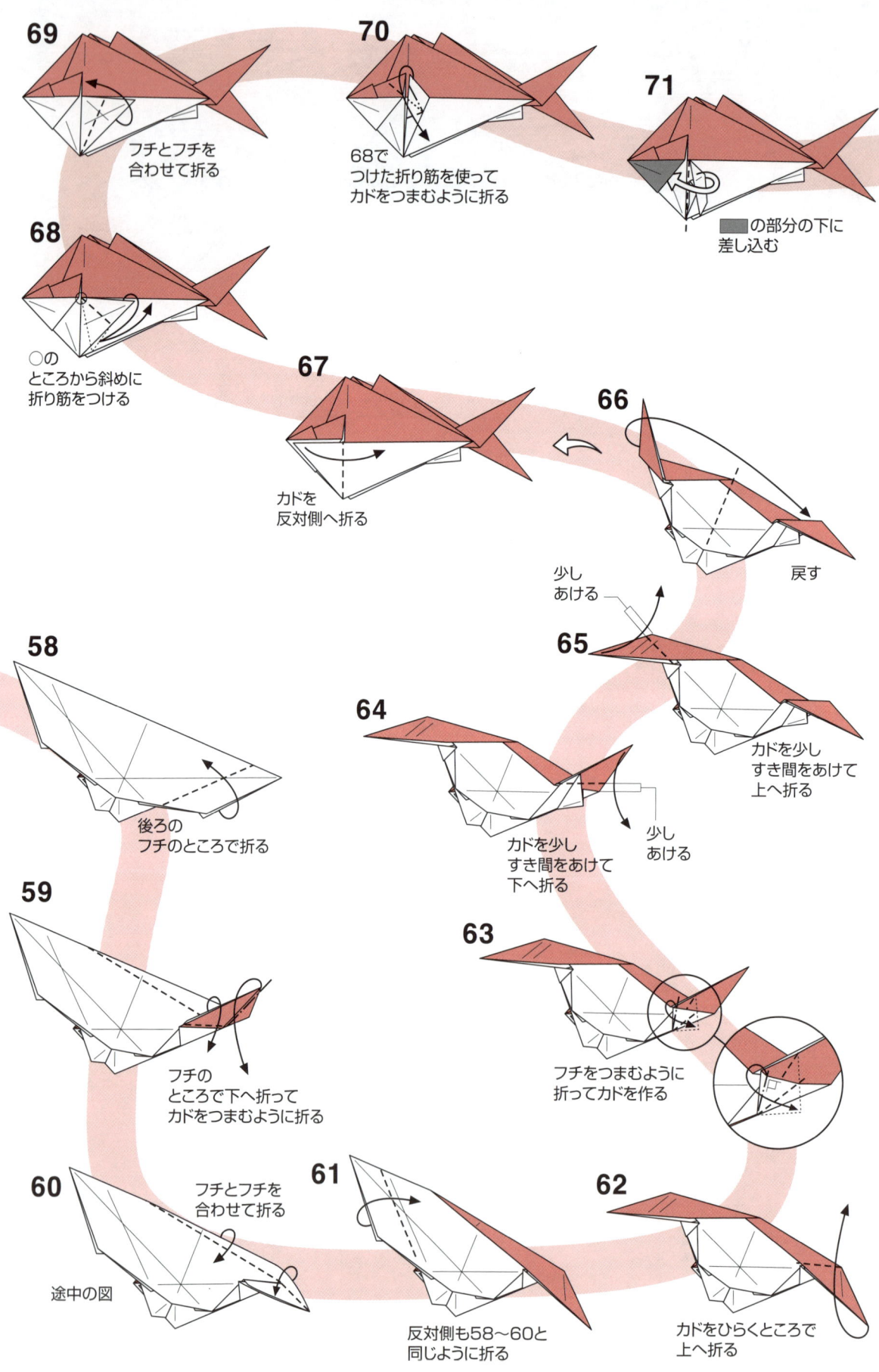

70
68で
つけた折り筋を使って
カドをつまむように折る

71
■の部分の下に
差し込む

68
○の
ところから斜めに
折り筋をつける

67
カドを
反対側へ折る

66
戻す

65
少し
あける

カドを少し
すき間をあけて
上へ折る

64
カドを少し
すき間をあけて
下へ折る

少し
あける

58
後ろの
フチのところで折る

59
フチの
ところで下へ折って
カドをつまむように折る

63
フチをつまむように
折ってカドを作る

60
フチとフチを
合わせて折る

途中の図

61
反対側も58〜60と
同じように折る

62
カドをひらくところで
上へ折る

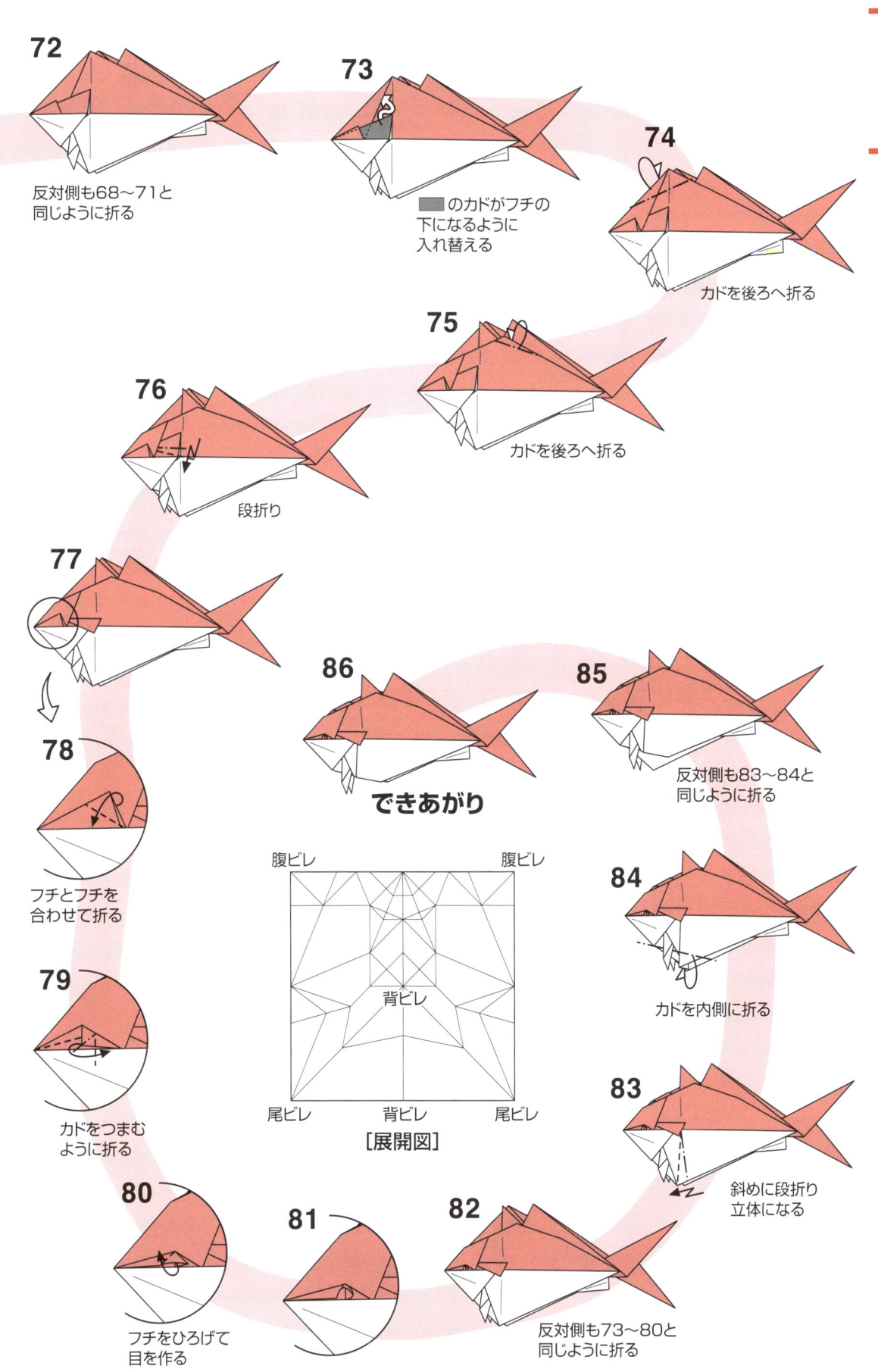

72
反対側も68〜71と同じように折る

73
■のカドがフチの下になるように入れ替える

74
カドを後ろへ折る

75
カドを後ろへ折る

76
段折り

77

78
フチとフチを合わせて折る

79
カドをつまむように折る

80
フチをひろげて目を作る

81

82
反対側も73〜80と同じように折る

83
斜めに段折り立体になる

84
カドを内側に折る

85
反対側も83〜84と同じように折る

86
できあがり

[展開図]

腹ビレ　腹ビレ
背ビレ
尾ビレ　背ビレ　尾ビレ

海洋生物　ブリ（養殖）

107

海洋生物

イルカ

Dolphin by Fumiaki Kawahata

創作●川畑文昭

難易度 ★★★★☆

25cm 折り紙用紙／1枚／不切正方一枚折り

愛知県南知多の施設に行ったとき、偶然プールで泳ぐイルカ達を間近で見る機会がありました。そこには図鑑や写真から想像していた姿とは違う姿がありました。泳ぐための美しくもたくましいフォルム、加えて愛くるしい目。そのときに受けた印象を大切に創作した作品です。

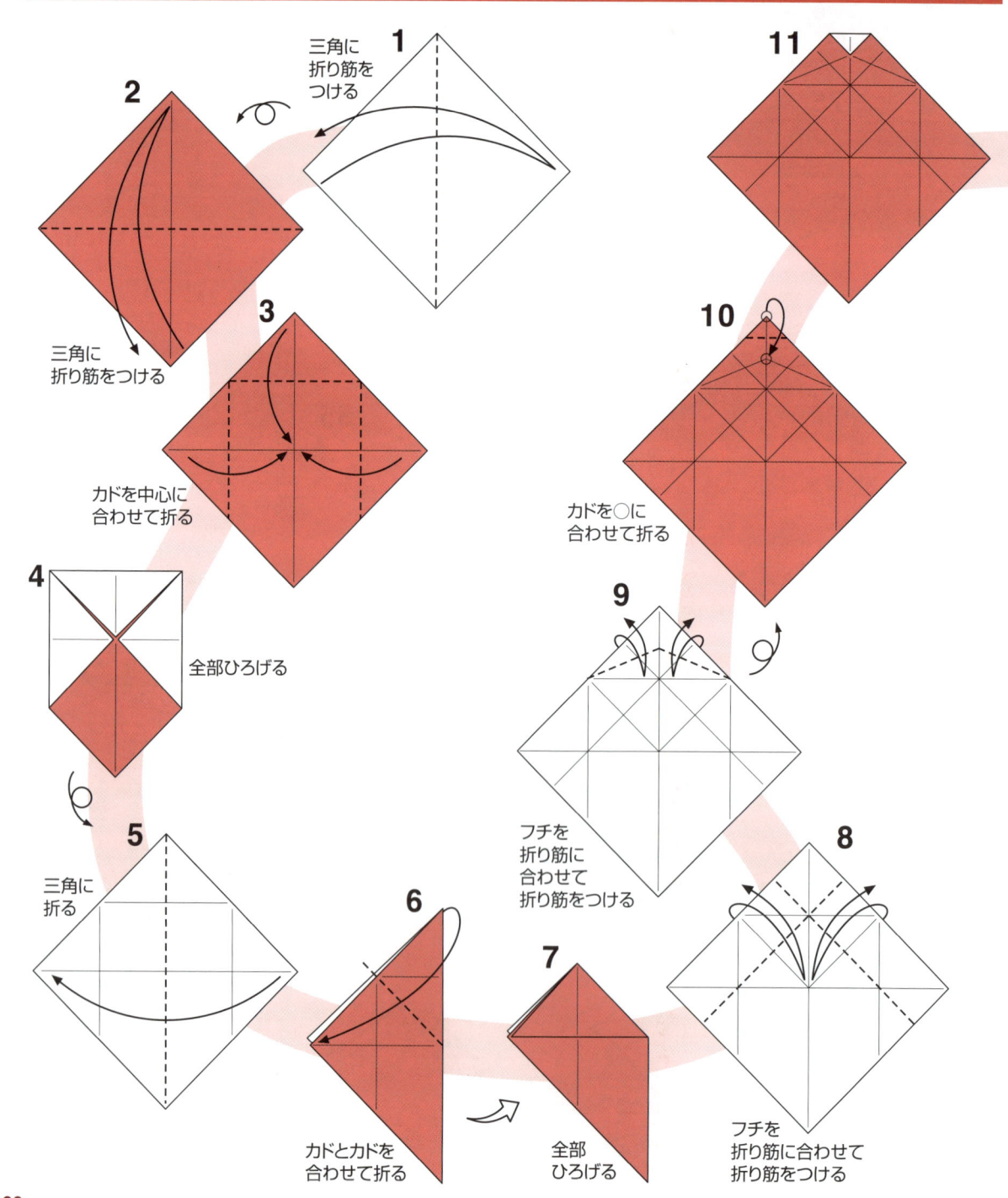

1
三角に折り筋をつける

2
三角に折り筋をつける

3
カドを中心に合わせて折る

4
全部ひろげる

5
三角に折る

6
カドとカドを合わせて折る

7
全部ひろげる

8
フチを折り筋に合わせて折り筋をつける

9
フチを折り筋に合わせて折り筋をつける

10
カドを○に合わせて折る

11

108

13

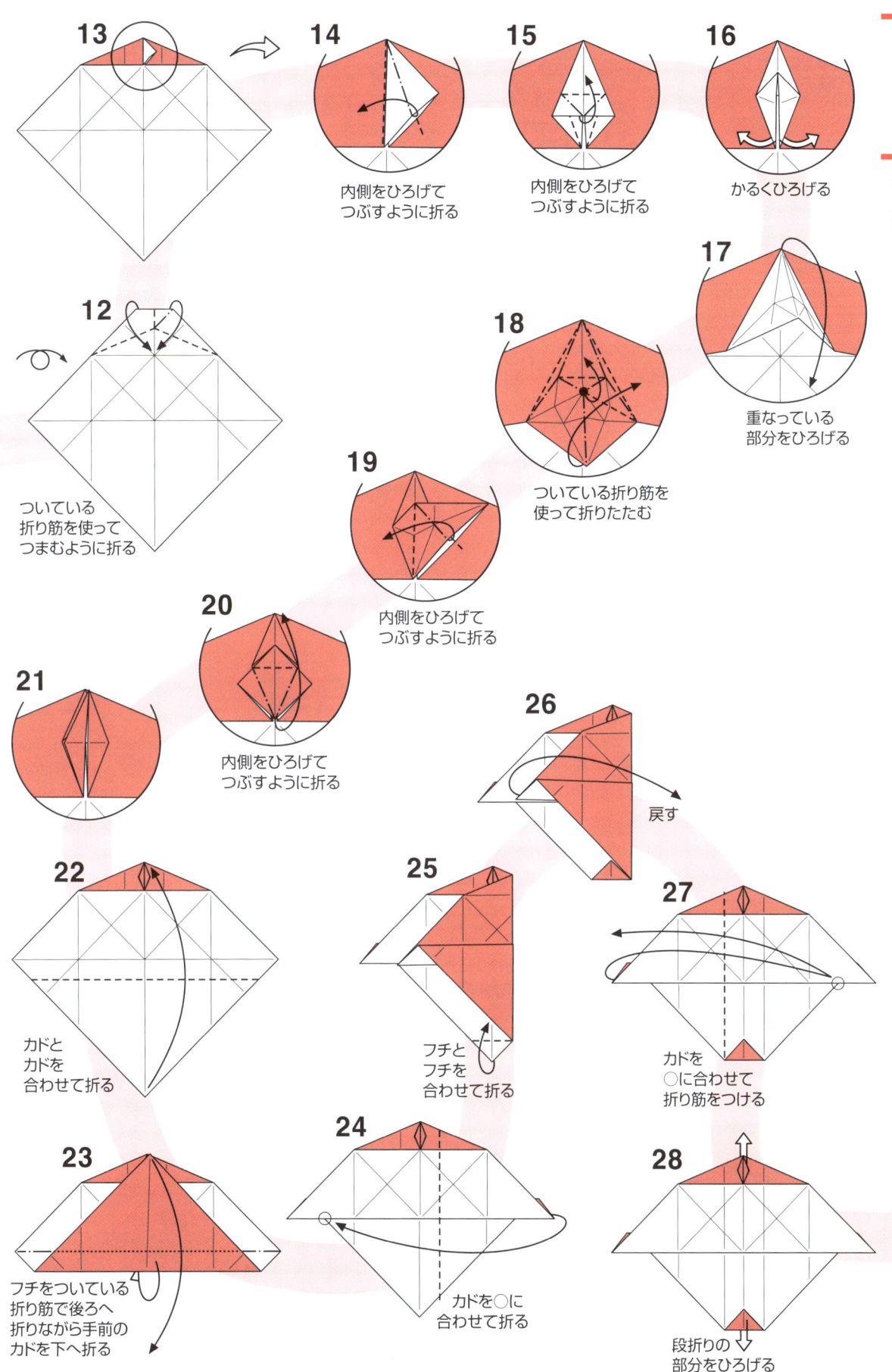

14
内側をひろげて
つぶすように折る

15
内側をひろげて
つぶすように折る

16
かるくひろげる

12
ついている
折り筋を使って
つまむように折る

17
重なっている
部分をひろげる

18
ついている折り筋を
使って折りたたむ

19
内側をひろげて
つぶすように折る

20
内側をひろげて
つぶすように折る

21

26
戻す

22
カドと
カドを
合わせて折る

25
フチと
フチを
合わせて折る

27
カドを
○に合わせて
折り筋をつける

23
フチをついている
折り筋で後ろへ
折りながら手前の
カドを下へ折る

24
カドを○に
合わせて折る

28
段折りの
部分をひろげる

海洋生物 イルカ

109

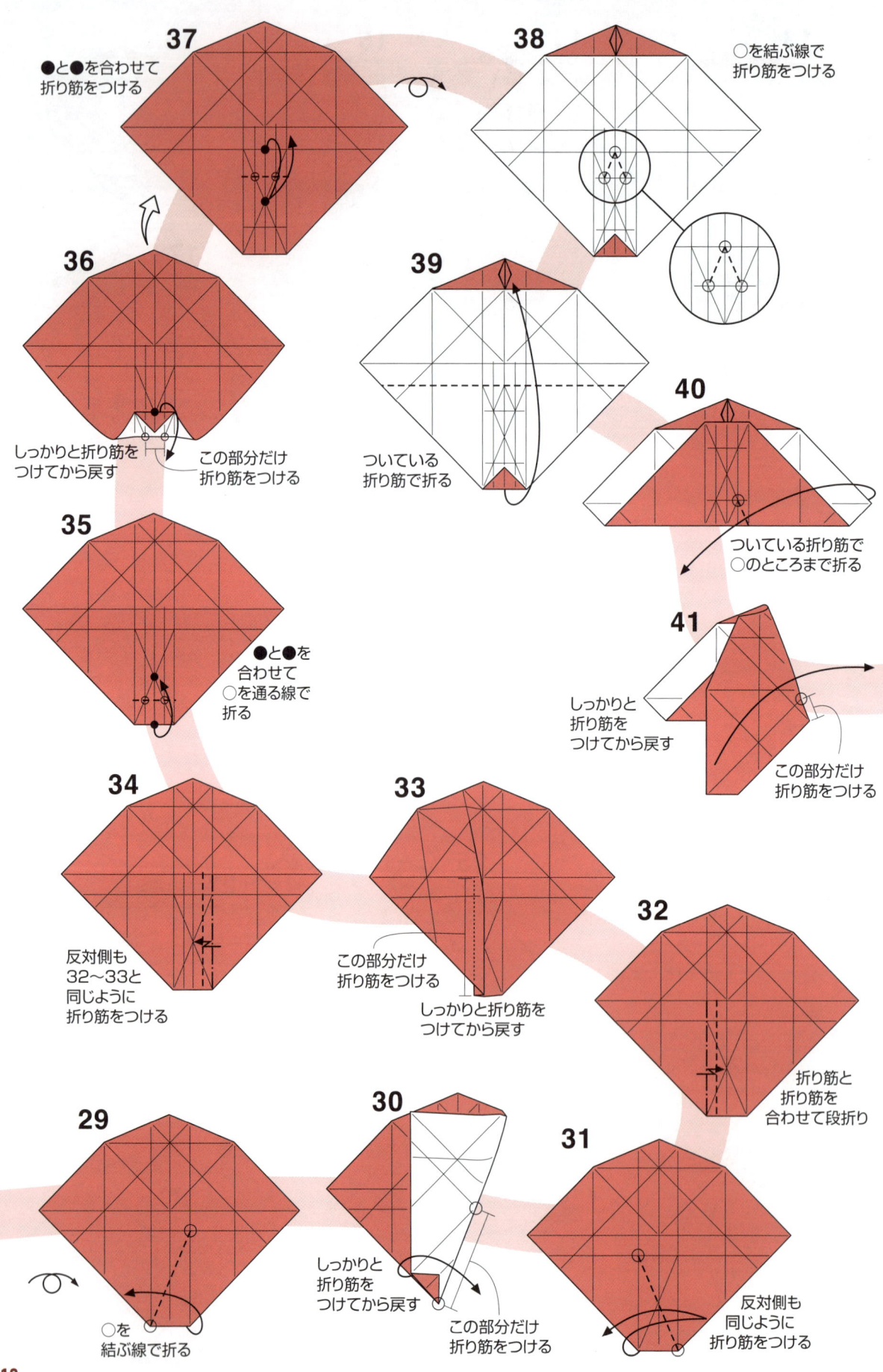

37
●と●を合わせて折り筋をつける

38
○を結ぶ線で折り筋をつける

36
しっかりと折り筋をつけてから戻す
この部分だけ折り筋をつける

39
ついている折り筋で折る

40
ついている折り筋で○のところまで折る

35
●と●を合わせて○を通る線で折る

41
しっかりと折り筋をつけてから戻す
この部分だけ折り筋をつける

34
反対側も32〜33と同じように折り筋をつける

33
この部分だけ折り筋をつける
しっかりと折り筋をつけてから戻す

32
折り筋と折り筋を合わせて段折り

29
○を結ぶ線で折る

30
しっかりと折り筋をつけてから戻す
この部分だけ折り筋をつける

31
反対側も同じように折り筋をつける

44 ○を結ぶ線で折り筋をつける

45 ついている折り筋で段折り

46 ついている折り筋を使って折り筋をつけ直す

47 ●のところから○を合わせて折る

43 カドを戻す

48 しっかりと折り筋をつけてから戻す / この部分だけ折り筋をつける

42 反対側も同じように折り筋をつける

49 反対側も同じように折り筋をつける

50 フチを折り筋に合わせて折り筋をつける

54 半分に折る

51 フチを折り筋に合わせて折り筋をつける

52 反対側も50〜51と同じように折り筋をつける

53 ○を結ぶ線で折り筋をつける

海洋生物 イルカ

111

65
途中の図1:
平らに折る

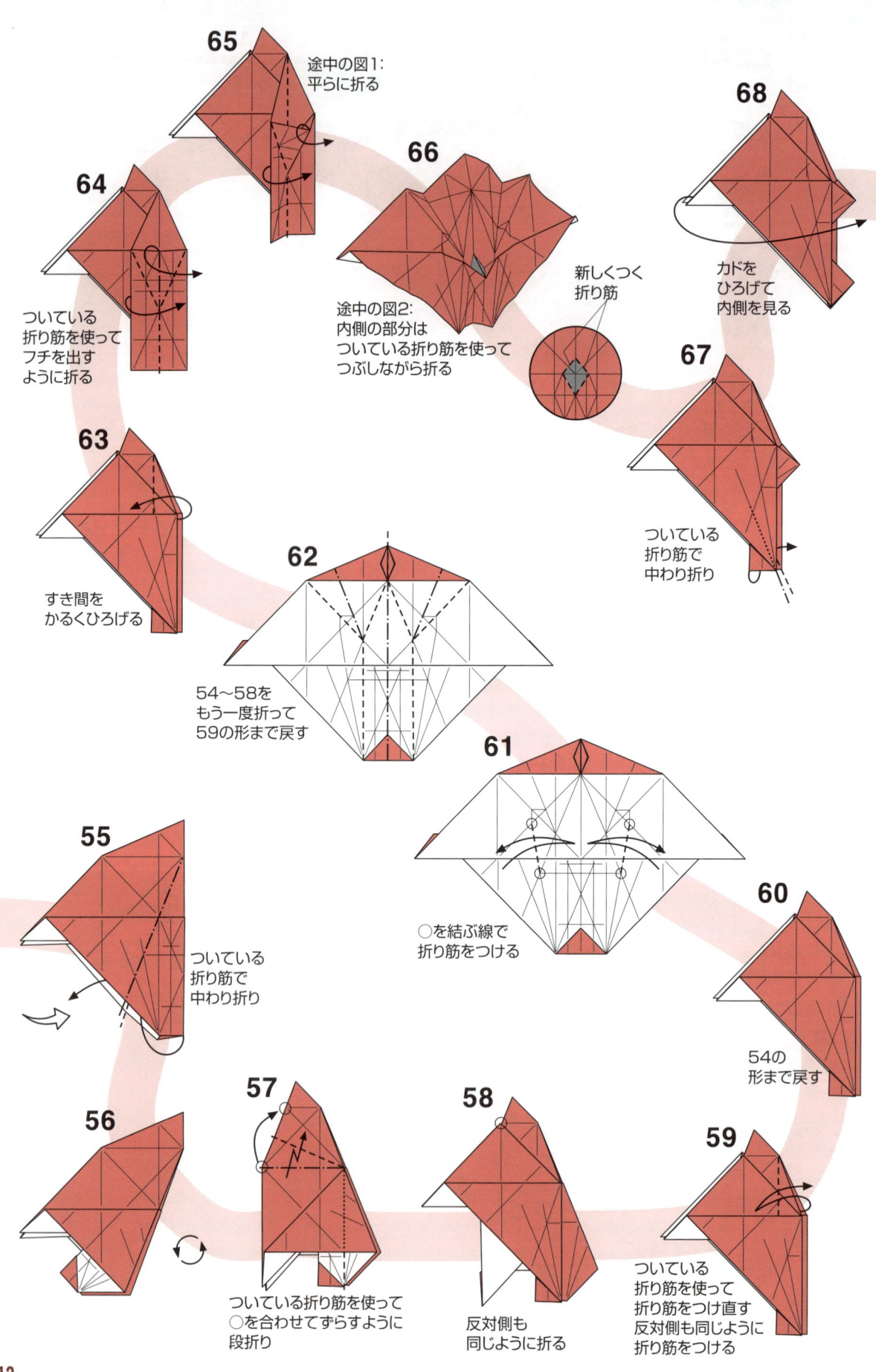

64
ついている
折り筋を使って
フチを出す
ように折る

66
途中の図2:
内側の部分は
ついている折り筋を使って
つぶしながら折る

新しくつく
折り筋

68
カドを
ひろげて
内側を見る

67
ついている
折り筋で
中わり折り

63
すき間を
かるくひろげる

62
54〜58を
もう一度折って
59の形まで戻す

61
○を結ぶ線で
折り筋をつける

60
54の
形まで戻す

55
ついている
折り筋で
中わり折り

56

57
ついている折り筋を使って
○を合わせてずらすように
段折り

58
反対側も
同じように折る

59
ついている
折り筋を使って
折り筋をつけ直す
反対側も同じように
折り筋をつける

112

70
折ったところ全体をかるく折りたたむ

71
ついている折り筋を使って■の部分を押し込むように折って平らにする

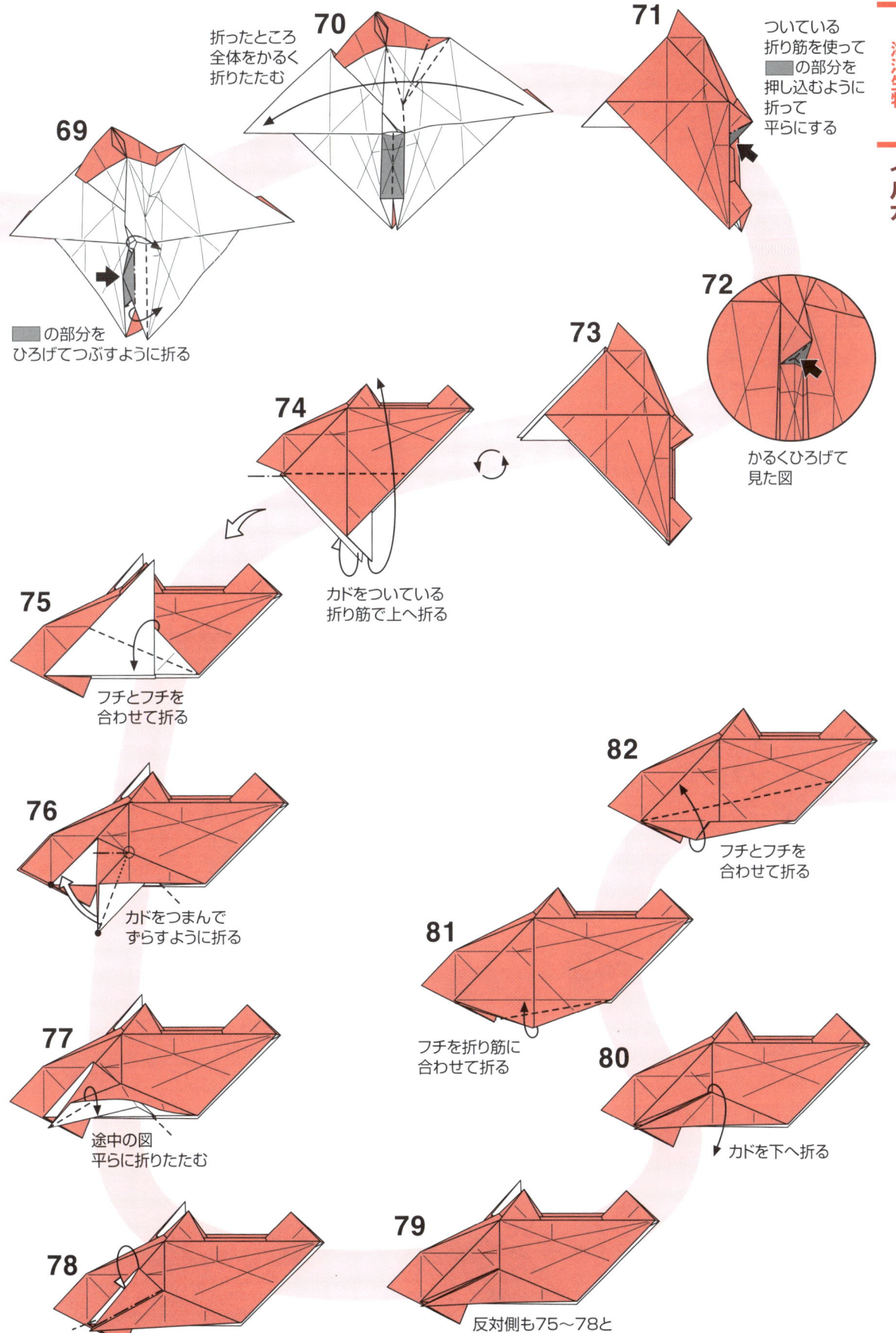

海洋生物 | イルカ

69
■の部分をひろげてつぶすように折る

72
かるくひろげて見た図

73

74
カドをついている折り筋で上へ折る

75
フチとフチを合わせて折る

76
カドをつまんでずらすように折る

77
途中の図 平らに折りたたむ

78
カドを内側に折る

79
反対側も75〜78と同じように折る

80
カドを下へ折る

81
フチを折り筋に合わせて折る

82
フチとフチを合わせて折る

113

93

94
○を結ぶ線で
カドを内側に折る

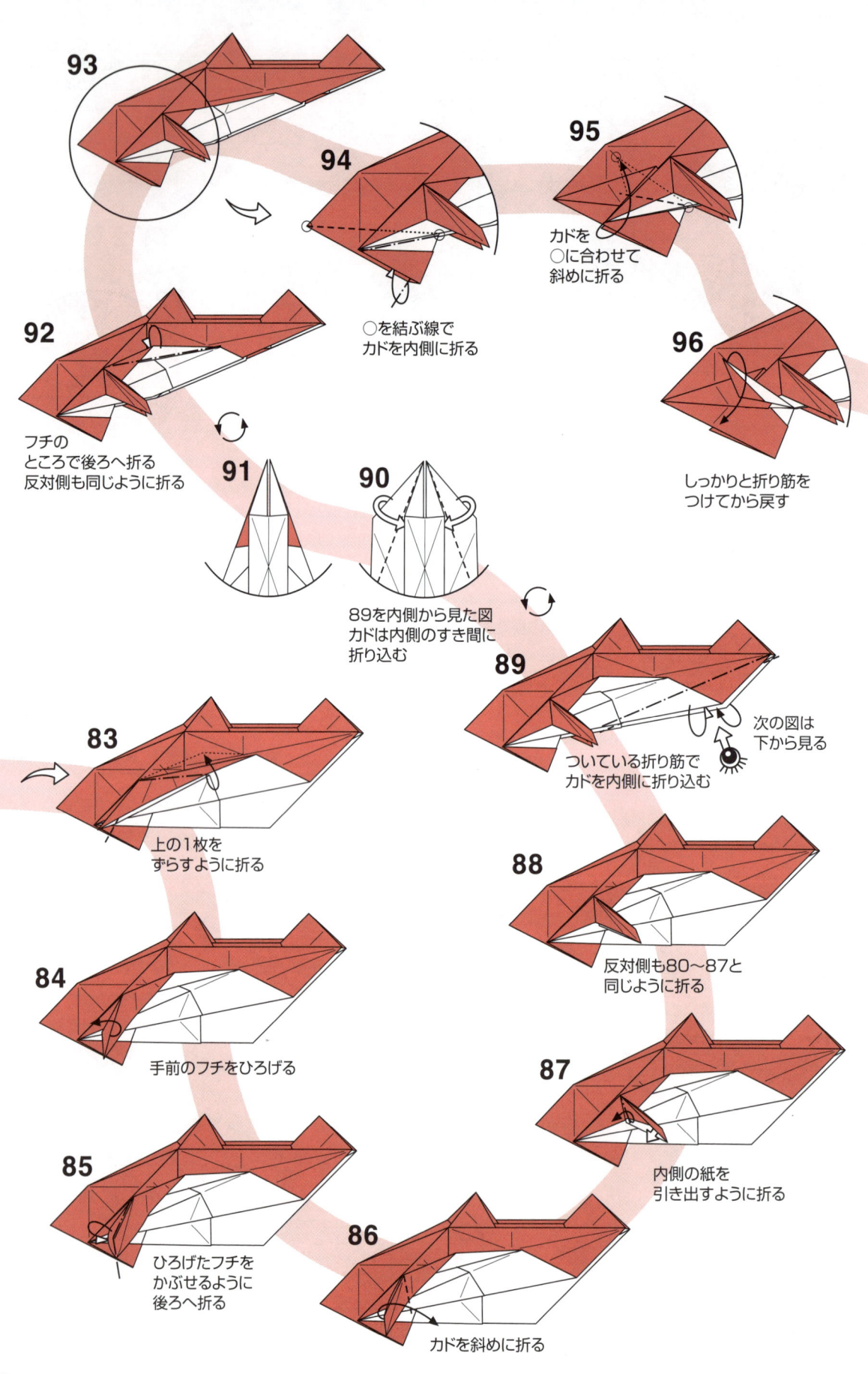

95
カドを
○に合わせて
斜めに折る

92
フチの
ところで後ろへ折る
反対側も同じように折る

96
しっかりと折り筋を
つけてから戻す

91

90
89を内側から見た図
カドは内側のすき間に
折り込む

89
ついている折り筋で
カドを内側に折り込む

次の図は
下から見る

83
上の1枚を
ずらすように折る

88
反対側も80〜87と
同じように折る

84
手前のフチをひろげる

87
内側の紙を
引き出すように折る

85
ひろげたフチを
かぶせるように
後ろへ折る

86
カドを斜めに折る

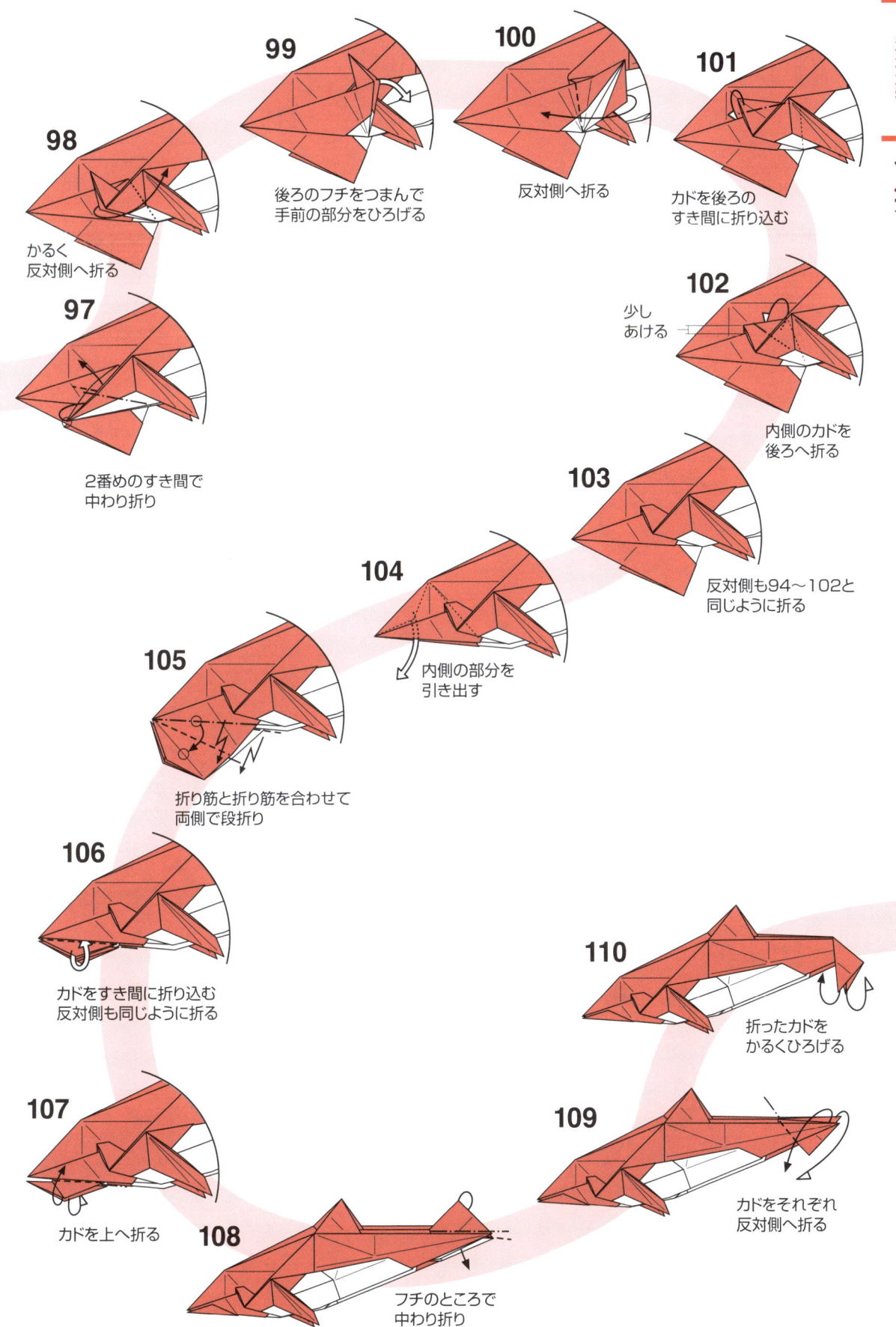

海洋生物 イルカ

98 かるく反対側へ折る

99 後ろのフチをつまんで手前の部分をひろげる

100 反対側へ折る

101 カドを後ろのすき間に折り込む

102 少しあける / 内側のカドを後ろへ折る

97 2番めのすき間で中わり折り

103 反対側も94〜102と同じように折る

104 内側の部分を引き出す

105 折り筋と折り筋を合わせて両側で段折り

106 カドをすき間に折り込む 反対側も同じように折る

110 折ったカドをかるくひろげる

107 カドを上へ折る

108 フチのところで中わり折り

109 カドをそれぞれ反対側へ折る

115

122

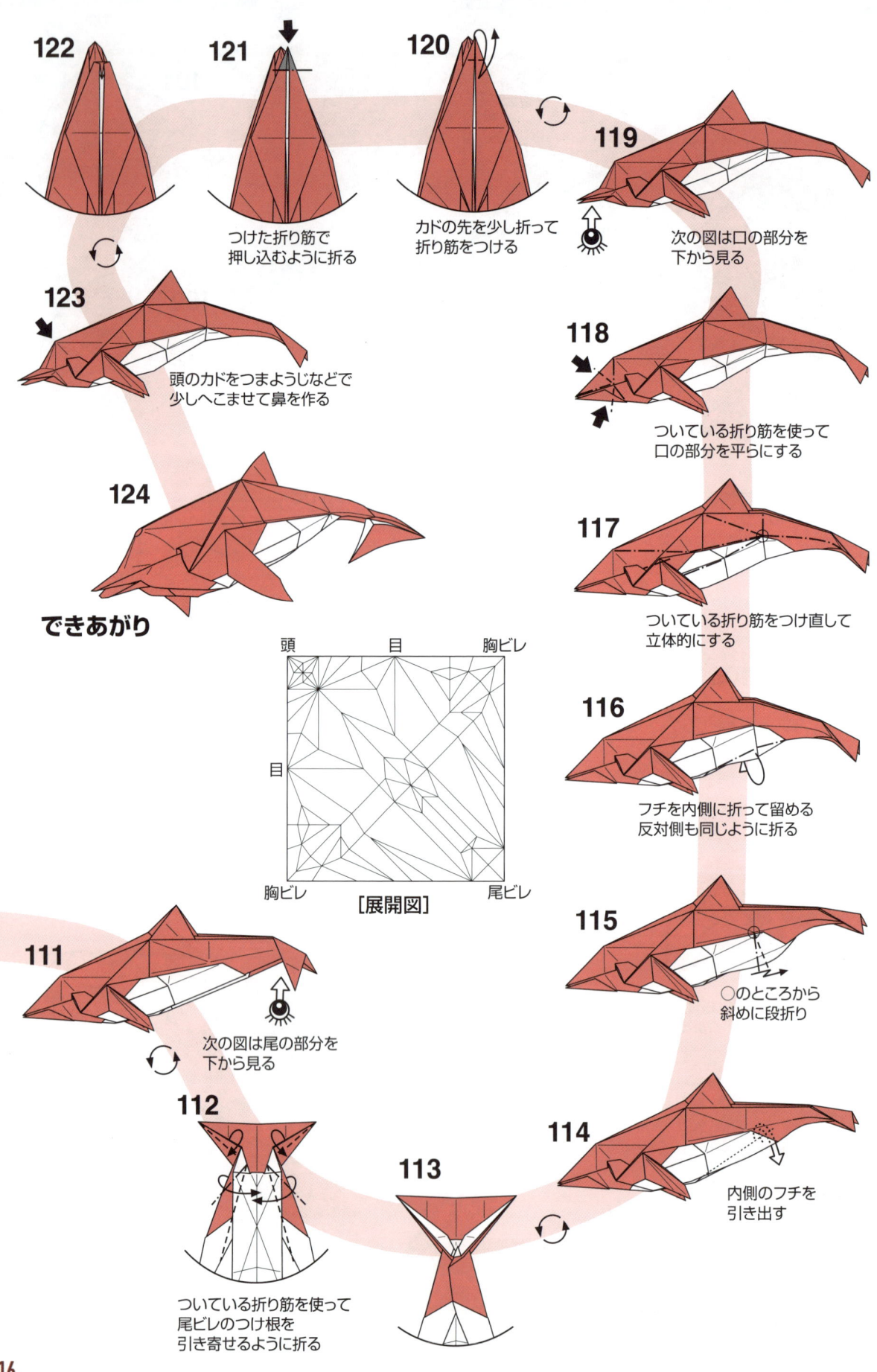

121
つけた折り筋で
押し込むように折る

120
カドの先を少し折って
折り筋をつける

119
次の図は口の部分を
下から見る

123
頭のカドをつまようじなどで
少しへこませて鼻を作る

118
ついている折り筋を使って
口の部分を平らにする

117
ついている折り筋をつけ直して
立体的にする

124
できあがり

[展開図]
頭　目　胸ビレ
目
胸ビレ　尾ビレ

116
フチを内側に折って留める
反対側も同じように折る

115
○のところから
斜めに段折り

111
次の図は尾の部分を
下から見る

114
内側のフチを
引き出す

112
ついている折り筋を使って
尾ビレのつけ根を
引き寄せるように折る

113

| アラカルト | ピエロ |

Clown by Seiji Nishikawa
創作●西川誠司

15cm 折り紙用紙／2枚／複合

難易度 ★★★☆☆

1984年に創作した作品です。折り紙は1枚で何でも作ってしまうものと思われがちですが、3色のコントラストをテーマにしたら2枚複合は必然です。本作品は、複合作品のいろいろな折り紙表現を試していた20代前半の思い出深い作品の1つです。フリルの代わりに帽子を折り出すバージョンもあります。

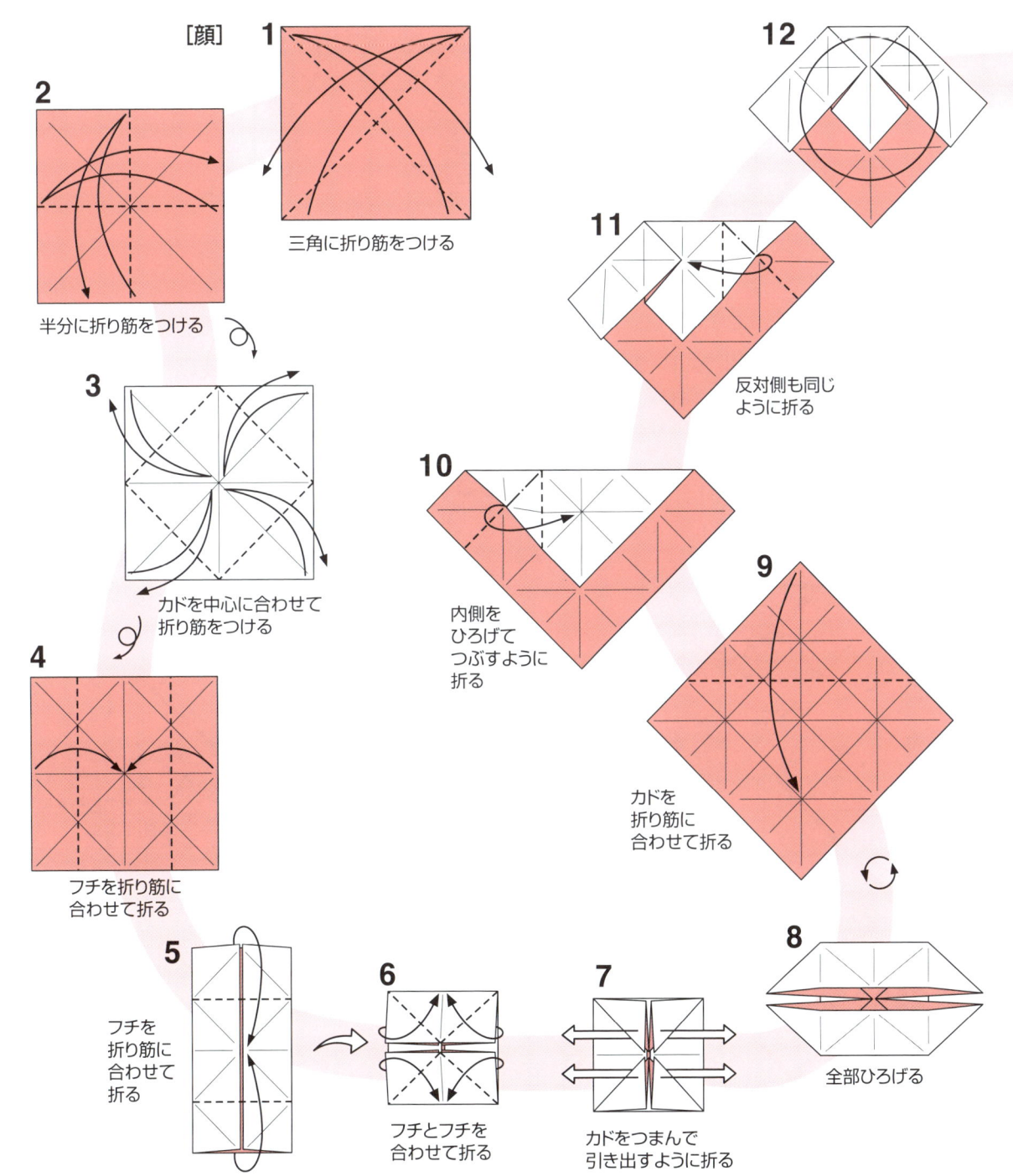

[顔]

1. 三角に折り筋をつける
2. 半分に折り筋をつける
3. カドを中心に合わせて折り筋をつける
4. フチを折り筋に合わせて折る
5. フチを折り筋に合わせて折る
6. フチとフチを合わせて折る
7. カドをつまんで引き出すように折る
8. 全部ひろげる
9. カドを折り筋に合わせて折る
10. 内側をひろげてつぶすように折る
11. 反対側も同じように折る
12.

117

14
フチとフチを
合わせて折る

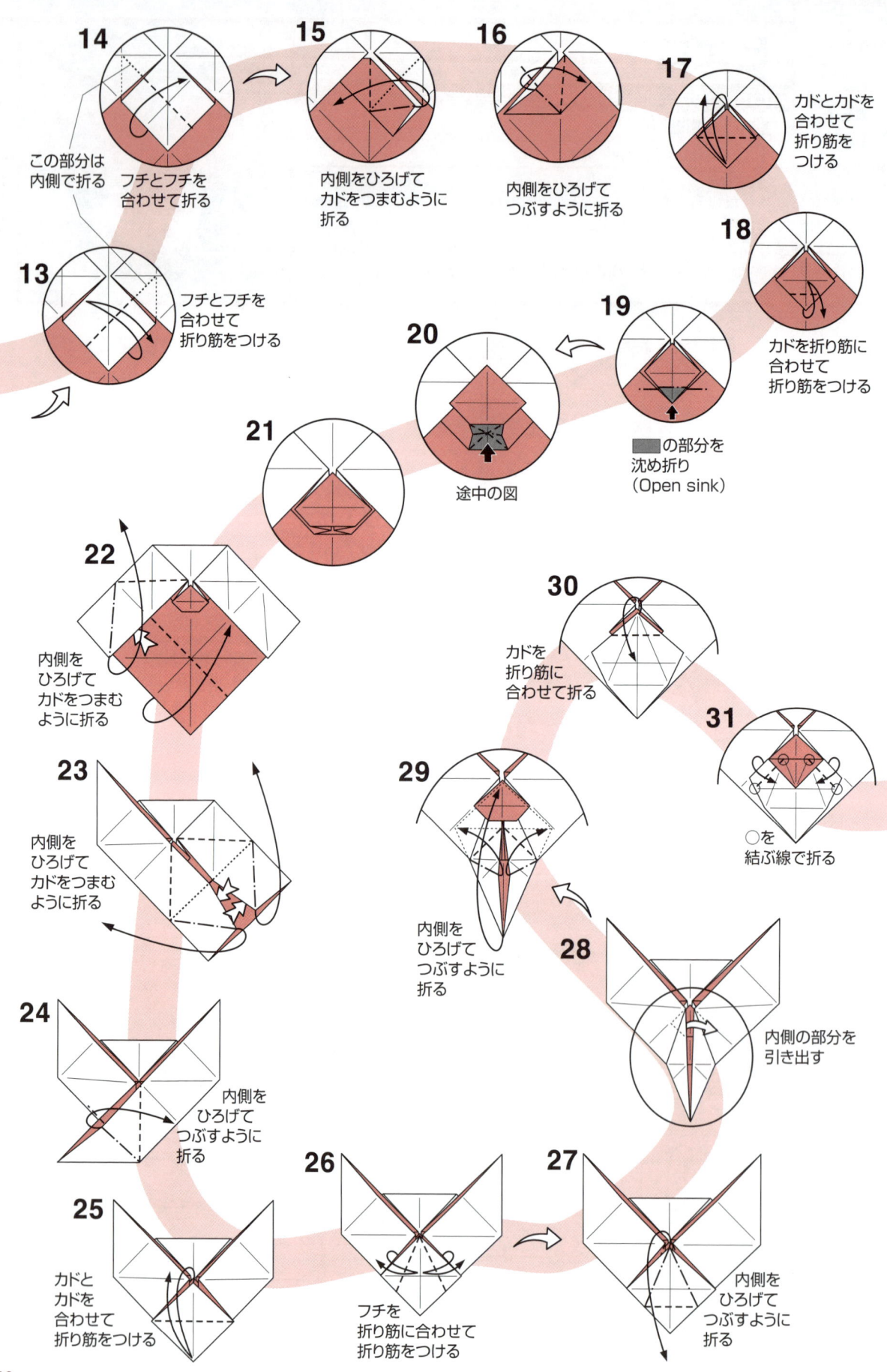

この部分は
内側で折る

13
フチとフチを
合わせて
折り筋をつける

15
内側をひろげて
カドをつまむように
折る

16
内側をひろげて
つぶすように折る

17
カドとカドを
合わせて
折り筋をつける

18
カドを折り筋に
合わせて
折り筋をつける

19
■の部分を
沈め折り
（Open sink）

20
途中の図

21

22
内側を
ひろげて
カドをつまむ
ように折る

23
内側を
ひろげて
カドをつまむ
ように折る

24
内側を
ひろげて
つぶすように
折る

25
カドと
カドを
合わせて
折り筋をつける

26
フチを
折り筋に合わせて
折り筋をつける

27
内側を
ひろげて
つぶすように
折る

28
内側の部分を
引き出す

29
内側を
ひろげて
つぶすように
折る

30
カドを
折り筋に
合わせて折る

31
○を
結ぶ線で折る

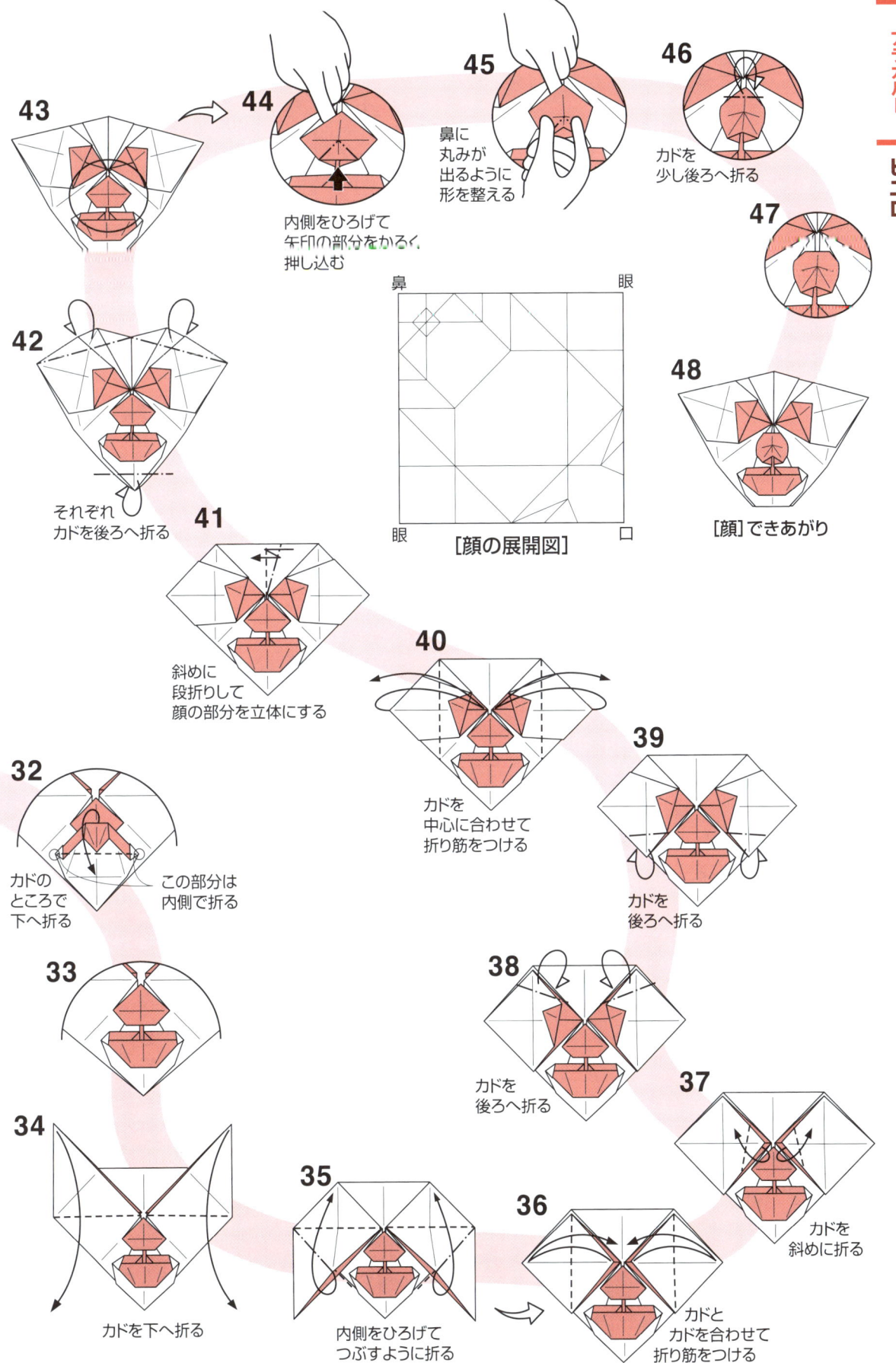

アラカルト ピエロ

43

44 内側をひろげて矢印の部分をかるく押し込む

45 鼻に丸みが出るように形を整える

46 カドを少し後ろへ折る

47

42 それぞれカドを後ろへ折る

[顔の展開図] 鼻 眼 眼 口

48 [顔]できあがり

41 斜めに段折りして顔の部分を立体にする

40 カドを中心に合わせて折り筋をつける

39 カドを後ろへ折る

32 カドのところで下へ折る / この部分は内側で折る

38 カドを後ろへ折る

33

37 カドを斜めに折る

34 カドを下へ折る

35 内側をひろげてつぶすように折る

36 カドとカドを合わせて折り筋をつける

119

[フリル]

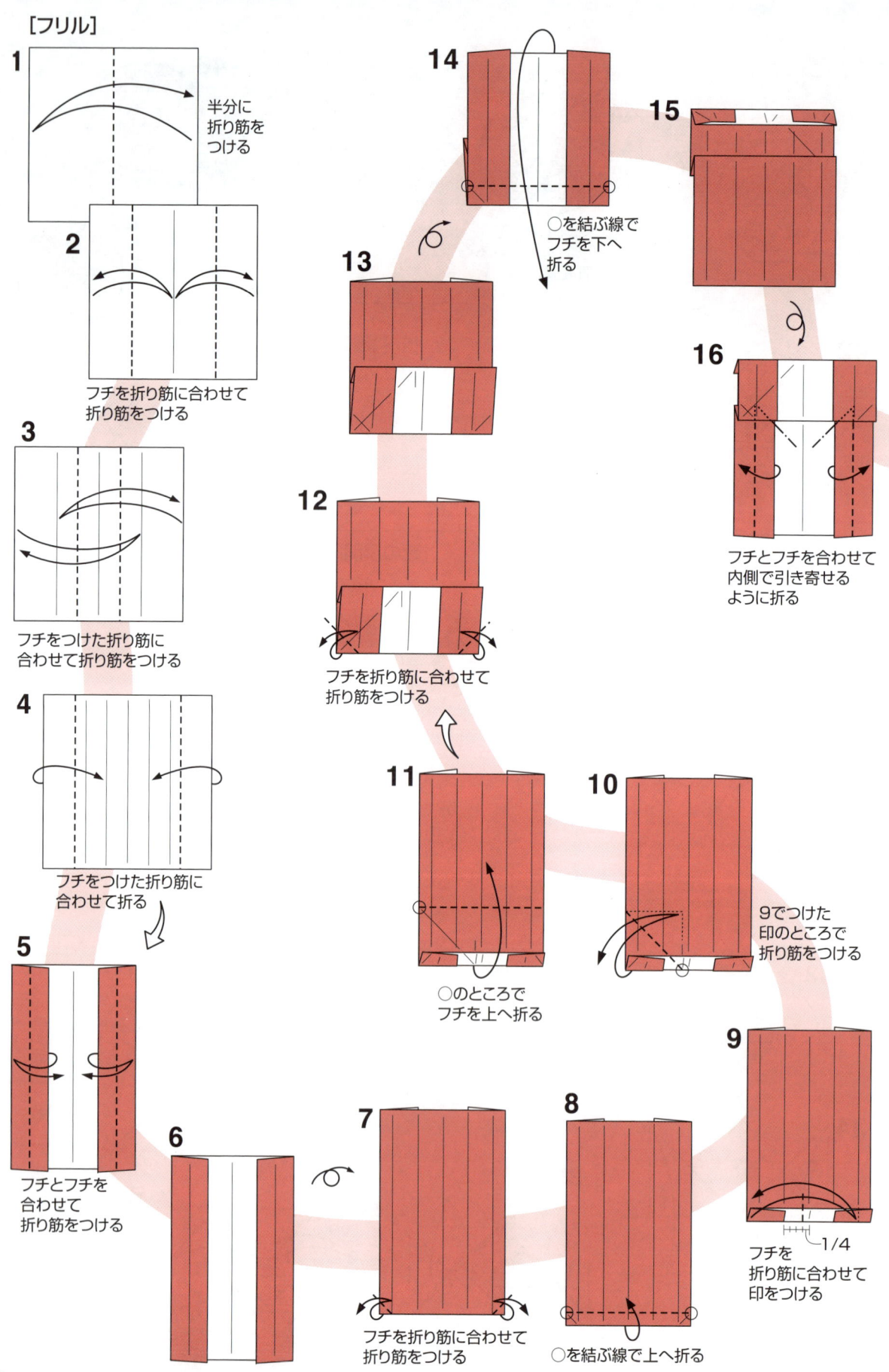

1. 半分に折り筋をつける

2. フチを折り筋に合わせて折り筋をつける

3. フチをつけた折り筋に合わせて折り筋をつける

4. フチをつけた折り筋に合わせて折る

5. フチとフチを合わせて折り筋をつける

6.

7. フチを折り筋に合わせて折り筋をつける

8. ○を結ぶ線で上へ折る

9. フチを折り筋に合わせて印をつける 1/4

10. 9でつけた印のところで折り筋をつける

11. ○のところでフチを上へ折る

12. フチを折り筋に合わせて折り筋をつける

13.

14. ○を結ぶ線でフチを下へ折る

15.

16. フチとフチを合わせて内側で引き寄せるように折る

120

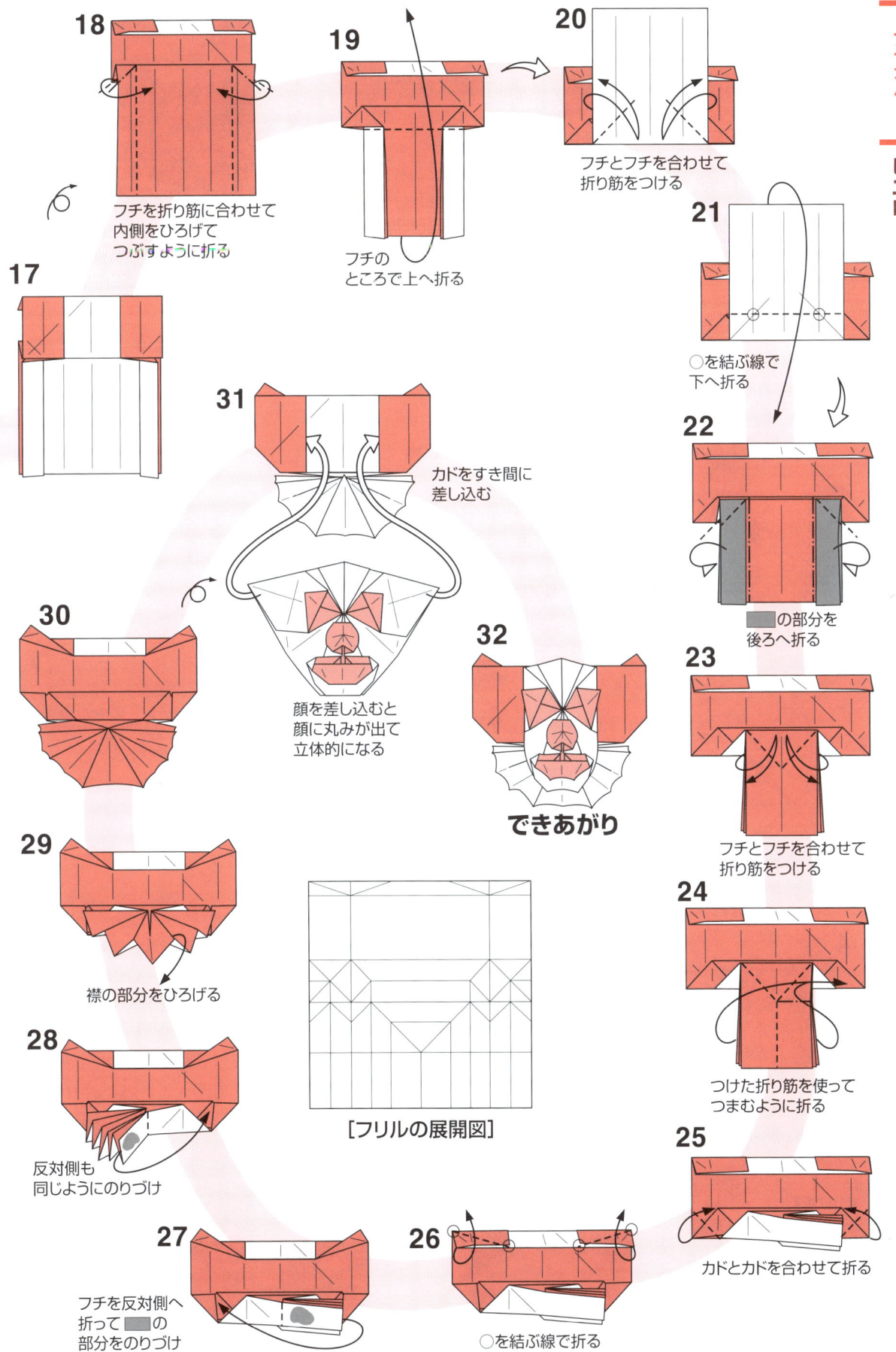

アラカルト ピエロ

18 フチを折り筋に合わせて内側をひろげてつぶすように折る

19 フチのところで上へ折る

20 フチとフチを合わせて折り筋をつける

17

21 ○を結ぶ線で下へ折る

22 ■の部分を後ろへ折る

31 カドをすき間に差し込む
顔を差し込むと顔に丸みが出て立体的になる

30

32 できあがり

23 フチとフチを合わせて折り筋をつける

29 襟の部分をひろげる

24 つけた折り筋を使ってつまむように折る

28 反対側も同じようにのりづけ

[フリルの展開図]

25 カドとカドを合わせて折る

27 フチを反対側へ折って■の部分をのりづけ

26 ○を結ぶ線で折る

121

アラカルト	本
難易度 ★☆☆☆☆	**Book** by Martin Wall 創作●マーティン・ウォール 15cm 折り紙用紙／1枚／不切正方一枚折り

この作品は1974年のロンドンで行われた展示会で作った私の代表作ともいえる作品で、今年で40周年になります。複雑なことをせずとも、箱の1辺の色を変えて折りたたむことで本を作れることに気づいて作ったもので、グリーティングカード等に使えます。この作品はアメリカでよく知られるようになり、伝承作品になっていくかもしれません。

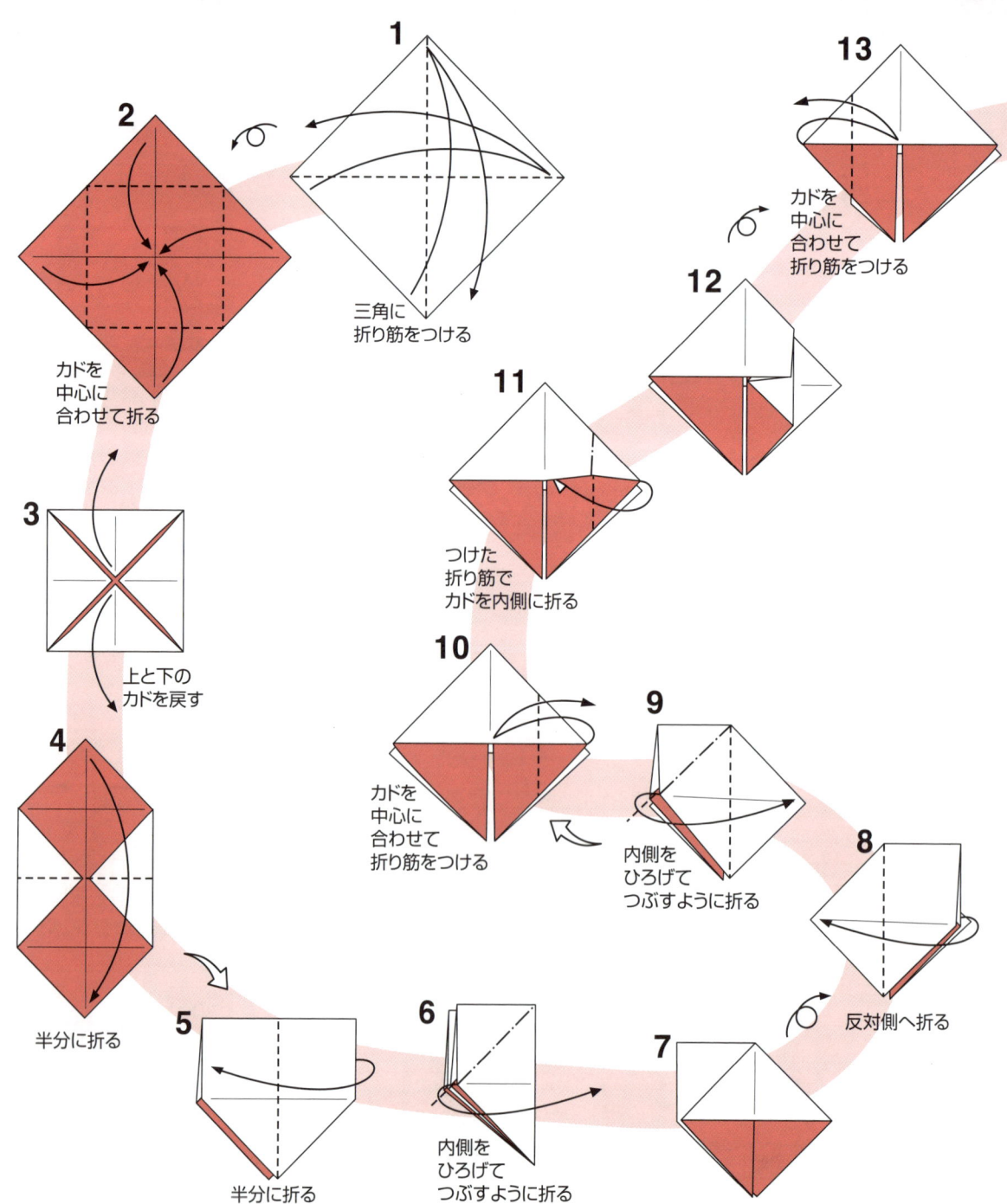

1
三角に折り筋をつける

2
カドを中心に合わせて折る

3
上と下のカドを戻す

4
半分に折る

5
半分に折る

6
内側をひろげてつぶすように折る

7

8
反対側へ折る

9
内側をひろげてつぶすように折る

10
カドを中心に合わせて折り筋をつける

11
つけた折り筋でカドを内側に折る

12

13
カドを中心に合わせて折り筋をつける

122

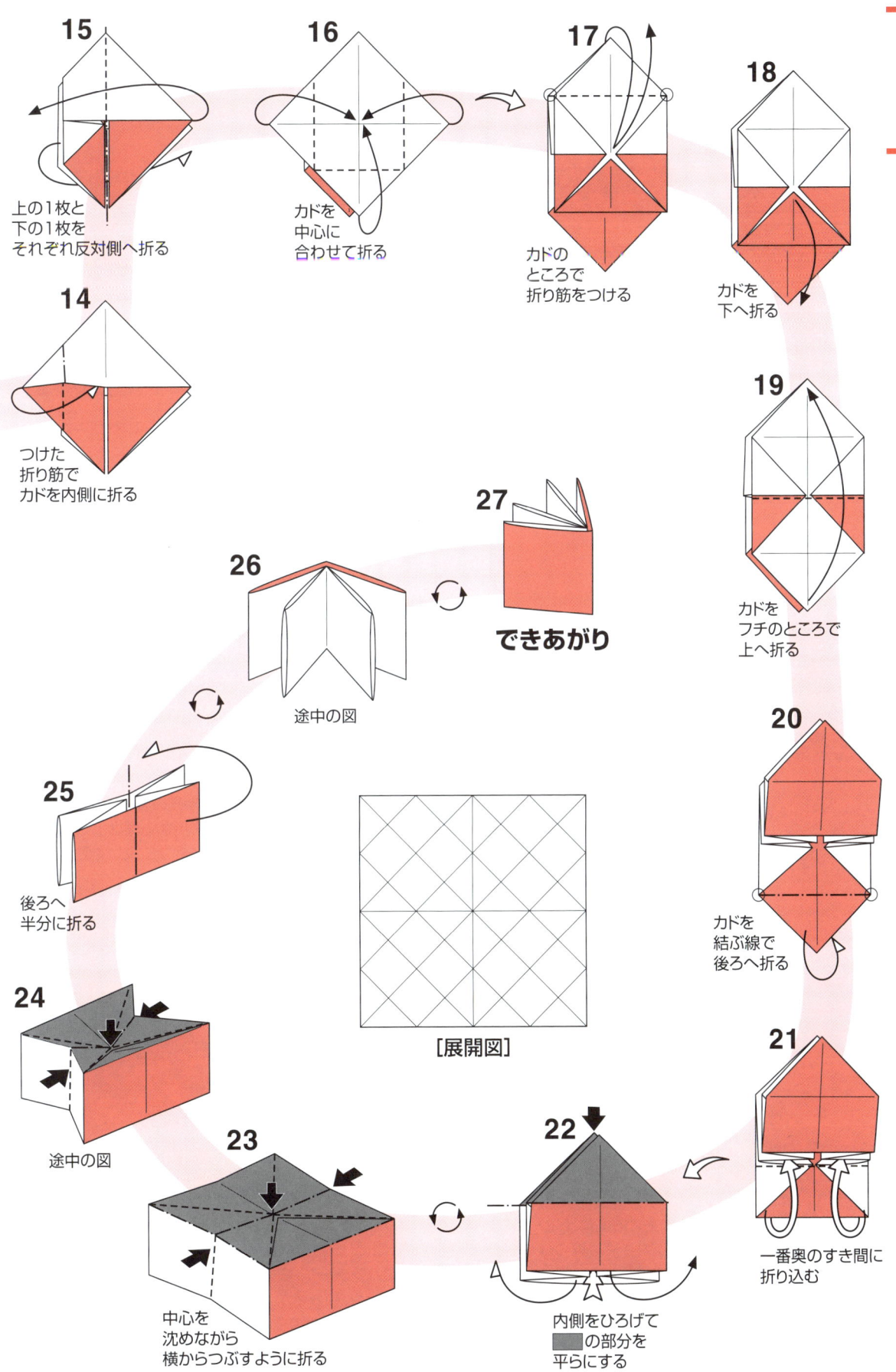

15
上の1枚と下の1枚をそれぞれ反対側へ折る

16
カドを中心に合わせて折る

17
カドのところで折り筋をつける

18
カドを下へ折る

14
つけた折り筋でカドを内側に折る

19
カドをフチのところで上へ折る

26
途中の図

27
できあがり

25
後ろへ半分に折る

[展開図]

20
カドを結ぶ線で後ろへ折る

24
途中の図

21
一番奥のすき間に折り込む

23
中心を沈めながら横からつぶすように折る

22
内側をひろげて■の部分を平らにする

アラカルト　本

123

Column

道具について

本書に掲載の折り紙作品は、折るのにあまり道具を必要としませんが、ここではより本格的に仕上げたい場合に使う道具を中心にご紹介します。

折るための道具

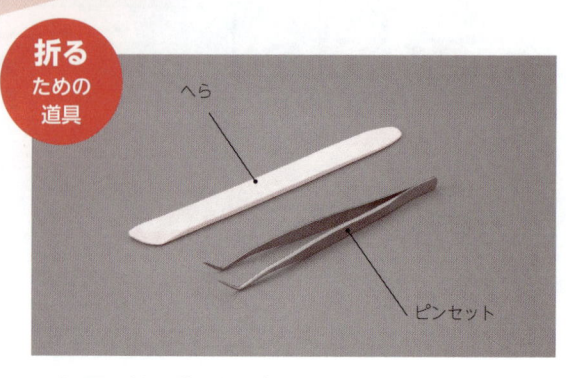

（へら、ピンセット）

へら：厚い紙や重なりの多いところに、しっかりと折り筋をつけたいとき等に使う。
ピンセット：細かい部分を折るときや、指では届かないすき間に差し込むときに、主に指の延長のようにして使う。

切るための道具

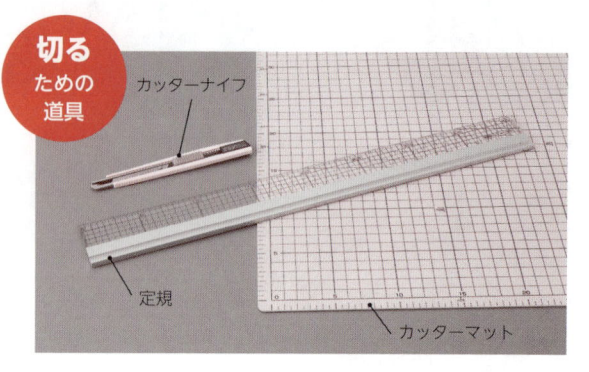

（カッターナイフ、定規、カッターマット）

カッターナイフ：特別厚い紙を切るのでなければ、市販の事務作業用のカッターで十分。刃はまめに折る。
カッターマット：大きな紙を切り出したい場合には、なるべく大きなカッターマットを用意する。
定規：金属製のもの、または側面が金属製になっているものを選ぶとよい。30cm、60cm、1mのものがあると便利。

接着のための道具

（スプレーのり、でんぷんのり、ボンド、つまようじと小皿）

ボンド：いわゆる木工用ボンド。そのまま使う場合は、つまようじ等ですき間に差し入れたり、塗りひろげたりして使う。乾いた後に、色が変わったり光沢が出たりするので、表面には出ないように使うのが基本。
でんぷんのり：障子紙用や、工作用ののりがある。裏打ち等に使えるが、乾くと塗った跡が目立つため、仕上げには向かない。
スプレーのり：スプレーで吹きつけるのり。紙の裏打ちなど、ひろい接着範囲に使える。劣化するので長期間の展示用作品には向かない。のりが広範囲に飛び散るので、使用する際はよく換気をし、新聞紙等を広範囲に敷くか、大きな箱の中で工夫して使うこと。

固定のための道具

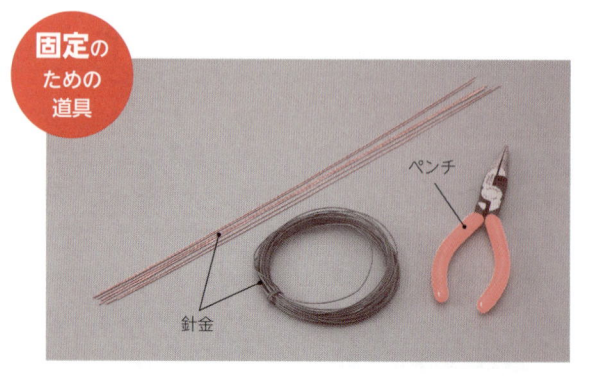

（針金、ペンチ）

針金：作品の補強、固定のために主に内側に仕込んだり、そのままスタンドとしても使う。太さや材質の違うものをいくつか用意して使い分けするとよい。
ペンチ、ラジオペンチ：針金を切ったり曲げたりするのに使う。なかには紙を折ったり曲げたりするのに、ペンチを使う人もいるようだ。

その他の道具

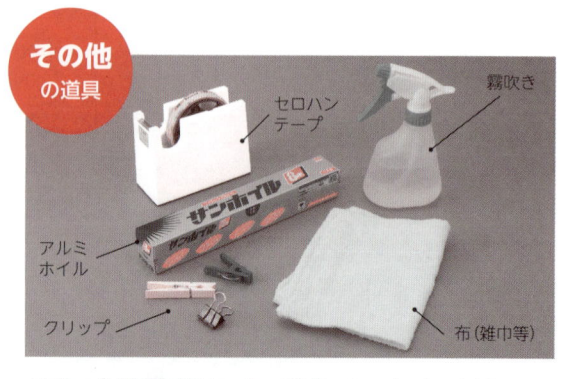

（セロハンテープ、霧吹き、アルミホイル、クリップ、布（雑巾等））

クリップ、洗濯バサミ、ウッドピンチ：のりづけや折っているときに、ヒダがひらかないよう一時的にとめるために使う。
セロハンテープ：紙をつなぎ合わせたり、試作等で一時的な固定や、破れやすいところに貼る等に使えるが、劣化が激しいので本番の紙にはあまり使えない。
アルミホイル：裏打ち、詰め物として使う。
霧吹き、雑巾：ウェットフォールディング(P.152)で使用する。

第5章 小動物

難易度
★★
☆☆☆

ねずみ
P.126

はこねこ
P.128

難易度
★★
★★☆

ウサギ
P.131

難易度
★★
★★★

パピヨン
P.137

アラカルト

兜
P.148
難易度 ★

富士山
P.150
難易度 ★

赤ベコ
P.145
難易度 ★★★

小動物	**ねずみ**
難易度 ★★☆☆☆	Mouse by Makoto Yamaguchi 創作●山口 真 15cm 折り紙用紙／1枚／不切正方一枚折り

私が気に入っている動物作品の1つです。仕上がりはシンプルですが、工程の後半は、「ぐらい折り」だらけで難しくなっています。P.152で解説している「ウェットフォールディング」に向いた作品です。この技法に挑戦してみたい方は、練習として折っていただくとよいかもしれません。

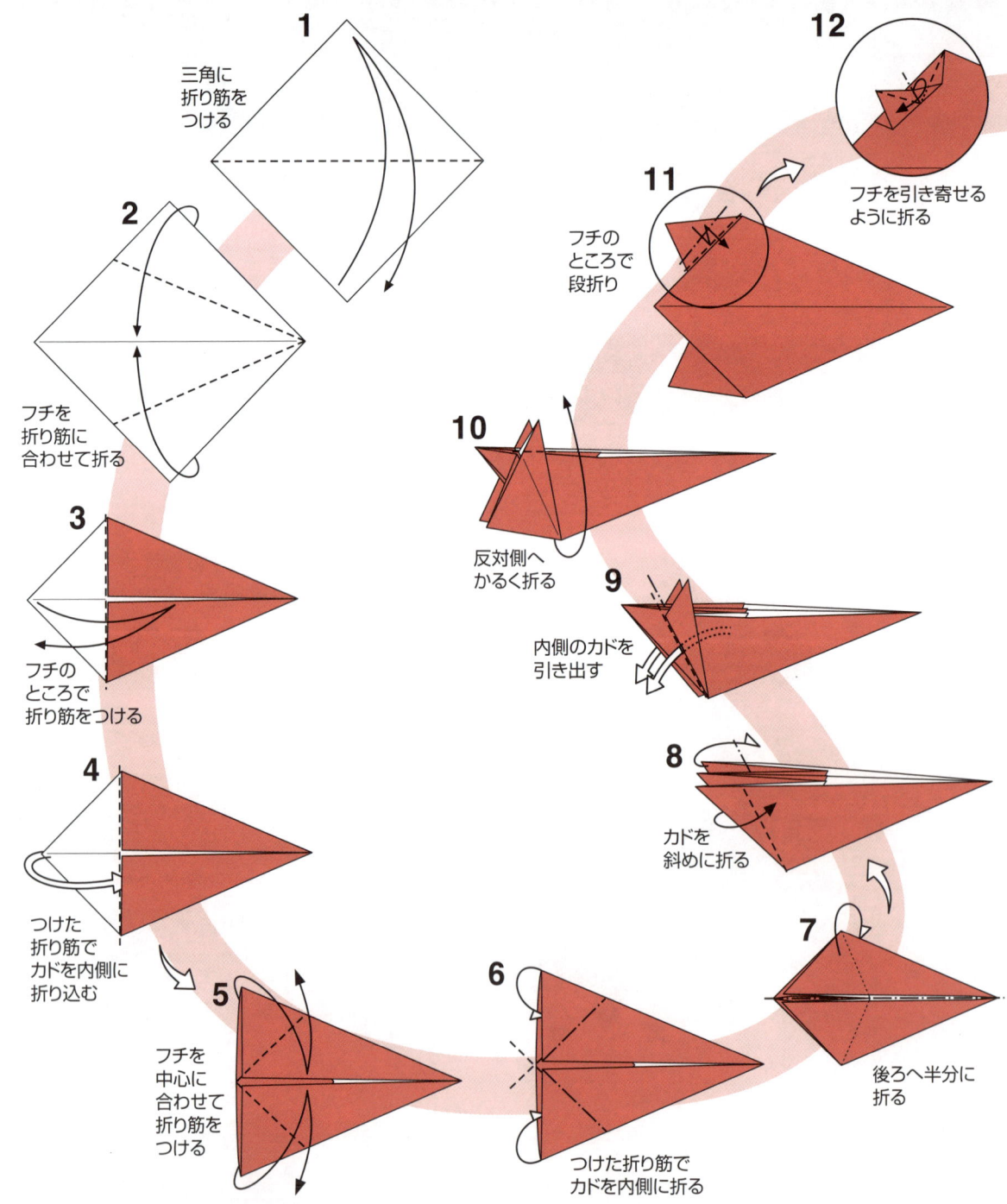

1 三角に折り筋をつける

2 フチを折り筋に合わせて折る

3 フチのところで折り筋をつける

4 つけた折り筋でカドを内側に折り込む

5 フチを中心に合わせて折り筋をつける

6 つけた折り筋でカドを内側に折る

7 後ろへ半分に折る

8 カドを斜めに折る

9 内側のカドを引き出す

10 反対側へかるく折る

11 フチのところで段折り

12 フチを引き寄せるように折る

126

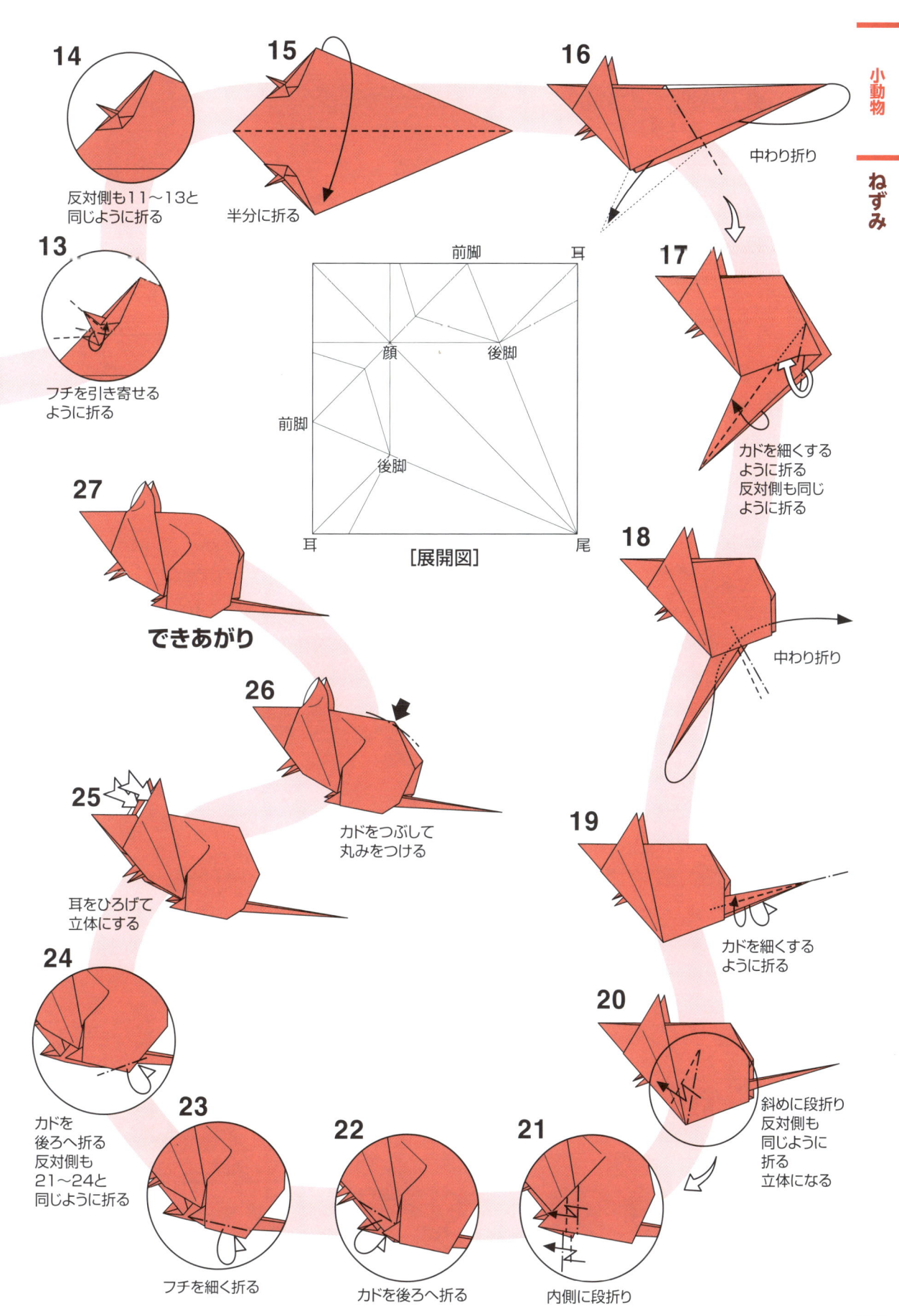

14
反対側も11〜13と同じように折る

15
半分に折る

16
中わり折り

13
フチを引き寄せるように折る

[展開図]

前脚　耳
顔　後脚
前脚
後脚
耳　尾

17
カドを細くするように折る
反対側も同じように折る

18
中わり折り

19
カドを細くするように折る

20
斜めに段折り
反対側も同じように折る
立体になる

27
できあがり

26
カドをつぶして丸みをつける

25
耳をひろげて立体にする

24
カドを後ろへ折る
反対側も21〜24と同じように折る

23
フチを細く折る

22
カドを後ろへ折る

21
内側に段折り

小動物
ねずみ

小動物

難易度
★★☆☆☆

はこねこ
Boxlike Cat by Makoto Yamaguchi
創作●山口 真
30cm 折り紙用紙／1枚／不切正方一枚折り

猫は、犬よりも折り分けが難しいモチーフです。犬は犬種による特徴がハッキリしていますが、猫はそうでもありません。座っている、立っている、寝転んでいるなどのポーズの違いのほうが表現しやすいのではないかと思い、「はこ座り」している姿の猫に挑戦してみました。

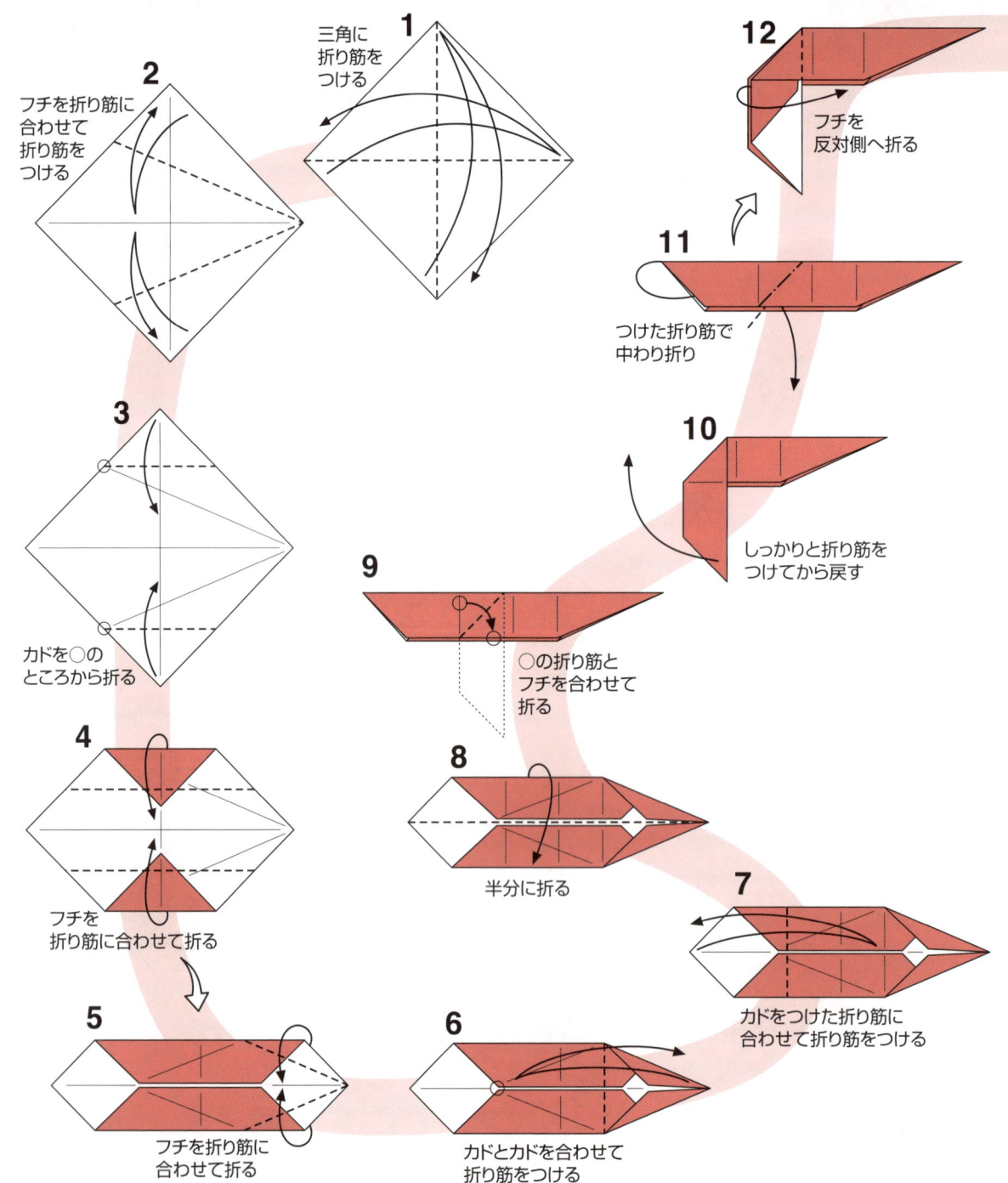

1
三角に折り筋をつける

2
フチを折り筋に合わせて折り筋をつける

3
カドを○のところから折る

4
フチを折り筋に合わせて折る

5
フチを折り筋に合わせて折る

6
カドとカドを合わせて折り筋をつける

7
カドをつけた折り筋に合わせて折り筋をつける

8
半分に折る

9
○の折り筋とフチを合わせて折る

10
しっかりと折り筋をつけてから戻す

11
つけた折り筋で中わり折り

12
フチを反対側へ折る

128

小動物

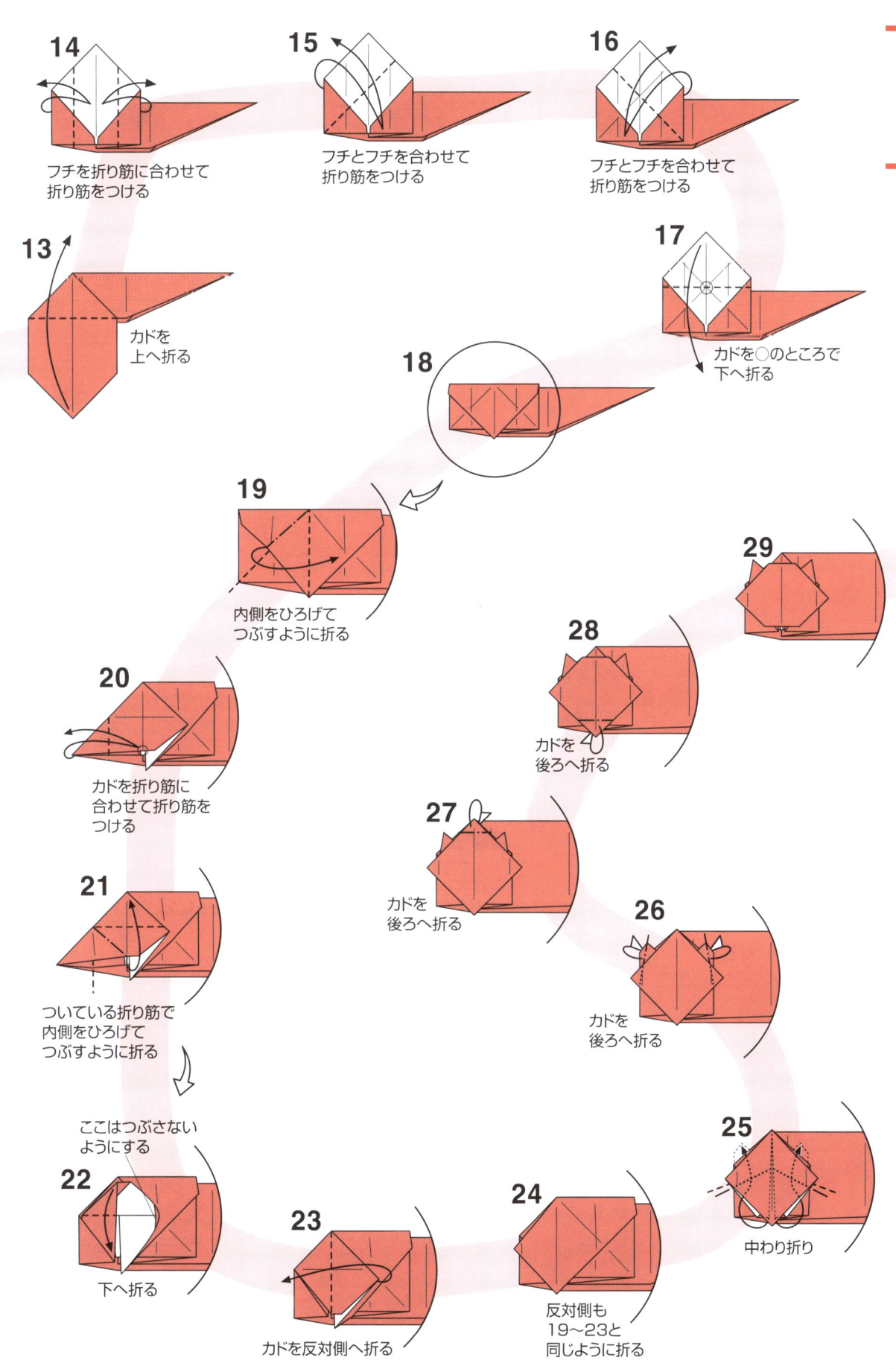

はこねこ

14 フチを折り筋に合わせて折り筋をつける

15 フチとフチを合わせて折り筋をつける

16 フチとフチを合わせて折り筋をつける

13 カドを上へ折る

17 カドを○のところで下へ折る

18

19 内側をひろげてつぶすように折る

20 カドを折り筋に合わせて折り筋をつける

21 ついている折り筋で内側をひろげてつぶすように折る

ここはつぶさないようにする

22 下へ折る

23 カドを反対側へ折る

24 反対側も19〜23と同じように折る

25 中わり折り

26 カドを後ろへ折る

27 カドを後ろへ折る

28 カドを後ろへ折る

29

129

32
つけた折り筋で中わり折り

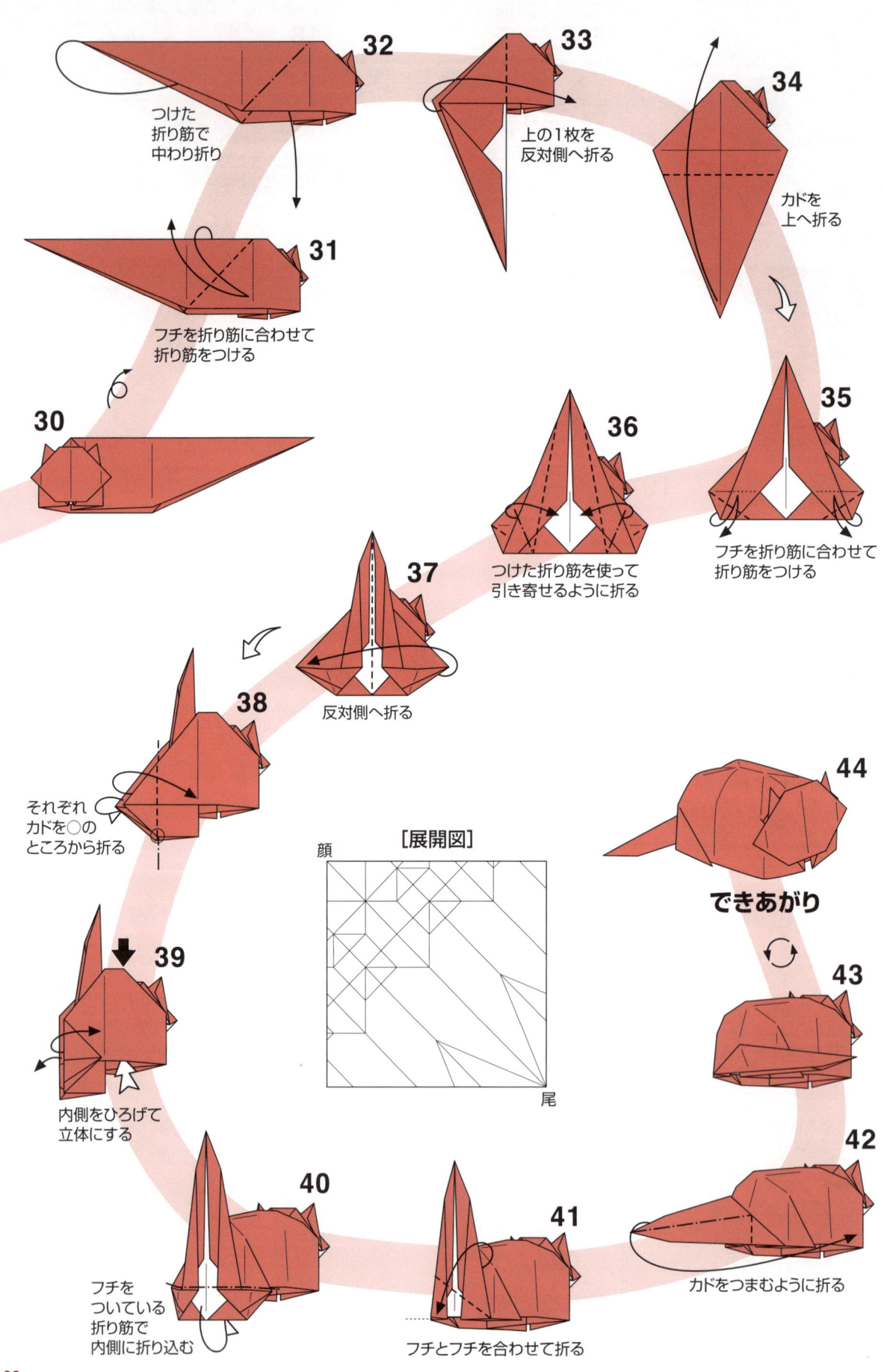

33
上の1枚を反対側へ折る

34
カドを上へ折る

31
フチを折り筋に合わせて折り筋をつける

30

35
フチを折り筋に合わせて折り筋をつける

36
つけた折り筋を使って引き寄せるように折る

37
反対側へ折る

38
それぞれカドを○のところから折る

[展開図]

顔

尾

44
できあがり

43

39
内側をひろげて立体にする

40
フチをついている折り筋で内側に折り込む

41
フチとフチを合わせて折る

42
カドをつまむように折る

小動物

ウサギ
Rabbit by Ronald Koh
創作●ロナルド・コウ

25cm 折り紙用紙／1枚／不切正方一枚折り

難易度 ★★★★☆

3年くらい前に、広告のため25羽のウサギを制作してほしいという連絡がありました。その依頼は引き受けなかったのですが、さまざまなポーズを取ることができるウサギを創作できないか、ということには興味を引かれました。そして約1年後、そのアイディアを実現するために創作したのが、今回の作品です。

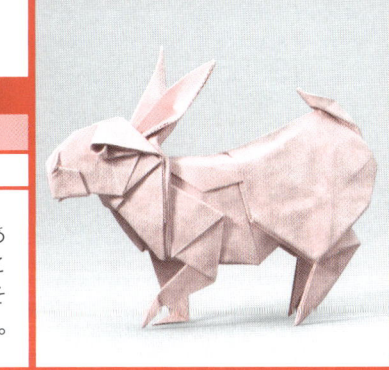

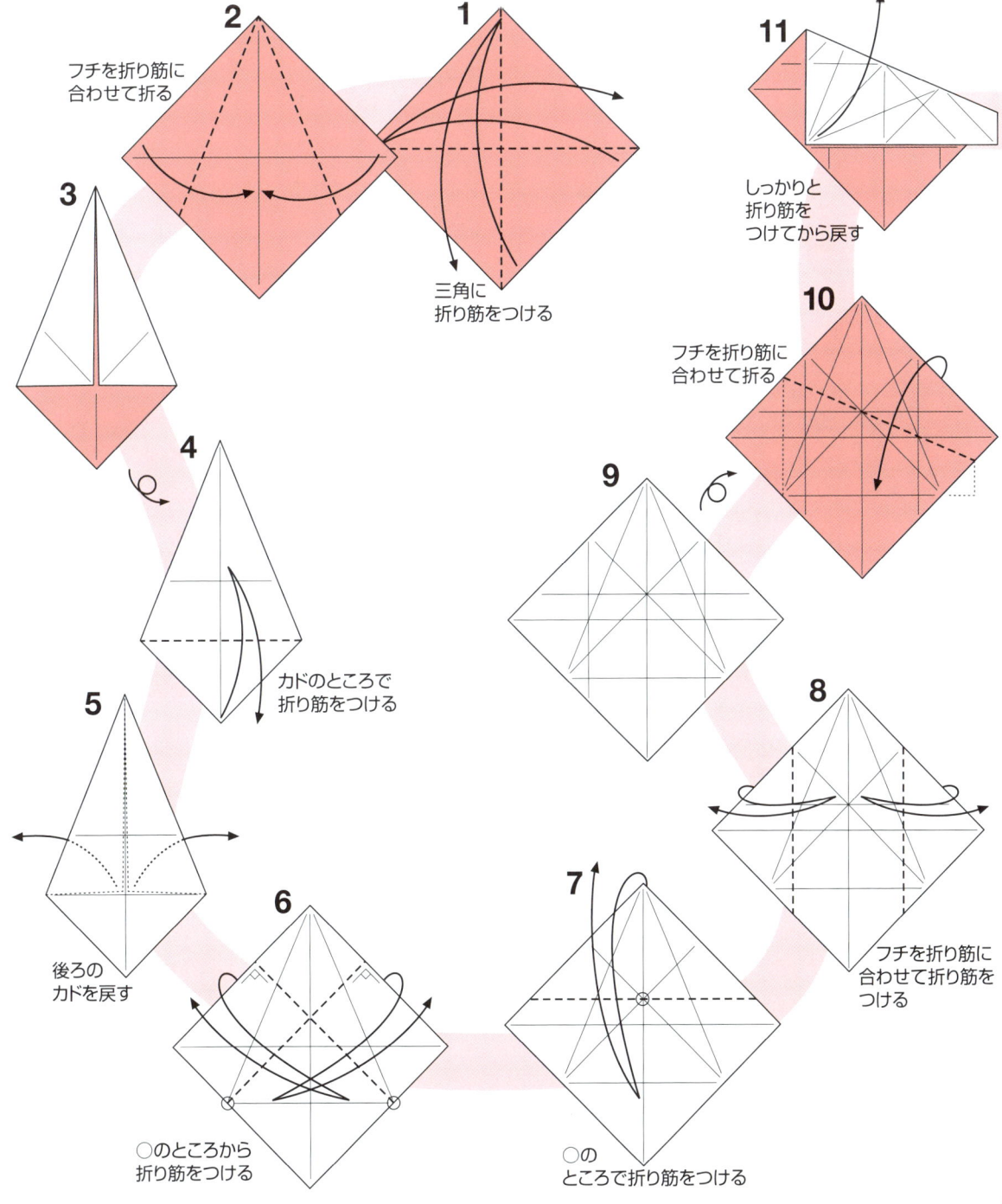

---

1 三角に折り筋をつける

2 フチを折り筋に合わせて折る

3

4 カドのところで折り筋をつける

5 後ろのカドを戻す

6 ○のところから折り筋をつける

7 ○のところで折り筋をつける

8 フチを折り筋に合わせて折り筋をつける

9

10 フチを折り筋に合わせて折る

11 しっかりと折り筋をつけてから戻す

131

13
三角に折る

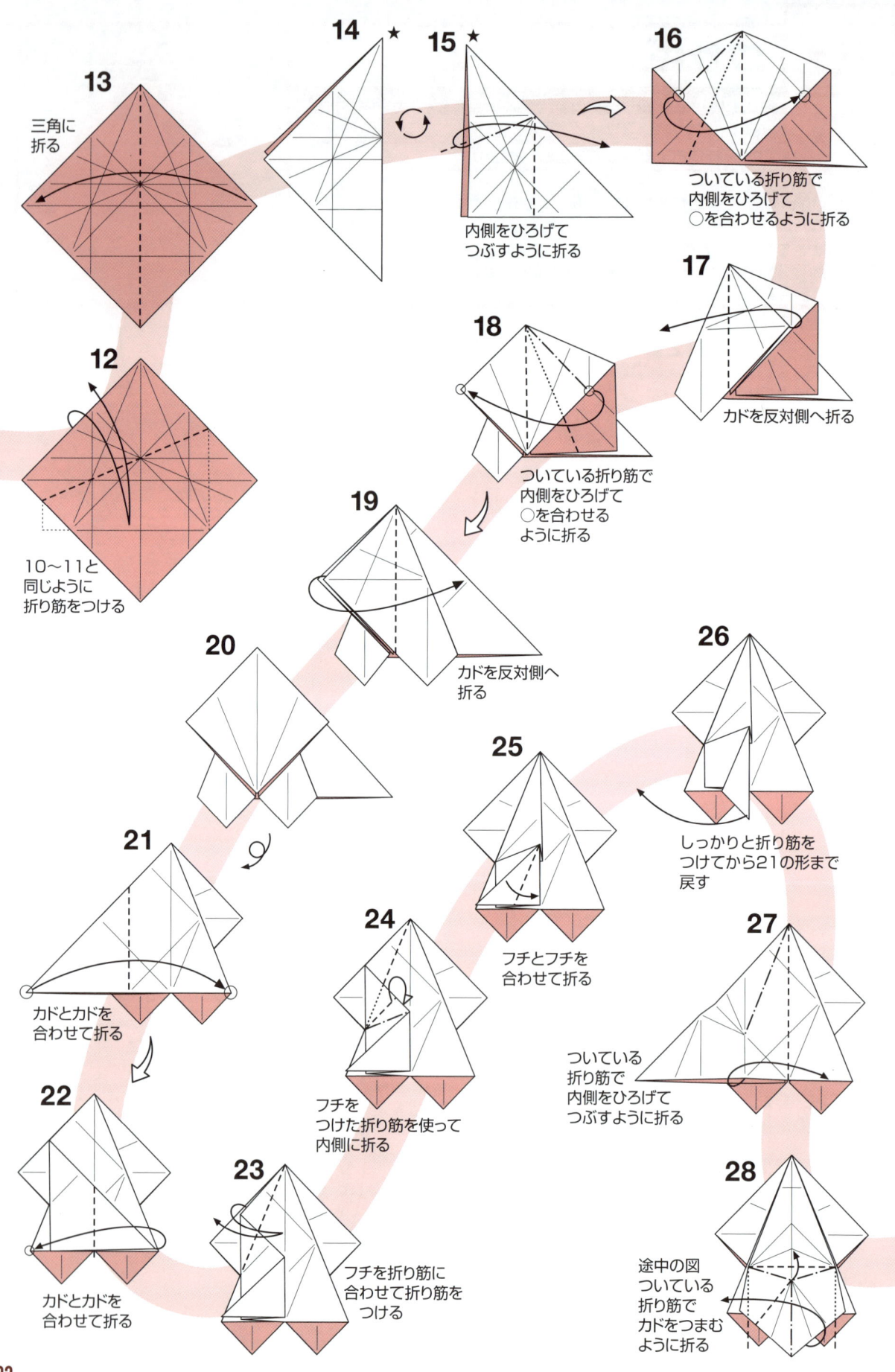

12
10〜11と同じように折り筋をつける

14

15
内側をひろげてつぶすように折る

16
ついている折り筋で内側をひろげて○を合わせるように折る

17
カドを反対側へ折る

18
ついている折り筋で内側をひろげて○を合わせるように折る

19
カドを反対側へ折る

20

21
カドとカドを合わせて折る

22
カドとカドを合わせて折る

23
フチを折り筋に合わせて折り筋をつける

24
フチをつけた折り筋を使って内側に折る

25
フチとフチを合わせて折る

26
しっかりと折り筋をつけてから21の形まで戻す

27
ついている折り筋で内側をひろげてつぶすように折る

28
途中の図
ついている折り筋でカドをつまむように折る

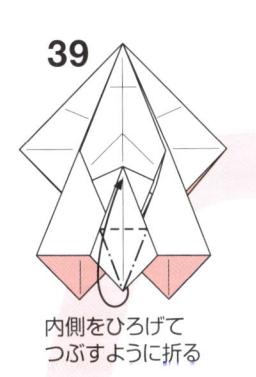

39
内側をひろげて
つぶすように折る

40
カドを下へ折る

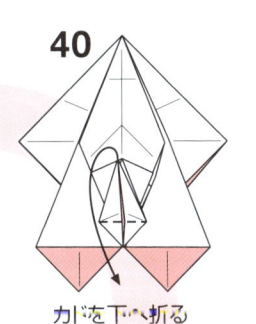

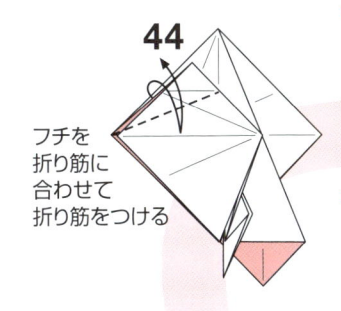

44
フチを
折り筋に
合わせて
折り筋をつける

小動物 ウサギ

38
内側をひろげて
つぶすように折る

41
カドを反対側へ折る

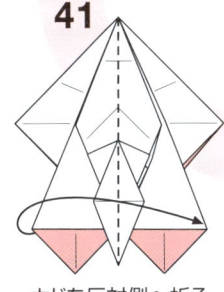

42
○と○を合わせて
折り筋をつける

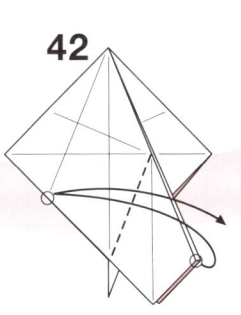

43
ついている折り筋を使って
カドとカドを合わせながら
内側をひろげて
つぶすように折る

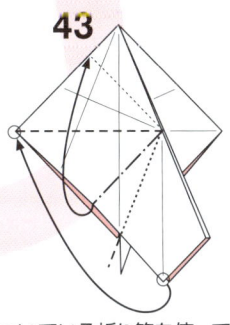

37
反対側も29〜35と
同じように折る

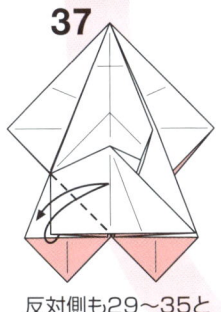

36
カドを反対側へ折る

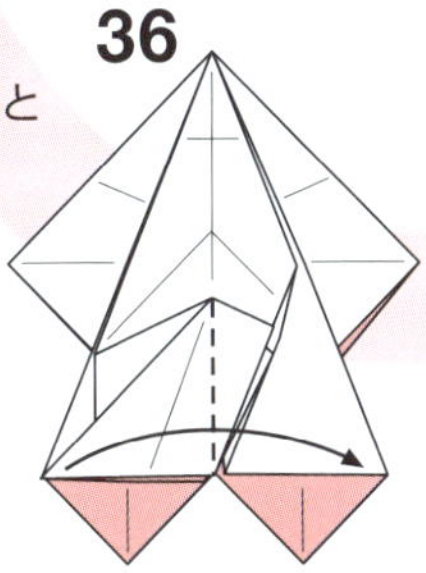

35
カドをフチのところで
内側に折り込む

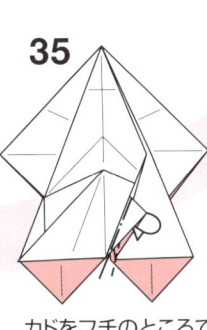

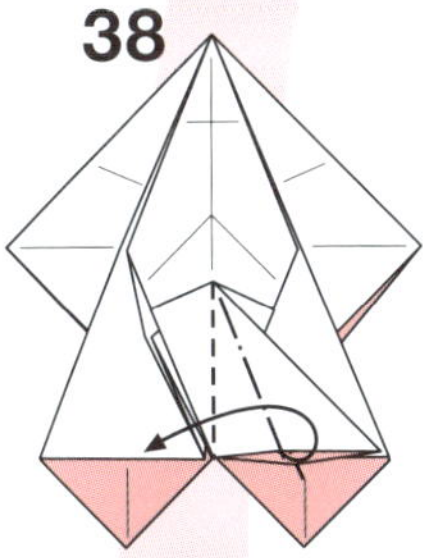

34
ついている折り筋で
内側のカドを
中わり折り

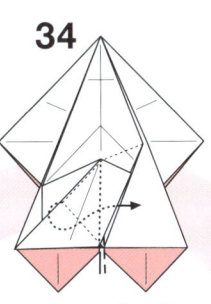

33
ついている折り筋で
カドを内側に押し込む
（Closed sink）

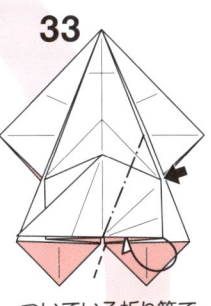

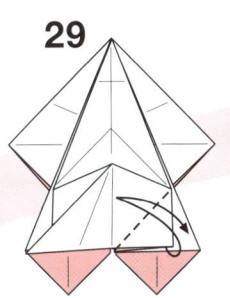

29
フチを折り筋に合わせて
折り筋をつける

30
カドとカドを
合わせて折る

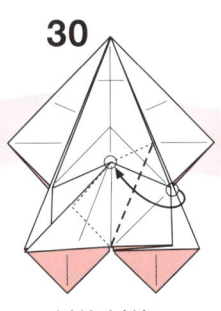

31
しっかりと折り筋を
つけてから戻す

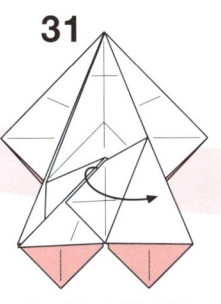

32
フチを折り筋に合わせて
折り筋をつける

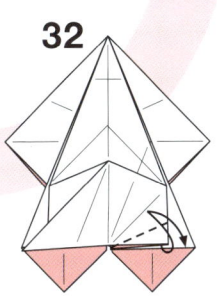

133

45 つけた折り筋でカドを内側に折る

46 カドを反対側へ折る

47 ○を合わせて折り筋をつける

48 つけた折り筋を使って折りたたむ

49 フチを上へ折りながら横のフチを反対側へ折る

50 カドを内側に折る

51 カドを反対側へ折る

52 反対側も41〜51と同じように折る

53

54 カドを上へ折る

55 カドをひらくところで折って折り筋をつける

56 上の1枚のカドをつけた折り筋に合わせて折り筋をつける

57 カドを戻す

58 56でつけた折り筋でカドを上へ折る

59 フチを折り筋に合わせて折り筋をつける

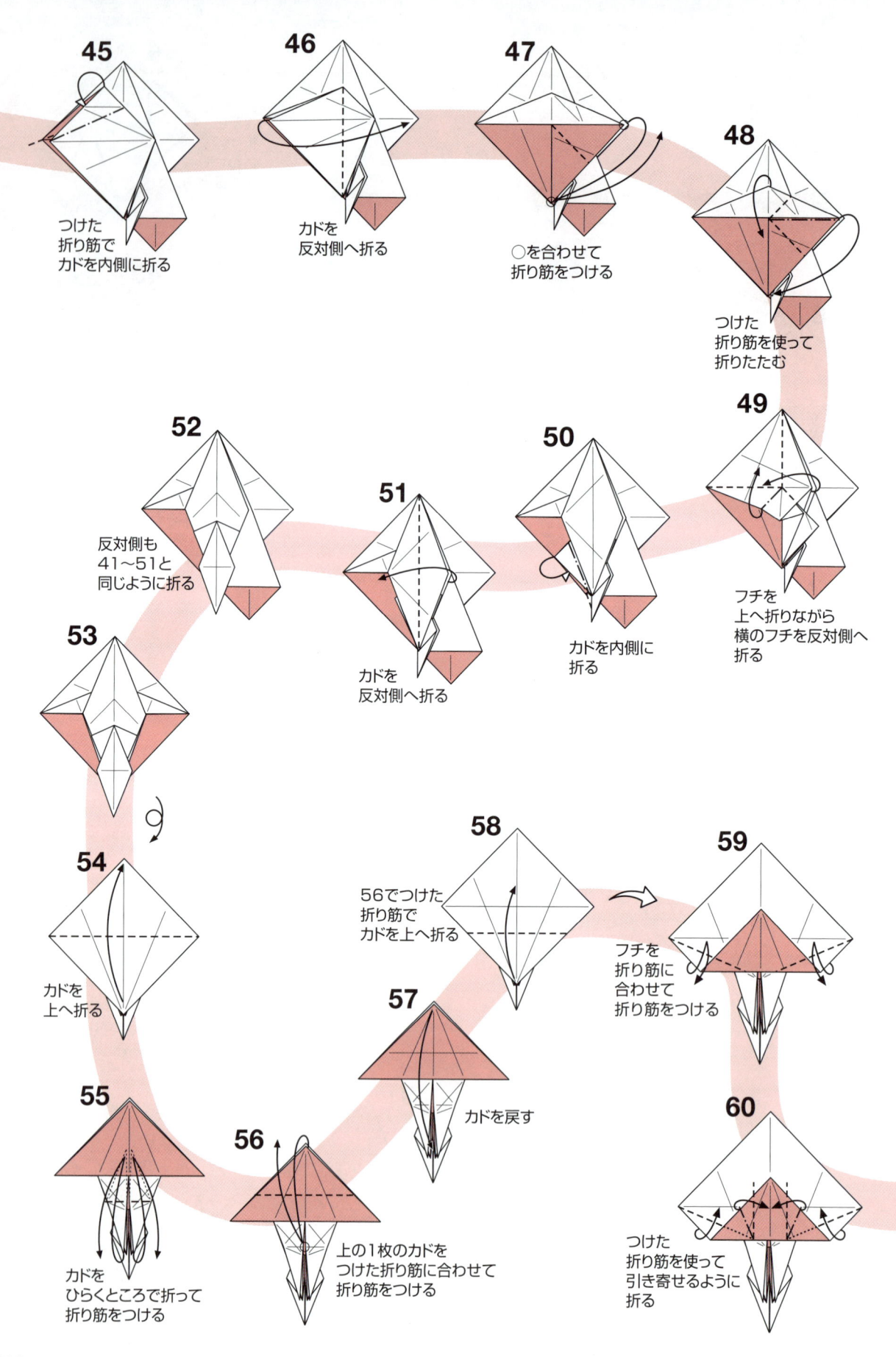

60 つけた折り筋を使って引き寄せるように折る

小動物 — ウサギ

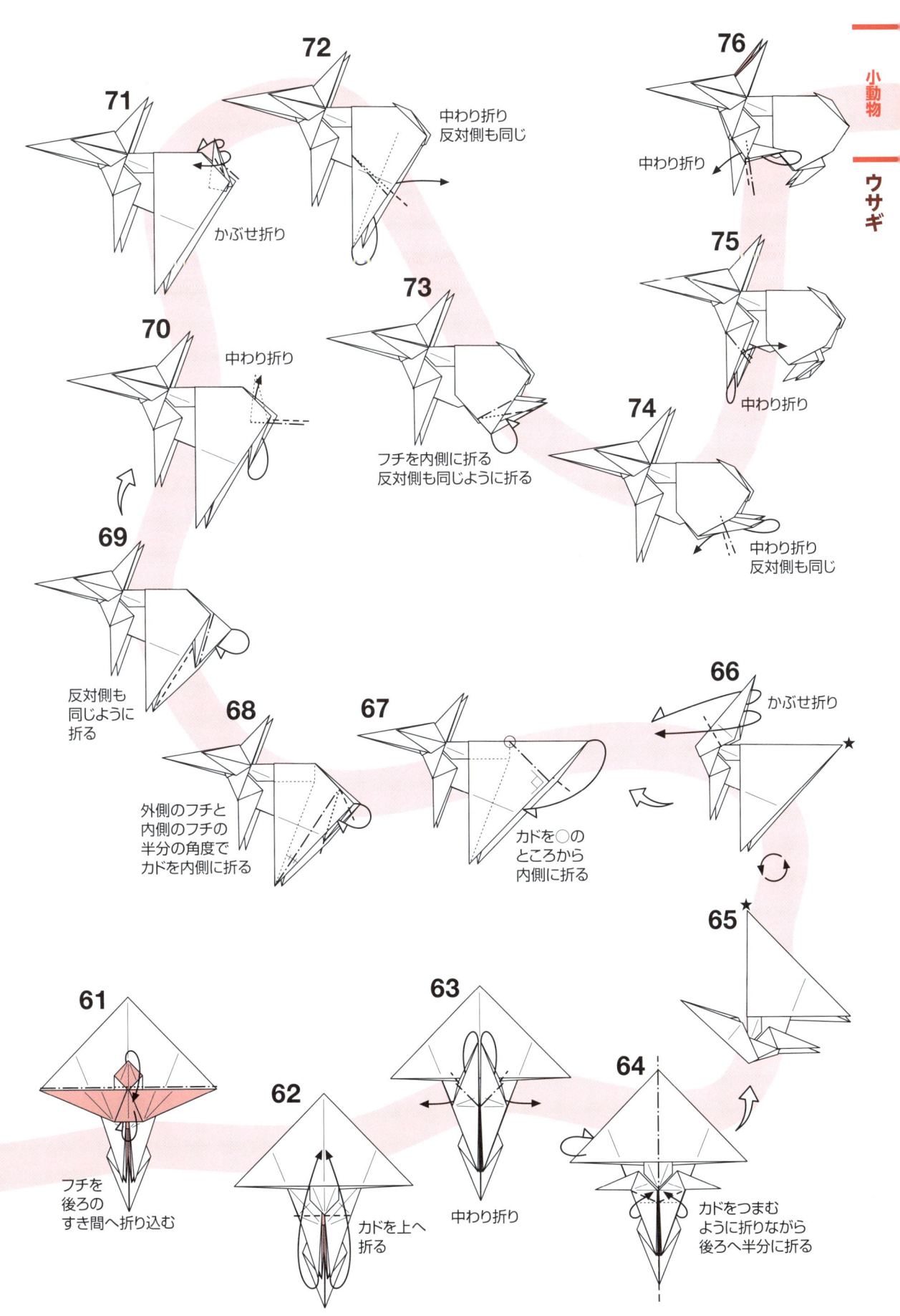

71

72 中わり折り 反対側も同じ

かぶせ折り

76 中わり折り

75 中わり折り

70 中わり折り

73 フチを内側に折る 反対側も同じように折る

74 中わり折り 反対側も同じ

69 反対側も同じように折る

68 外側のフチと内側のフチの半分の角度でカドを内側に折る

67 カドを○のところから内側に折る

66 かぶせ折り

65

61 フチを後ろのすき間へ折り込む

62 カドを上へ折る

63 中わり折り

64 カドをつまむように折りながら後ろへ半分に折る

135

77
カドの先を
ひろげるように
段折り

78
中わり折り

79
中わり折り

80

81
カドとカドを
合わせて
中わり折り

82
カドを内側に
折り込む

83
カドをすき間に
折り込む

84
反対側も
81～83と
同じように
折る

85
中わり折り

86
かぶせ折り

87
かぶせ折り

88
鼻の先を
少し折って
口のカドを
内側に
折り込む

89
頭完成

90
耳をひろげて
全体の形を整える

91
耳の根元の余った紙を
押し込む

92
できあがり
作りたいポーズに合わせて
手足の角度を調整するとよい

[展開図]

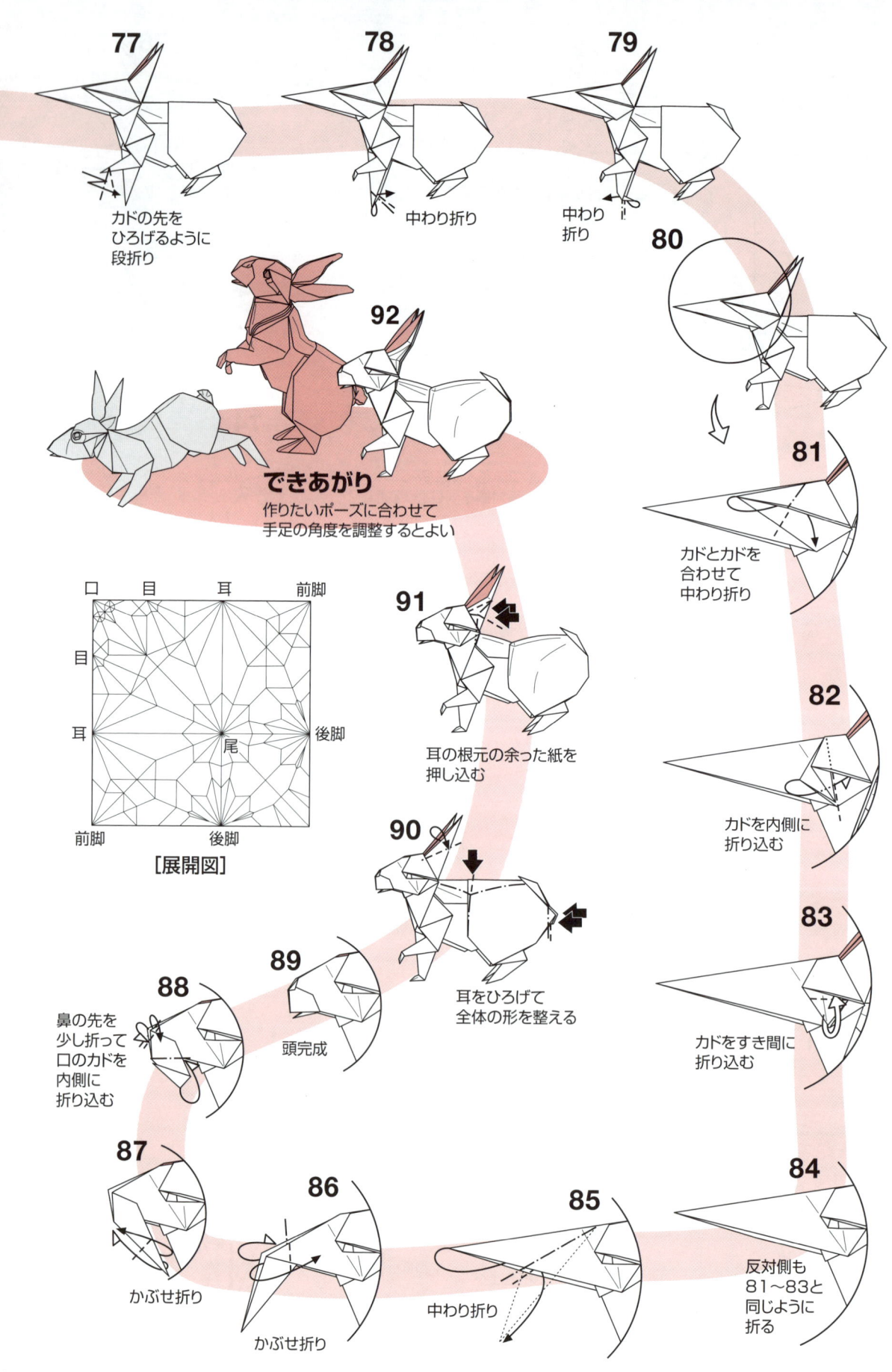

口　目　耳　前脚
目
耳　　　　　　後脚
　　　尾
前脚　　後脚

小動物 / パピヨン

Papillon by Hideo Komatsu
創作 ● 小松英夫

難易度 ★★★★★

30cm 折り紙用紙／1枚／不切正方一枚折り

小型犬の人気品種である「パピヨン」を折った作品です。折り紙用紙の裏白を利用して、特徴的な頭部の色分けを折り出しています。名前の由来である蝶のような耳は、本当の蝶の羽のように折ることで強調して表現してみました。折る際には、ふわっとした毛並みをイメージして立体的に仕上げてください。

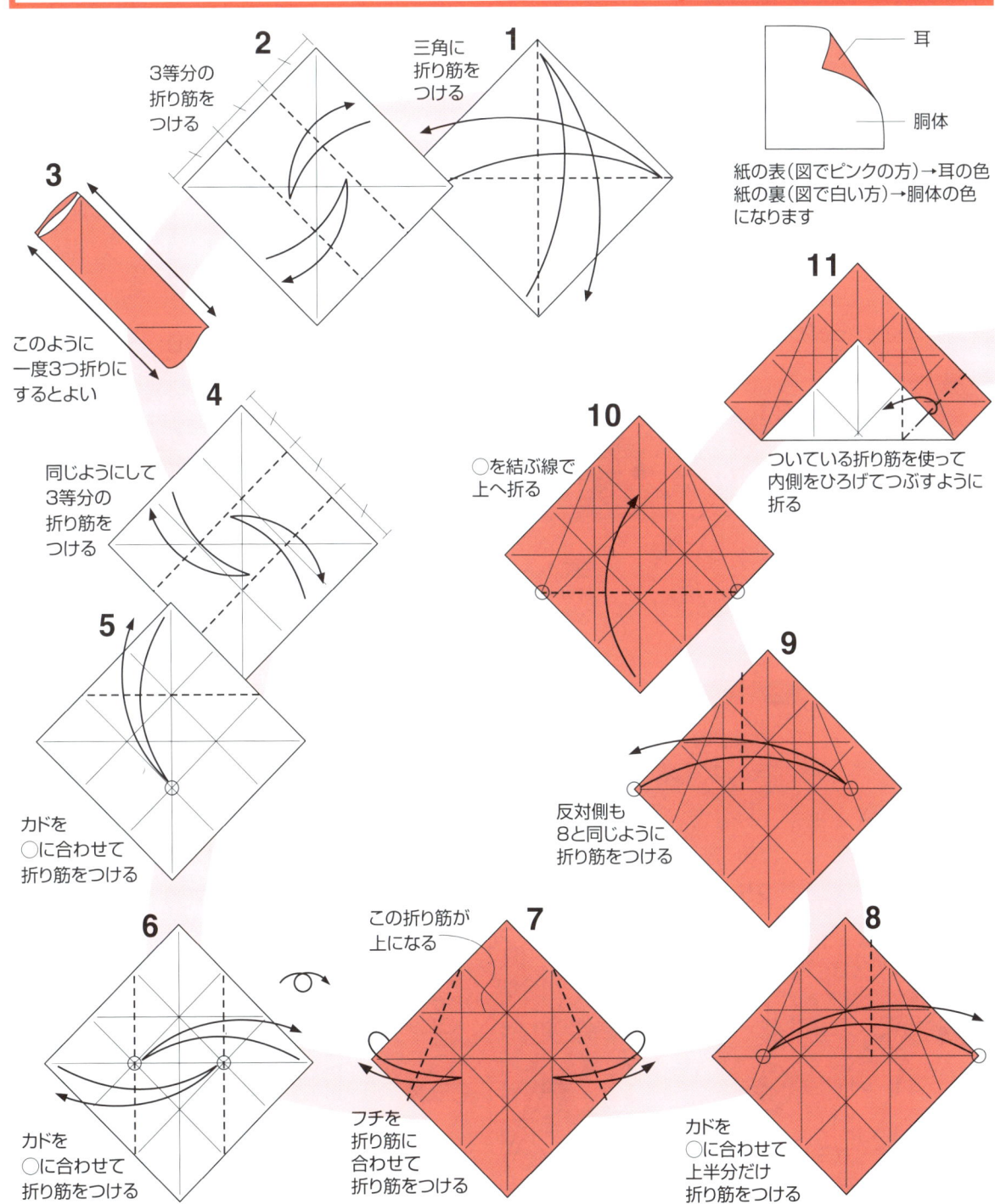

耳
胴体

紙の表（図でピンクの方）→耳の色
紙の裏（図で白い方）→胴体の色
になります

1 三角に折り筋をつける

2 3等分の折り筋をつける

3 このように一度3つ折りにするとよい

4 同じようにして3等分の折り筋をつける

5 カドを○に合わせて折り筋をつける

6 カドを○に合わせて折り筋をつける

7 この折り筋が上になる
フチを折り筋に合わせて折り筋をつける

8 カドを○に合わせて上半分だけ折り筋をつける

9 反対側も8と同じように折り筋をつける

10 ○を結ぶ線で上へ折る

11 ついている折り筋を使って内側をひろげてつぶすように折る

137

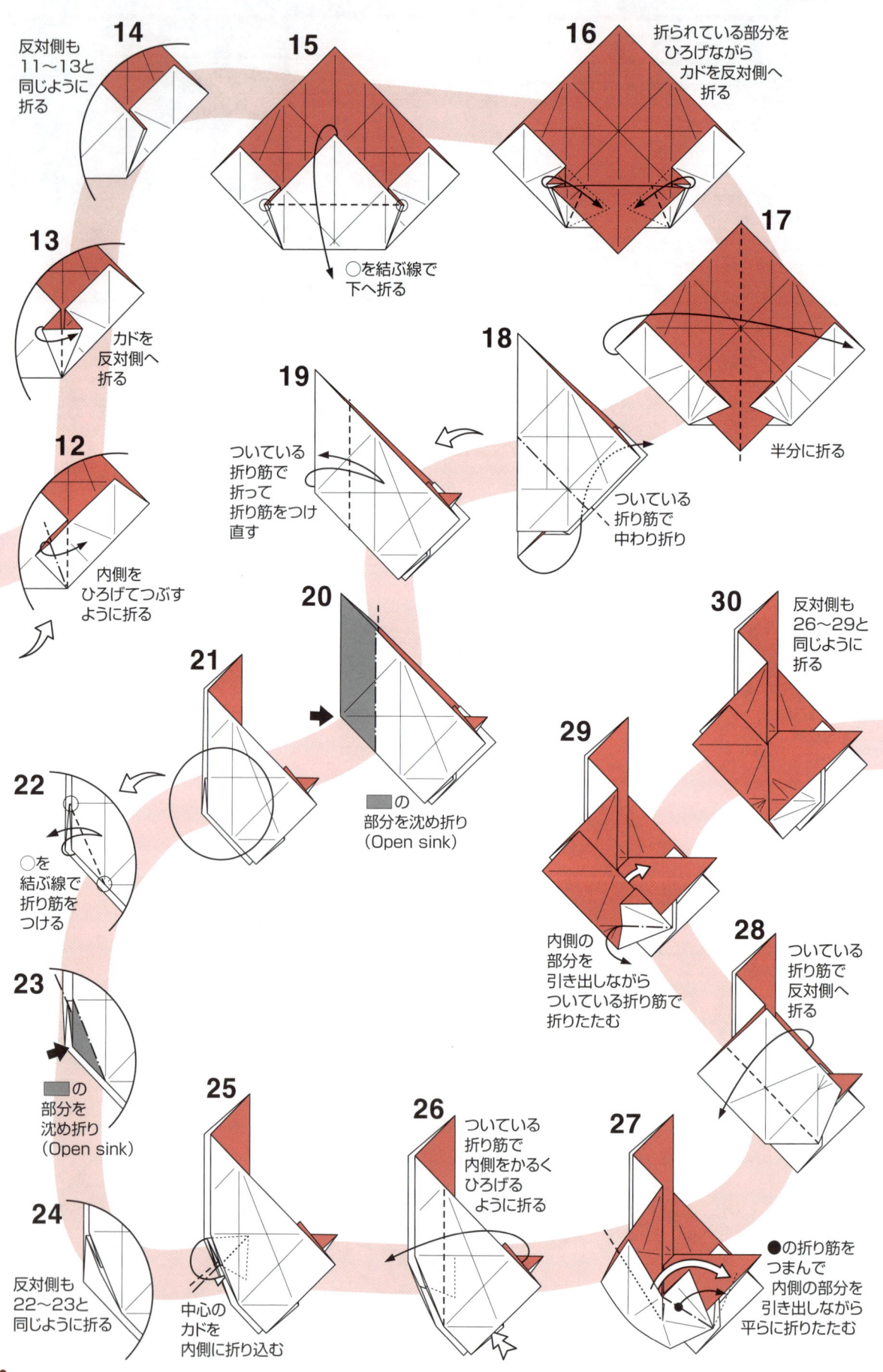

14
反対側も11〜13と同じように折る

13
カドを反対側へ折る

12
内側をひろげてつぶすように折る

15
○を結ぶ線で下へ折る

16
折られている部分をひろげながらカドを反対側へ折る

17
半分に折る

18
ついている折り筋で中わり折り

19
ついている折り筋で折って折り筋をつけ直す

20
■の部分を沈め折り（Open sink）

21

22
○を結ぶ線で折り筋をつける

23
■の部分を沈め折り（Open sink）

24
反対側も22〜23と同じように折る

25
中心のカドを内側に折り込む

26
ついている折り筋で内側をかるくひろげるように折る

27
●の折り筋をつまんで内側の部分を引き出しながら平らに折りたたむ

28
ついている折り筋で反対側へ折る

29
内側の部分を引き出しながらついている折り筋で折りたたむ

30
反対側も26〜29と同じように折る

138

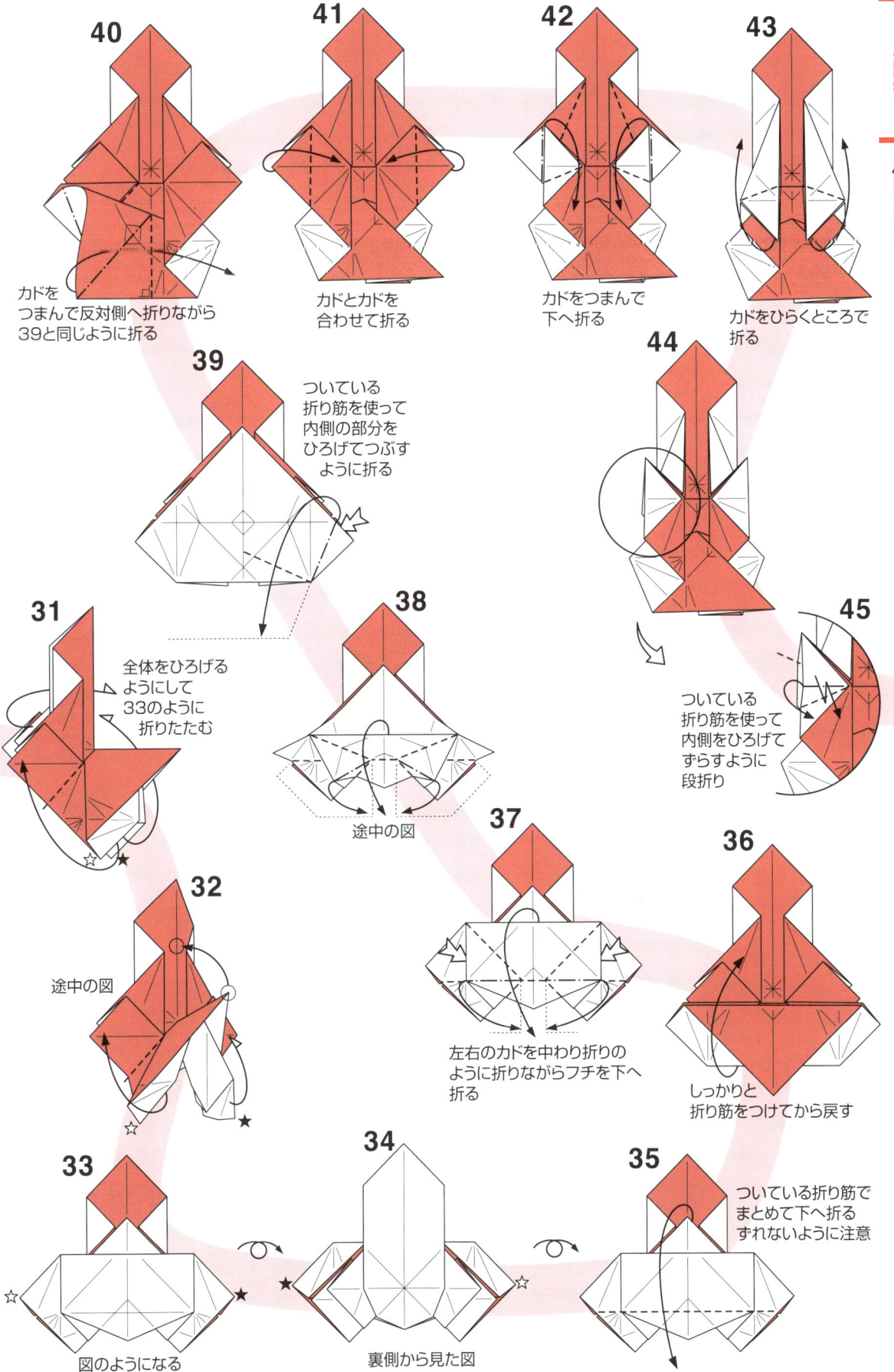

40
カドをつまんで反対側へ折りながら39と同じように折る

41
カドとカドを合わせて折る

42
カドをつまんで下へ折る

43
カドをひらくところで折る

44

39
ついている折り筋を使って内側の部分をひろげてつぶすように折る

45
ついている折り筋を使って内側をひろげてずらすように段折り

31
全体をひろげるようにして33のように折りたたむ

38
途中の図

37
左右のカドを中わり折りのように折りながらフチを下へ折る

36
しっかりと折り筋をつけてから戻す

32
途中の図

33
図のようになる

34
裏側から見た図

35
ついている折り筋でまとめて下へ折るずれないように注意

小動物 パピヨン

139

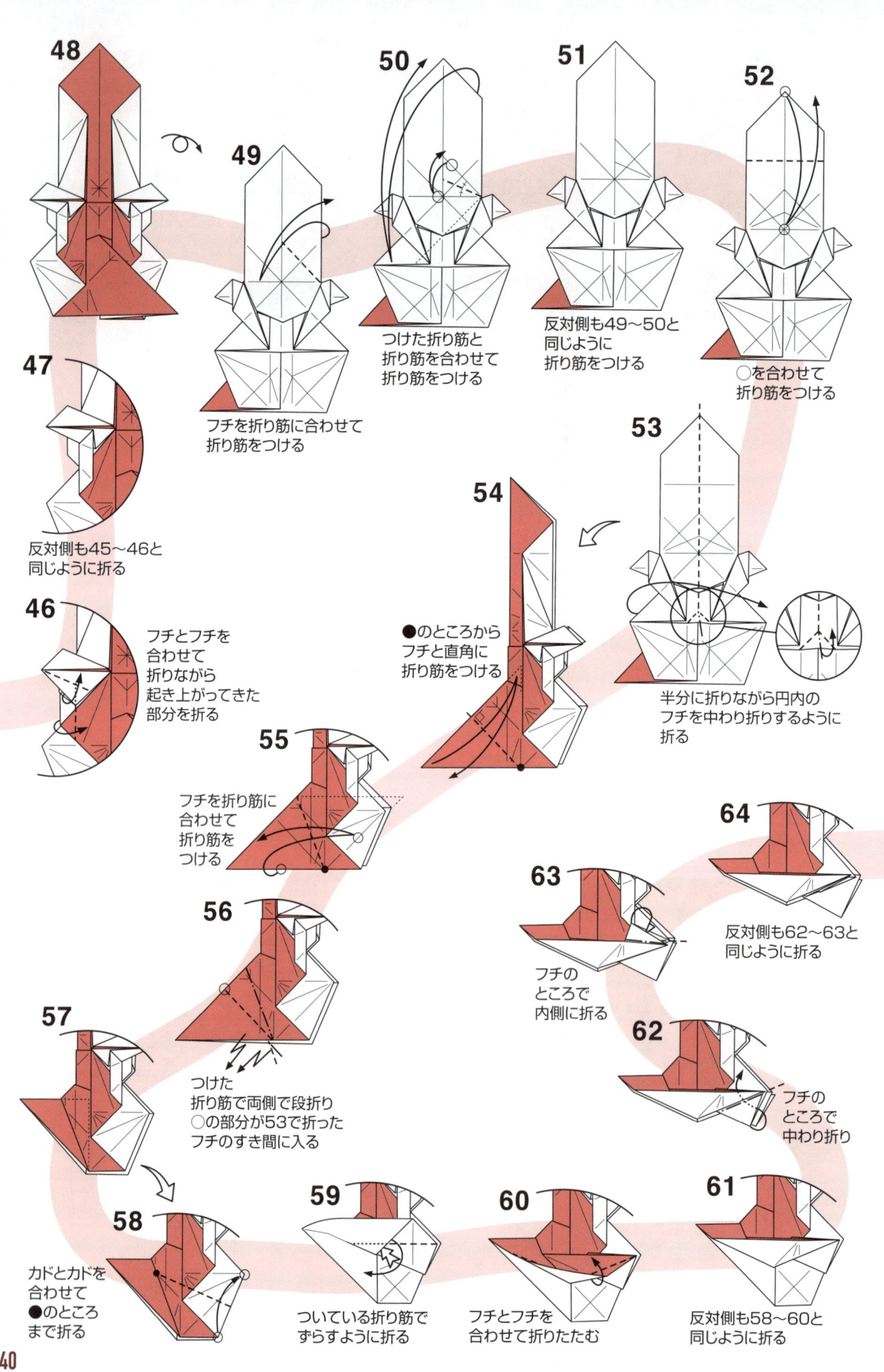

48

49
フチを折り筋に合わせて折り筋をつける

50
つけた折り筋と折り筋を合わせて折り筋をつける

51
反対側も49〜50と同じように折り筋をつける

52
○を合わせて折り筋をつける

47
反対側も45〜46と同じように折る

46
フチとフチを合わせて折りながら起き上がってきた部分を折る

53
半分に折りながら円内のフチを中わり折りするように折る

54
●のところからフチと直角に折り筋をつける

55
フチを折り筋に合わせて折り筋をつける

56

57

58
カドとカドを合わせて●のところまで折る

59
ついている折り筋でずらすように折る

60
フチとフチを合わせて折りたたむ

61
反対側も58〜60と同じように折る

62
フチのところで中わり折り

63
フチのところで内側に折る

64
反対側も62〜63と同じように折る

56: つけた折り筋で両側で段折り ○の部分が53で折ったフチのすき間に入る

140

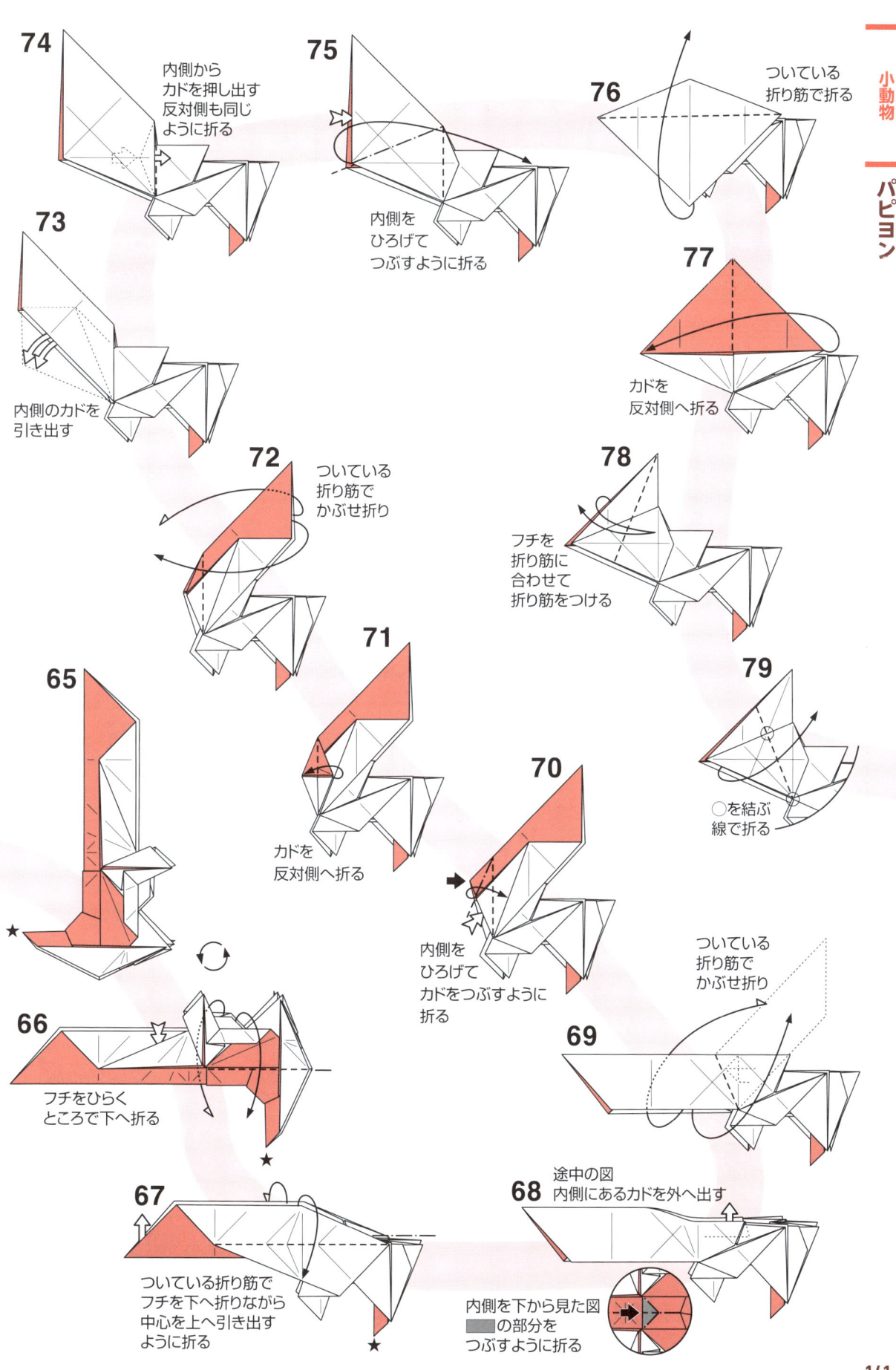

74
内側から
カドを押し出す
反対側も同じ
ように折る

75
内側を
ひろげて
つぶすように折る

76
ついている
折り筋で折る

小動物 パピヨン

73
内側のカドを
引き出す

77
カドを
反対側へ折る

72
ついている
折り筋で
かぶせ折り

78
フチを
折り筋に
合わせて
折り筋をつける

71
カドを
反対側へ折る

79
○を結ぶ
線で折る

65

70
内側を
ひろげて
カドをつぶすように
折る

69
ついている
折り筋で
かぶせ折り

66
フチをひらく
ところで下へ折る

67
ついている折り筋で
フチを下へ折りながら
中心を上へ引き出す
ように折る

68
途中の図
内側にあるカドを外へ出す

内側を下から見た図
■の部分を
つぶすように折る

141

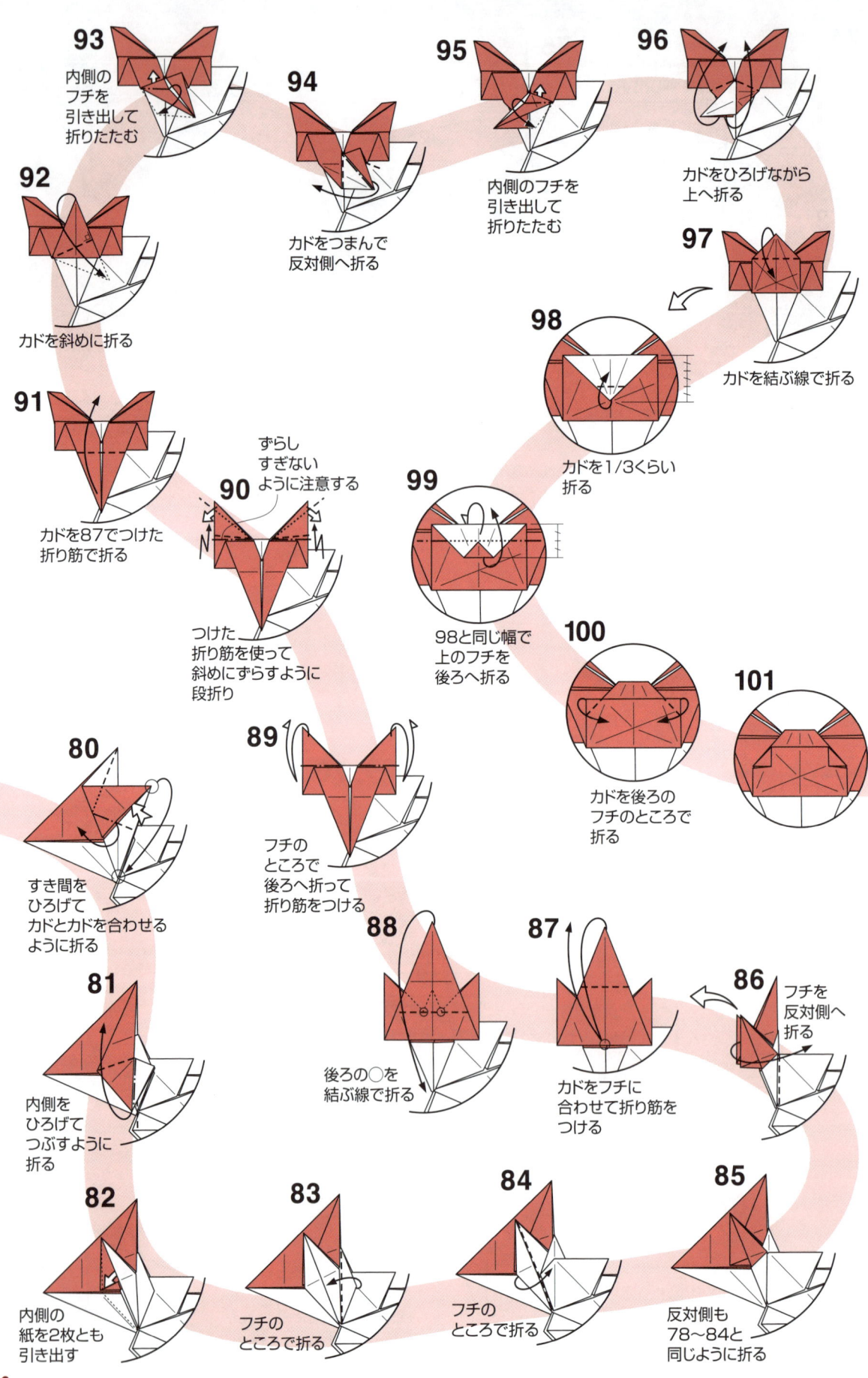

93
内側の
フチを
引き出して
折りたたむ

94
カドをつまんで
反対側へ折る

95
内側のフチを
引き出して
折りたたむ

96
カドをひろげながら
上へ折る

92
カドを斜めに折る

97
カドを結ぶ線で折る

98
カドを1/3くらい
折る

91
カドを87でつけた
折り筋で折る

90
ずらし
すぎない
ように注意する

つけた
折り筋を使って
斜めにずらすように
段折り

99
98と同じ幅で
上のフチを
後ろへ折る

100
カドを後ろの
フチのところで
折る

101

80
すき間を
ひろげて
カドとカドを合わせる
ように折る

89
フチの
ところで
後ろへ折って
折り筋をつける

88
後ろの○を
結ぶ線で折る

87
カドをフチに
合わせて折り筋を
つける

86
フチを
反対側へ
折る

81
内側を
ひろげて
つぶすように
折る

82
内側の
紙を2枚とも
引き出す

83
フチの
ところで折る

84
フチの
ところで折る

85
反対側も
78〜84と
同じように折る

142

112
フチの
ところで
引き寄せるように折る

113
カドを下へ折る

114
カドを
すぐ上の
すき間に差し込む

115
フチのところで
後ろへ折る

111
反対側も
103〜110と
同じように折る

116
反対側も
112〜115と
同じように折る

110
内側で
中わり折りの
ように折る

102
頭の上が
破れやすいので
注意

頭の
左側を
後ろへ折りながら
顔をつまむように折る

109
フチと
フチを
合わせて折りながら
☆のカドを中わり折り
のように折る

117
破らないように
内側のフチを出しながら
カドを中わり折りのように
折る

108
つけた
折り筋を使って
フチを内側に折る

103
この部分は
内側だけ折る

フチを
折り筋に合わせて
折り筋をつける

107
○を合わせて
折り筋をつける

104
つけた
折り筋を
使って
ずらす
ように段折り

105
■の部分を
内側に折り込む

106
折り筋を
つけないように
かるくひろげて
内側を見る

小動物　パピヨン

143

127

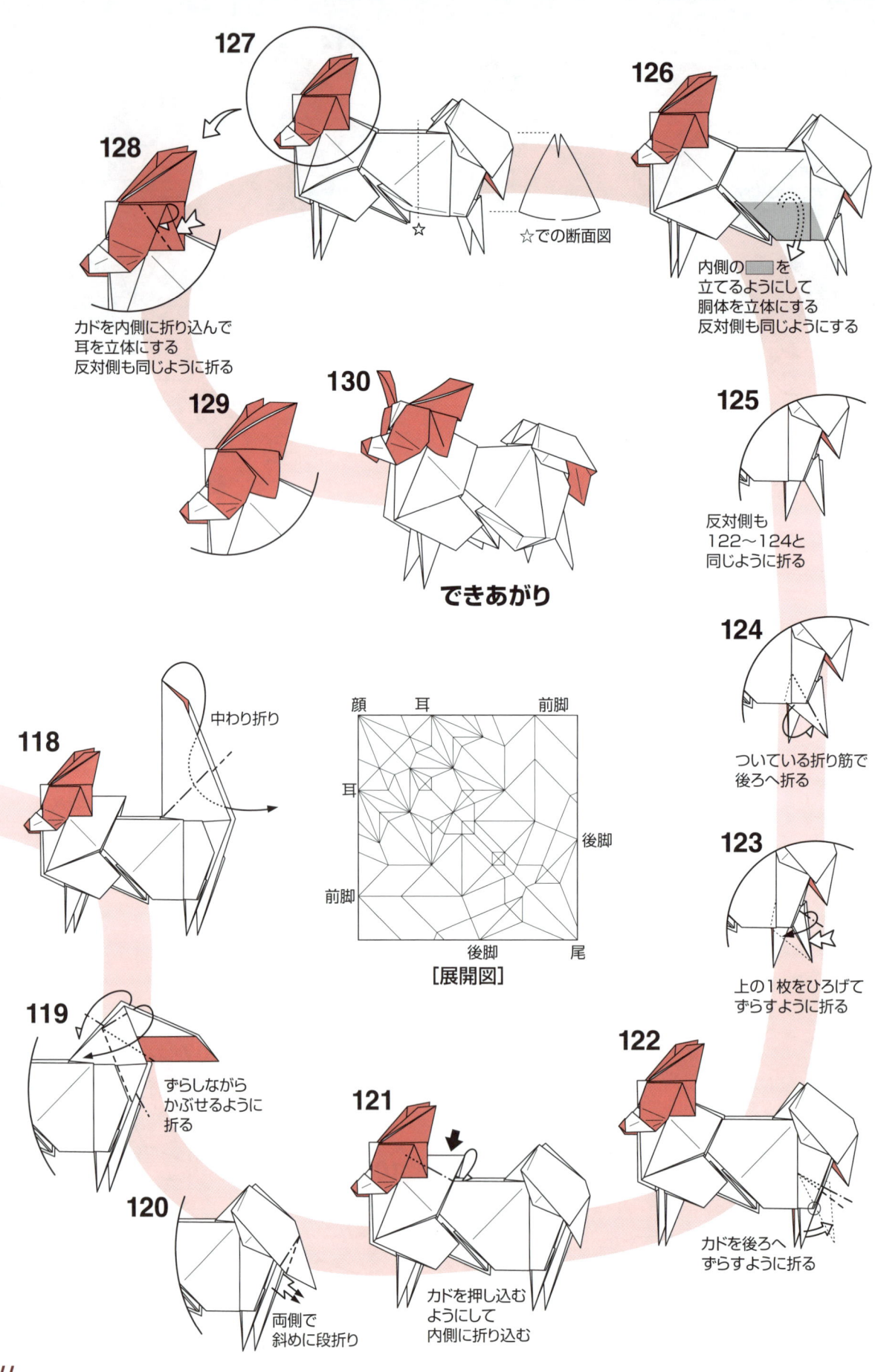

128

126

カドを内側に折り込んで
耳を立体にする
反対側も同じように折る

☆

☆での断面図

内側の■を
立てるようにして
胴体を立体にする
反対側も同じようにする

129

130

できあがり

125

反対側も
122〜124と
同じように折る

124

ついている折り筋で
後ろへ折る

118

中わり折り

123

上の1枚をひろげて
ずらすように折る

顔　耳　　前脚

耳

後脚

前脚

後脚　尾

[展開図]

119

ずらしながら
かぶせるように
折る

122

カドを後ろへ
ずらすように折る

120

両側で
斜めに段折り

121

カドを押し込む
ようにして
内側に折り込む

144

アラカルト	# 赤べコ
難易度 ★★★☆☆	**Akabeko the Red Bull** by Makoto Yamaguchi 創作●山口 真 20cm、20×10cm 折り紙用紙／2枚／複合

10年程前に、郷土玩具をテーマにした商品のために考案した作品です。本物には遠く及ばないのですが、一応首を振る機能をもたせてあります。見た目のわりには全体的に難易度の高い作品です。15cmでも折れますが、少し大きめの、しっかりと折り筋がつく紙で折るとよいでしょう。

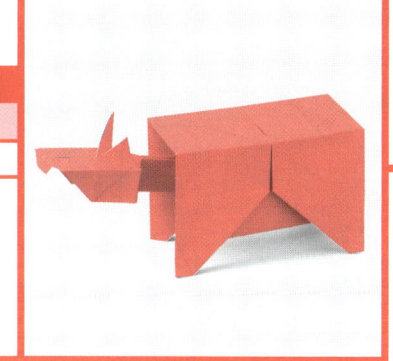

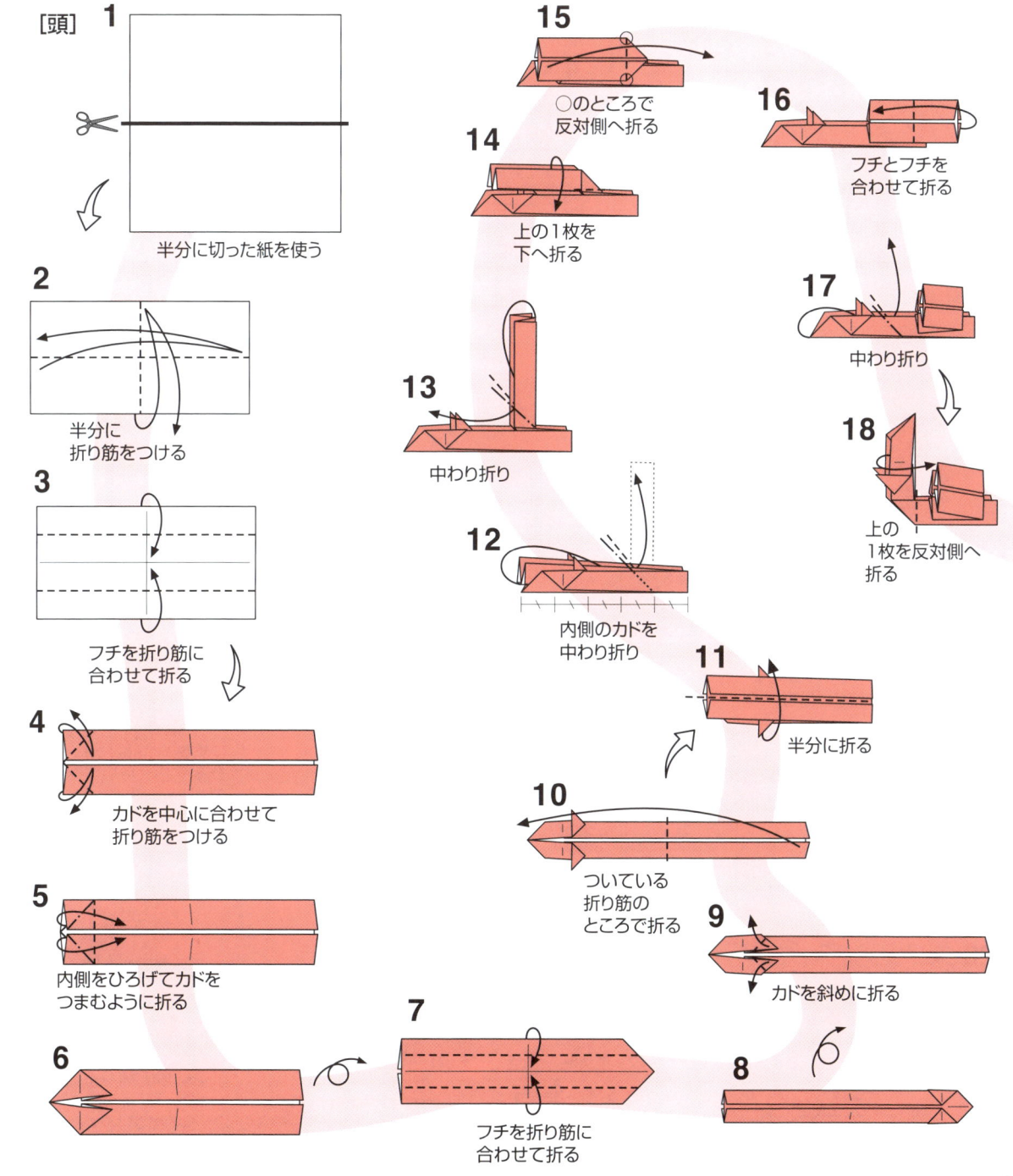

アラカルト　赤べコ

[頭]

1 半分に切った紙を使う

2 半分に折り筋をつける

3 フチを折り筋に合わせて折る

4 カドを中心に合わせて折り筋をつける

5 内側をひろげてカドをつまむように折る

6

7 フチを折り筋に合わせて折る

8

9 カドを斜めに折る

10 ついている折り筋のところで折る

11 半分に折る

12 内側のカドを中わり折り

13 中わり折り

14 上の1枚を下へ折る

15 ○のところで反対側へ折る

16 フチとフチを合わせて折る

17 中わり折り

18 上の1枚を反対側へ折る

145

[体]

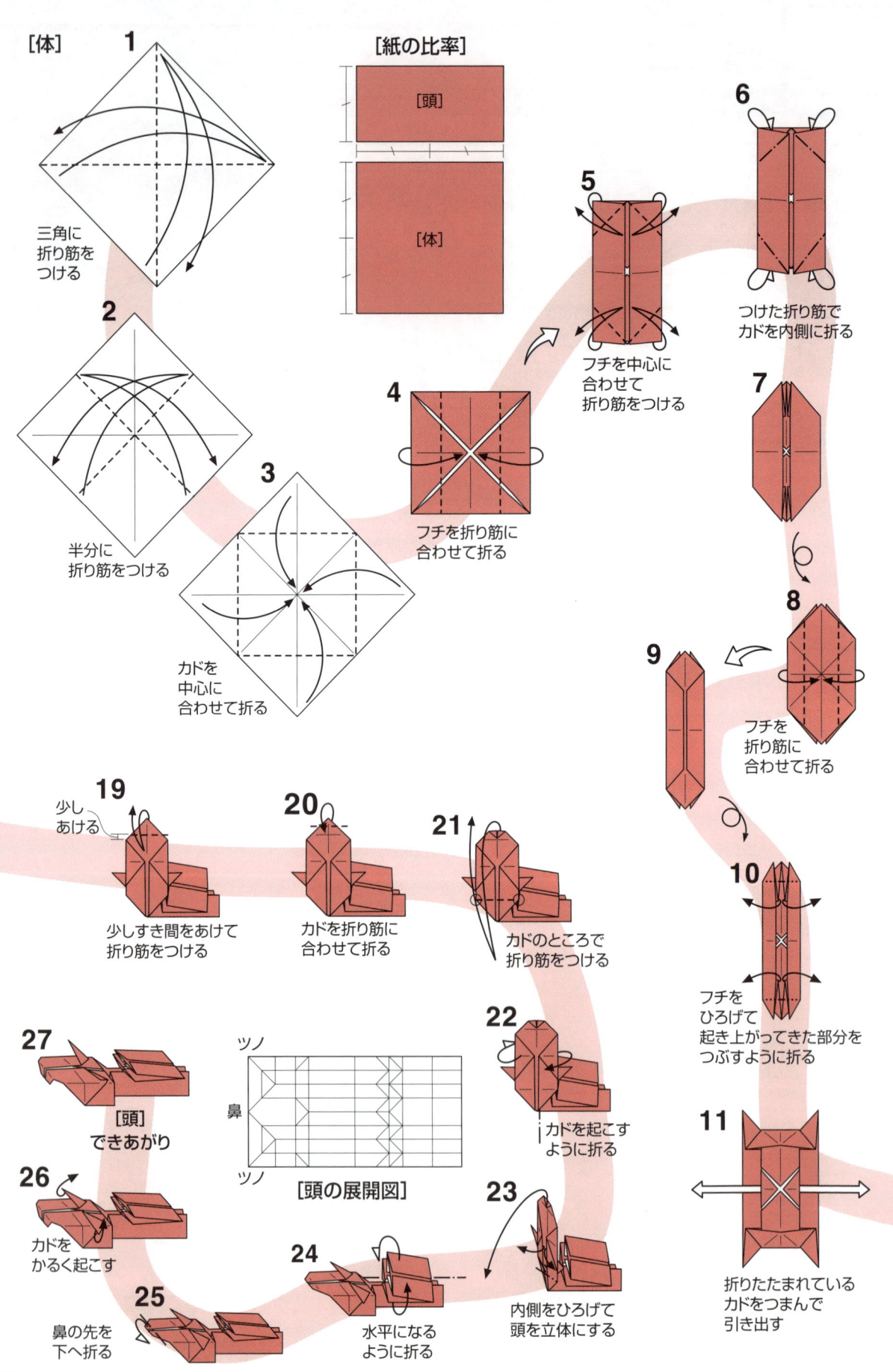

1. 三角に折り筋をつける
2. 半分に折り筋をつける
3. カドを中心に合わせて折る

[紙の比率]
[頭]
[体]

4. フチを折り筋に合わせて折る
5. フチを中心に合わせて折り筋をつける
6. つけた折り筋でカドを内側に折る
7.
8. フチを折り筋に合わせて折る
9.
10. フチをひろげて起き上がってきた部分をつぶすように折る
11. 折りたたまれているカドをつまんで引き出す

19. 少しあける / 少しすき間をあけて折り筋をつける
20. カドを折り筋に合わせて折る
21. カドのところで折り筋をつける
22. カドを起こすように折る
23. 内側をひろげて頭を立体にする
24. 水平になるように折る
25. 鼻の先を下へ折る
26. カドをかるく起こす
27. [頭] できあがり

[頭の展開図]
ツノ
鼻
ツノ

[組み立て方]

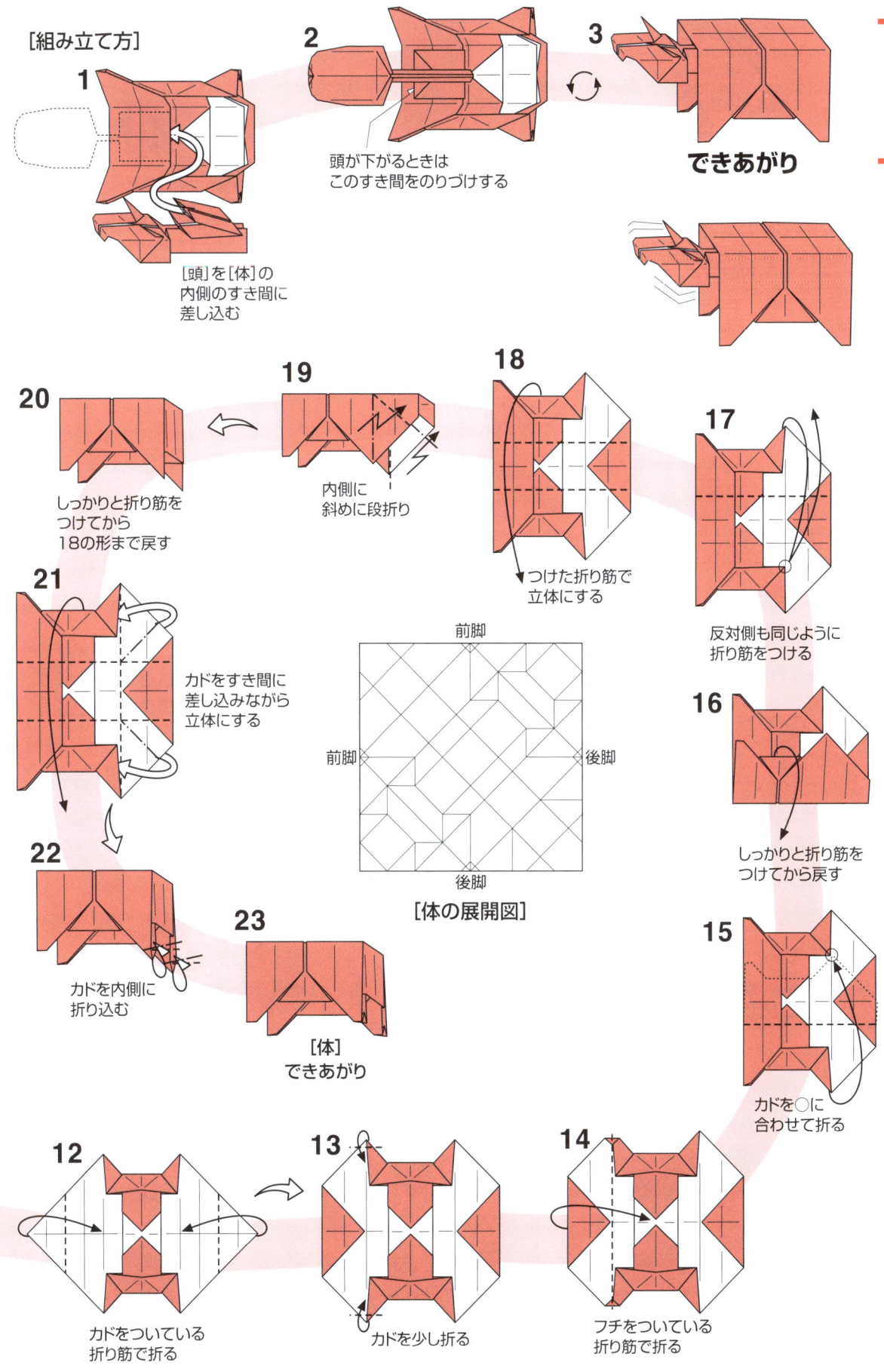

1 [頭]を[体]の内側のすき間に差し込む

2 頭が下がるときはこのすき間をのりづけする

3 できあがり

---

20 しっかりと折り筋をつけてから18の形まで戻す

19 内側に斜めに段折り

18 つけた折り筋で立体にする

17 反対側も同じように折り筋をつける

21 カドをすき間に差し込みながら立体にする

[体の展開図]
前脚 / 前脚 / 後脚 / 後脚

16 しっかりと折り筋をつけてから戻す

22 カドを内側に折り込む

23 [体] できあがり

15 カドを○に合わせて折る

12 カドをついている折り筋で折る

13 カドを少し折る

14 フチをついている折り筋で折る

アラカルト　赤ベコ

147

アラカルト	兜
難易度 ★☆☆☆☆	**Samurai Helmet** by Makoto Yamaguchi 創作●山口 真 15㎝ 折り紙用紙／1枚／不切正方一枚折り

折り紙の兜といえば、伝承作品のものが有名ですが、「それより見栄えのする少し難しい兜を」と依頼されて作りました。ところが、クライアントが想像していたよりも難しかったらしく、没になってしまいました。この本の中ではやさしい部類の作品ですが、日の目を見ることができてよかったと思っています。

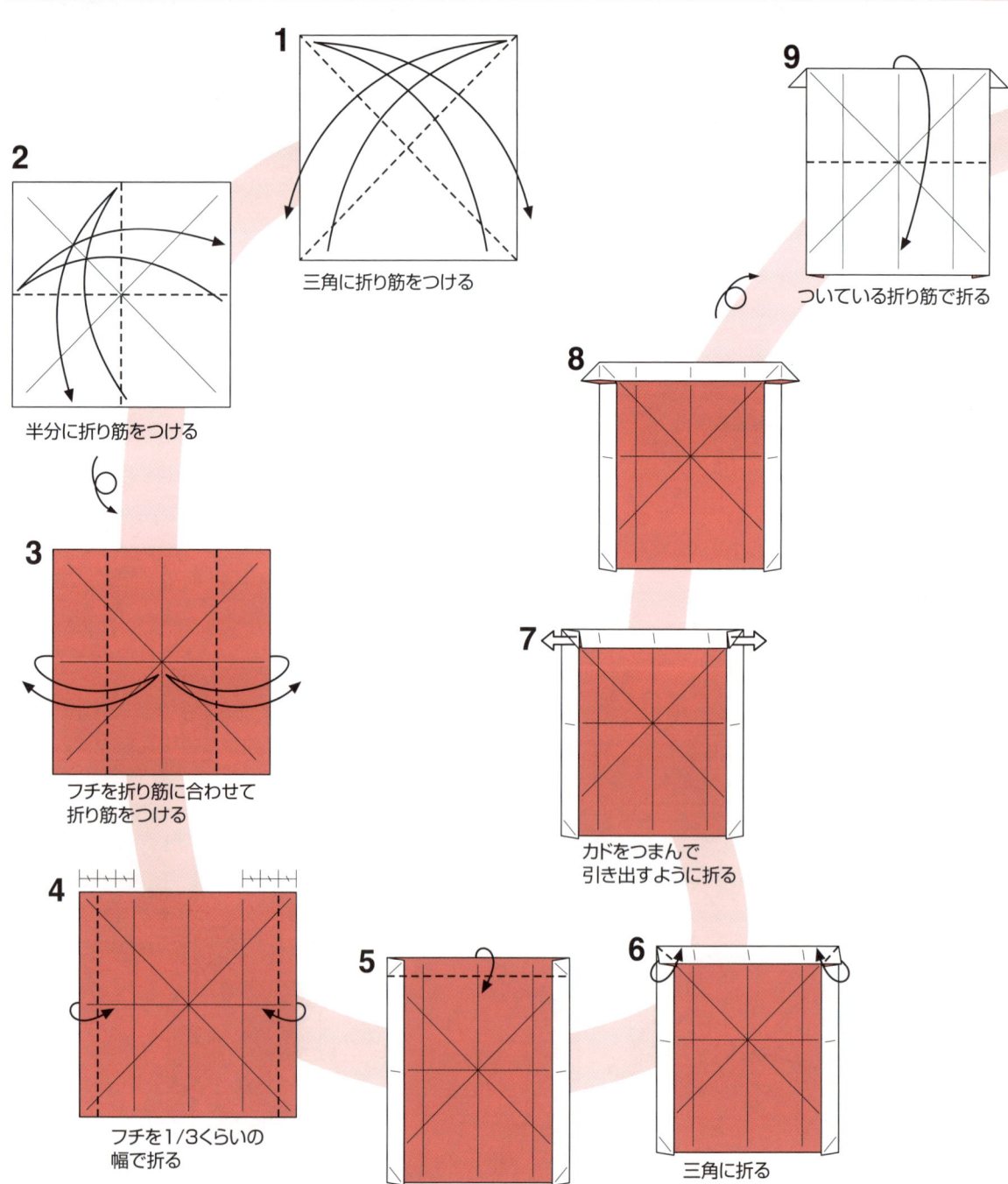

1 三角に折り筋をつける

2 半分に折り筋をつける

3 フチを折り筋に合わせて折り筋をつける

4 フチを1/3くらいの幅で折る

5 フチを4と同じ幅で折る

6 三角に折る

7 カドをつまんで引き出すように折る

8

9 ついている折り筋で折る

148

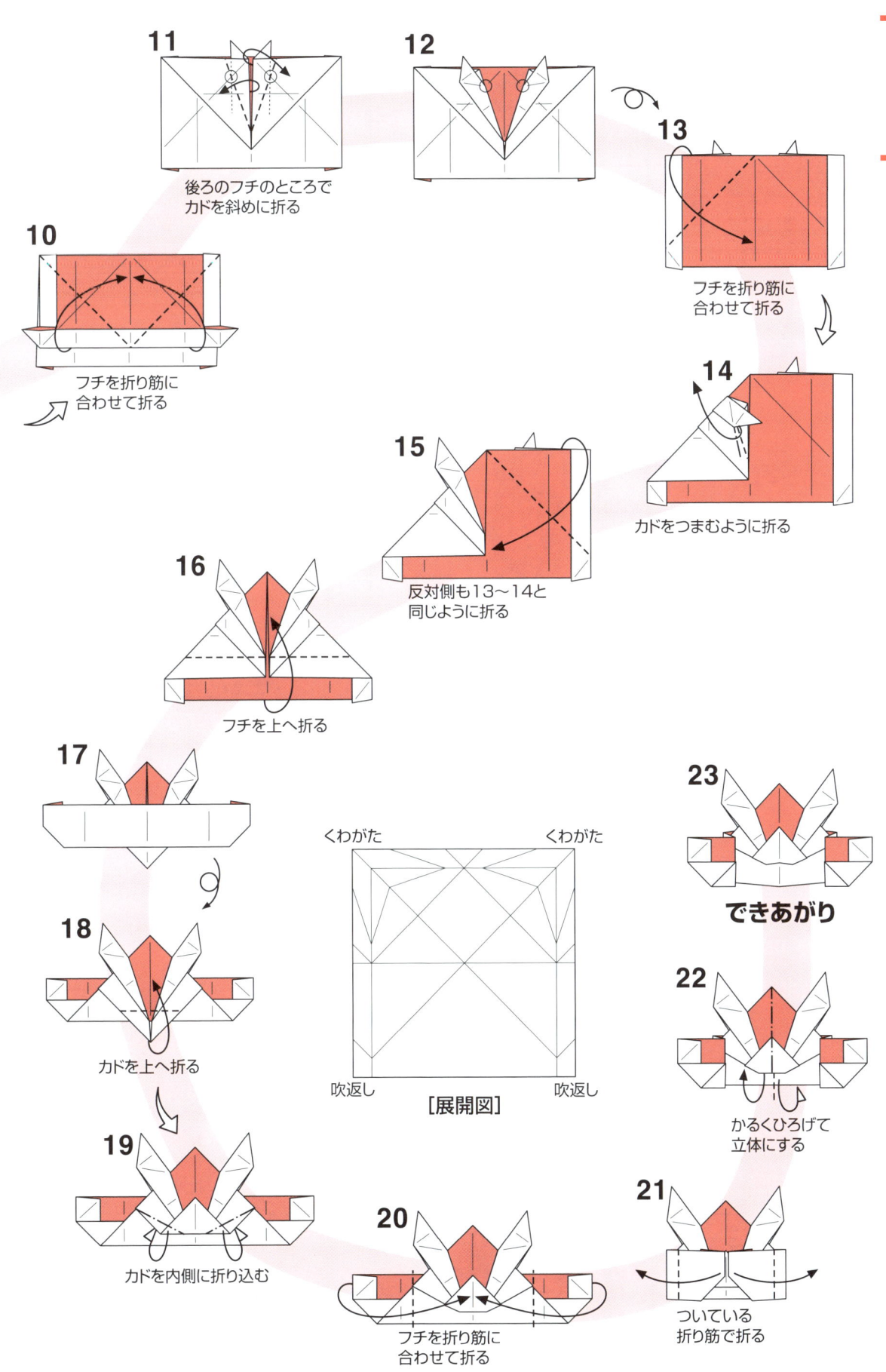

11
後ろのフチのところで
カドを斜めに折る

12

13
フチを折り筋に
合わせて折る

10
フチを折り筋に
合わせて折る

14
カドをつまむように折る

15
反対側も13〜14と
同じように折る

16
フチを上へ折る

17

18
カドを上へ折る

19
カドを内側に折り込む

20
フチを折り筋に
合わせて折る

21
ついている
折り筋で折る

22
かるくひろげて
立体にする

23
できあがり

くわがた　くわがた
吹返し　吹返し
[展開図]

アラカルト　兜

アラカルト

富士山
Mt. Fuji by Akiko Yamanashi
創作 ● 山梨明子

15cm 折り紙用紙／1枚／不切正方一枚折り

難易度 ★☆☆☆☆

富士山が世界遺産に登録されたのを機に、やさしく折れる立体的な富士山を作ろうと思いました。最後の沈め折りが少し難しいですが、しわになっても穴が開いても、噴火口なのですから気にしない気にしない。でもきれいに折れると快感です。いくつも折って挑戦してください。

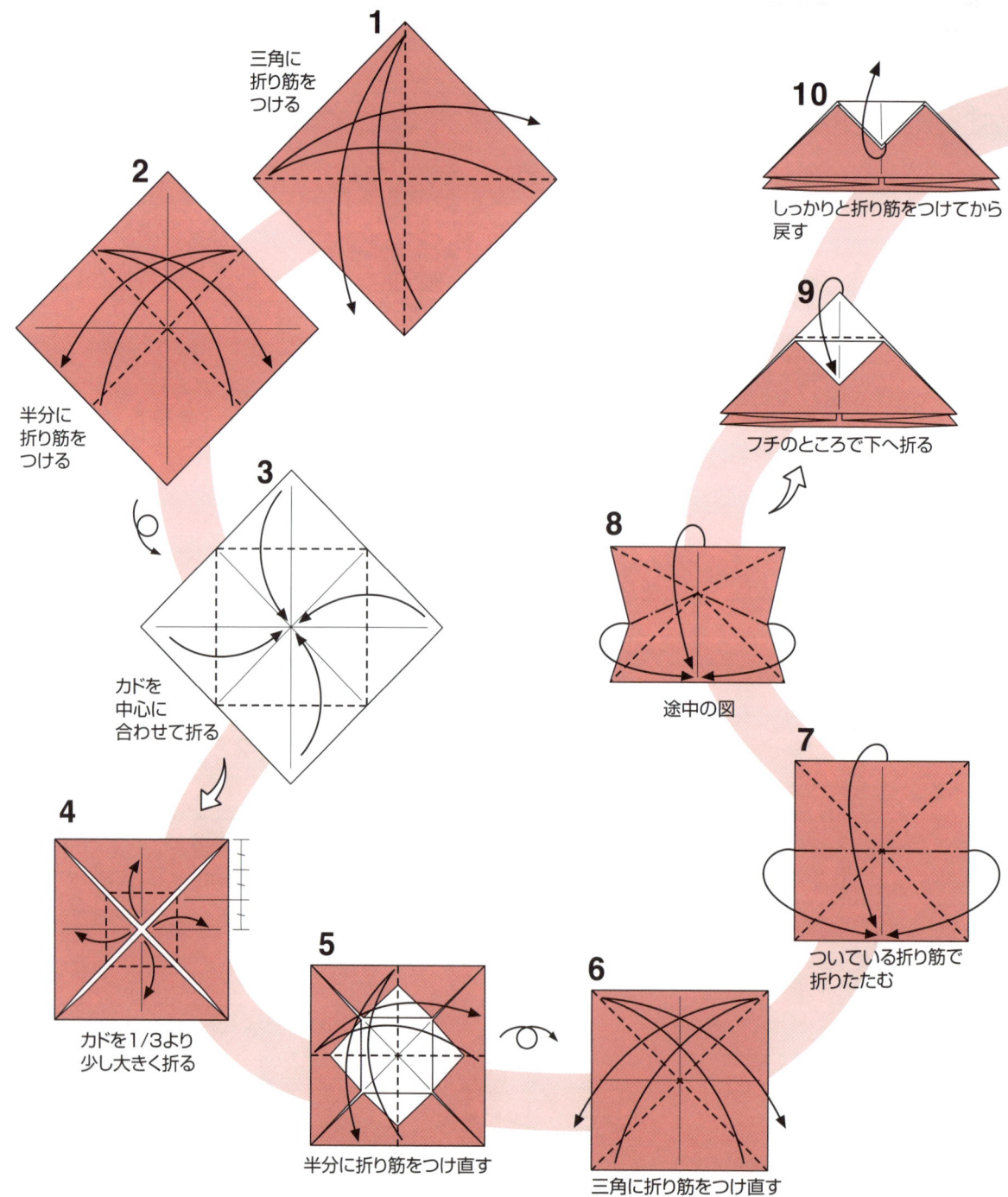

1. 三角に折り筋をつける
2. 半分に折り筋をつける
3. カドを中心に合わせて折る
4. カドを1/3より少し大きく折る
5. 半分に折り筋をつけ直す
6. 三角に折り筋をつけ直す
7. ついている折り筋で折りたたむ
8. 途中の図
9. フチのところで下へ折る
10. しっかりと折り筋をつけてから戻す

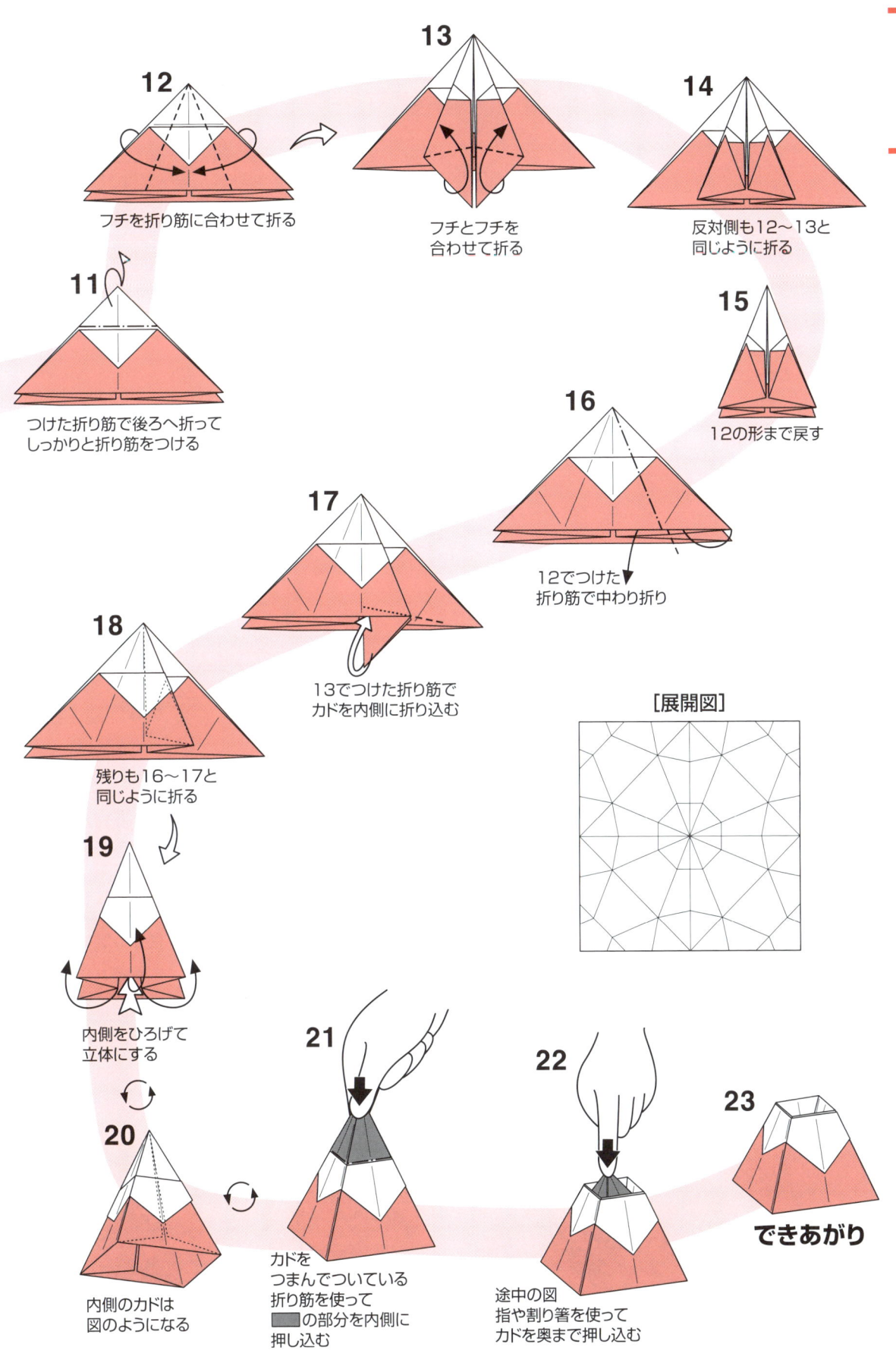

12 フチを折り筋に合わせて折る

13 フチとフチを合わせて折る

14 反対側も12〜13と同じように折る

11 つけた折り筋で後ろへ折ってしっかりと折り筋をつける

15 12の形まで戻す

16 12でつけた折り筋で中わり折り

17 13でつけた折り筋でカドを内側に折り込む

18 残りも16〜17と同じように折る

[展開図]

19 内側をひろげて立体にする

20 内側のカドは図のようになる

21 カドをつまんでついている折り筋を使って■の部分を内側に押し込む

22 途中の図 指や割り箸を使ってカドを奥まで押し込む

23 できあがり

アラカルト 富士山

Column

ウェットフォールディング

「ウェットフォールディング」とは水で紙を湿らせながら折る特殊な技法のことです。本書の口絵ページの作品では、[マンモス][ねずみ][ウサギ][カバ][ライオン][馬]が、この技法を使って折られています。

ウェットフォールディングの利点

- **折りやすくなる**
水分で紙を柔らかくすることで折りやすくなり、乾いた状態では折るのが難しい厚みのある紙を使うことができます。
- **形が固定できる**
紙の繊維がほぐれた状態になることで、紙が伸縮しやすくなります。これによって、折り目などに負担がかかりにくくなるのと共に、伸縮がある状態のまま乾かすことで、折った形を保つことができます。曲線的な形や、彫刻的な表現では、この利点をいかすことができるでしょう。

紙について

- **基本的に厚手の洋紙を使う**
和紙等の手すきの紙は、表面がもろくなるので、湿らせても強度を保てる紙を選びましょう。
- **向かない紙**
洋紙でも、湿らせて表面がボロボロになるような紙は不向きです。また、表面に印刷がしてあって、湿らせると落ちるような紙も避けましょう。
- **試す**
端紙等を湿らせて試しておくとよいでしょう。

注意する点

- **水分量**
水分は多ければいいというわけではありません。あくまで「水分を含ませる」という程度に濡らします。
- **湿らせた部分が破れやすい**
引っ張るような力は入れすぎないように注意しましょう。
- **紙にゆがみが出やすい**
紙は湿らせたときに伸びて、乾いたときに縮みます。特に洋紙は繊維方向に伸びます。
- **作品の厚みを考える**
基本的に厚い紙を使うことになるので、紙の重なりが多くなる作品は難しくなります。
- **湿らせる前に折らない**
折ってから湿らせると、紙の繊維にダメージを与えるのでやめたほうがよいでしょう。

道具や場所について

道具: 布(雑巾等)/スプレー(又は水を入れる桶)/カッターマット
場所: できるだけ平坦な場所を選び、あらかじめきれいにしておきましょう。

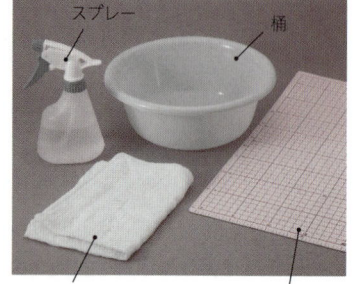

スプレー / 桶 / 布(雑巾等) / カッターマット

実例 P.126〈ねずみ〉

ここでは80kg(少し厚手の紙) 20×20cmの紙を使いました。

1 湿らせる
スプレーやきれいな雑巾等で全体を湿らせる。スプレーの場合でも雑巾等でむらなくひろげる。裏側からも濡らす。少し時間をおくと繊維に水が染み込む。

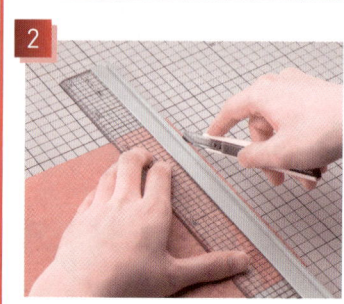

2 紙を切り直す
紙にゆがみが出たときは、正方形に切り直す。カッターナイフ等で切る場合、刃が引っかかりやすくなっているので注意する。濡らすとよく伸びてしまう紙は、この段階で正方形に切る。

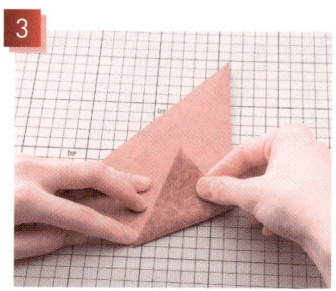

3 折る
特に次に折る部分が乾いていないか注意しながら折る。紙の表面がもろくなっている場合があるので、ていねいに扱う。

4 濡らし足す
濡らして折った後で、乾いた部分は特に割れやすくなる。乾かないように適宜水分を足しながら折る。

5 仕上げ
よく濡らした部分は柔らかくなり、そのままの形状を保てない場合があるので、できるだけ完成形と同じ状態になるよう、内側に詰め物をする等して固定した後に乾かすとよい。

152

第6章 大型動物

Large Animals

難易度
★★
☆☆

ヒョウ
P.154

パンダ
P.157

難易度
★★
★★☆

ライオン
P.160

馬
P.167

カバ
P.172

難易度
★★
★★★

キリン
P.181

アフリカゾウ
P.190

アラカルト

愛をひらく鍵
P.199
難易度 ★★★

ナットとボルト
P.202
難易度 ★★★★

大型動物

難易度
★★☆☆☆

ヒョウ

Leopard by Makoto Yamaguchi
創作●山口 真

15cm 折り紙用紙／2枚／複合

ライオン、チーター、ヒョウを一度に作らなければならなくなり、この3種を比較した場合の「ヒョウらしさ」として脚を横に投げ出して座っているポーズを選びました。難しい工程はほとんどありません。強いて言えば[頭]の図15が少し難しいですが、図16の途中図をよく見て折れば大丈夫です。

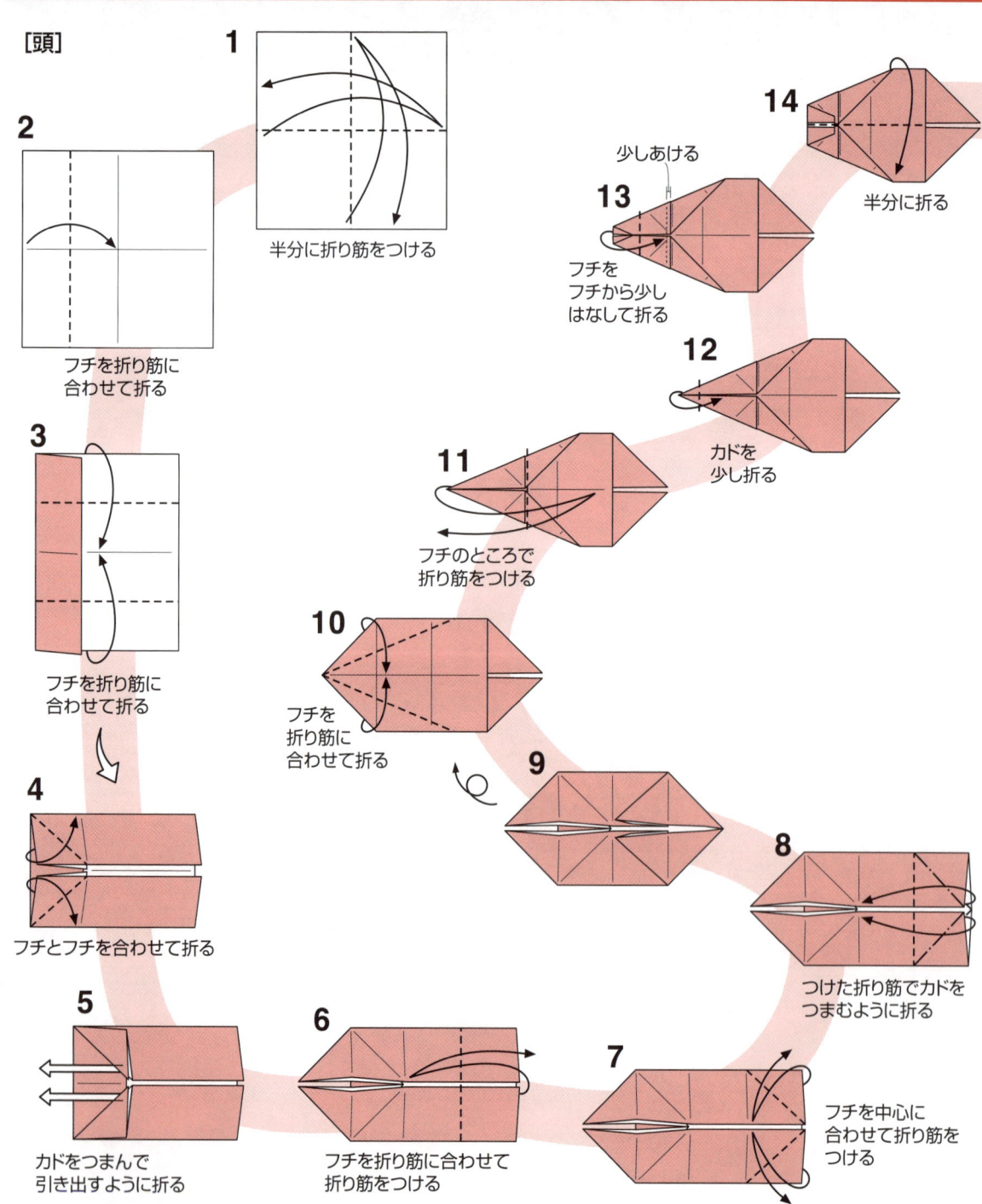

[頭]

1　半分に折り筋をつける

2　フチを折り筋に合わせて折る

3　フチを折り筋に合わせて折る

4　フチとフチを合わせて折る

5　カドをつまんで引き出すように折る

6　フチを折り筋に合わせて折り筋をつける

7　フチを中心に合わせて折り筋をつける

8　つけた折り筋でカドをつまむように折る

9

10　フチを折り筋に合わせて折る

11　フチのところで折り筋をつける

12　カドを少し折る

13　フチをフチから少しはなして折る　少しあける

14　半分に折る

154

大型動物 ヒョウ

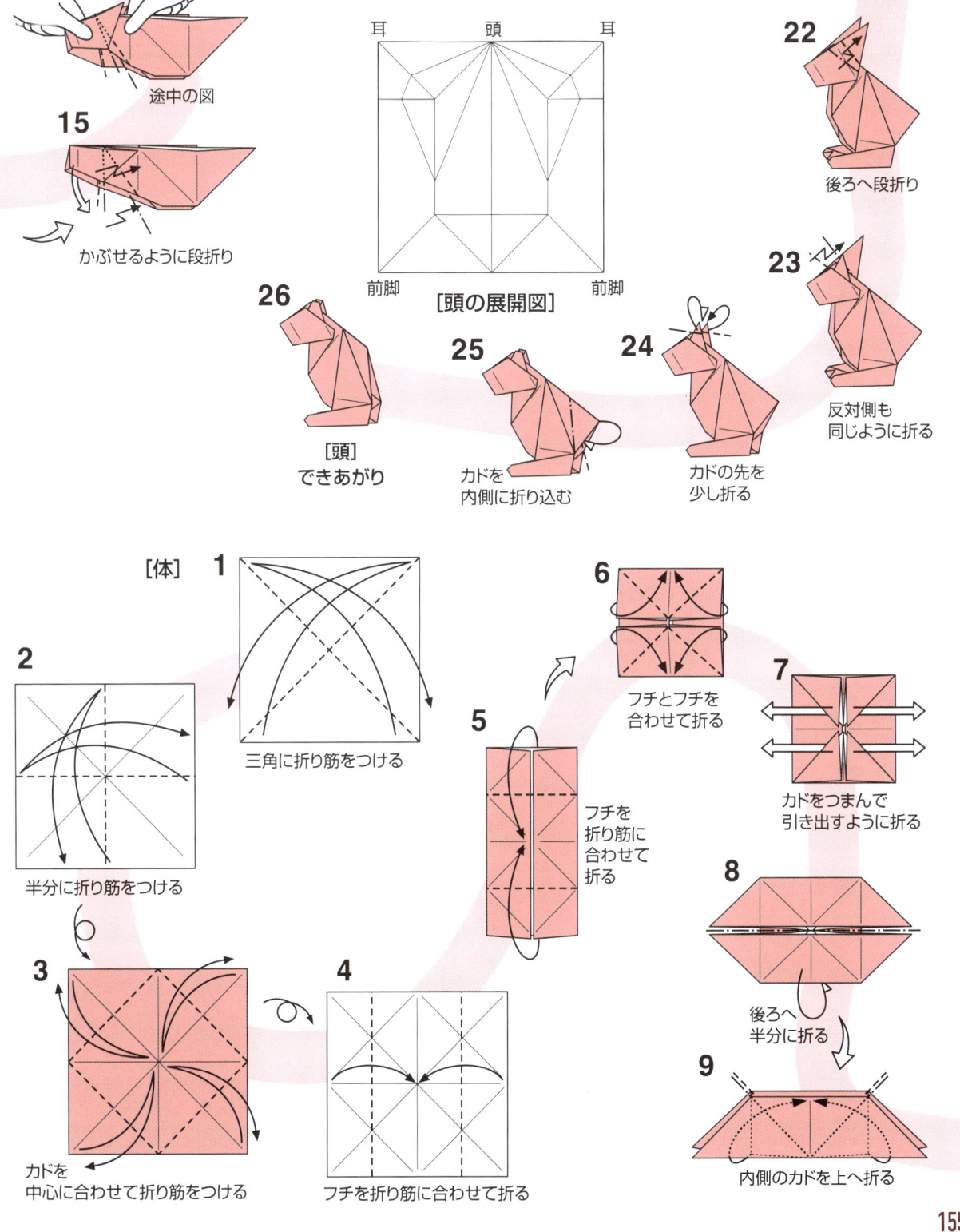

17

18 カドを斜めに折る

19 ○のところから段折り

20 カドの先を後ろへ折る

21 反対側も19〜20と同じように折る

16 途中の図

22 後ろへ段折り

15 かぶせるように段折り

耳　頭　耳
前脚　　前脚
[頭の展開図]

23 反対側も同じように折る

26 [頭] できあがり

25 カドを内側に折り込む

24 カドの先を少し折る

[体]

1 三角に折り筋をつける

2 半分に折り筋をつける

3 カドを中心に合わせて折り筋をつける

4 フチを折り筋に合わせて折る

5 フチを折り筋に合わせて折る

6 フチとフチを合わせて折る

7 カドをつまんで引き出すように折る

8 後ろへ半分に折る

9 内側のカドを上へ折る

155

22
カドを少し折る

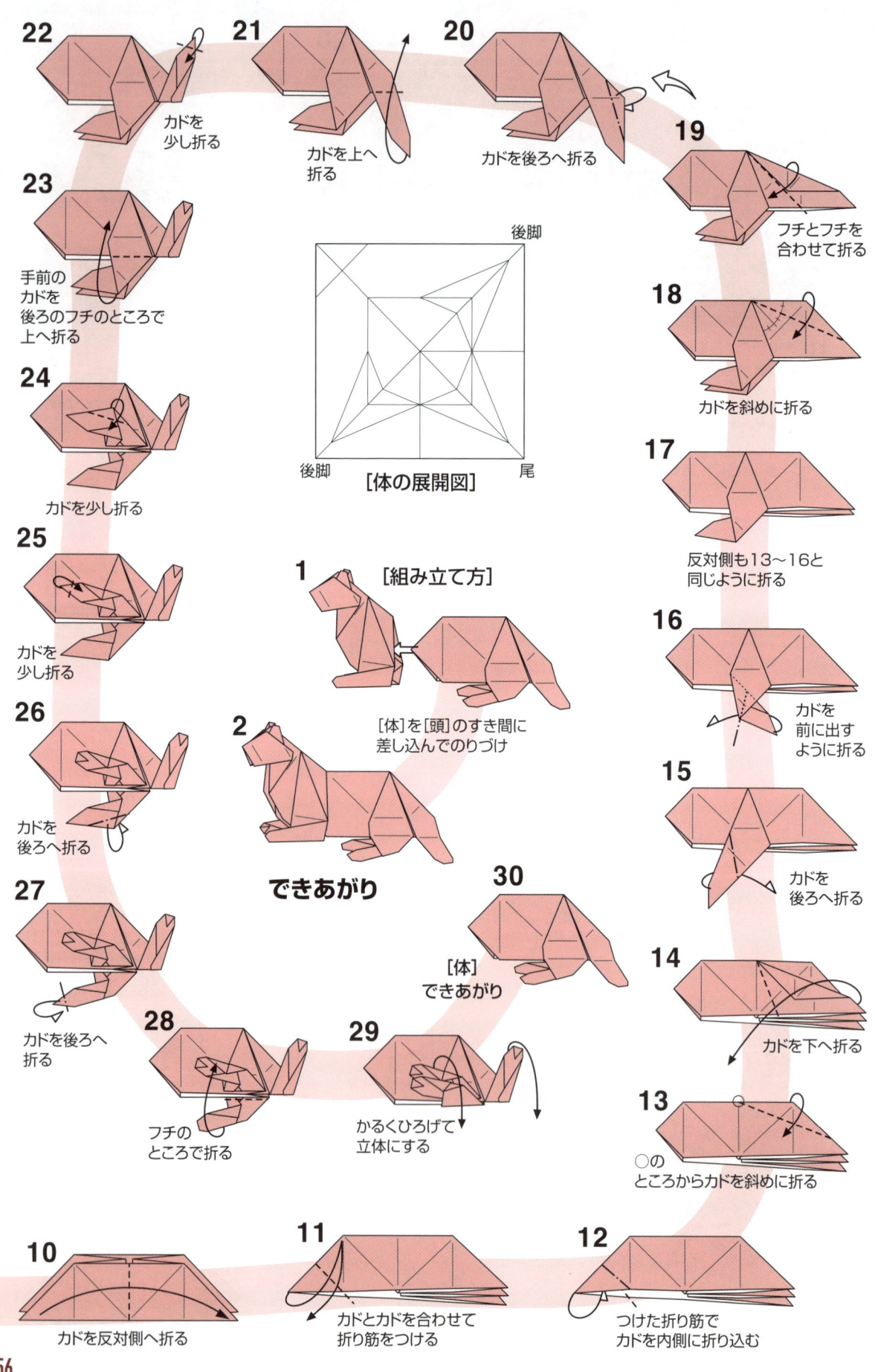

21
カドを上へ折る

20
カドを後ろへ折る

19
フチとフチを合わせて折る

18
カドを斜めに折る

23
手前のカドを後ろのフチのところで上へ折る

24
カドを少し折る

[体の展開図]
後脚　尾
後脚

17
反対側も13〜16と同じように折る

16
カドを前に出すように折る

25
カドを少し折る

15
カドを後ろへ折る

26
カドを後ろへ折る

1
[組み立て方]
[体]を[頭]のすき間に差し込んでのりづけ

14
カドを下へ折る

2
できあがり

30
[体]できあがり

27
カドを後ろへ折る

28
フチのところで折る

29
かるくひろげて立体にする

13
○のところからカドを斜めに折る

10
カドを反対側へ折る

11
カドとカドを合わせて折り筋をつける

12
つけた折り筋でカドを内側に折り込む

大型動物

難易度
★★☆☆☆

パンダ

Giant Panda by Makoto Yamaguchi

創作●山口 真

15cm 折り紙用紙／2枚／複合

このパンダの顔には「ぐらい折り」がたくさんあるため、毎回違った顔のパンダができあがります。作った当初は、正面を向いた体でしたが、新しく横向きの体を作りました。[体]の図17と図23の「両側で段折り」が少々難しいですが、動物作品にはよく使われている技法です。頑張って習得してください。

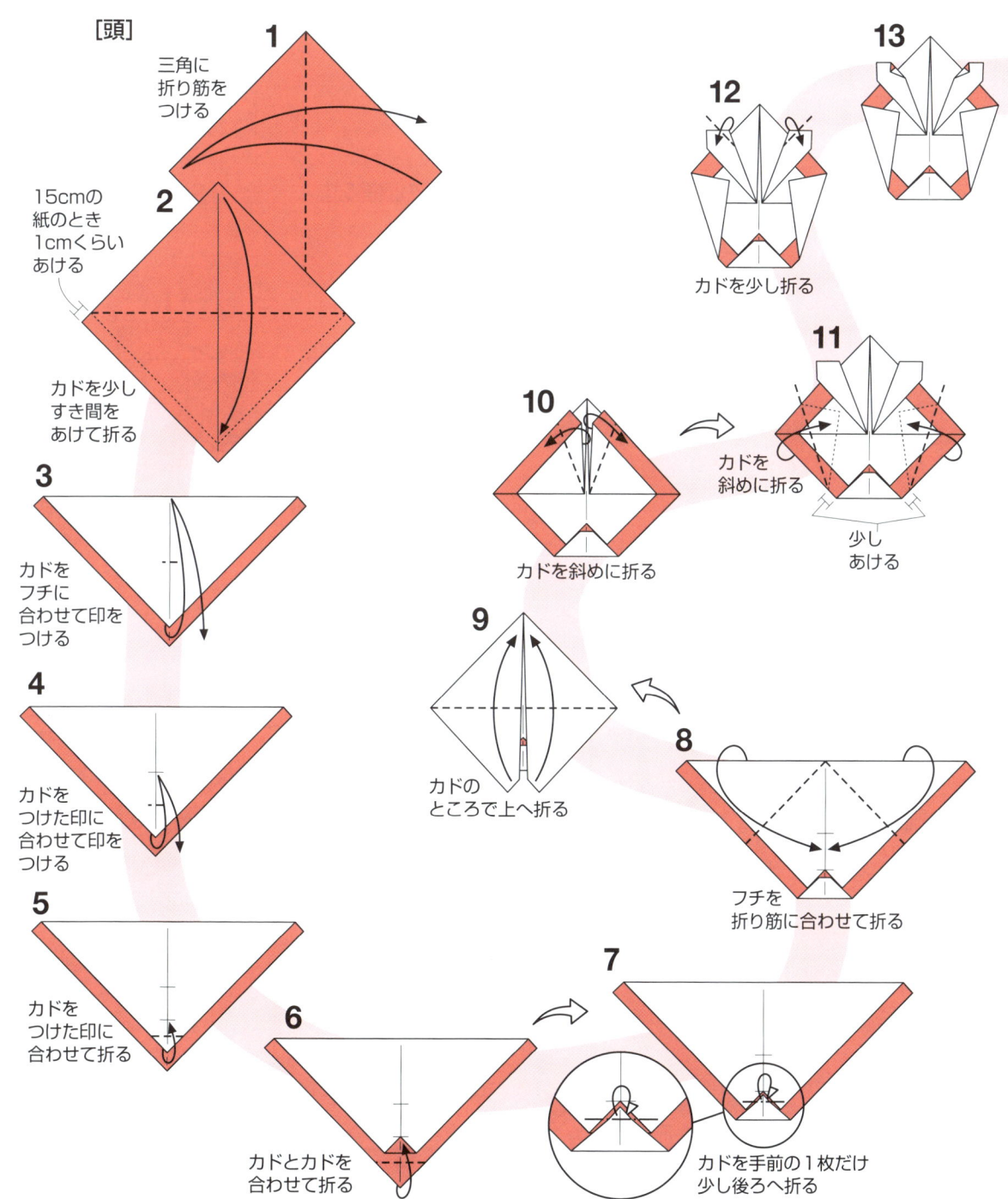

[頭]

1. 三角に折り筋をつける
2. 15cmの紙のとき1cmくらいあける／カドを少しすき間をあけて折る
3. カドをフチに合わせて印をつける
4. カドをつけた印に合わせて印をつける
5. カドをつけた印に合わせて折る
6. カドとカドを合わせて折る
7. カドを手前の1枚だけ少し後ろへ折る
8. フチを折り筋に合わせて折る
9. カドのところで上へ折る
10. カドを斜めに折る
11. カドを斜めに折る／少しあける
12. カドを少し折る
13.

157

15
カドを後ろへ折る

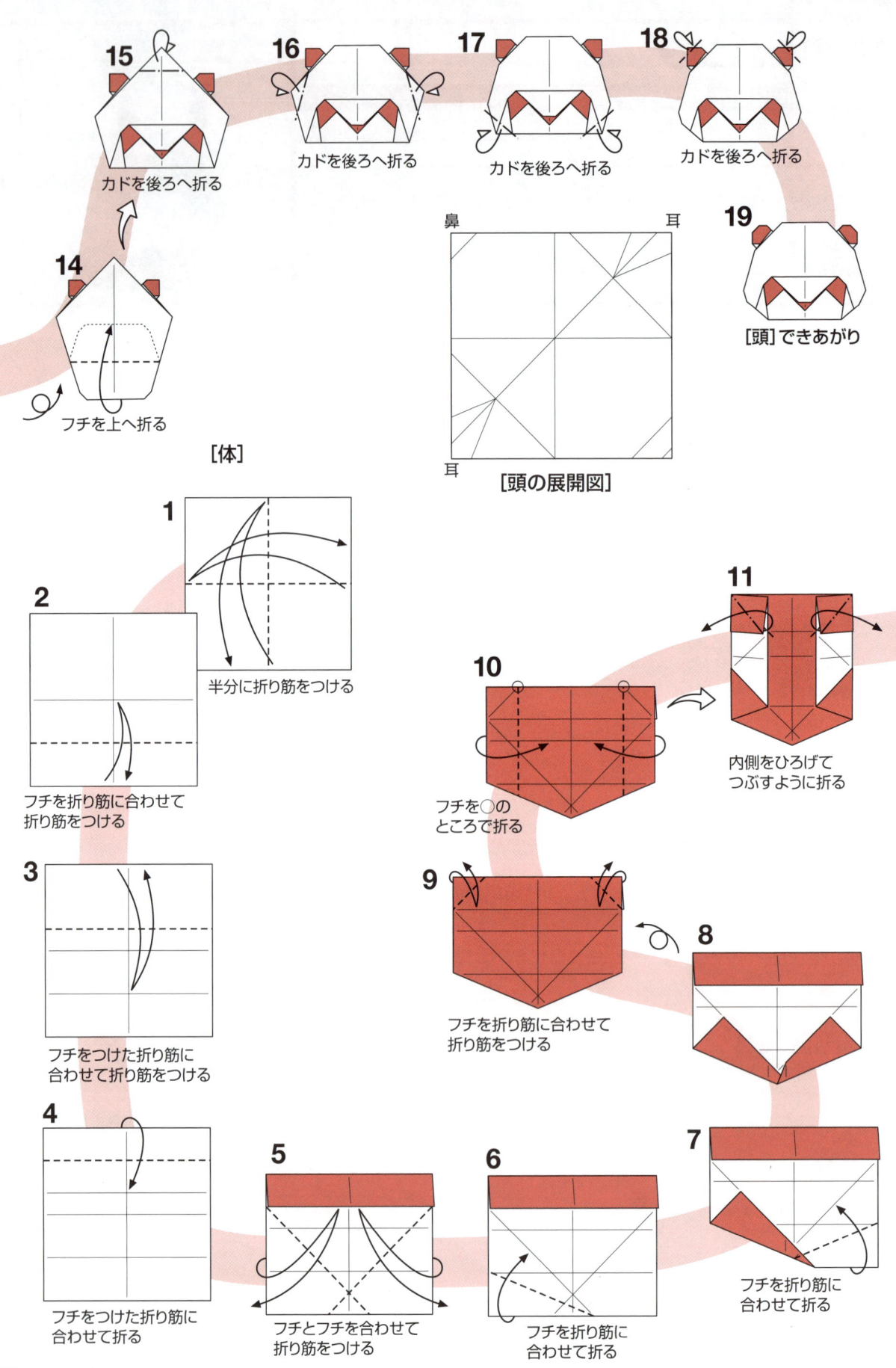

16
カドを後ろへ折る

17
カドを後ろへ折る

18
カドを後ろへ折る

14
フチを上へ折る

鼻　耳
耳
[頭の展開図]

19
[頭]できあがり

[体]

1
半分に折り筋をつける

2
フチを折り筋に合わせて折り筋をつける

3
フチをつけた折り筋に合わせて折り筋をつける

4
フチをつけた折り筋に合わせて折る

5
フチとフチを合わせて折り筋をつける

6
フチを折り筋に合わせて折る

7
フチを折り筋に合わせて折る

8

9
フチを折り筋に合わせて折り筋をつける

10
フチを○のところで折る

11
内側をひろげてつぶすように折る

14
半分に折る

15
○のところから斜めに折る

16
しっかりと折り筋をつけてから戻す

17
つけた折り筋を使ってかぶせるように両側で段折り

13
折り筋をつける

12
内側をひろげてつぶすように折る

18
カドを内側に折る

19
カドを内側に折る

20
カドを内側に折る

21
フチを内側に折る

22
カドを内側に折る

23
ついている折り筋を使ってかぶせるように両側で段折り

24
背中の部分が立体になる

25
[体]できあがり

[組み立て方]

1
[頭]を[体]に重ねてのりづけ

2
できあがり

[体の展開図]

前脚　前脚
後脚　後脚

大型動物
パンダ

大型動物

ライオン
Lion by David Brill
創作●デビッド・ブリル

35cm 折り紙用紙／1枚／不切一枚折り

難易度 ★★★★☆

この作品は1970年代後半に、正三角形の紙で創作しました。当時私は、折り紙作品を作るのに、正方形の紙による伝統的な基本形の角度を使うことに飽き始めていたからです。生き生きとした立体的な構造の動物を、紙の厚みではなく、設計に基づいて作ることに熱心でした。ある程度厚みのある紙を使う場合、ウェットフォールディング（P.152）をするとよいでしょう。

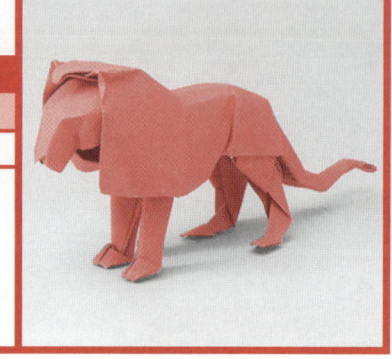

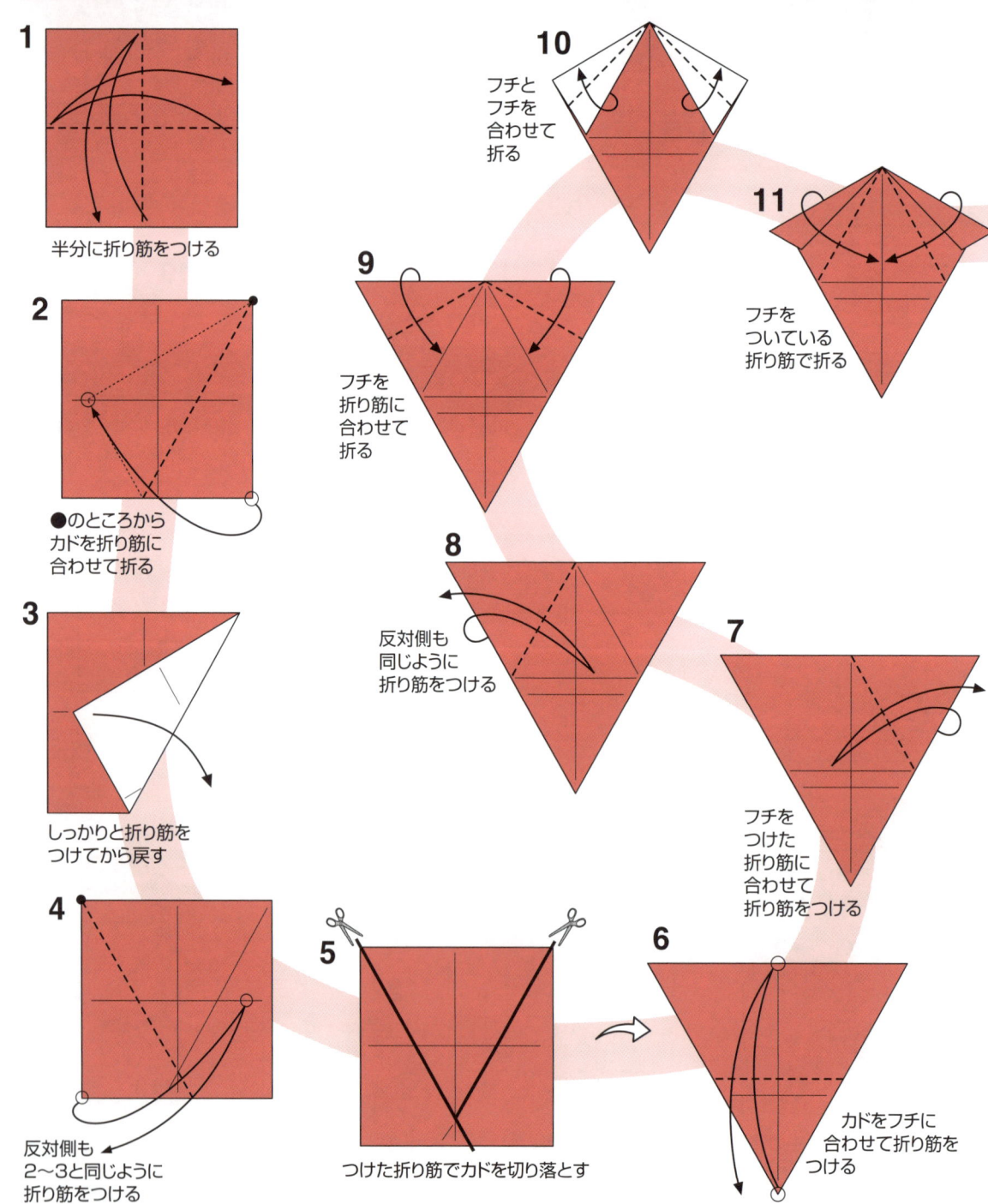

1 半分に折り筋をつける

2 ●のところからカドを折り筋に合わせて折る

3 しっかりと折り筋をつけてから戻す

4 反対側も2〜3と同じように折り筋をつける

5 つけた折り筋でカドを切り落とす

6 カドをフチに合わせて折り筋をつける

7 フチをつけた折り筋に合わせて折り筋をつける

8 反対側も同じように折り筋をつける

9 フチを折り筋に合わせて折る

10 フチとフチを合わせて折る

11 フチをついている折り筋で折る

160

大型動物 ライオン

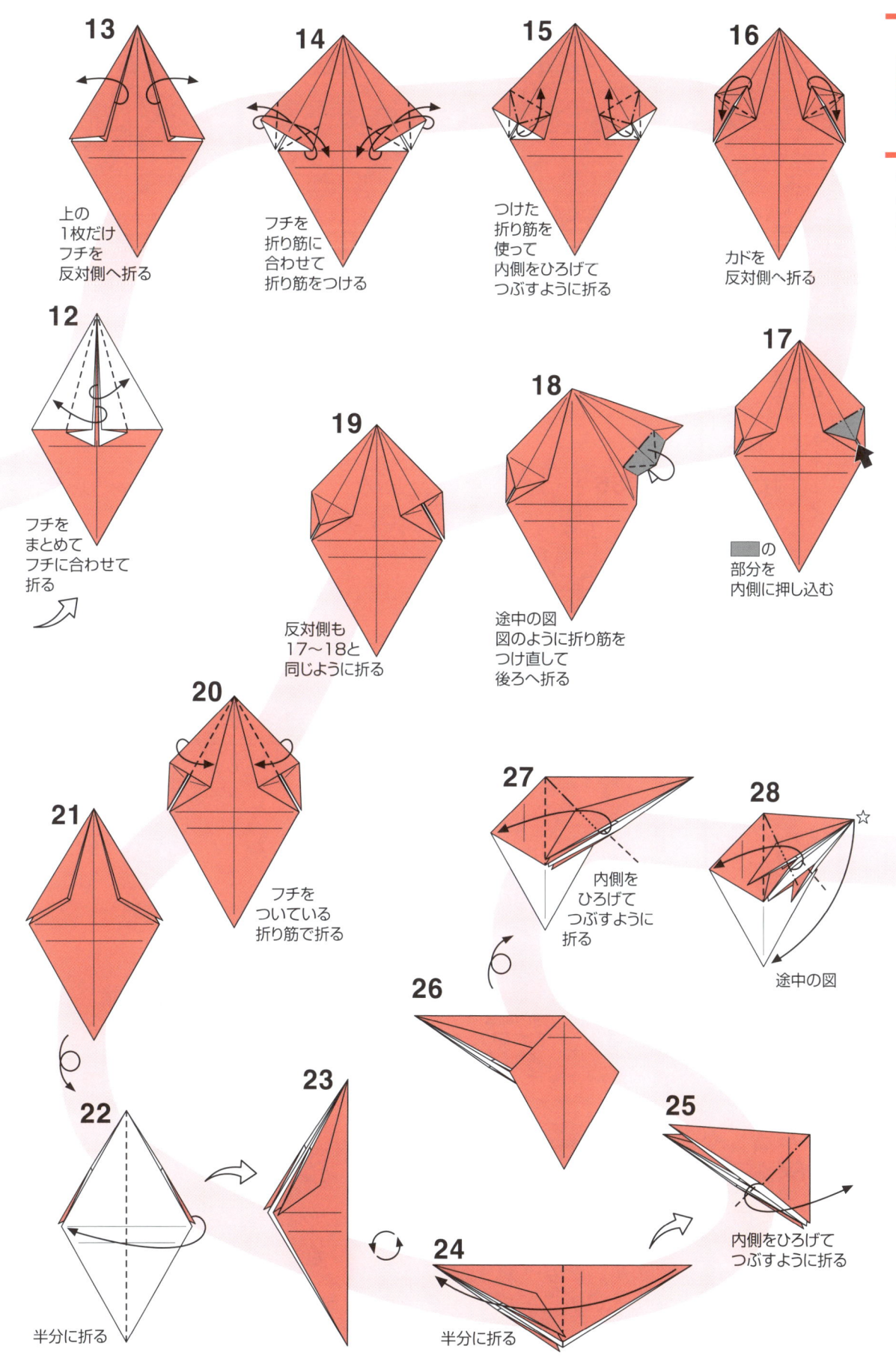

13 上の1枚だけフチを反対側へ折る

14 フチを折り筋に合わせて折り筋をつける

15 つけた折り筋を使って内側をひろげてつぶすように折る

16 カドを反対側へ折る

12 フチをまとめてフチに合わせて折る

17 ■の部分を内側に押し込む

18 途中の図 図のように折り筋をつけ直して後ろへ折る

19 反対側も17～18と同じように折る

20 フチをついている折り筋で折る

21

22 半分に折る

23

24 半分に折る

25 内側をひろげてつぶすように折る

26

27 内側をひろげてつぶすように折る

28 途中の図

161

38
カドを○に合わせて折る

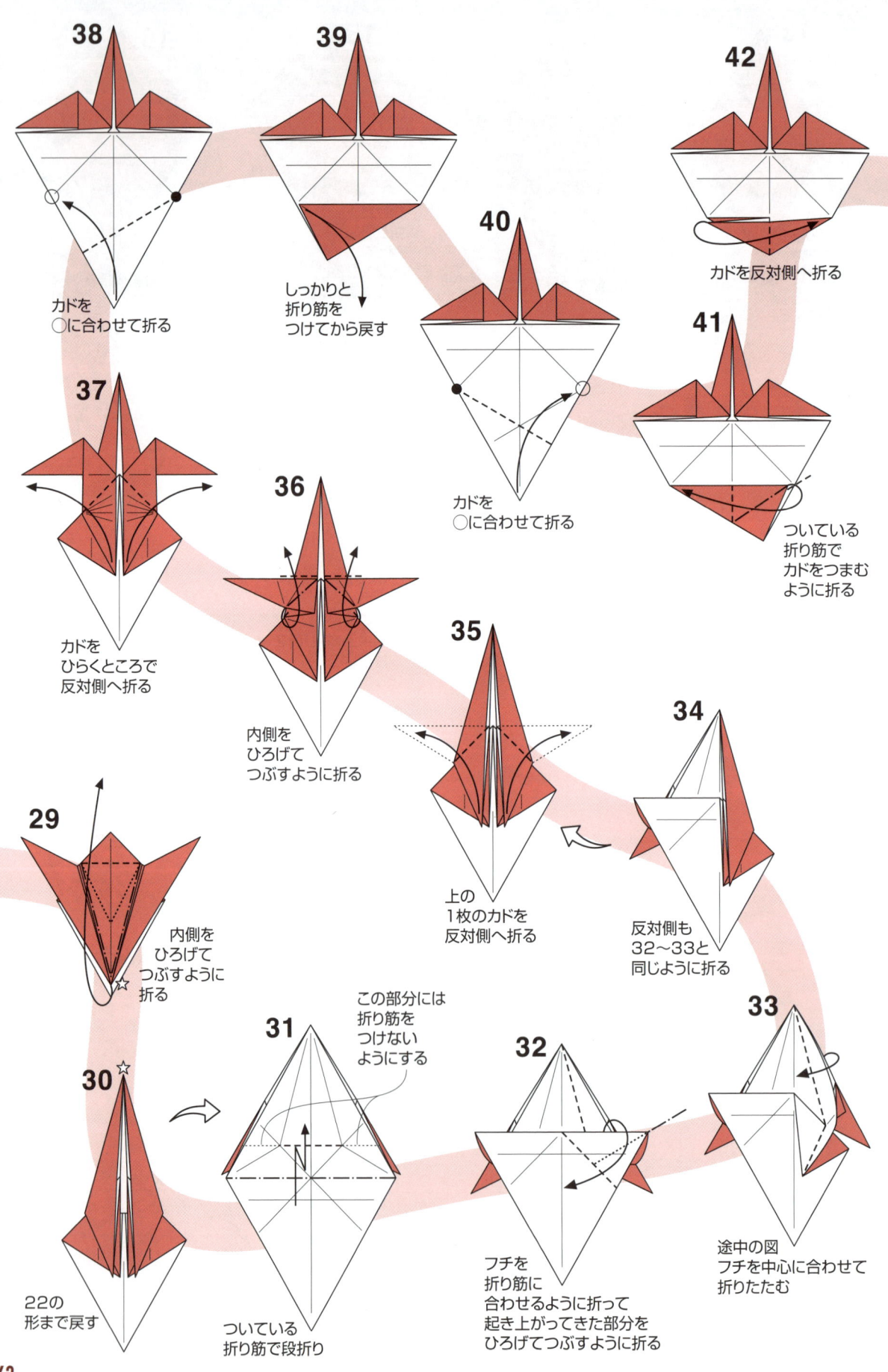

39
しっかりと折り筋をつけてから戻す

40
カドを○に合わせて折る

41
ついている折り筋でカドをつまむように折る

42
カドを反対側へ折る

37
カドをひらくところで反対側へ折る

36
内側をひろげてつぶすように折る

35
上の1枚のカドを反対側へ折る

34
反対側も32〜33と同じように折る

33
途中の図 フチを中心に合わせて折りたたむ

32
フチを折り筋に合わせるように折って起き上がってきた部分をひろげてつぶすように折る

31
この部分には折り筋をつけないようにする
ついている折り筋で段折り

30
22の形まで戻す

29
内側をひろげてつぶすように折る

162

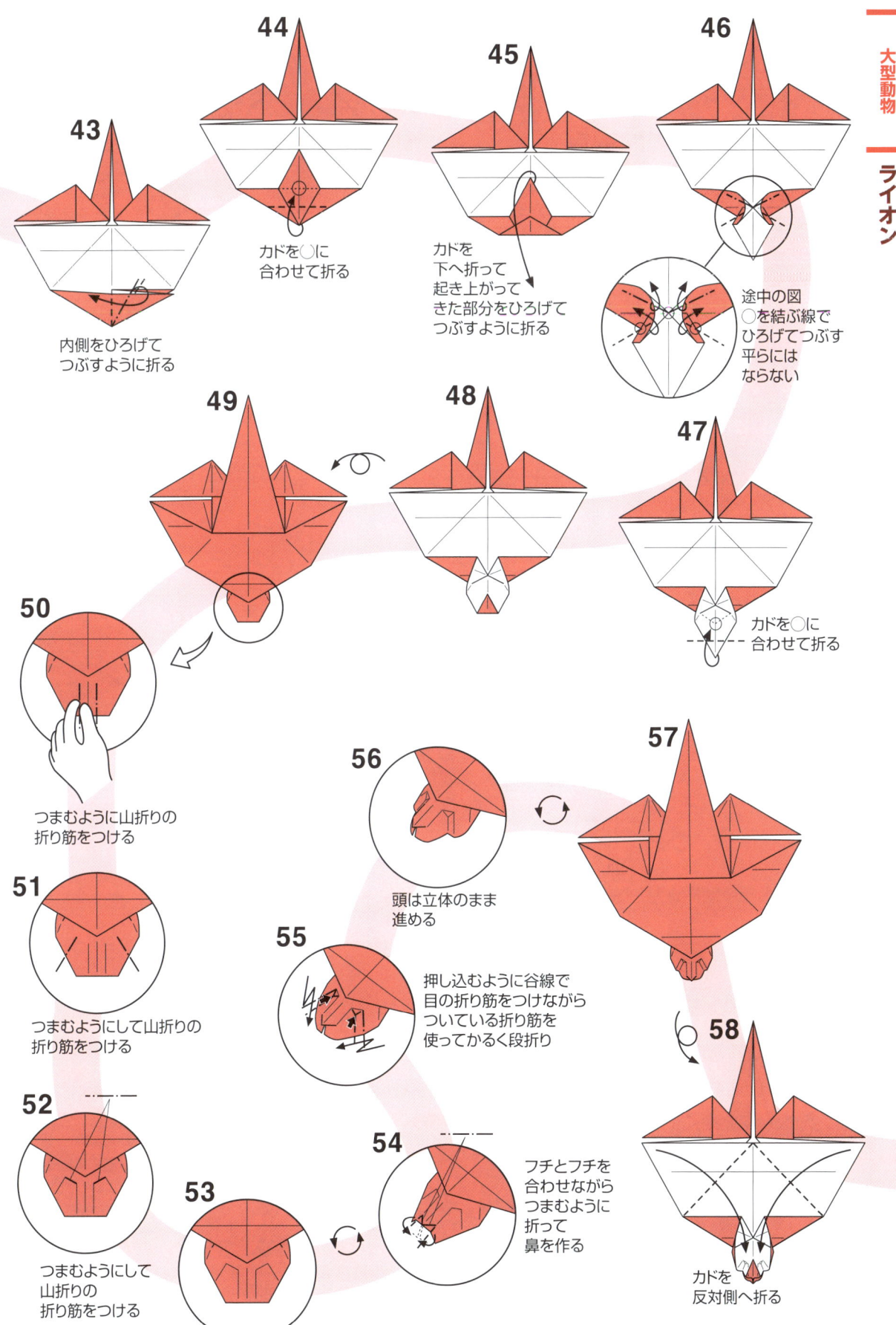

43 内側をひろげて
つぶすように折る

44 カドを○に
合わせて折る

45 カドを
下へ折って
起き上がって
きた部分をひろげて
つぶすように折る

46 途中の図
○を結ぶ線で
ひろげてつぶす
平らには
ならない

47 カドを○に
合わせて折る

48

49

50 つまむように山折りの
折り筋をつける

51 つまむようにして山折りの
折り筋をつける

52 つまむようにして
山折りの
折り筋をつける

53

54 フチとフチを
合わせながら
つまむように
折って
鼻を作る

55 押し込むように谷線で
目の折り筋をつけながら
ついている折り筋を
使ってかるく段折り

56 頭は立体のまま
進める

57

58 カドを
反対側へ折る

大型動物 ライオン

163

67 カドをつまむように折る

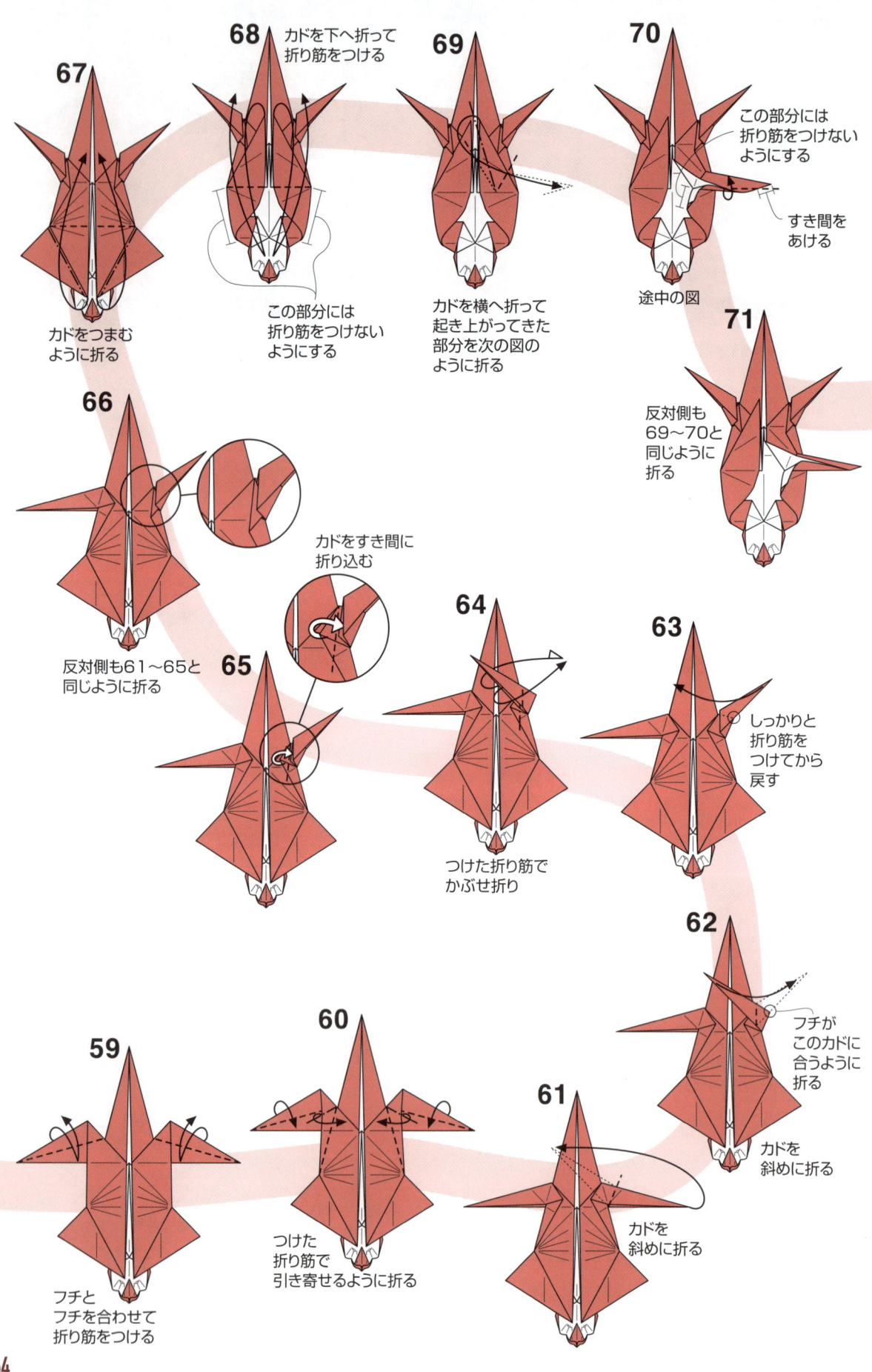

68 カドを下へ折って折り筋をつける
この部分には折り筋をつけないようにする

69 カドを横へ折って起き上がってきた部分を次の図のように折る

70 この部分には折り筋をつけないようにする
すき間をあける
途中の図

71 反対側も69〜70と同じように折る

66

65 カドをすき間に折り込む

64 つけた折り筋でかぶせ折り

63 しっかりと折り筋をつけてから戻す

反対側も61〜65と同じように折る

62 フチがこのカドに合うように折る

59 フチとフチを合わせて折り筋をつける

60 つけた折り筋で引き寄せるように折る

61 カドを斜めに折る
カドを斜めに折る

164

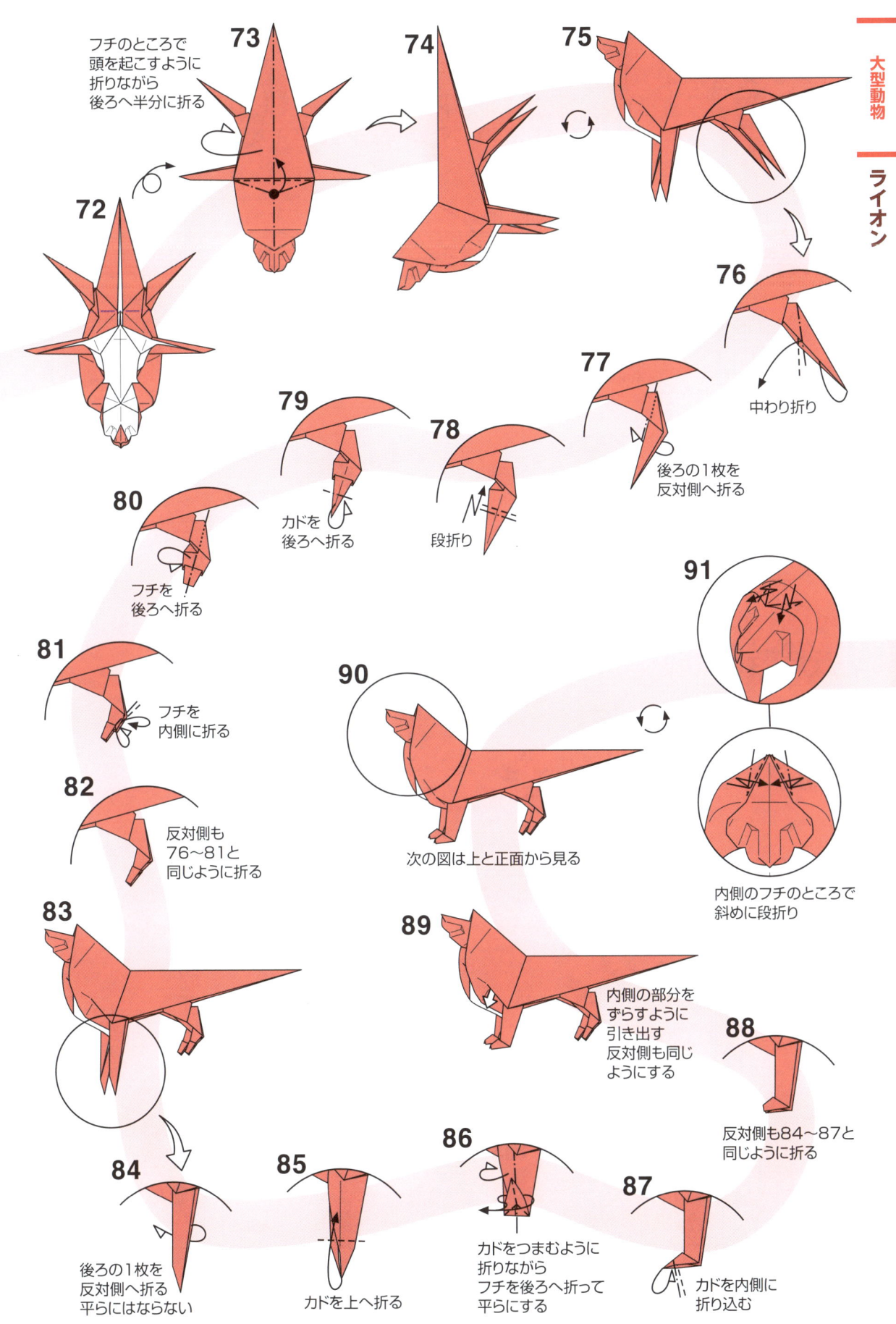

73
フチのところで
頭を起こすように
折りながら
後ろへ半分に折る

76
中わり折り

77
後ろの1枚を
反対側へ折る

78
段折り

79
カドを後ろへ折る

80
フチを後ろへ折る

81
フチを内側に折る

82
反対側も76〜81と同じように折る

84
後ろの1枚を
反対側へ折る
平らにはならない

85
カドを上へ折る

86
カドをつまむように
折りながら
フチを後ろへ折って
平らにする

87
カドを内側に
折り込む

88
反対側も84〜87と
同じように折る

89
内側の部分を
ずらすように
引き出す
反対側も同じ
ようにする

90
次の図は上と正面から見る

91
内側のフチのところで
斜めに段折り

大型動物　ライオン

165

93 ●のところから段折り

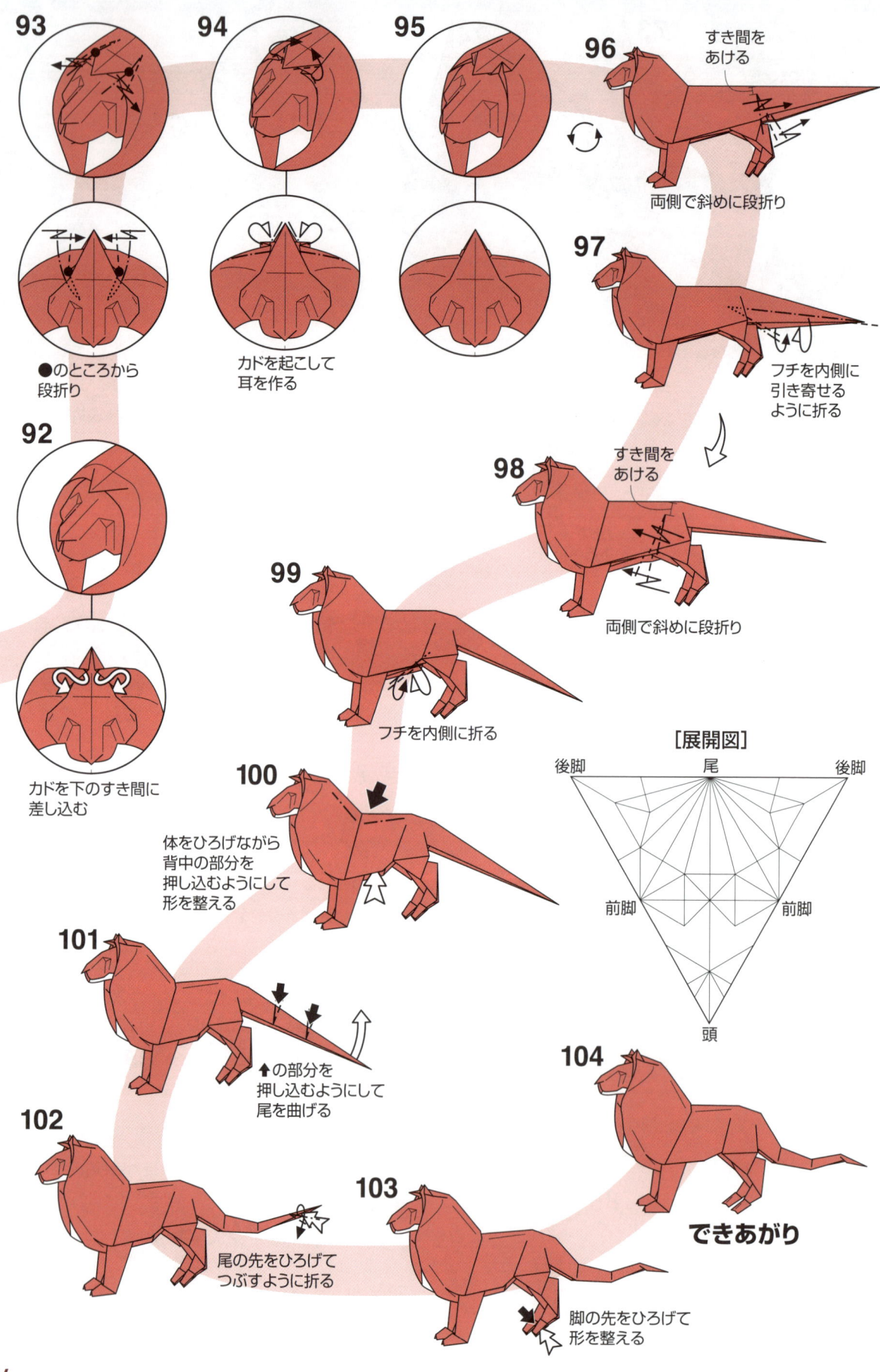

94 カドを起こして耳を作る

95

96 両側で斜めに段折り
すき間をあける

92 カドを下のすき間に差し込む

97 フチを内側に引き寄せるように折る

98 両側で斜めに段折り
すき間をあける

99 フチを内側に折る

100 体をひろげながら背中の部分を押し込むようにして形を整える

101 ↑の部分を押し込むようにして尾を曲げる

102

103 脚の先をひろげて形を整える
尾の先をひろげてつぶすように折る

104 できあがり

[展開図]
後脚　尾　後脚
前脚　　前脚
頭

大型動物

難易度 ★★★★☆

馬

Horse by David Brill
創作● デビッド・ブリル

35cm 折り紙用紙／1枚／不切一枚折り

この馬は、おそらく私の正三角形の紙による動物シリーズの最後の作品です。作品をうまく仕上げるためには大きな紙が必要ですが、それでも正三角形の紙は意外と効率的です。この馬には、頭と首のバリエーションによっていくつかのバージョンがあり、それらは[騎手]と組み合わせて、馬術競技の作品等に使っています。

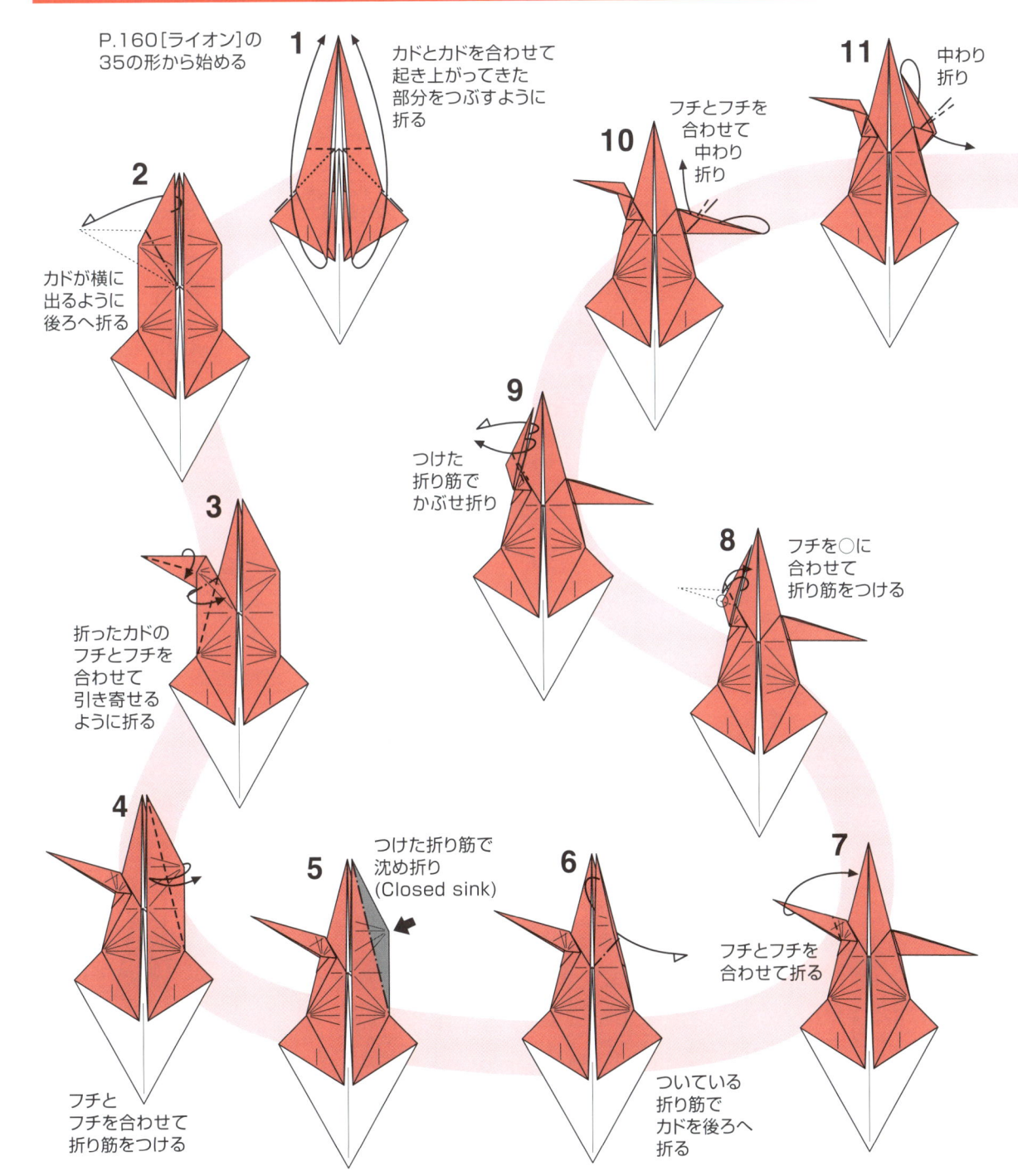

P.160[ライオン]の35の形から始める

1 カドとカドを合わせて起き上がってきた部分をつぶすように折る

2 カドが横に出るように後ろへ折る

3 折ったカドのフチとフチを合わせて引き寄せるように折る

4 フチとフチを合わせて折り筋をつける

5 つけた折り筋で沈め折り (Closed sink)

6 ついている折り筋でカドを後ろへ折る

7 フチとフチを合わせて折る

8 フチを○に合わせて折り筋をつける

9 つけた折り筋でかぶせ折り

10 フチとフチを合わせて中わり折り

11 中わり折り

167

13
カドを上へ折る

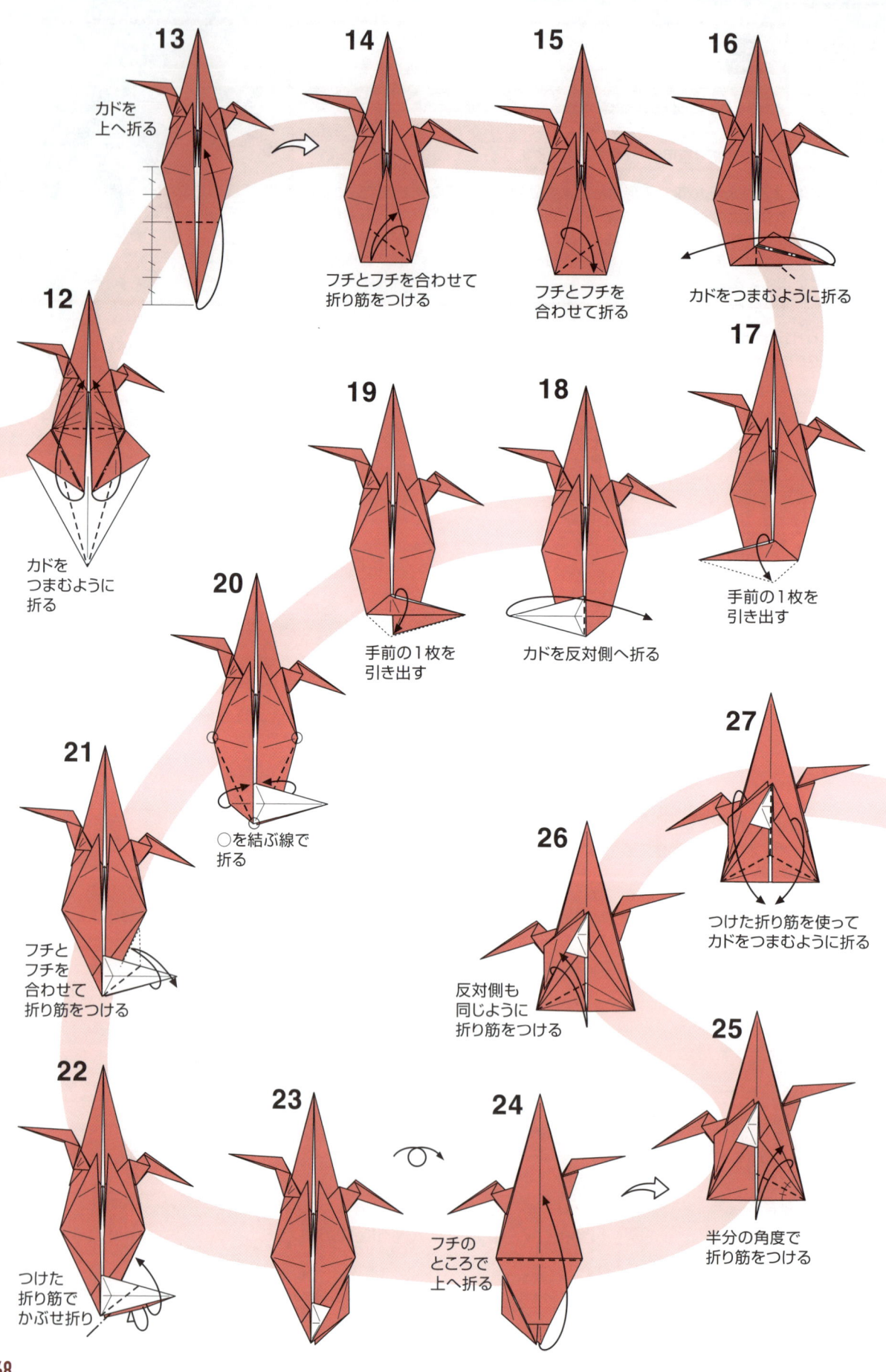

14
フチとフチを合わせて折り筋をつける

15
フチとフチを合わせて折る

16
カドをつまむように折る

17
手前の1枚を引き出す

12
カドをつまむように折る

18
カドを反対側へ折る

19
手前の1枚を引き出す

20
○を結ぶ線で折る

21
フチとフチを合わせて折り筋をつける

26
反対側も同じように折り筋をつける

27
つけた折り筋を使ってカドをつまむように折る

22
つけた折り筋でかぶせ折り

23

24
フチのところで上へ折る

25
半分の角度で折り筋をつける

168

41 内側のカドを出す

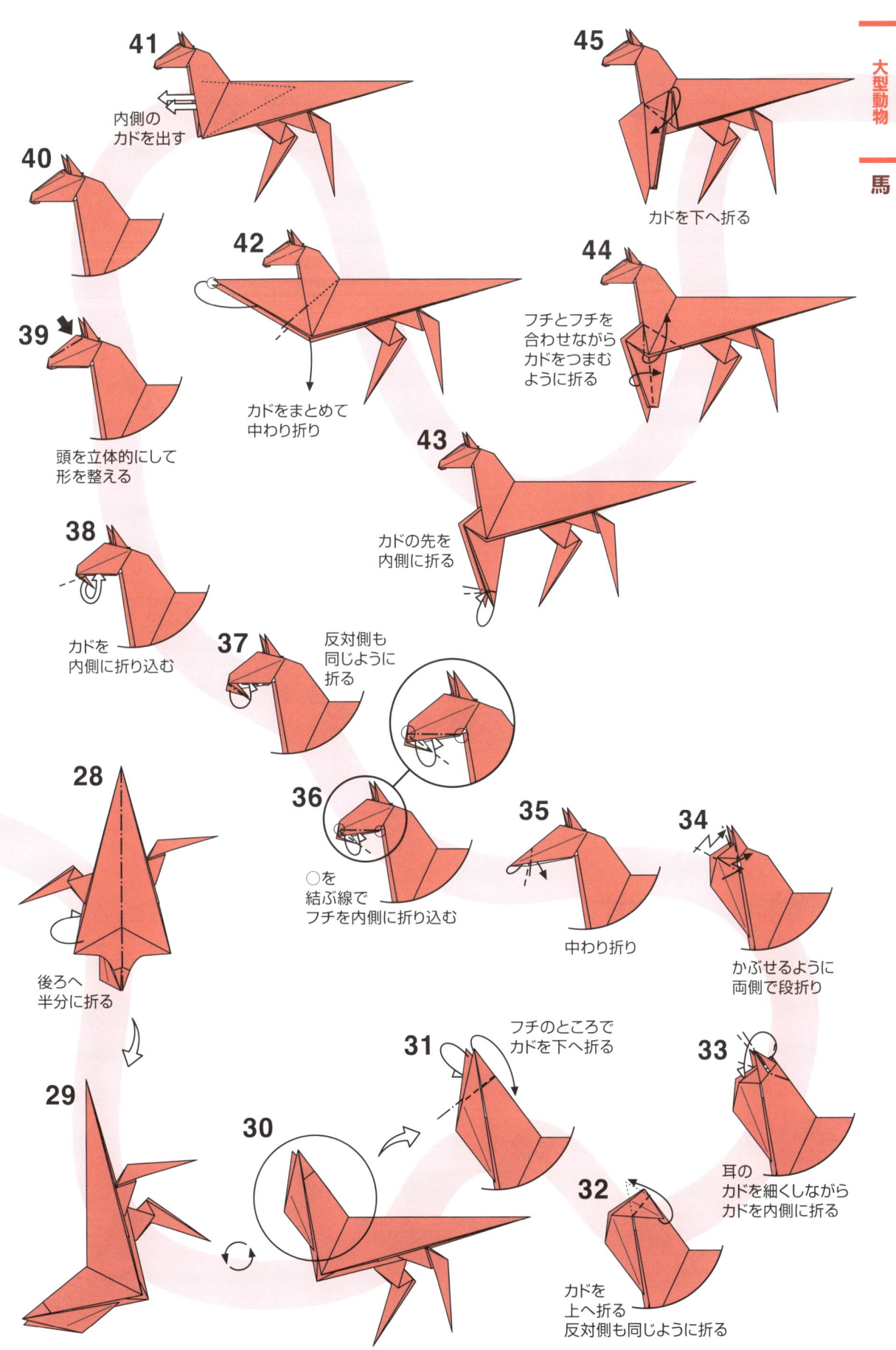

40

39 頭を立体的にして形を整える

38 カドを内側に折り込む

37 反対側も同じように折る

36 ○を結ぶ線でフチを内側に折り込む

35 中わり折り

34 かぶせるように両側で段折り

28 後ろへ半分に折る

29

30

31 フチのところでカドを下へ折る

32 カドを上へ折る 反対側も同じように折る

33 耳のカドを細くしながらカドを内側に折る

42 カドをまとめて中わり折り

43 カドの先を内側に折る

44 フチとフチを合わせながらカドをつまむように折る

45 カドを下へ折る

大型動物 馬

169

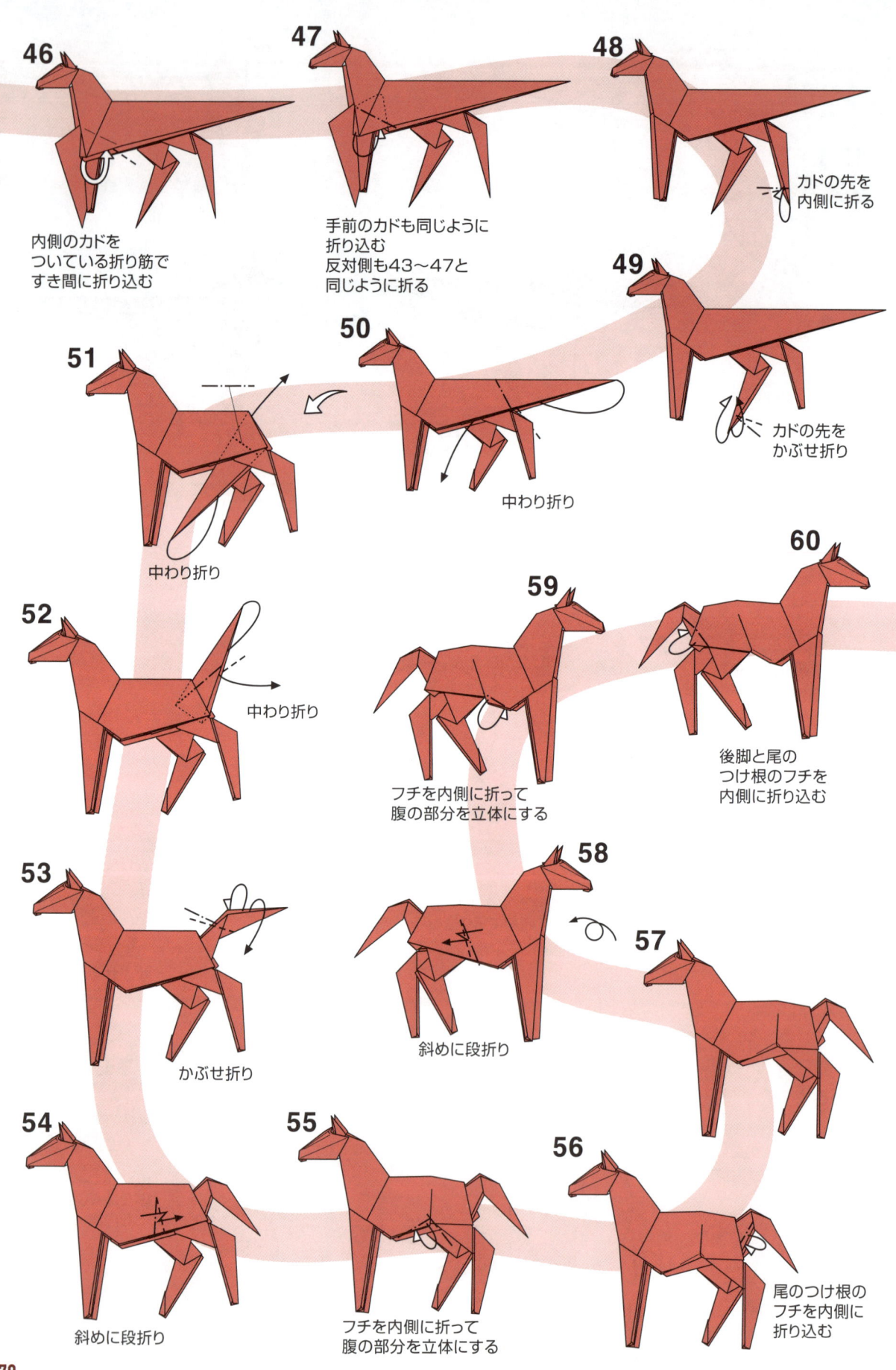

46 内側のカドを ついている折り筋で すき間に折り込む

47 手前のカドも同じように 折り込む 反対側も43～47と 同じように折る

48 カドの先を内側に折る

49 カドの先をかぶせ折り

50 中わり折り

51 中わり折り

52 中わり折り

53 かぶせ折り

54 斜めに段折り

55 フチを内側に折って 腹の部分を立体にする

56 尾のつけ根の フチを内側に 折り込む

57

58 斜めに段折り

59 フチを内側に折って 腹の部分を立体にする

60 後脚と尾の つけ根のフチを 内側に折り込む

170

大型動物 馬

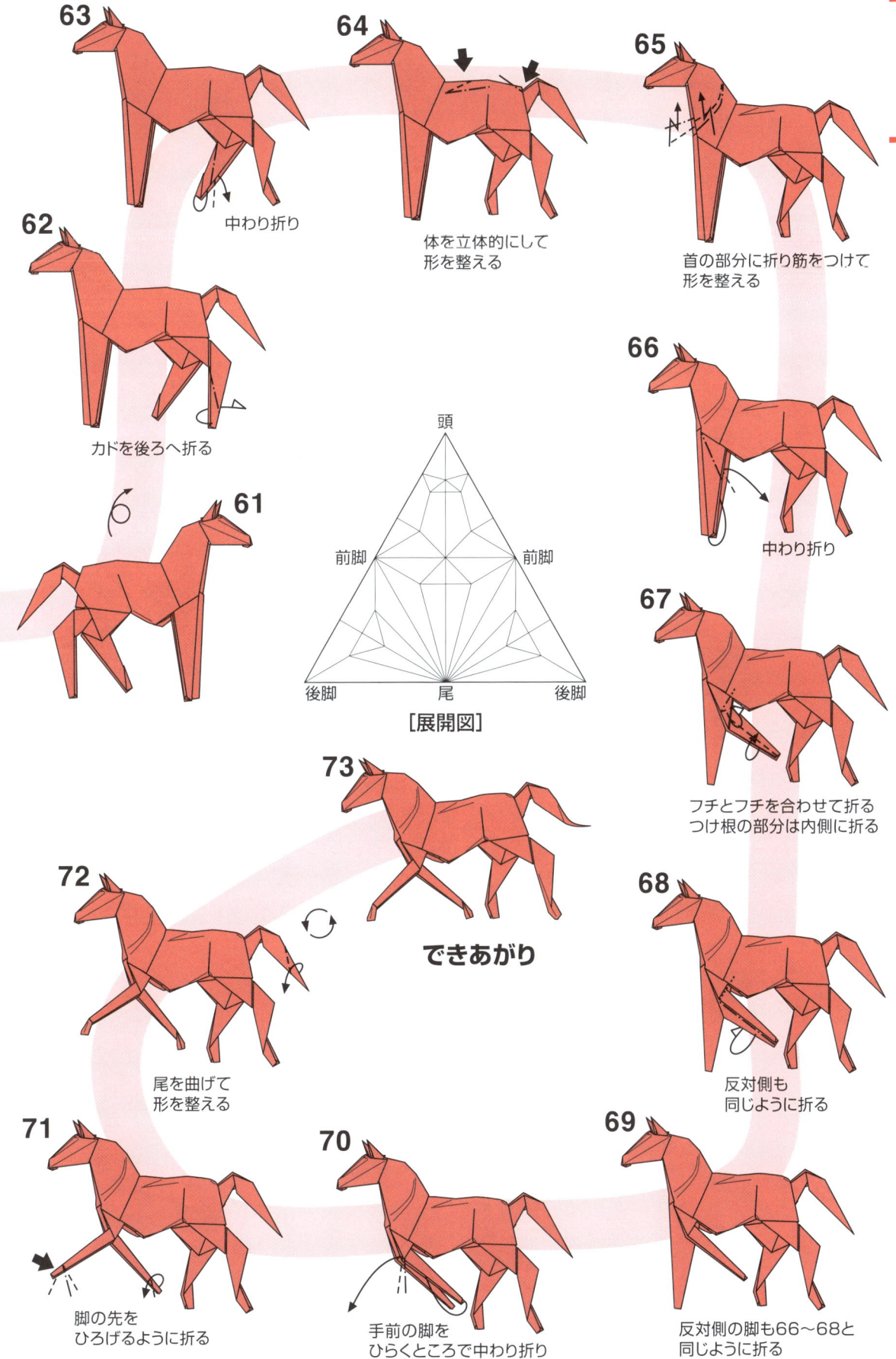

63

64 体を立体的にして形を整える

65 首の部分に折り筋をつけて形を整える

62 カドを後ろへ折る

66 中わり折り

67 フチとフチを合わせて折る つけ根の部分は内側に折る

61

頭
前脚　前脚
後脚　尾　後脚
［展開図］

73 できあがり

68 反対側も同じように折る

72 尾を曲げて形を整える

71 脚の先をひろげるように折る

70 手前の脚をひらくところで中わり折り

69 反対側の脚も66〜68と同じように折る

中わり折り

171

大型動物

難易度 ★★★★☆

カバ
Hippo by Robert J. Lang
創作●ロバート・J・ラング
30cm 折り紙用紙／1枚／不切正方一枚折り

私はこの作品を、紙に水分を含ませて折るウェットフォールディングという技法によって折るよう設計しました。厚手の紙であるキャンソン・ミ・タント紙を使うことは1つのアイディアです。また、アルミホイルを裏打ちした紙でも折ることができます。もし裏面が異なる色の紙を使えば、歯を紙の裏の色で出すことができます。

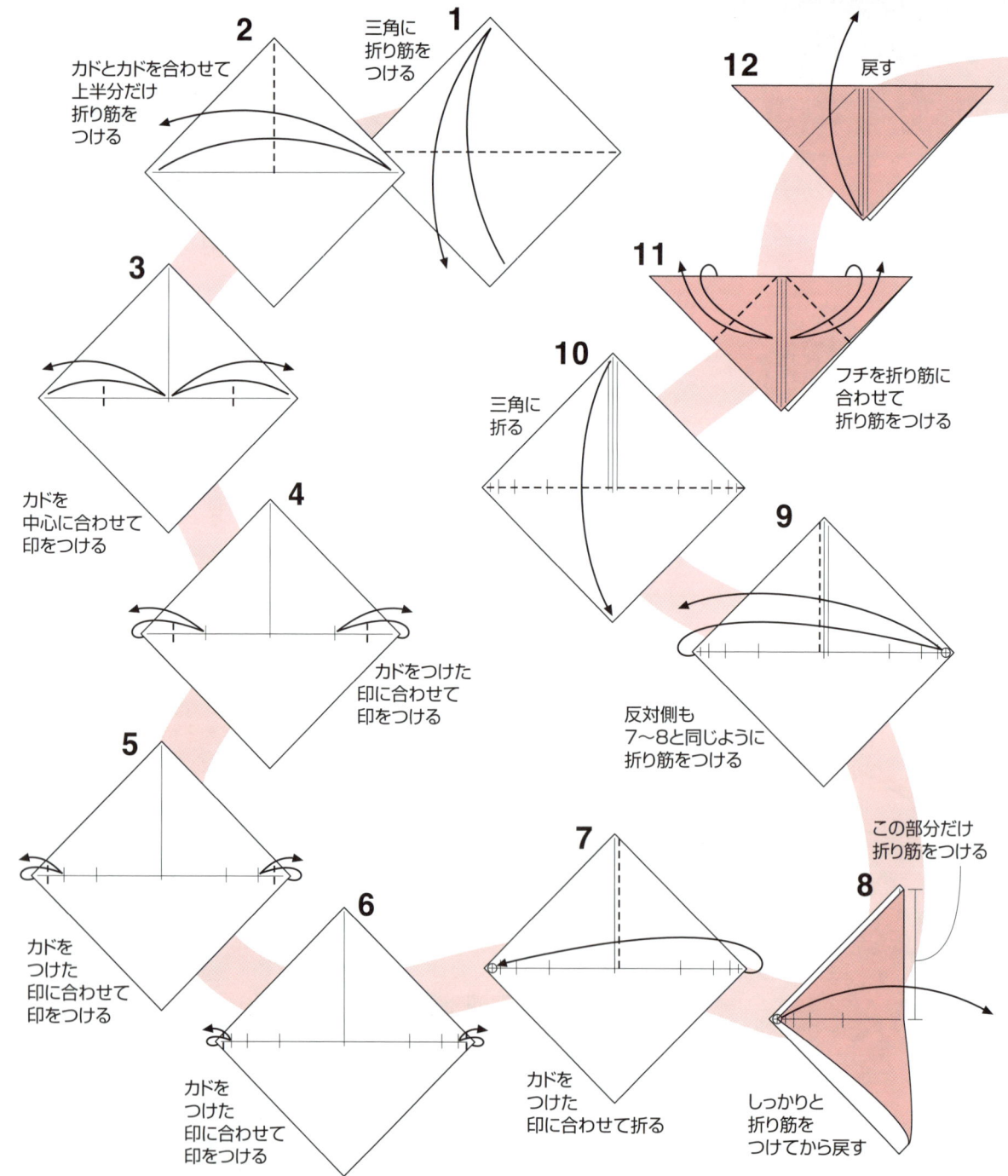

---

1 三角に折り筋をつける

2 カドとカドを合わせて上半分だけ折り筋をつける

3 カドを中心に合わせて印をつける

4 カドをつけた印に合わせて印をつける

5 カドをつけた印に合わせて印をつける

6 カドをつけた印に合わせて印をつける

7 カドをつけた印に合わせて折る

8 この部分だけ折り筋をつける／しっかりと折り筋をつけてから戻す

9 反対側も7〜8と同じように折り筋をつける

10 三角に折る

11 フチを折り筋に合わせて折り筋をつける

12 戻す

172

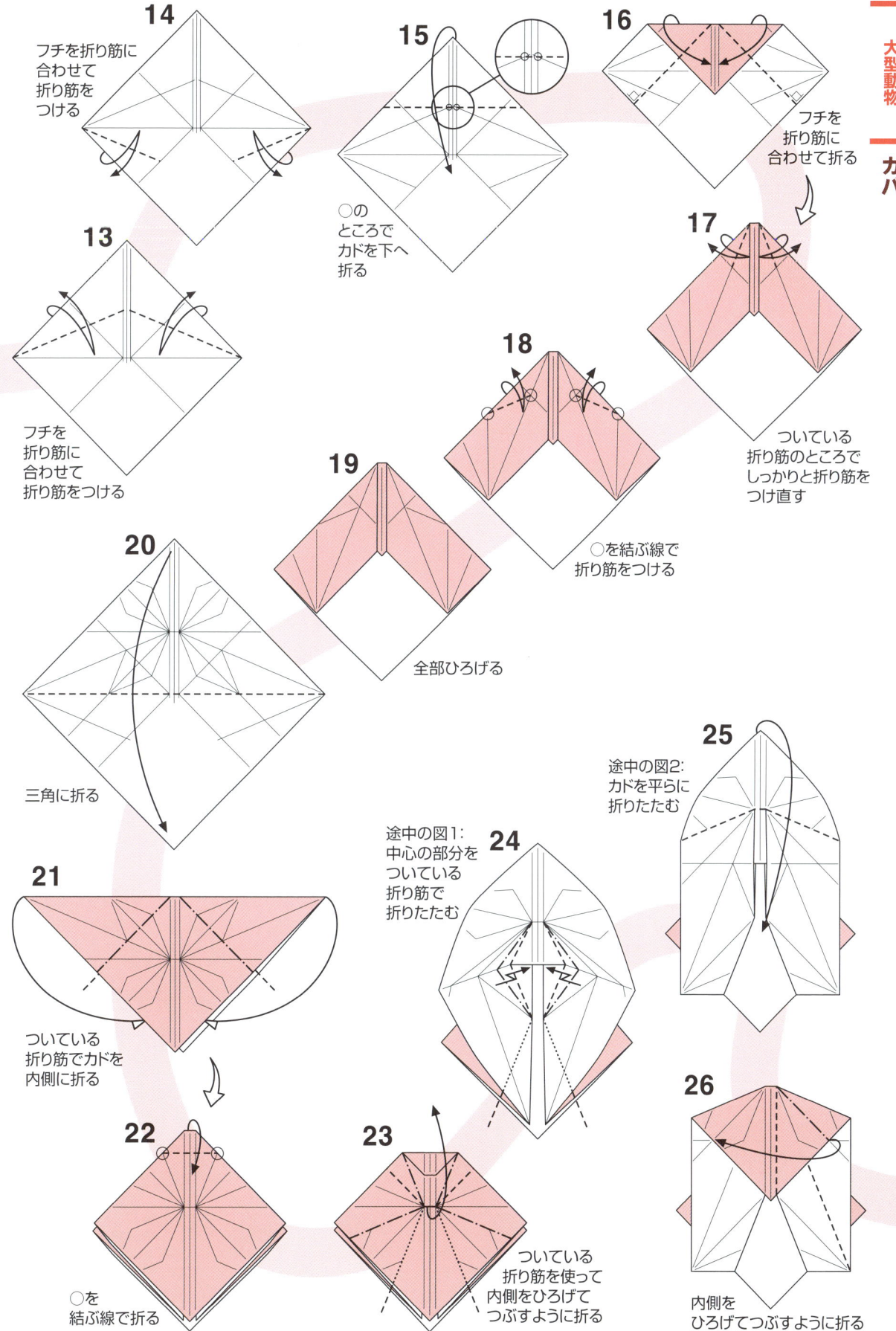

14
フチを折り筋に合わせて折り筋をつける

15
○のところでカドを下へ折る

16
フチを折り筋に合わせて折る

13
フチを折り筋に合わせて折り筋をつける

17
ついている折り筋のところでしっかりと折り筋をつけ直す

18
○を結ぶ線で折り筋をつける

19
全部ひろげる

20
三角に折る

21
ついている折り筋でカドを内側に折る

22
○を結ぶ線で折る

23
ついている折り筋を使って内側をひろげてつぶすように折る

24
途中の図1:中心の部分をついている折り筋で折りたたむ

25
途中の図2:カドを平らに折りたたむ

26
内側をひろげてつぶすように折る

大型動物 カバ

173

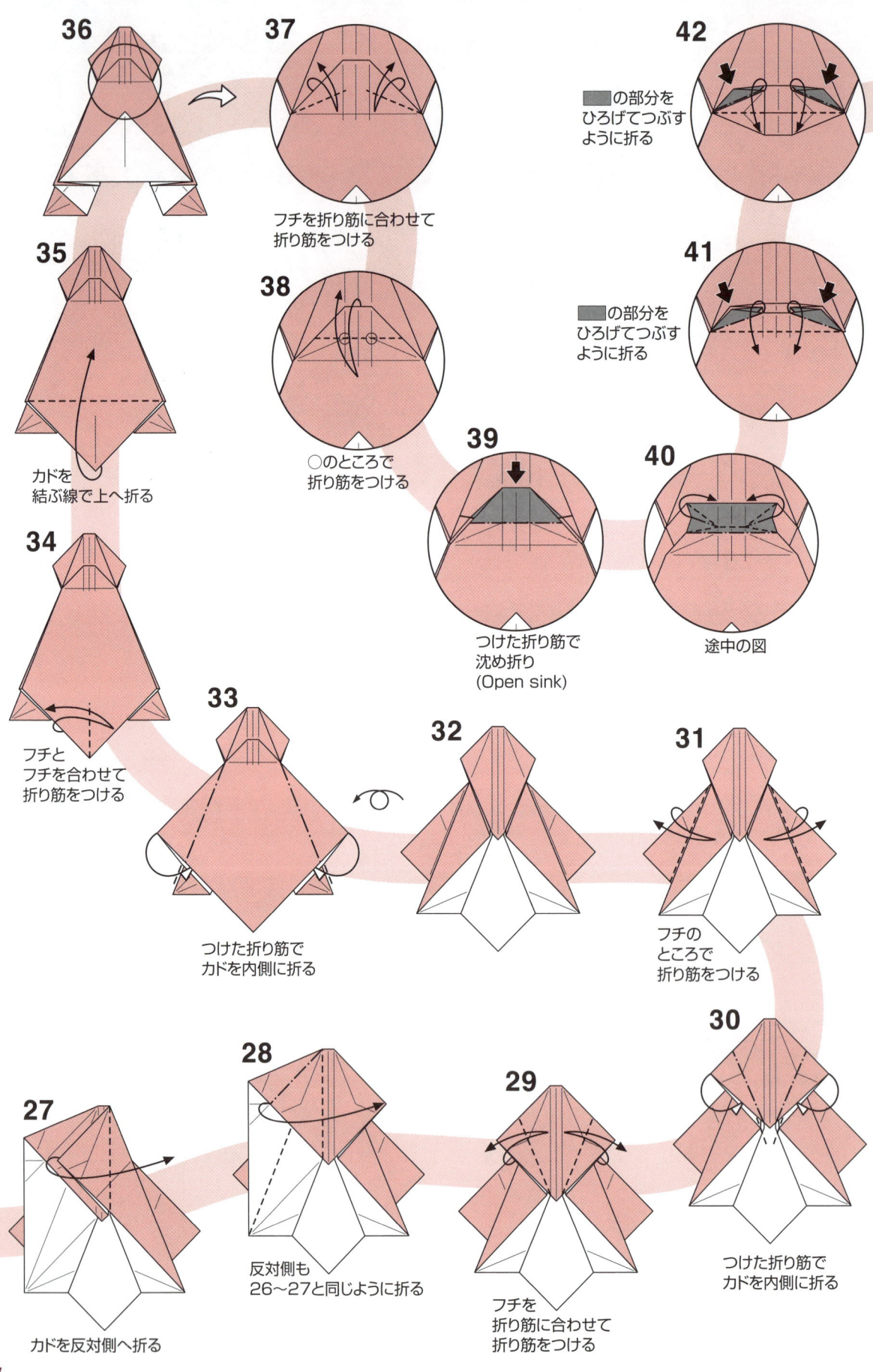

36

37
フチを折り筋に合わせて
折り筋をつける

42
■の部分を
ひろげてつぶす
ように折る

35
カドを
結ぶ線で上へ折る

38
○のところで
折り筋をつける

41
■の部分を
ひろげてつぶす
ように折る

39
つけた折り筋で
沈め折り
(Open sink)

40
途中の図

34
フチと
フチを合わせて
折り筋をつける

33
つけた折り筋で
カドを内側に折る

32

31
フチの
ところで
折り筋をつける

30
つけた折り筋で
カドを内側に折る

27
カドを反対側へ折る

28
反対側も
26〜27と同じように折る

29
フチを
折り筋に合わせて
折り筋をつける

大型動物 | カバ

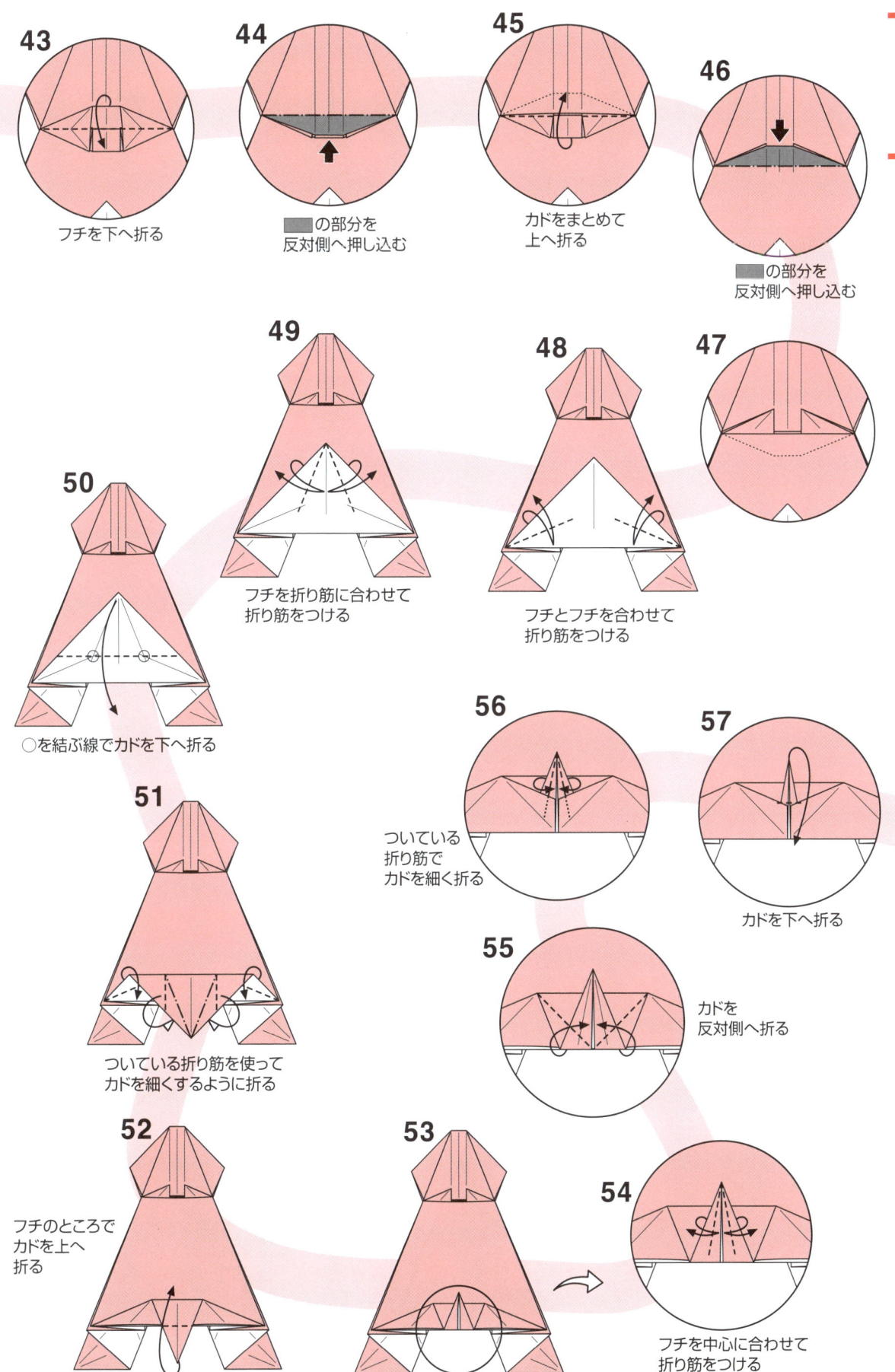

43 フチを下へ折る

44 ■の部分を反対側へ押し込む

45 カドをまとめて上へ折る

46 ■の部分を反対側へ押し込む

47

48 フチとフチを合わせて折り筋をつける

49 フチを折り筋に合わせて折り筋をつける

50 ○を結ぶ線でカドを下へ折る

51 ついている折り筋を使ってカドを細くするように折る

52 フチのところでカドを上へ折る

53

54 フチを中心に合わせて折り筋をつける

55 カドを反対側へ折る

56 ついている折り筋でカドを細く折る

57 カドを下へ折る

175

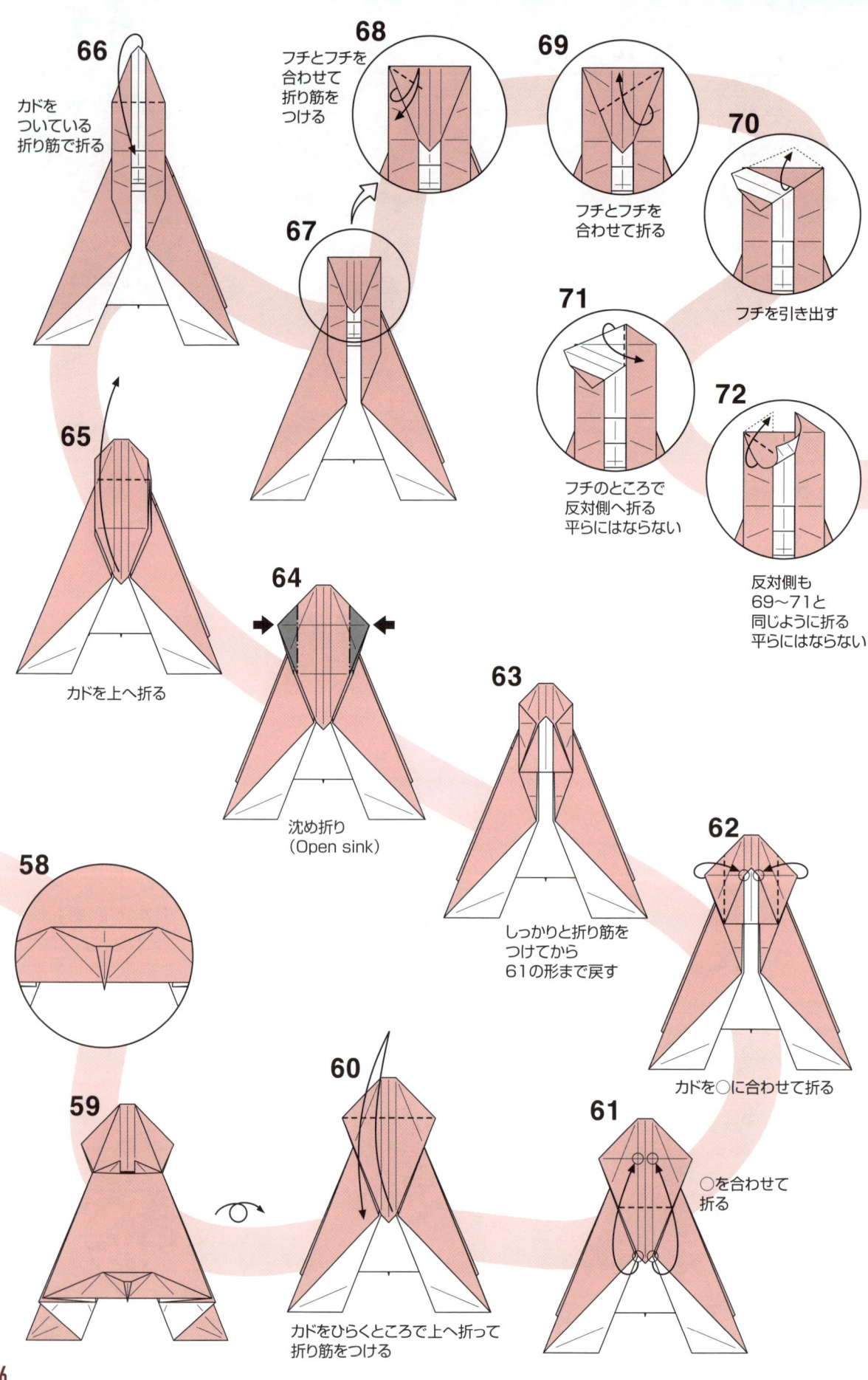

66 カドをついている折り筋で折る

68 フチとフチを合わせて折り筋をつける

69 フチとフチを合わせて折る

70 フチを引き出す

67

71 フチのところで反対側へ折る 平らにはならない

72 反対側も69〜71と同じように折る 平らにはならない

65 カドを上へ折る

64 沈め折り（Open sink）

63 しっかりと折り筋をつけてから61の形まで戻す

62 カドを○に合わせて折る

58

59

60 カドをひらくところで上へ折って折り筋をつける

61 ○を合わせて折る

176

大型動物 カバ

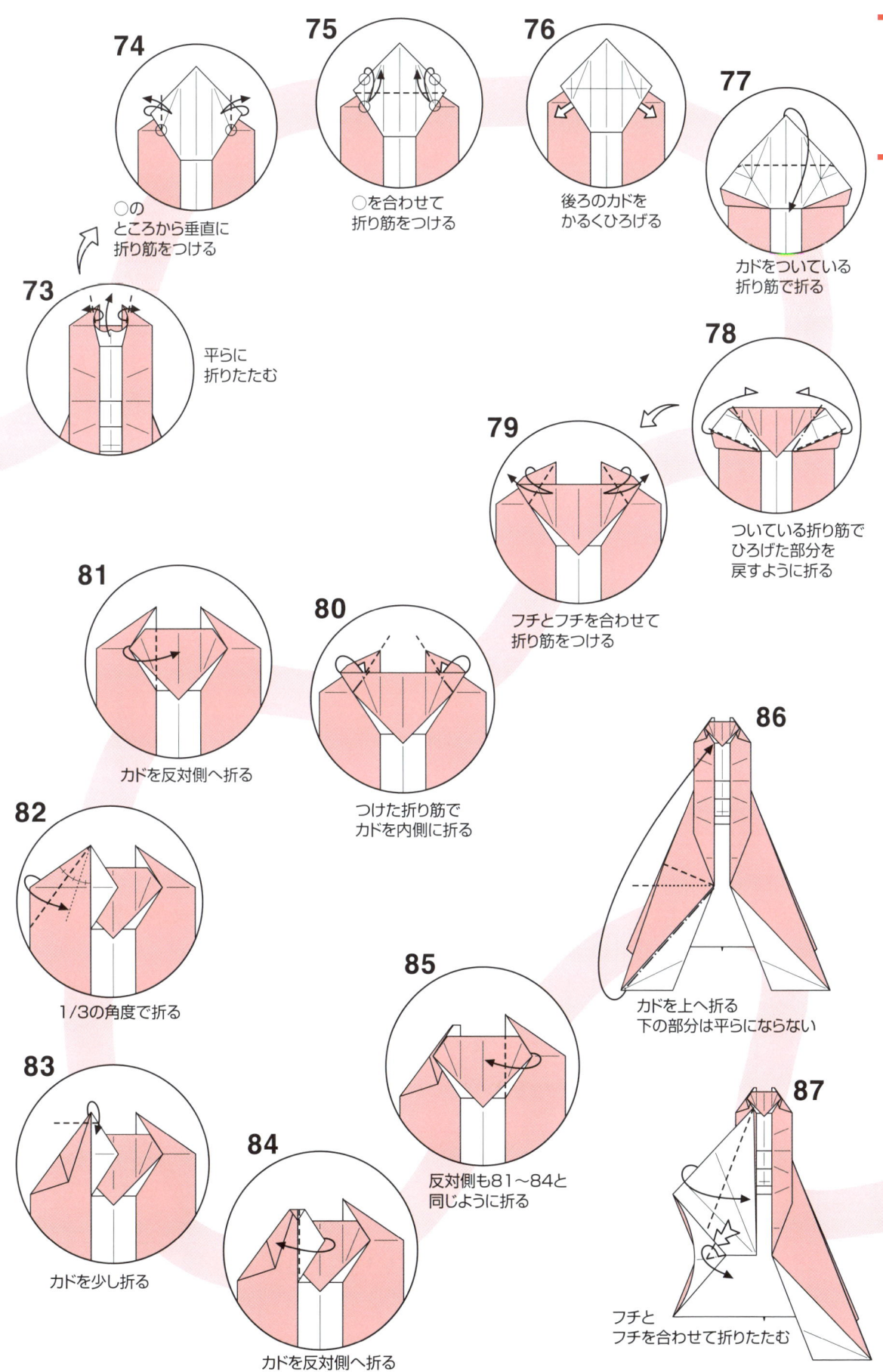

73 平らに折りたたむ

74 ○のところから垂直に折り筋をつける

75 ○を合わせて折り筋をつける

76 後ろのカドをかるくひろげる

77 カドをついている折り筋で折る

78 ついている折り筋でひろげた部分を戻すように折る

79 フチとフチを合わせて折り筋をつける

80 つけた折り筋でカドを内側に折る

81 カドを反対側へ折る

82 1/3の角度で折る

83 カドを少し折る

84 カドを反対側へ折る

85 反対側も81〜84と同じように折る

86 カドを上へ折る 下の部分は平らにならない

87 フチとフチを合わせて折りたたむ

177

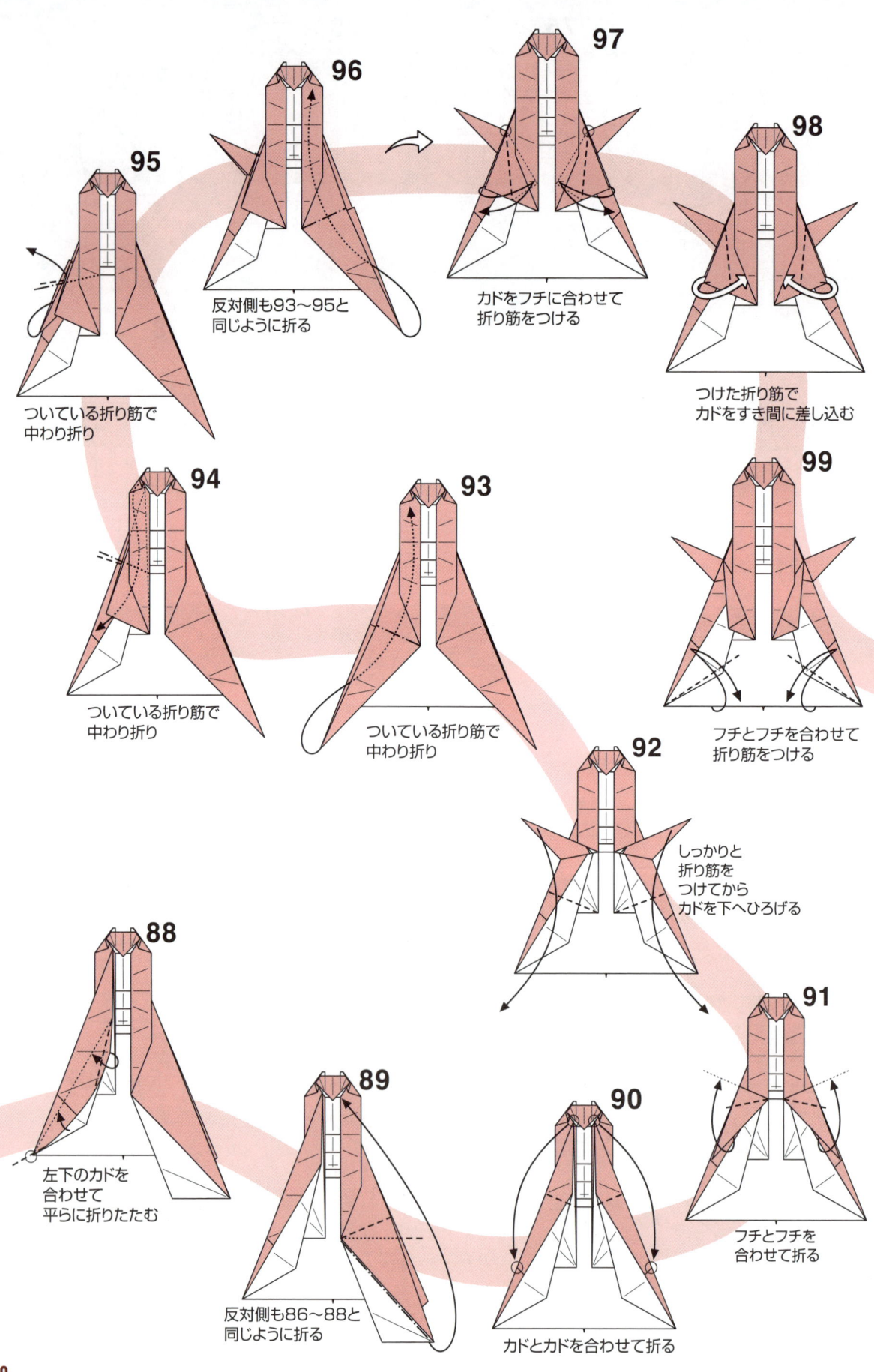

95
ついている折り筋で
中わり折り

96
反対側も93〜95と
同じように折る

97
カドをフチに合わせて
折り筋をつける

98
つけた折り筋で
カドをすき間に差し込む

94
ついている折り筋で
中わり折り

93
ついている折り筋で
中わり折り

99
フチとフチを合わせて
折り筋をつける

92
しっかりと
折り筋を
つけてから
カドを下へひろげる

88
左下のカドを
合わせて
平らに折りたたむ

89
反対側も86〜88と
同じように折る

90
カドとカドを合わせて折る

91
フチとフチを
合わせて折る

178

109

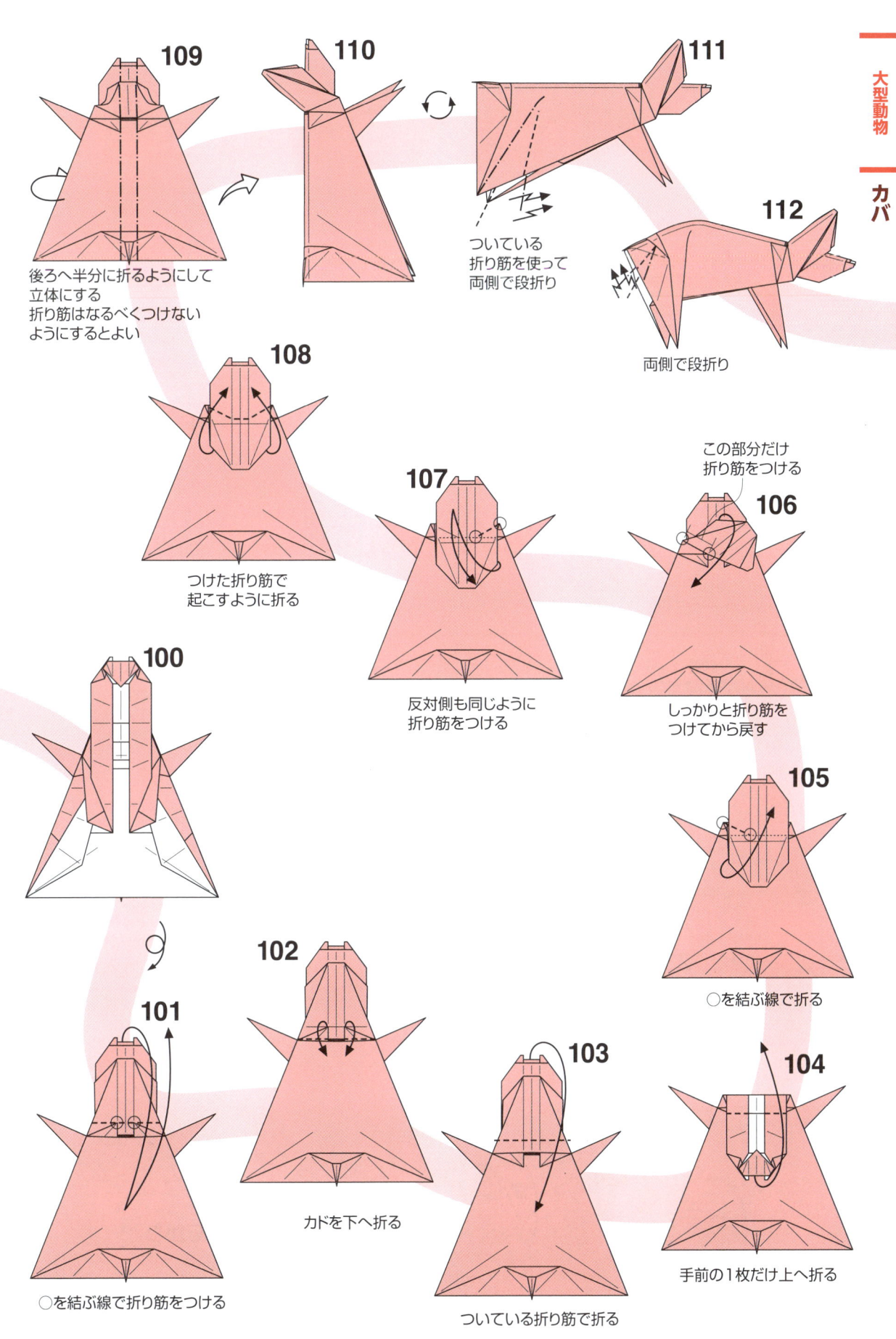

後ろへ半分に折るようにして
立体にする
折り筋はなるべくつけない
ようにするとよい

110

111

ついている
折り筋を使って
両側で段折り

112

両側で段折り

108

つけた折り筋で
起こすように折る

107

反対側も同じように
折り筋をつける

106

この部分だけ
折り筋をつける

しっかりと折り筋を
つけてから戻す

100

105

○を結ぶ線で折る

101

○を結ぶ線で折り筋をつける

102

カドを下へ折る

103

ついている折り筋で折る

104

手前の1枚だけ上へ折る

大型動物 カバ

179

114

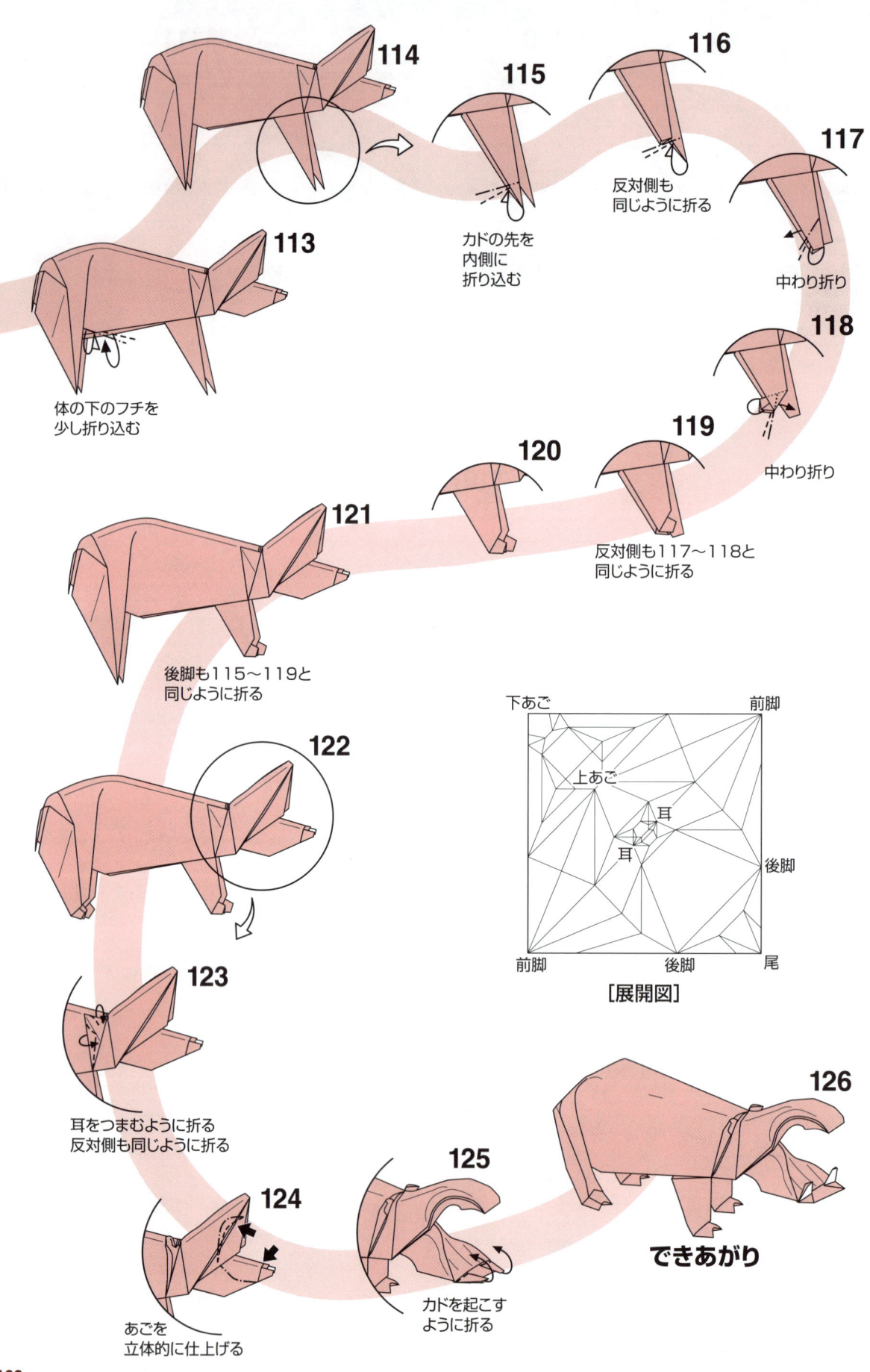

115
カドの先を
内側に
折り込む

116
反対側も
同じように折る

117
中わり折り

113
体の下のフチを
少し折り込む

118
中わり折り

119
反対側も117〜118と
同じように折る

120

121
後脚も115〜119と
同じように折る

122

下あご　　　　　　　　前脚
　　上あご
　　　　　耳
　　　　耳　　　　　　後脚

前脚　　　後脚　　　尾

[展開図]

123
耳をつまむように折る
反対側も同じように折る

124
あごを
立体的に仕上げる

125
カドを起こす
ように折る

126
できあがり

180

キリン
Giraffe by Gen Hagiwara
創作●萩原 元
35㎝ 折り紙用紙／1枚／不切正方一枚折り

キリンはその特異な見た目から人気の題材ですが、同じ理由で独自性を出すのが難しい題材でもあります。本作では構造的な新しさはあえて捨て、各部の仕上げでオリジナリティを出しています。特にかぶせ折りのみで表現した顔は、きれいに造形するのは少し難しいですが慣れれば表情をもたせることもできるので気に入っています。

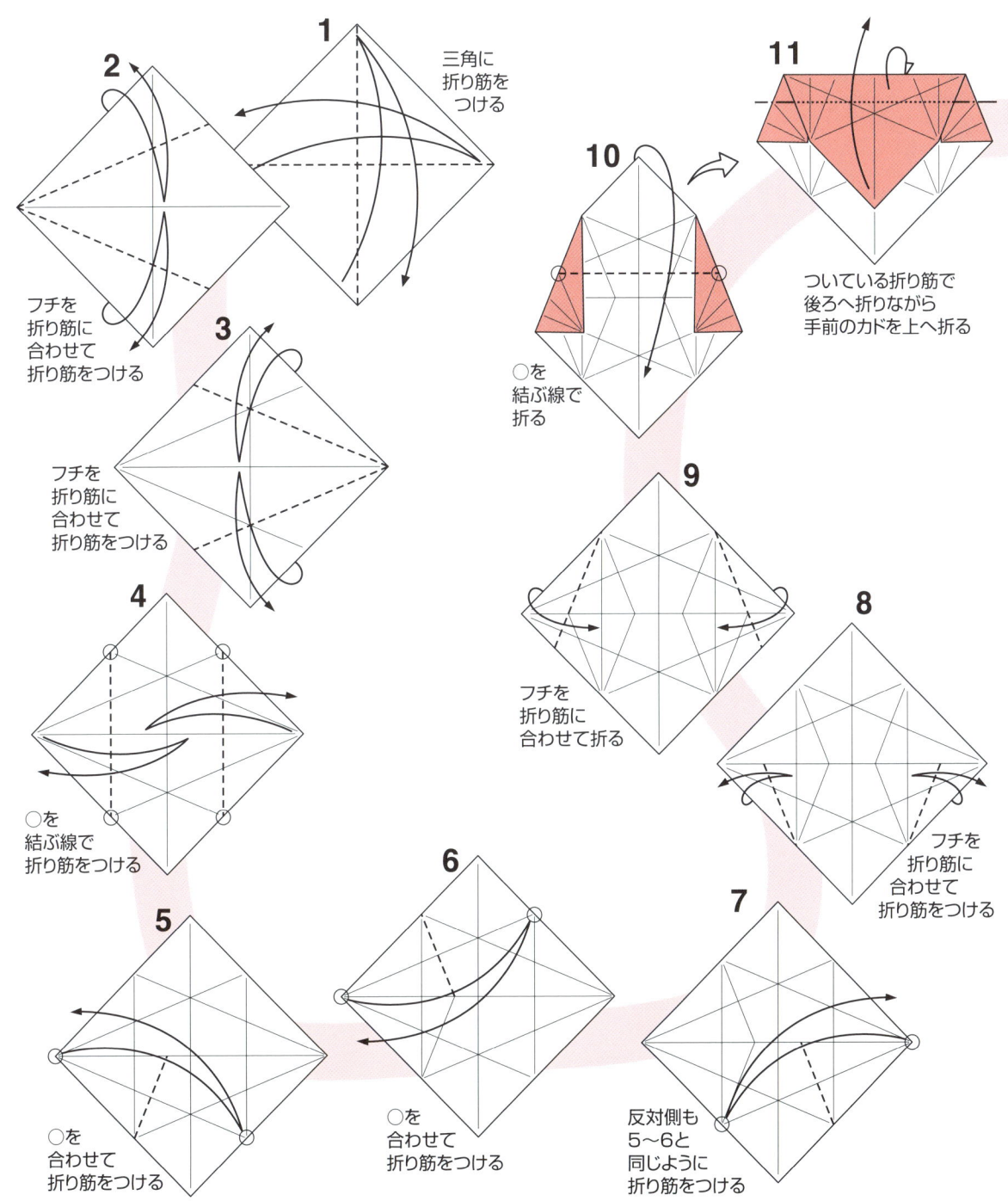

大型動物
難易度 ★★★★★

1 三角に折り筋をつける

2 フチを折り筋に合わせて折り筋をつける

3 フチを折り筋に合わせて折り筋をつける

4 ○を結ぶ線で折り筋をつける

5 ○を合わせて折り筋をつける

6 ○を合わせて折り筋をつける

7 反対側も5〜6と同じように折り筋をつける

8 フチを折り筋に合わせて折り筋をつける

9 フチを折り筋に合わせて折る

10 ○を結ぶ線で折る

11 ついている折り筋で後ろへ折りながら手前のカドを上へ折る

181

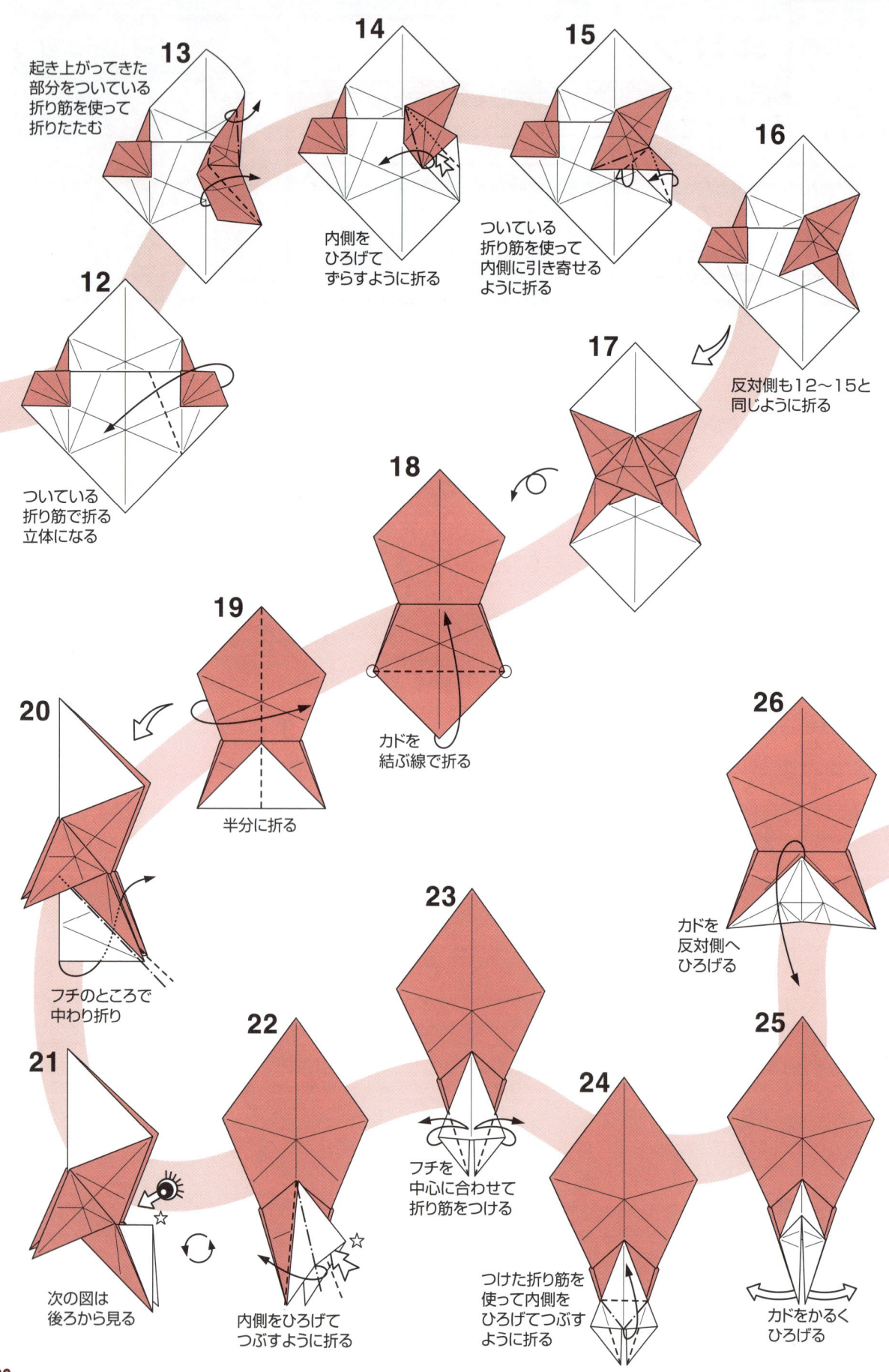

13 起き上がってきた部分をついている折り筋を使って折りたたむ

14 内側をひろげてずらすように折る

15 ついている折り筋を使って内側に引き寄せるように折る

16 反対側も12〜15と同じように折る

12 ついている折り筋で折る 立体になる

17

18

19 半分に折る カドを結ぶ線で折る

20 フチのところで中わり折り

21 次の図は後ろから見る

22 内側をひろげてつぶすように折る

23

24 つけた折り筋を使って内側をひろげてつぶすように折る

25 カドをかるくひろげる

26 カドを反対側へひろげる

フチを中心に合わせて折り筋をつける

182

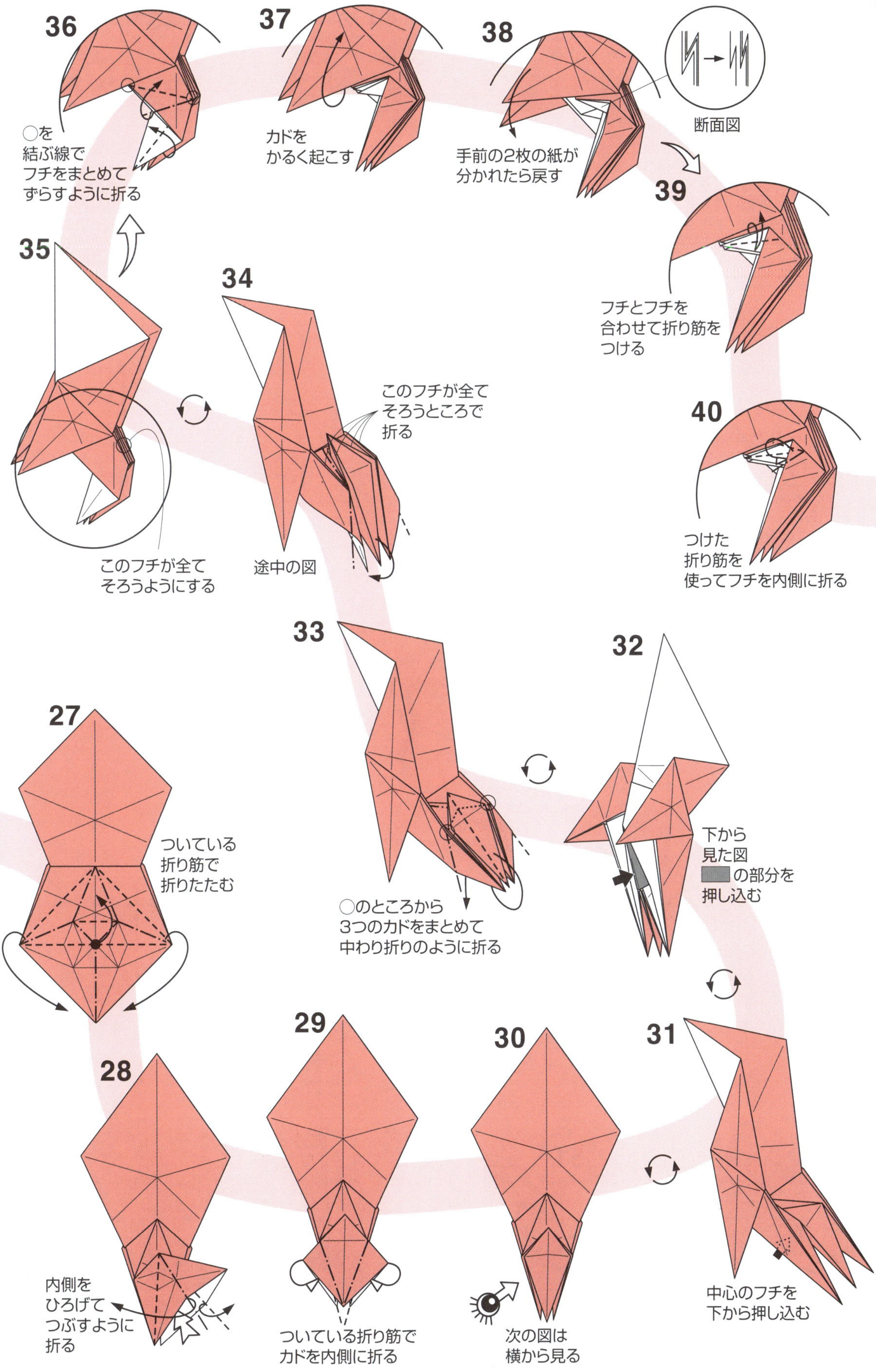

キリン

27 ついている折り筋で折りたたむ

28 内側をひろげてつぶすように折る

29 ついている折り筋でカドを内側に折る

30 次の図は横から見る

31 中心のフチを下から押し込む

32 下から見た図 ■の部分を押し込む

33 ○のところから3つのカドをまとめて中わり折りのように折る

34 このフチが全てそろうところで折る / 途中の図

35 このフチが全てそろうようにする

36 ○を結ぶ線でフチをまとめてずらすように折る

37 カドをかるく起こす

38 手前の2枚の紙が分かれたら戻す / 断面図

39 フチとフチを合わせて折り筋をつける

40 つけた折り筋を使ってフチを内側に折る

大型動物 キリン

183

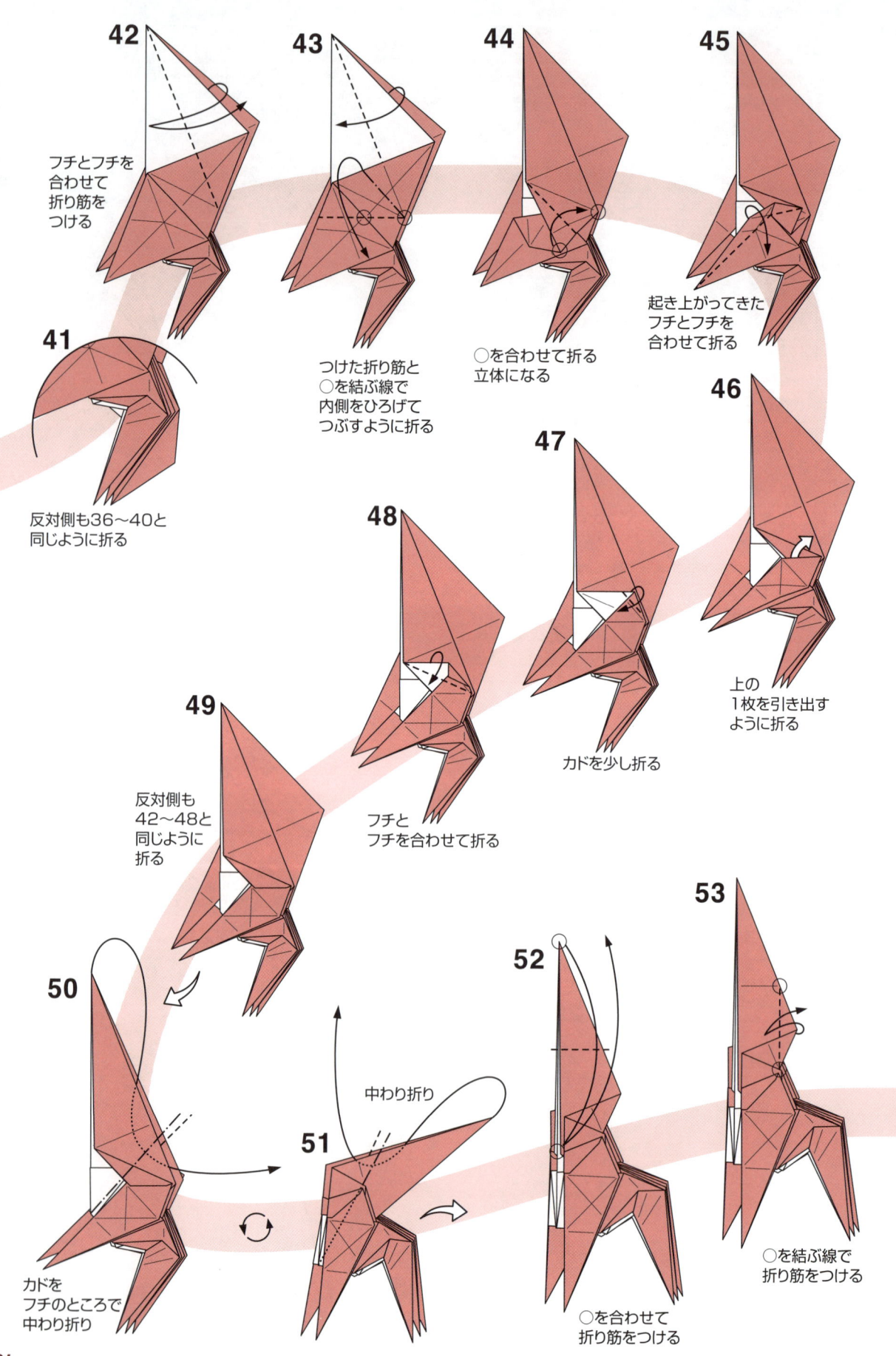

42
フチとフチを
合わせて
折り筋を
つける

43
つけた折り筋と
○を結ぶ線で
内側をひろげて
つぶすように折る

44
○を合わせて折る
立体になる

45
起き上がってきた
フチとフチを
合わせて折る

41
反対側も36〜40と
同じように折る

46
上の
1枚を引き出す
ように折る

47
カドを少し折る

48
フチと
フチを合わせて折る

49
反対側も
42〜48と
同じように
折る

50
カドを
フチのところで
中わり折り

51
中わり折り

52
○を合わせて
折り筋をつける

53
○を結ぶ線で
折り筋をつける

184

62

反対側も同じ
ように折る

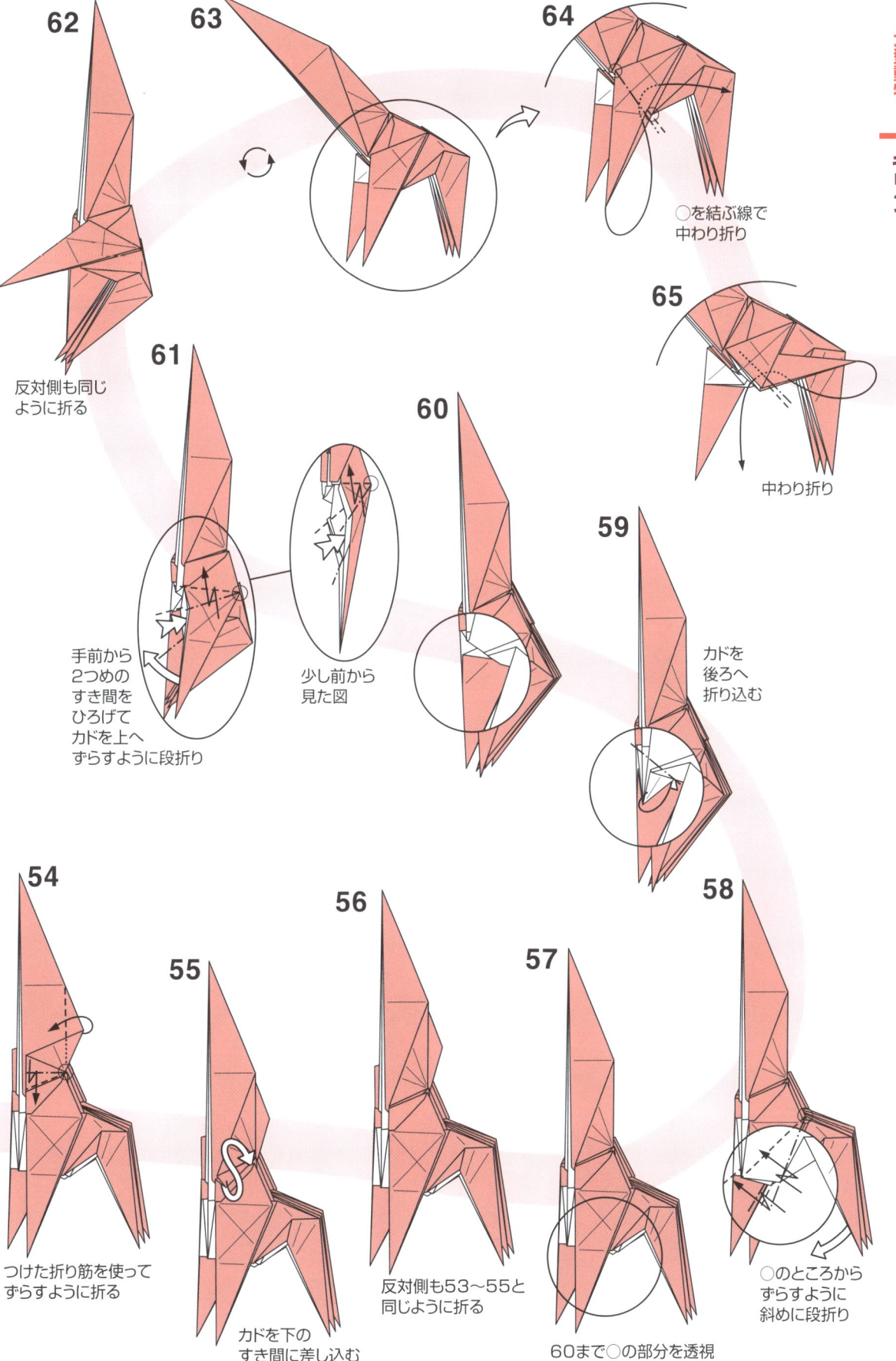

63

64

○を結ぶ線で
中わり折り

65

中わり折り

61

手前から
2つめの
すき間を
ひろげて
カドを上へ
ずらすように段折り

少し前から
見た図

60

59

カドを
後ろへ
折り込む

54

つけた折り筋を使って
ずらすように折る

55

カドを下の
すき間に差し込む

56

反対側も53〜55と
同じように折る

57

60まで○の部分を透視

58

○のところから
ずらすように
斜めに段折り

大型動物 キリン

185

67 ひらくところで折り筋をつける

68 つけた折り筋でカドを内側に折り込む

69 反対側も66と同じように折る

70 カドを内側に折る

66 カドが細くなるようにカドを内側に折る / 少しすき間をあける

71 カドの先を巻くようにかぶせ折り

72 カドを後ろのすき間に差し込む

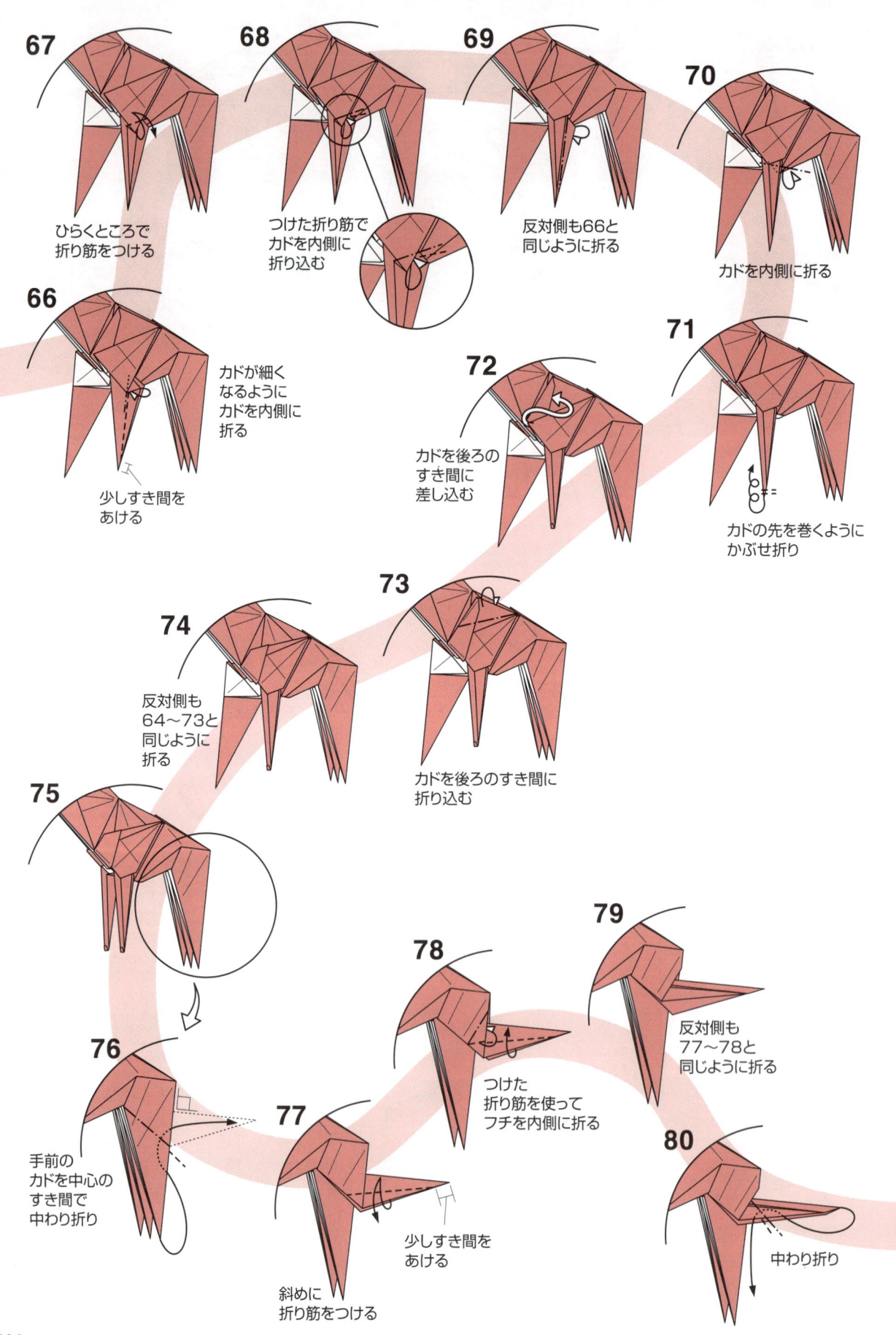

73 カドを後ろのすき間に折り込む

74 反対側も64〜73と同じように折る

75

76 手前のカドを中心のすき間で中わり折り

77 斜めに折り筋をつける / 少しすき間をあける

78 つけた折り筋を使ってフチを内側に折る

79 反対側も77〜78と同じように折る

80 中わり折り

186

92
フチのところで
中わり折り

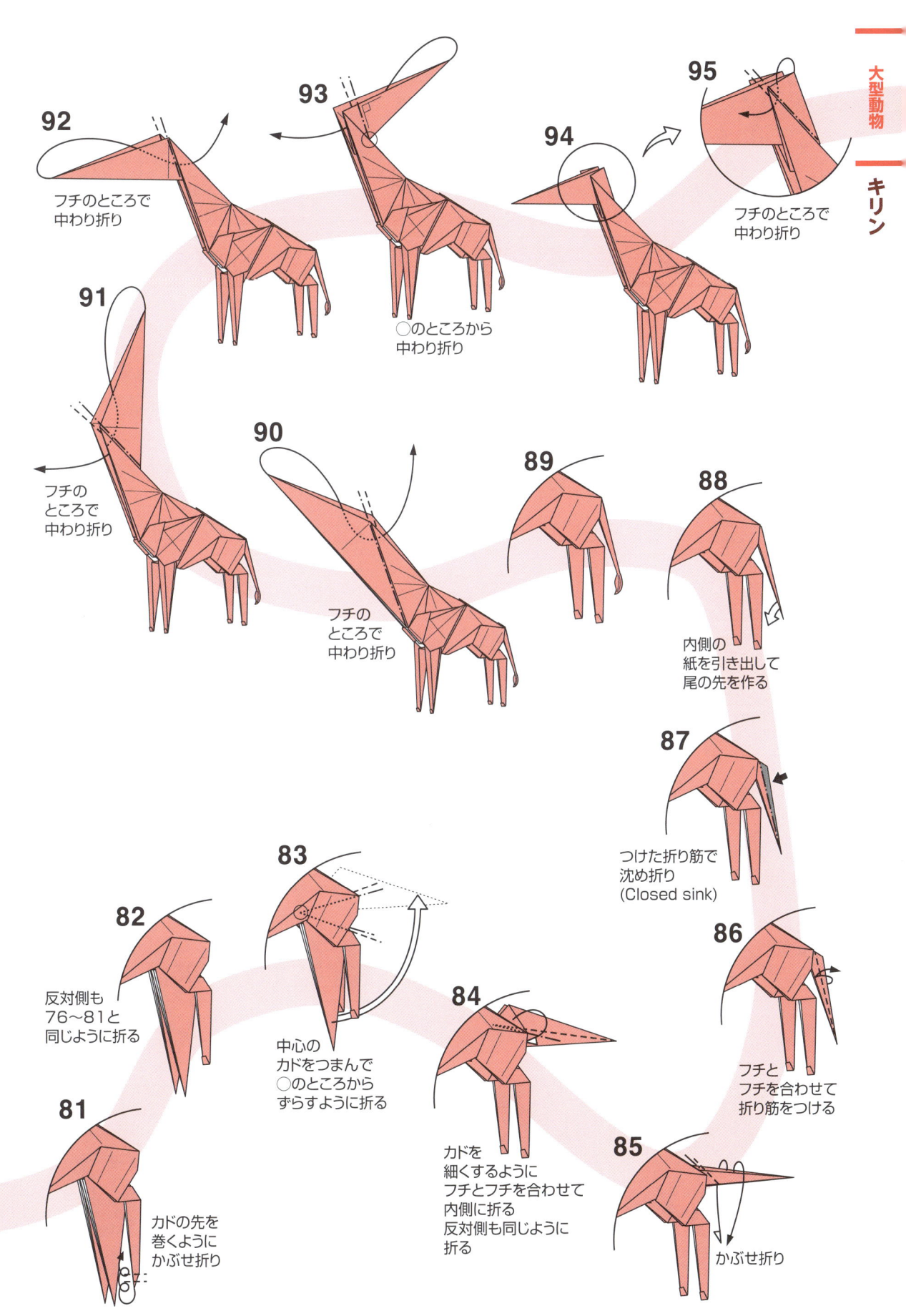

93
○のところから
中わり折り

94

95
フチのところで
中わり折り

大型動物 キリン

91
フチの
ところで
中わり折り

90
フチの
ところで
中わり折り

89

88
内側の
紙を引き出して
尾の先を作る

87
つけた折り筋で
沈め折り
(Closed sink)

86
フチと
フチを合わせて
折り筋をつける

85
かぶせ折り

84
カドを
細くするように
フチとフチを合わせて
内側に折る
反対側も同じように
折る

83
中心の
カドをつまんで
○のところから
ずらすように折る

82
反対側も
76〜81と
同じように折る

81
カドの先を
巻くように
かぶせ折り

187

96
フチのところで
中わり折り

97
フチのところで
カドを内側に折る

98
反対側も95〜97と
同じように折る

99
フチのところで
中わり折り

100
フチのところで
中わり折り

101
フチとフチを合わせて
折り筋をつける

102
しっかりと折り筋を
つけてから99の
形まで戻す

103
○のところから
中わり折り

104
この部分は
折らない

105
つけた折り筋を使って
図のように折る

106
上から見た図
☆の部分がカドになる

107
途中の図

108
カドを斜めに
ずらすように折る

109
この部分が
二等辺三角形に
なるところまで
ずらす

110
ついている
折り筋を使って
両側で斜めに段折り

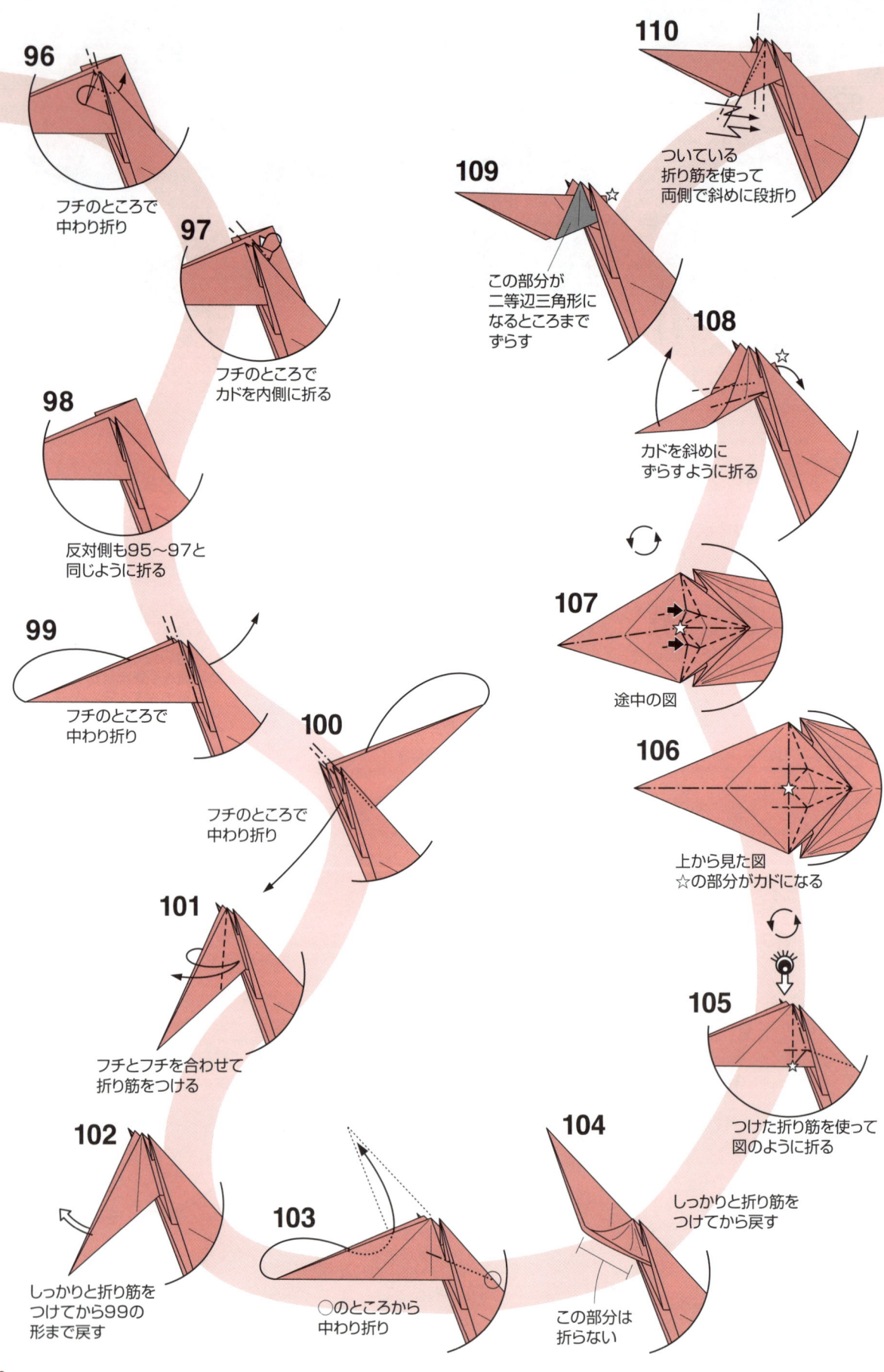

111
カドを内側に折り込む

112
カドを少し折る

113
内側をひろげてつぶすように折る
反対側も同じように折る

114
つまむように折り筋をつけて頭を立体にする

115
カドを横へ折る

116
カドを段折り

117
耳をひろげる

118

119
背中の部分を押し込んで立体にする

[展開図]
頭　前脚
後脚
前脚　後脚　尾

120
脚をつまんで細くする

121
まとめてフチを手前に折って首を曲げる
全体の形を整える

122
できあがり

大型動物 | キリン

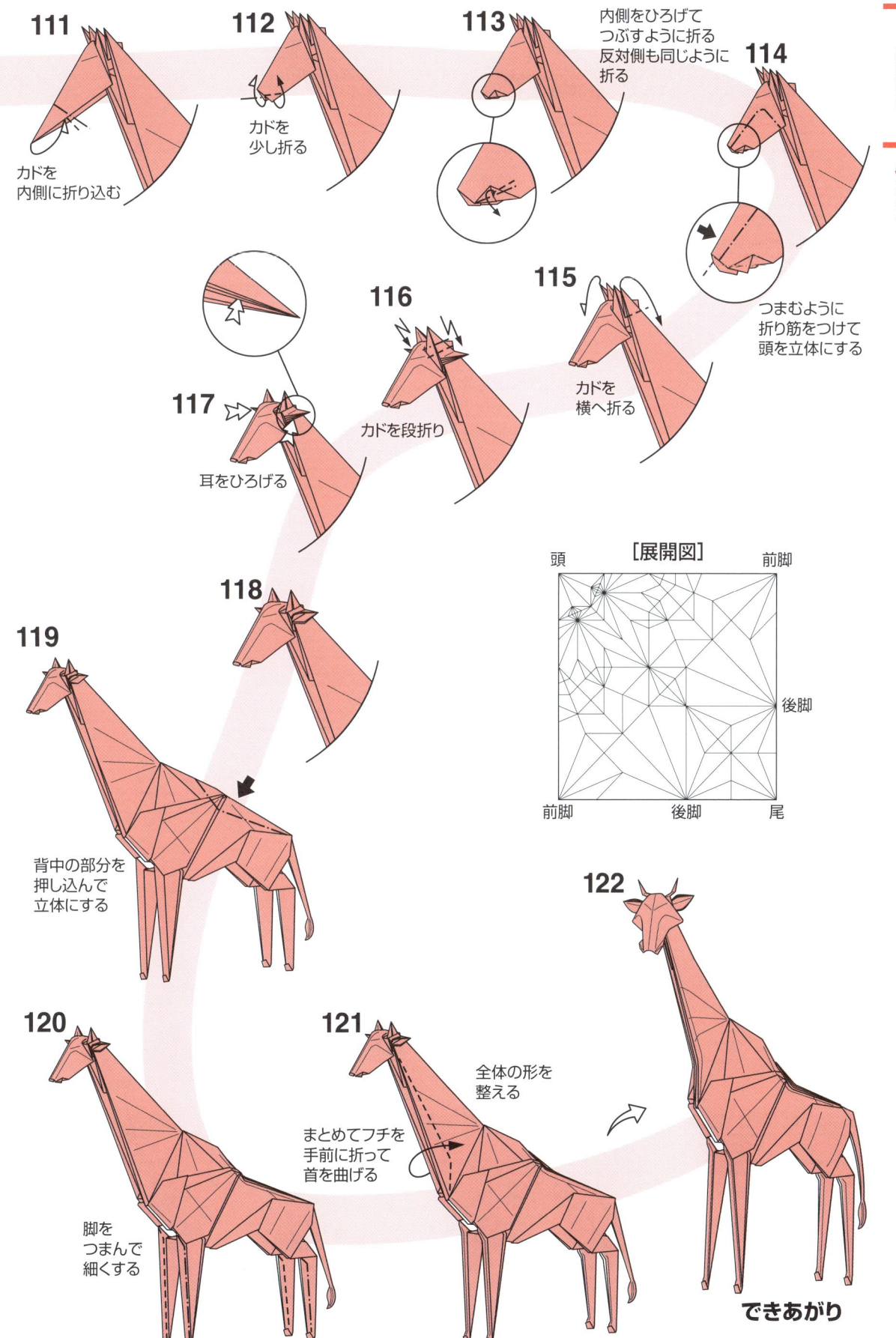

大型動物	**アフリカゾウ**
難易度 ★★★★★	African Elephant by Chuya Miyamoto 創作●宮本宙也 30cm 折り紙用紙／1枚／不切正方一枚折り

なるべく「難しいけれど折っていて楽しい」手順となるように気をつけました。この作品は実は誤差があります。寸分の違いもなく正確に折ると、前足の折り出しがずれてしまいます。ですが紙の伸縮や折りの微妙な違いでほぼ吸収される程度のずれなので、あえて修正はしていません。工程のリズム感を重視しています。

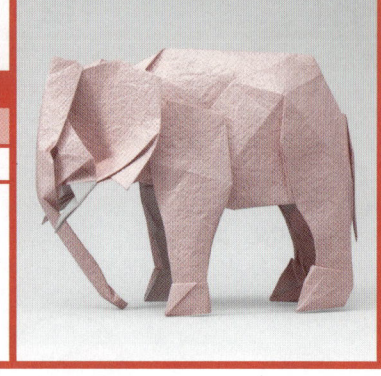

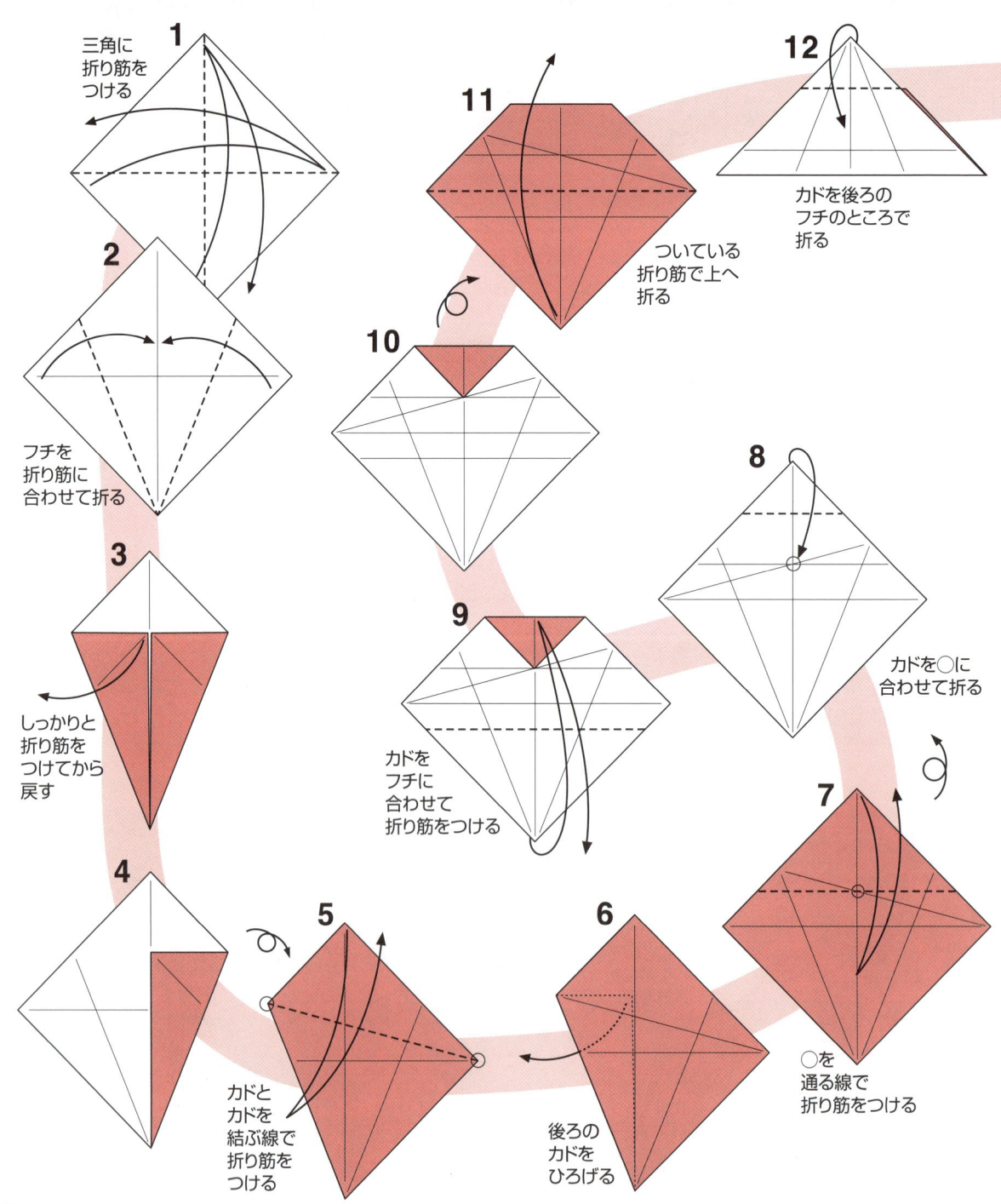

1 三角に折り筋をつける

2 フチを折り筋に合わせて折る

3 しっかりと折り筋をつけてから戻す

4

5 カドとカドを結ぶ線で折り筋をつける

6 後ろのカドをひろげる

7 ○を通る線で折り筋をつける

8 カドを○に合わせて折る

9 カドをフチに合わせて折り筋をつける

10

11 ついている折り筋で上へ折る

12 カドを後ろのフチのところで折る

190

14
○を結ぶ線で折り筋をつける

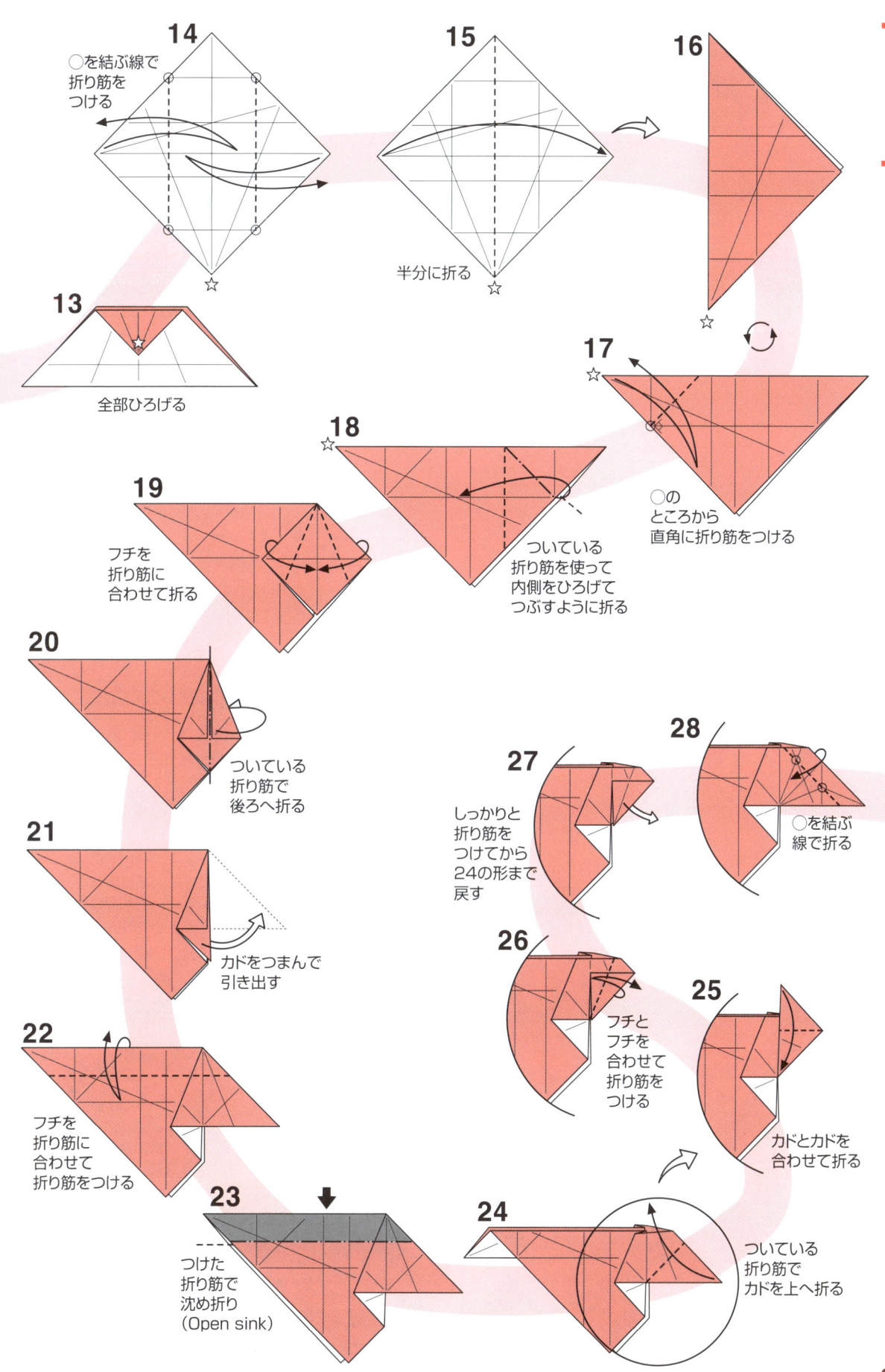

15
半分に折る

16

13
全部ひろげる

17
○のところから直角に折り筋をつける

18
ついている折り筋を使って内側をひろげてつぶすように折る

19
フチを折り筋に合わせて折る

20
ついている折り筋で後ろへ折る

21
カドをつまんで引き出す

22
フチを折り筋に合わせて折り筋をつける

23
つけた折り筋で沈め折り (Open sink)

24
ついている折り筋でカドを上へ折る

25
カドとカドを合わせて折る

26
フチとフチを合わせて折り筋をつける

27
しっかりと折り筋をつけてから24の形まで戻す

28
○を結ぶ線で折る

大型動物 アフリカゾウ

191

41
フチのところで後ろへ折る

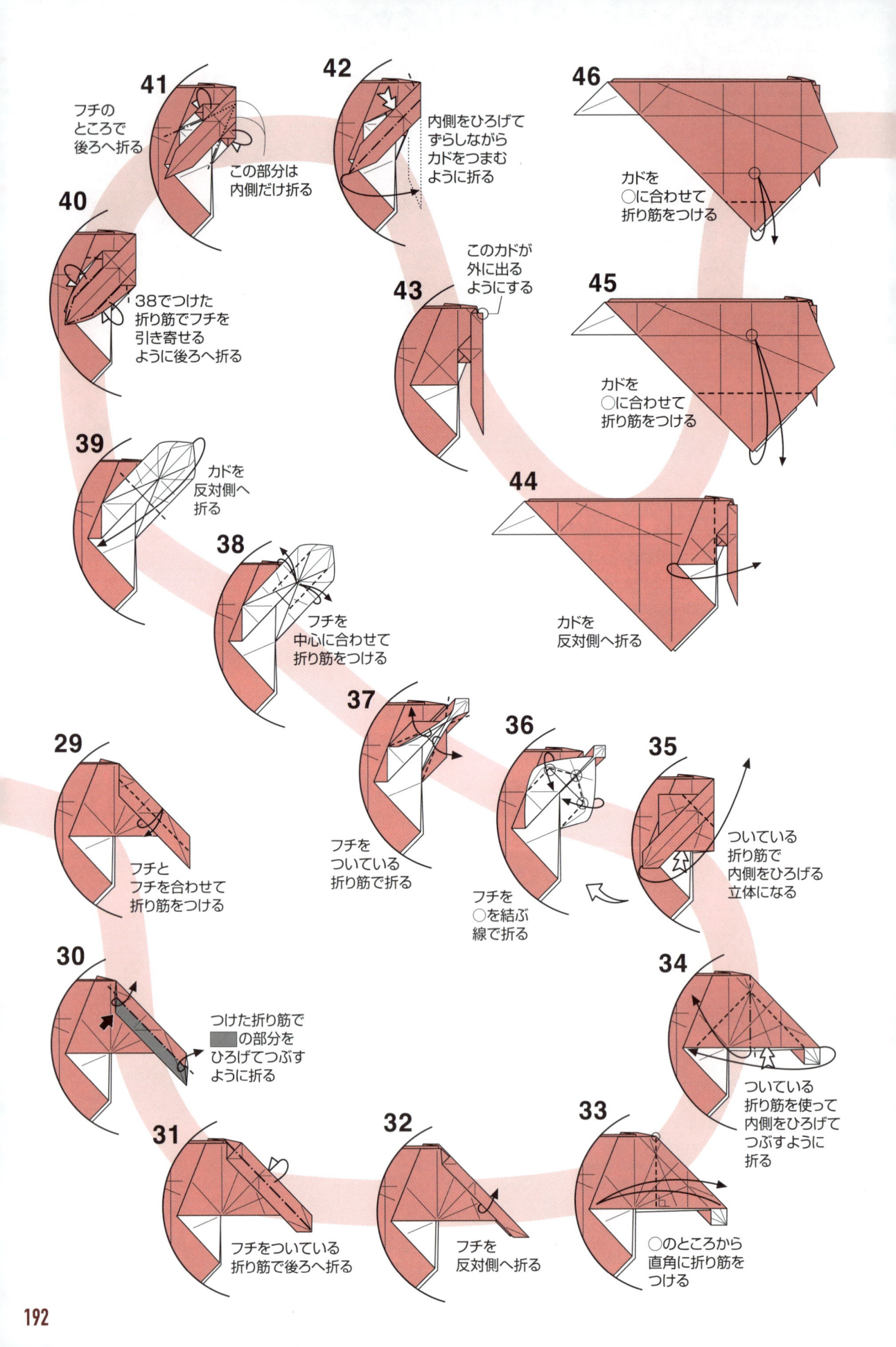

この部分は内側だけ折る

42
内側をひろげてずらしながらカドをつまむように折る

46
カドを○に合わせて折り筋をつける

40
38でつけた折り筋でフチを引き寄せるように後ろへ折る

43
このカドが外に出るようにする

45
カドを○に合わせて折り筋をつける

39
カドを反対側へ折る

44
カドを反対側へ折る

38
フチを中心に合わせて折り筋をつける

37
フチをついている折り筋で折る

36
フチを○を結ぶ線で折る

35
ついている折り筋で内側をひろげる立体になる

29
フチとフチを合わせて折り筋をつける

34
ついている折り筋を使って内側をひろげてつぶすように折る

30
つけた折り筋で■の部分をひろげてつぶすように折る

31
フチをついている折り筋で後ろへ折る

32
フチを反対側へ折る

33
○のところから直角に折り筋をつける

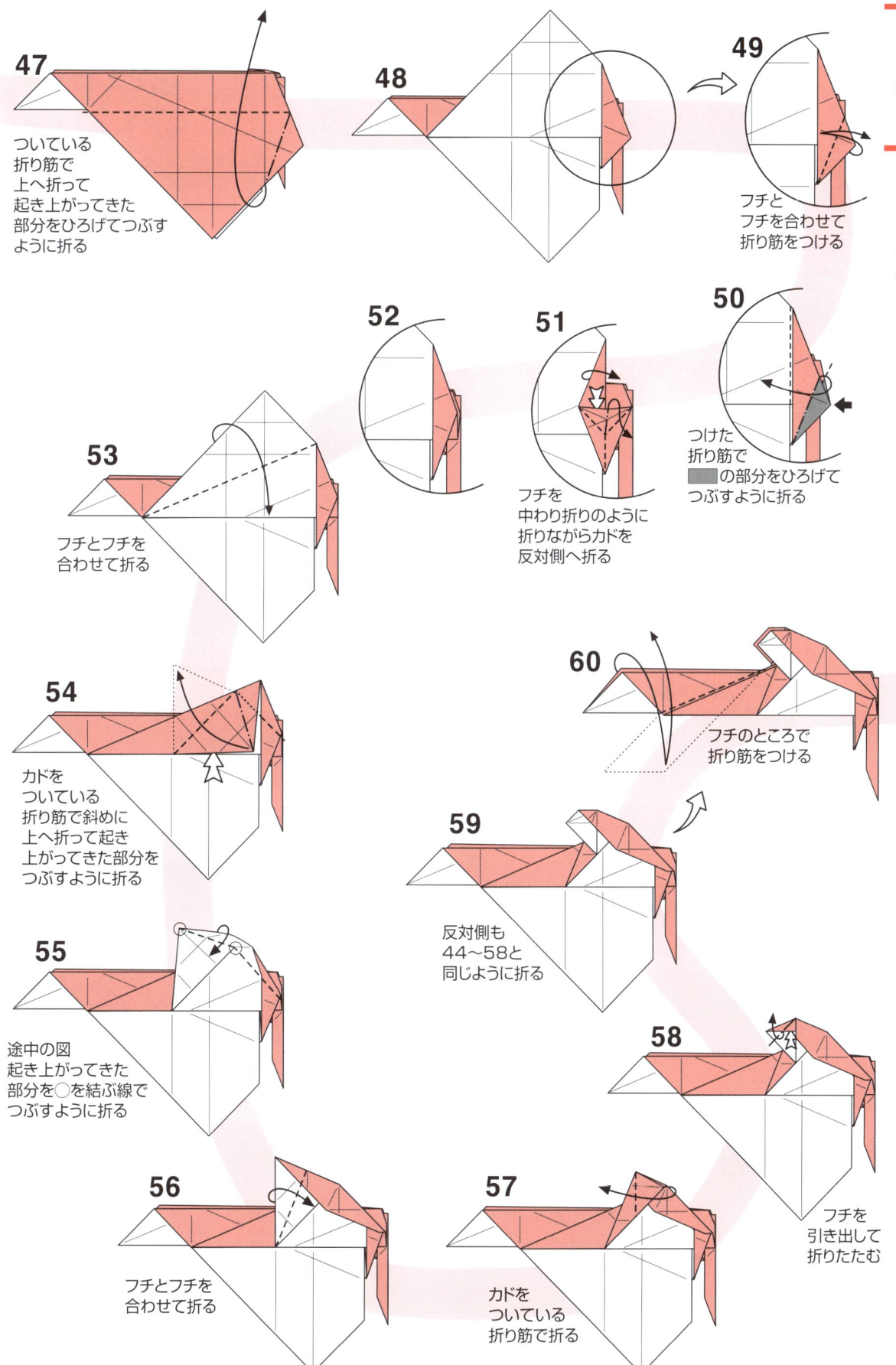

47
ついている
折り筋で
上へ折って
起き上がってきた
部分をひろげてつぶす
ように折る

48

49
フチと
フチを合わせて
折り筋をつける

50
つけた
折り筋で
■の部分をひろげて
つぶすように折る

51
フチを
中わり折りのように
折りながらカドを
反対側へ折る

52

53
フチとフチを
合わせて折る

54
カドを
ついている
折り筋で斜めに
上へ折って起き
上がってきた部分を
つぶすように折る

55
途中の図
起き上がってきた
部分を○を結ぶ線で
つぶすように折る

56
フチとフチを
合わせて折る

57
カドを
ついている
折り筋で折る

58
フチを
引き出して
折りたたむ

59
反対側も
44〜58と
同じように折る

60
フチのところで
折り筋をつける

大型動物 アフリカゾウ

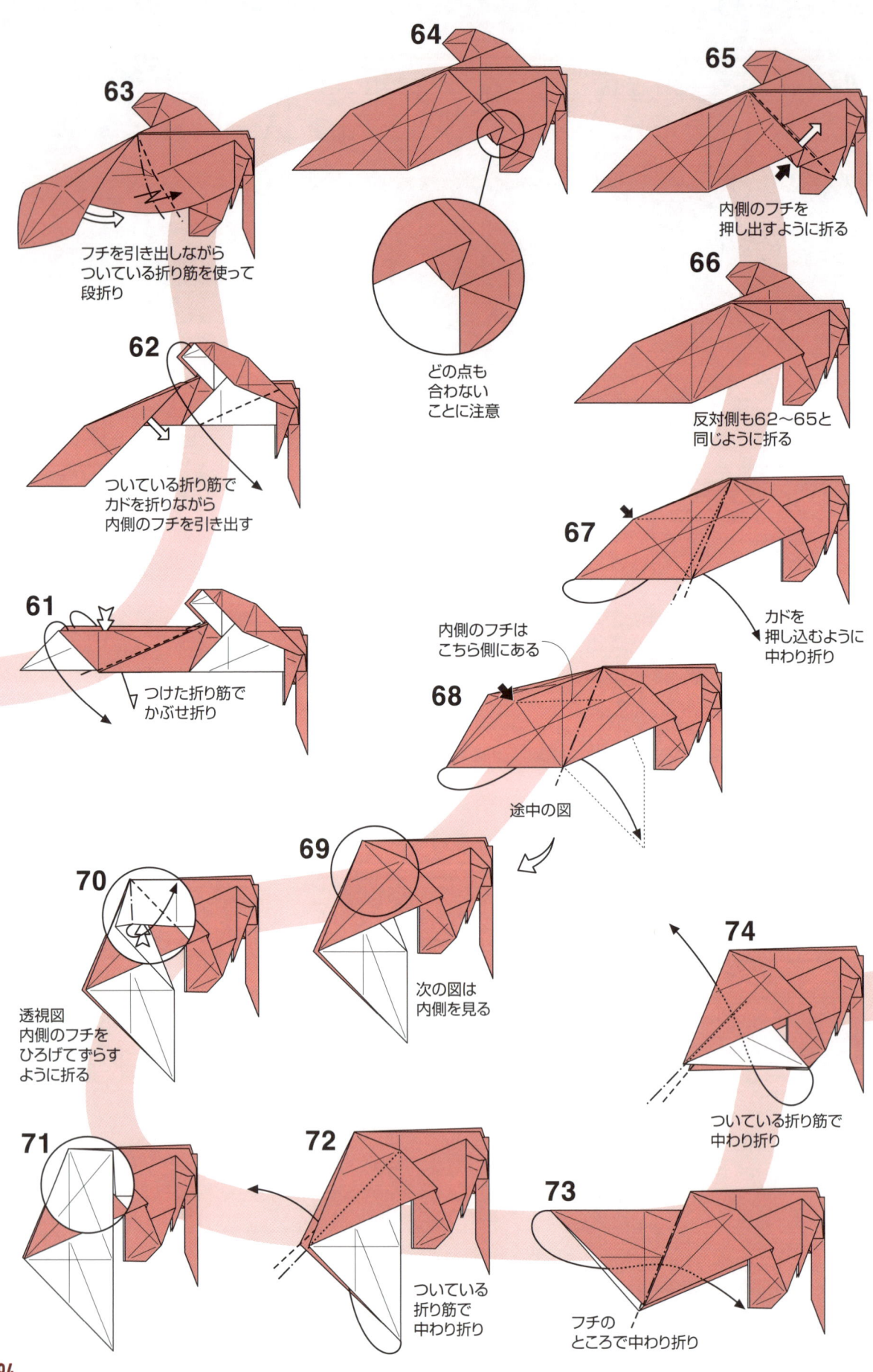

63
フチを引き出しながら
ついている折り筋を使って
段折り

64
どの点も
合わない
ことに注意

65
内側のフチを
押し出すように折る

66
反対側も62〜65と
同じように折る

62
ついている折り筋で
カドを折りながら
内側のフチを引き出す

61
つけた折り筋で
かぶせ折り

67
カドを
押し込むように
中わり折り

68
内側のフチは
こちら側にある

途中の図

70
透視図
内側のフチを
ひろげてずらす
ように折る

69
次の図は
内側を見る

74
ついている折り筋で
中わり折り

71

72
ついている
折り筋で
中わり折り

73
フチの
ところで中わり折り

194

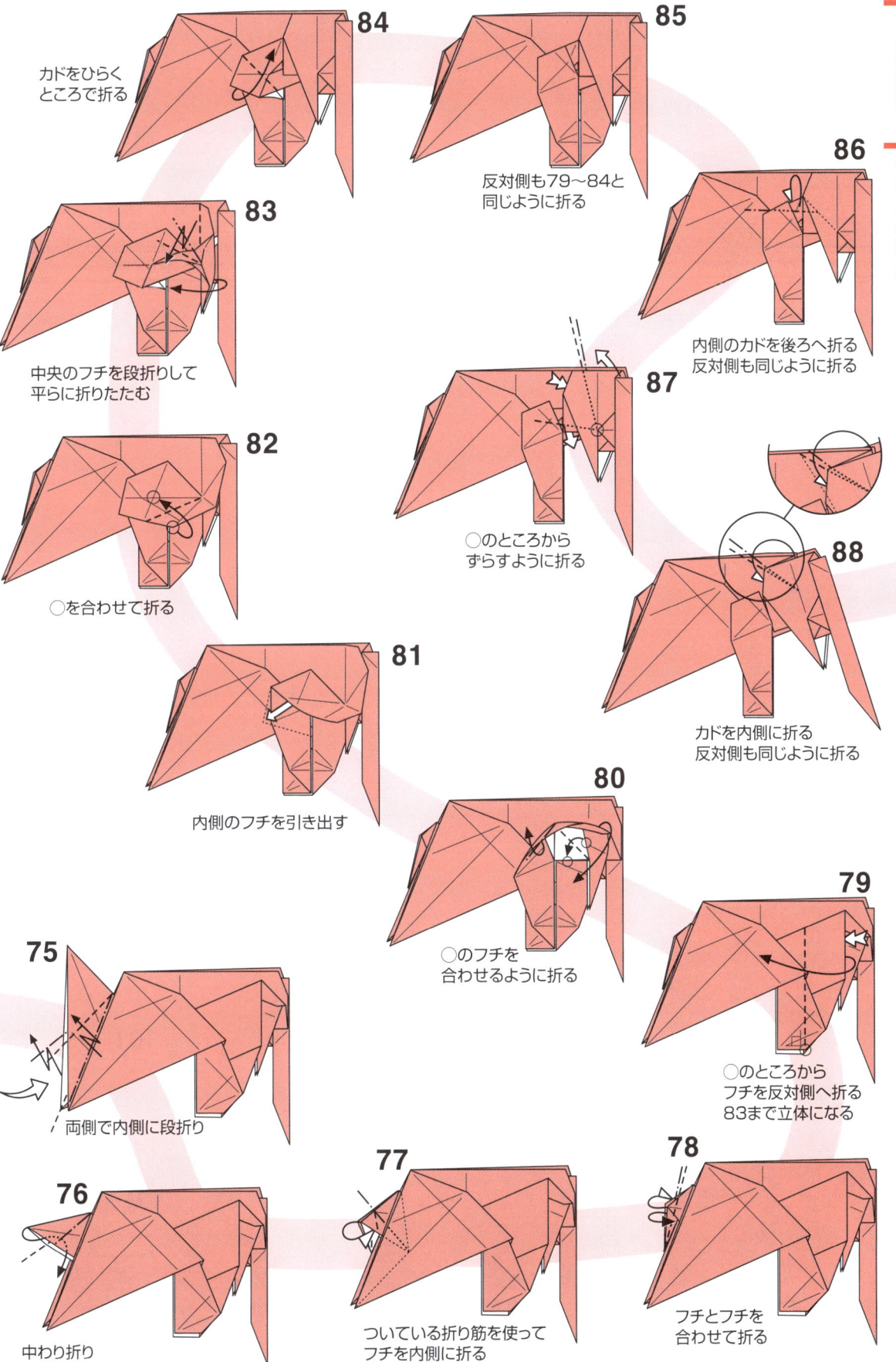

大型動物 アフリカゾウ

84 カドをひらくところで折る

85 反対側も79〜84と同じように折る

86

83 中央のフチを段折りして平らに折りたたむ

87 ○のところからずらすように折る

内側のカドを後ろへ折る
反対側も同じように折る

82 ○を合わせて折る

88 カドを内側に折る
反対側も同じように折る

81 内側のフチを引き出す

80 ○のフチを合わせるように折る

79 ○のところからフチを反対側へ折る
83まで立体になる

75 両側で内側に段折り

76 中わり折り

77 ついている折り筋を使ってフチを内側に折る
反対側も同じように折る

78 フチとフチを合わせて折る

195

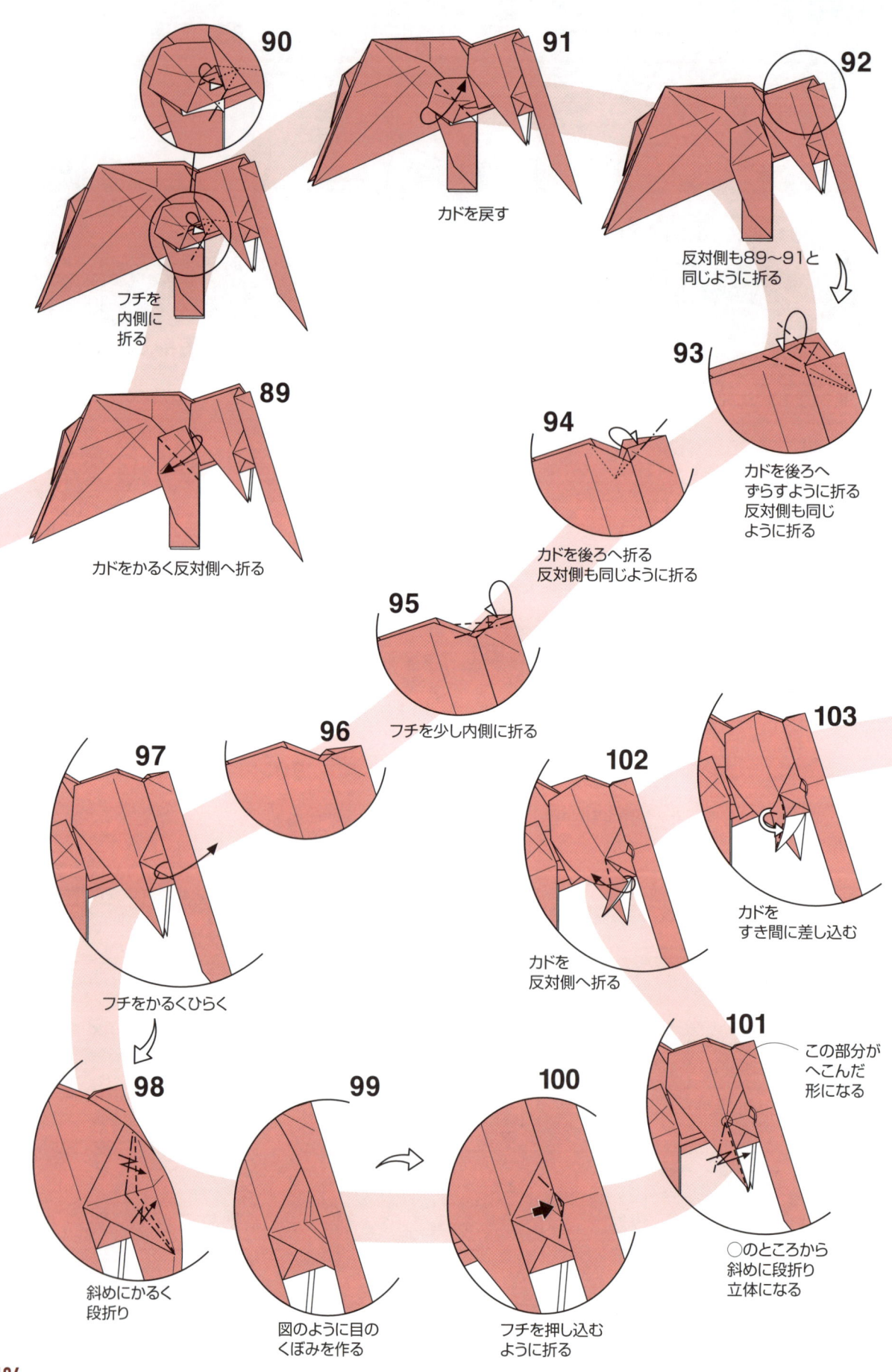

90

フチを内側に折る

91

カドを戻す

92

反対側も89〜91と同じように折る

89

カドをかるく反対側へ折る

93

カドを後ろへずらすように折る
反対側も同じように折る

94

カドを後ろへ折る
反対側も同じように折る

95

フチを少し内側に折る

96

97

フチをかるくひらく

98

斜めにかるく段折り

99

図のように目のくぼみを作る

100

フチを押し込むように折る

101

この部分がへこんだ形になる

○のところから斜めに段折り立体になる

102

カドを反対側へ折る

103

カドをすき間に差し込む

196

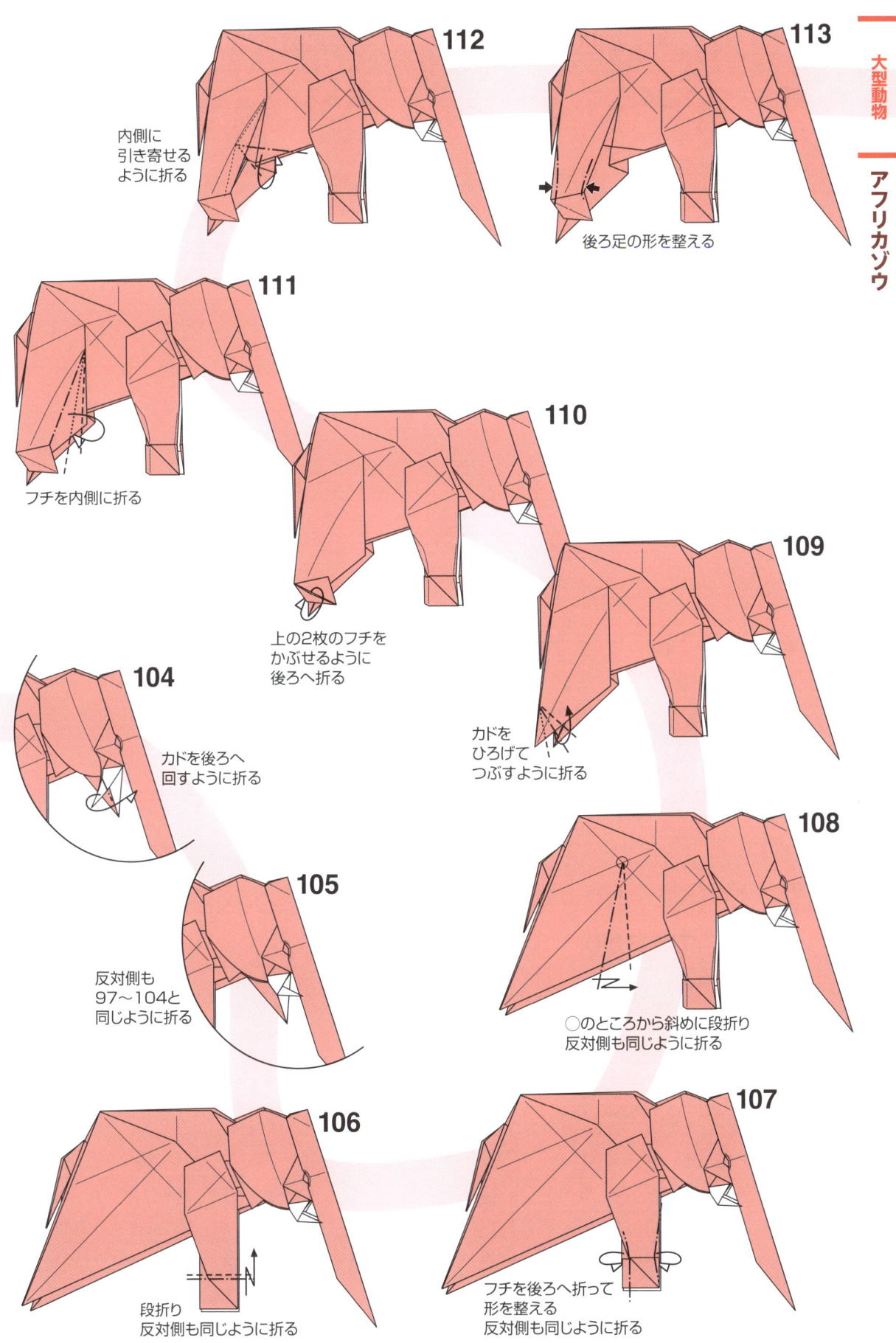

112 内側に引き寄せるように折る

113 後ろ足の形を整える

大型動物 アフリカゾウ

111 フチを内側に折る

110 上の2枚のフチをかぶせるように後ろへ折る

109 カドをひろげてつぶすように折る

104 カドを後ろへ回すように折る

105 反対側も97〜104と同じように折る

108 ○のところから斜めに段折り 反対側も同じように折る

106 段折り 反対側も同じように折る

107 フチを後ろへ折って形を整える 反対側も同じように折る

197

114

反対側も109〜113と
同じように折る

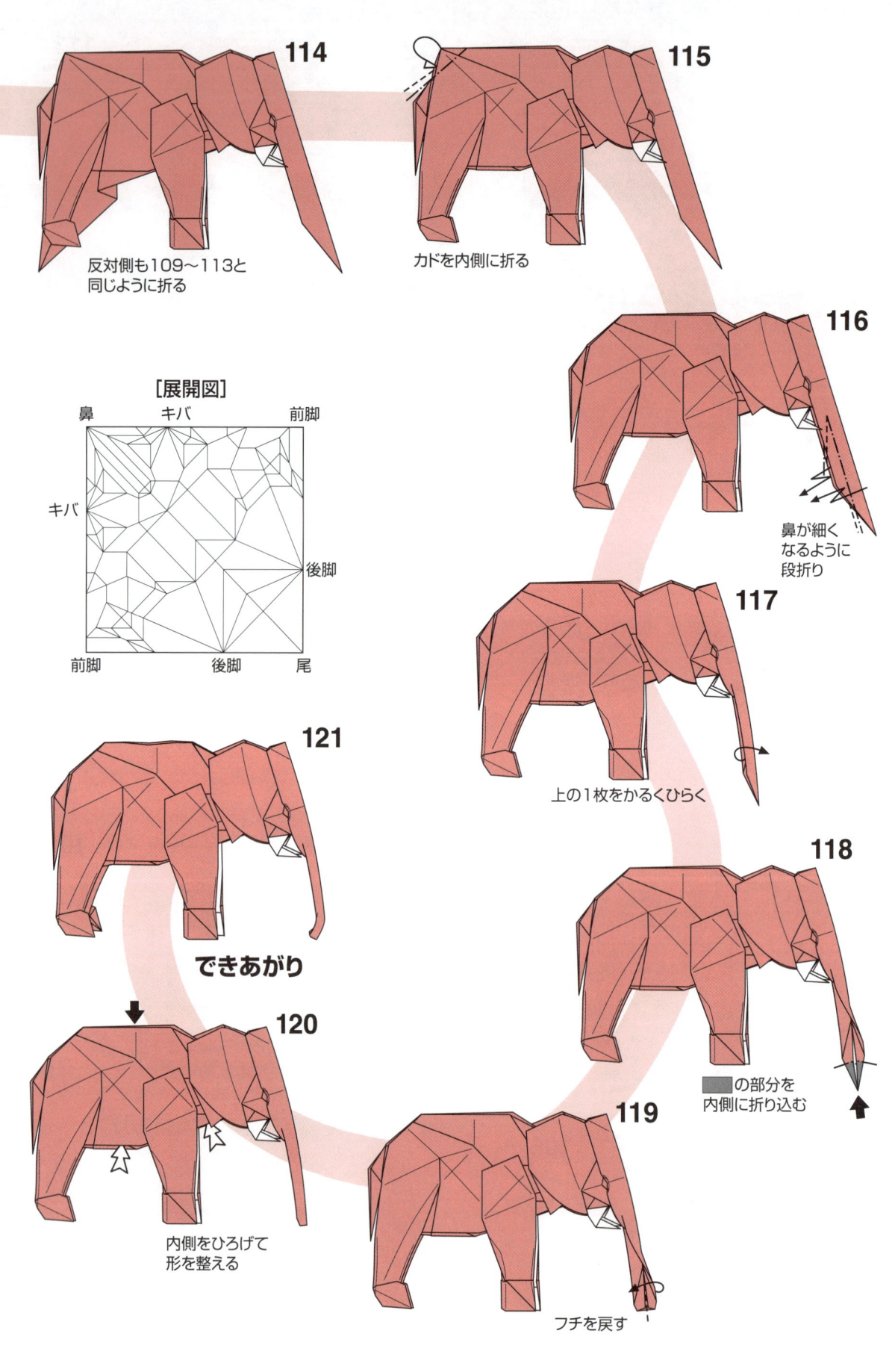

115

カドを内側に折る

116

鼻が細く
なるように
段折り

117

上の1枚をかるくひらく

[展開図]

鼻　キバ　前脚

キバ

後脚

前脚　後脚　尾

118

119

■の部分を
内側に折り込む

フチを戻す

121

できあがり

120

内側をひろげて
形を整える

アラカルト

愛をひらく鍵
Key to Love by Francis Ow
創作 ● フランシス・オウ

難易度 ★★★☆☆

24×3cm 折り紙用紙／1枚／不切一枚折り

私の作品「Key to Love」がこの本に掲載されることを光栄に思います。この作品はシンプルな構造でできており、ハート以外の部分を折り変えることで、さまざまなバリエーションの作品を作ることができます。この作品を楽しんでいただけることを願っています。

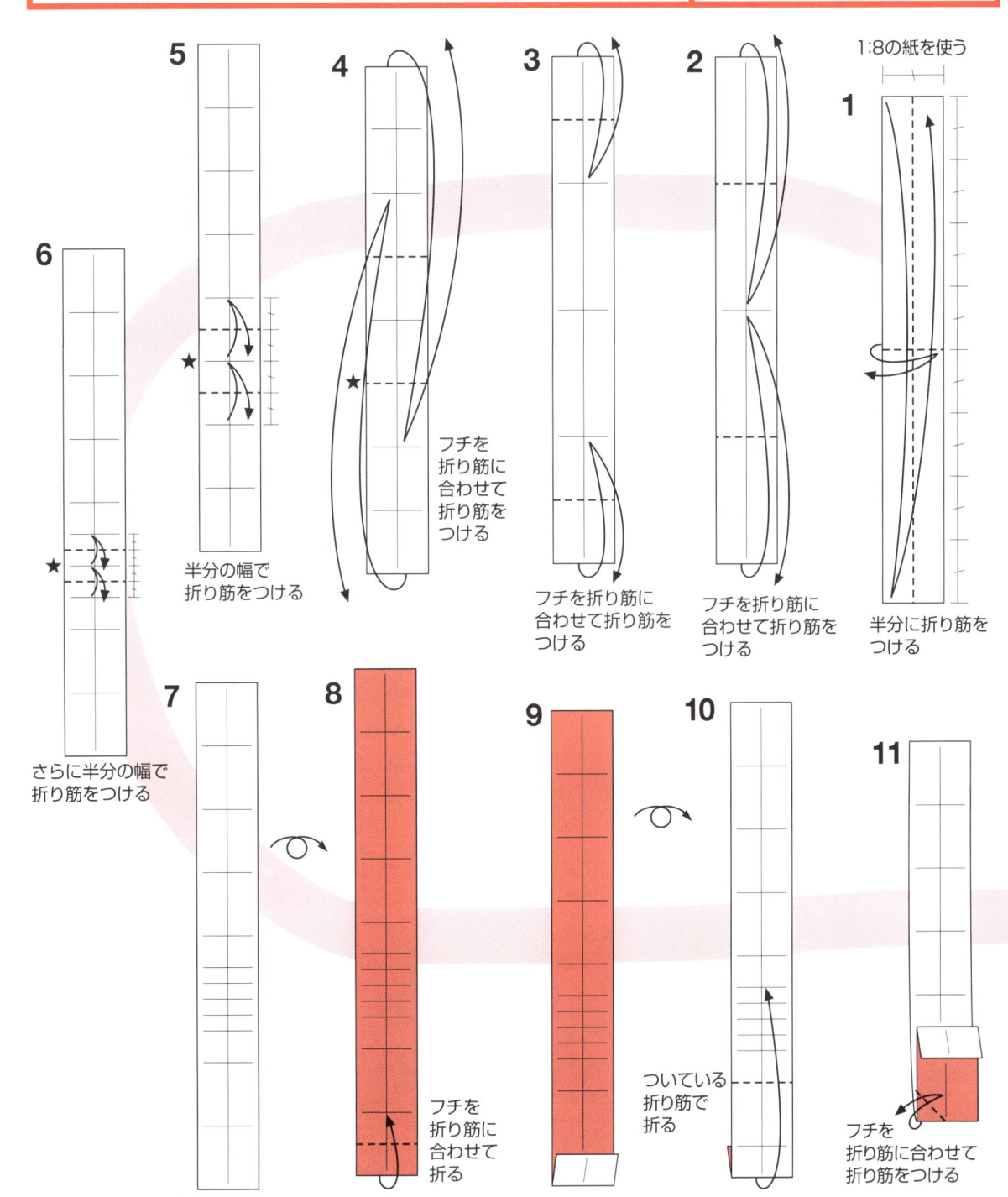

1　1:8の紙を使う　半分に折り筋をつける

2　フチを折り筋に合わせて折り筋をつける

3　フチを折り筋に合わせて折り筋をつける

4　半分の幅で折り筋をつける

5

6　さらに半分の幅で折り筋をつける

7

8　フチを折り筋に合わせて折る

9

10　ついている折り筋で折る

11　フチを折り筋に合わせて折り筋をつける

199

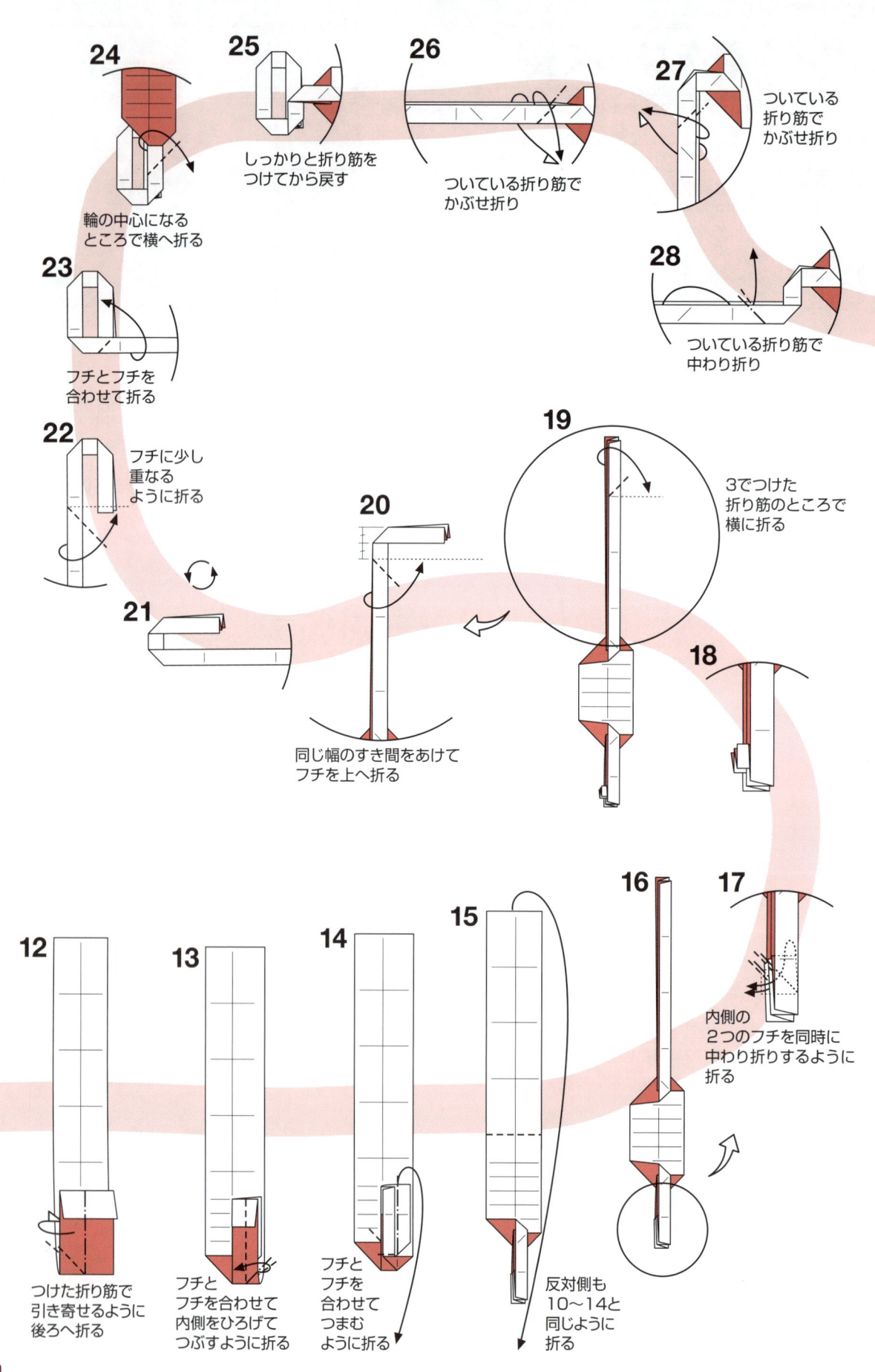

24
輪の中心になる
ところで横へ折る

25
しっかりと折り筋を
つけてから戻す

26
ついている折り筋で
かぶせ折り

27
ついている
折り筋で
かぶせ折り

28
ついている折り筋で
中わり折り

23
フチとフチを
合わせて折る

22
フチに少し
重なる
ように折る

19
3でつけた
折り筋のところで
横に折る

20
同じ幅のすき間をあけて
フチを上へ折る

21

18

17
内側の
2つのフチを同時に
中わり折りするように
折る

16
反対側も
10〜14と
同じように
折る

15
フチと
フチを
合わせて
つまむ
ように折る

14
フチと
フチを
合わせて
折る

13
フチと
フチを合わせて
内側をひろげて
つぶすように折る

12
つけた折り筋で
引き寄せるように
後ろへ折る

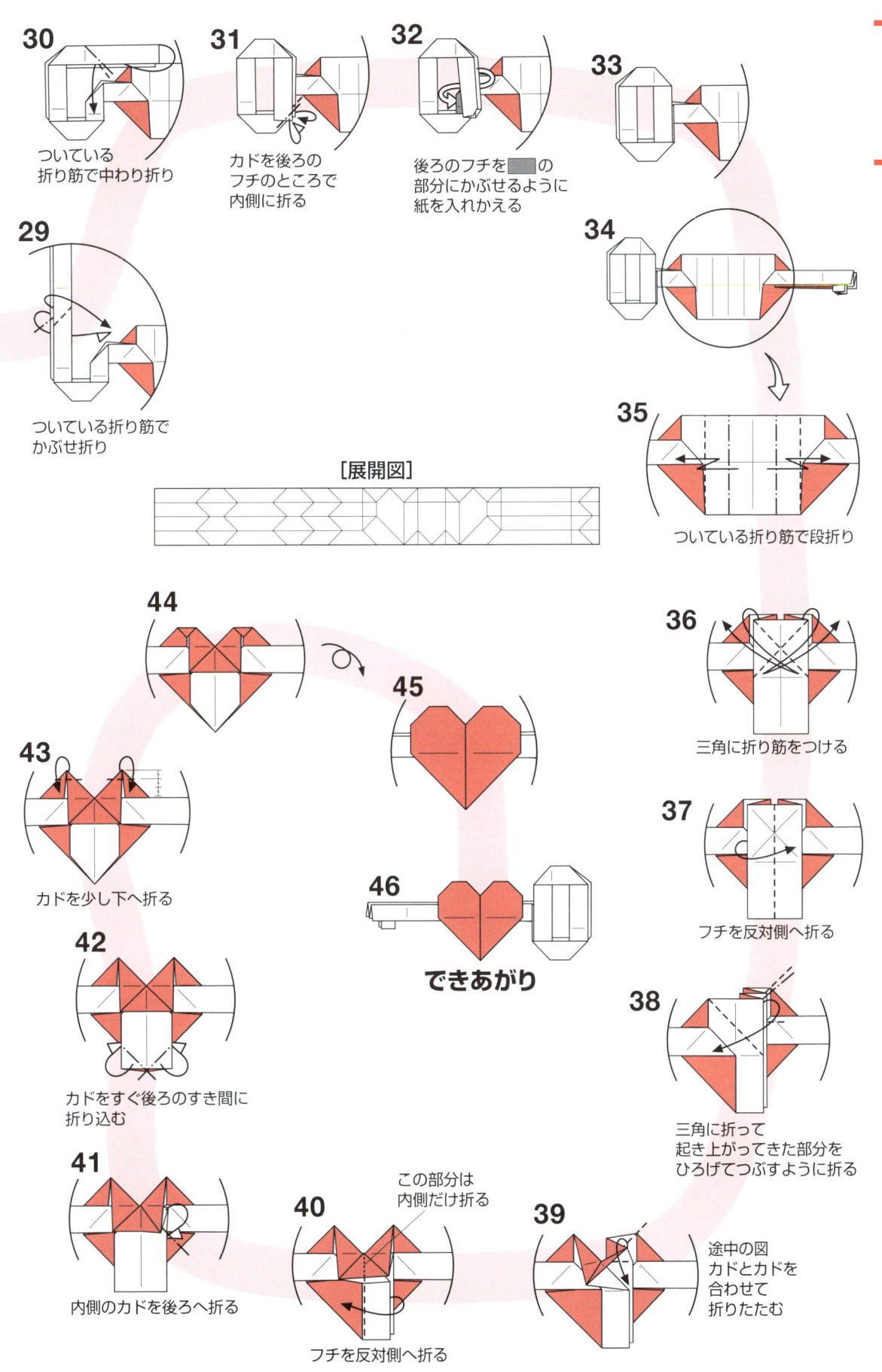

アラカルト｜愛をひらく鍵

30 ついている折り筋で中わり折り

31 カドを後ろのフチのところで内側に折る

32 後ろのフチを■の部分にかぶせるように紙を入れかえる

33

29 ついている折り筋でかぶせ折り

34

[展開図]

35 ついている折り筋で段折り

44

45

43 カドを少し下へ折る

36 三角に折り筋をつける

42 カドをすぐ後ろのすき間に折り込む

46 できあがり

37 フチを反対側へ折る

38 三角に折って起き上がってきた部分をひろげてつぶすように折る

41 内側のカドを後ろへ折る

40 この部分は内側だけ折る／フチを反対側へ折る

39 途中の図 カドとカドを合わせて折りたたむ

201

アラカルト	**ナットとボルト**
難易度 ★★★★☆	Nut and Bolt by David Brill 創作●デビッド・ブリル 25㎝ 折り紙用紙／2枚／複合

この作品は、1976年にBOS（British Origami Society）の機関誌の企画のために創作しました。ボルトのらせんの形を折り出すための技術的な問題は、単純なねじり折りを使った、伝承の小銭入れを応用することで解決しています。すっきりとした仕上がりと、実際に動かすことができる点には、とても満足しています。

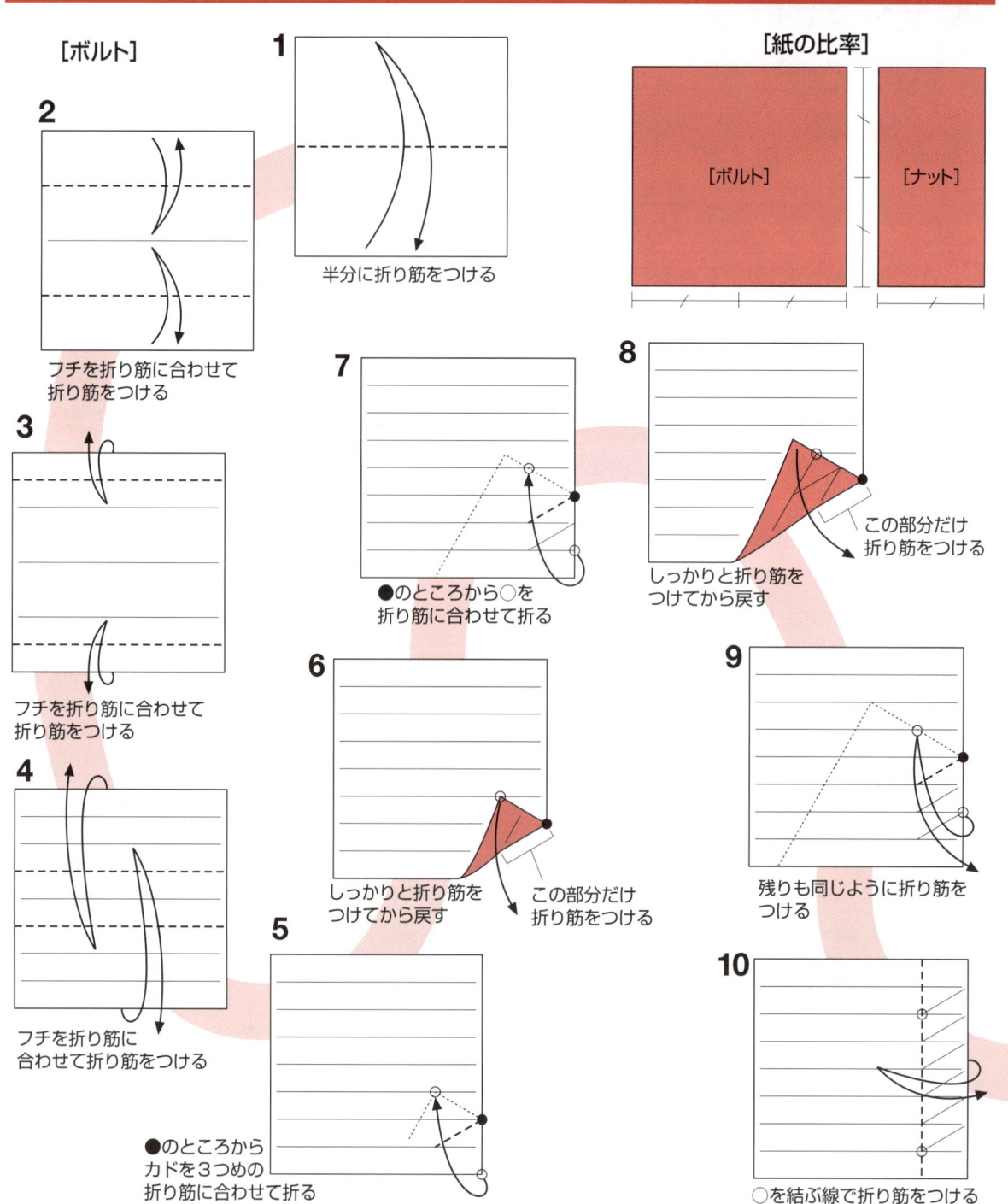

[ボルト]

[紙の比率]
[ボルト] [ナット]

1 半分に折り筋をつける

2 フチを折り筋に合わせて折り筋をつける

3 フチを折り筋に合わせて折り筋をつける

4 フチを折り筋に合わせて折り筋をつける

5 ●のところからカドを3つめの折り筋に合わせて折る

6 しっかりと折り筋をつけてから戻す／この部分だけ折り筋をつける

7 ●のところから○を折り筋に合わせて折る

8 しっかりと折り筋をつけてから戻す／この部分だけ折り筋をつける

9 残りも同じように折り筋をつける

10 ○を結ぶ線で折り筋をつける

202

17 半分の幅で折り筋をつける

18 半分の幅で折り筋をつける

19

16 フチを折り筋に合わせて折り筋をつける

20 ○を結ぶ線で折り筋をつける

21

15 ○のところで折り筋をつける

22 ○のところで折り筋をつける

14

13 ●のところからカドを折り筋に合わせて折り筋をつける

23

11 ○を結ぶ線で折り筋をつける

12

24 ○を結ぶ線で折り筋をつける

アラカルト ナットとボルト

203

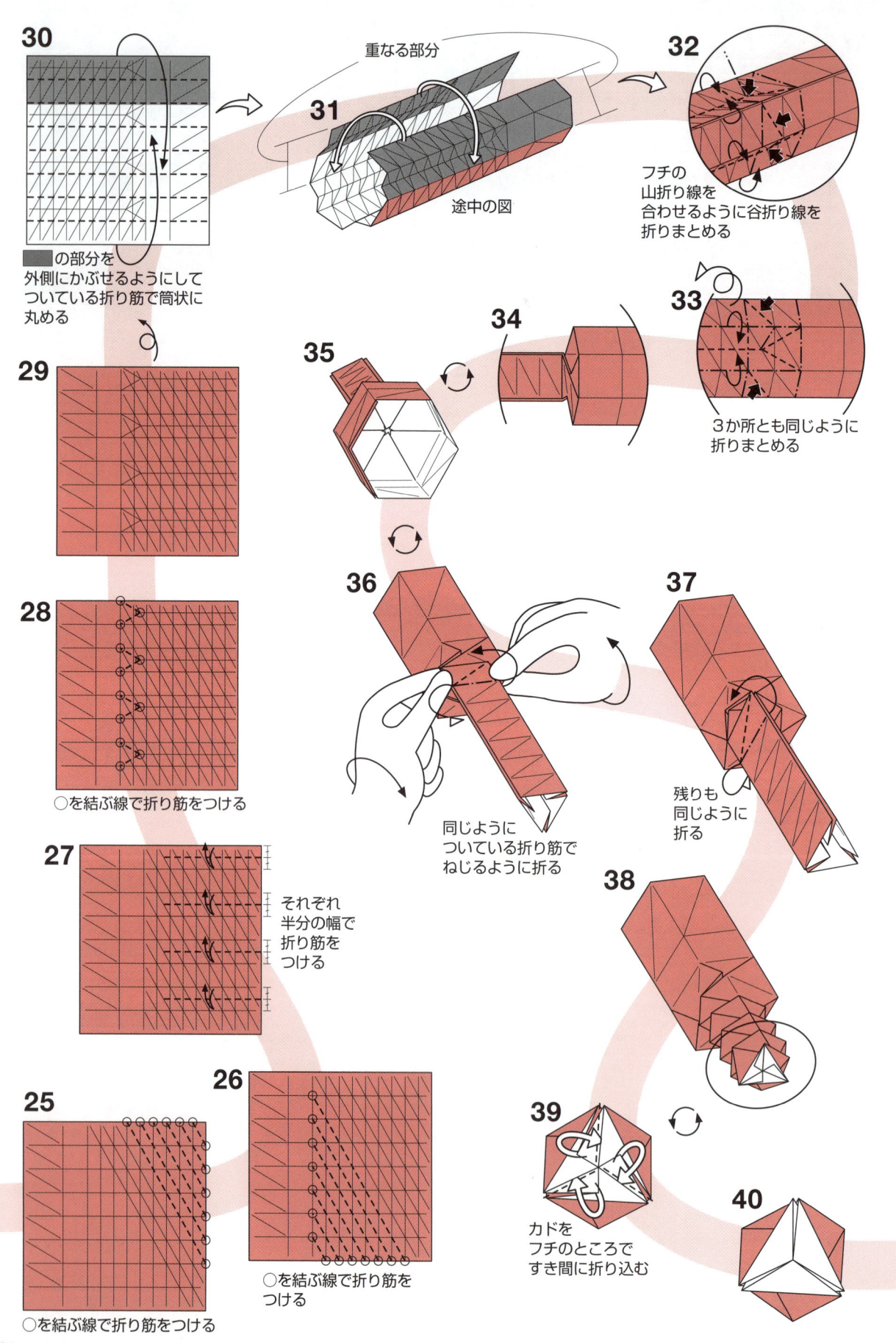

30
■の部分を外側にかぶせるようにしてついている折り筋で筒状に丸める

31
重なる部分
途中の図

32
フチの山折り線を合わせるように谷折り線を折りまとめる

33
3か所とも同じように折りまとめる

34

35

36
同じようについている折り筋でねじるように折る

37
残りも同じように折る

38

39
カドをフチのところですき間に折り込む

40

29

28
○を結ぶ線で折り筋をつける

27
それぞれ半分の幅で折り筋をつける

26
○を結ぶ線で折り筋をつける

25
○を結ぶ線で折り筋をつける

204

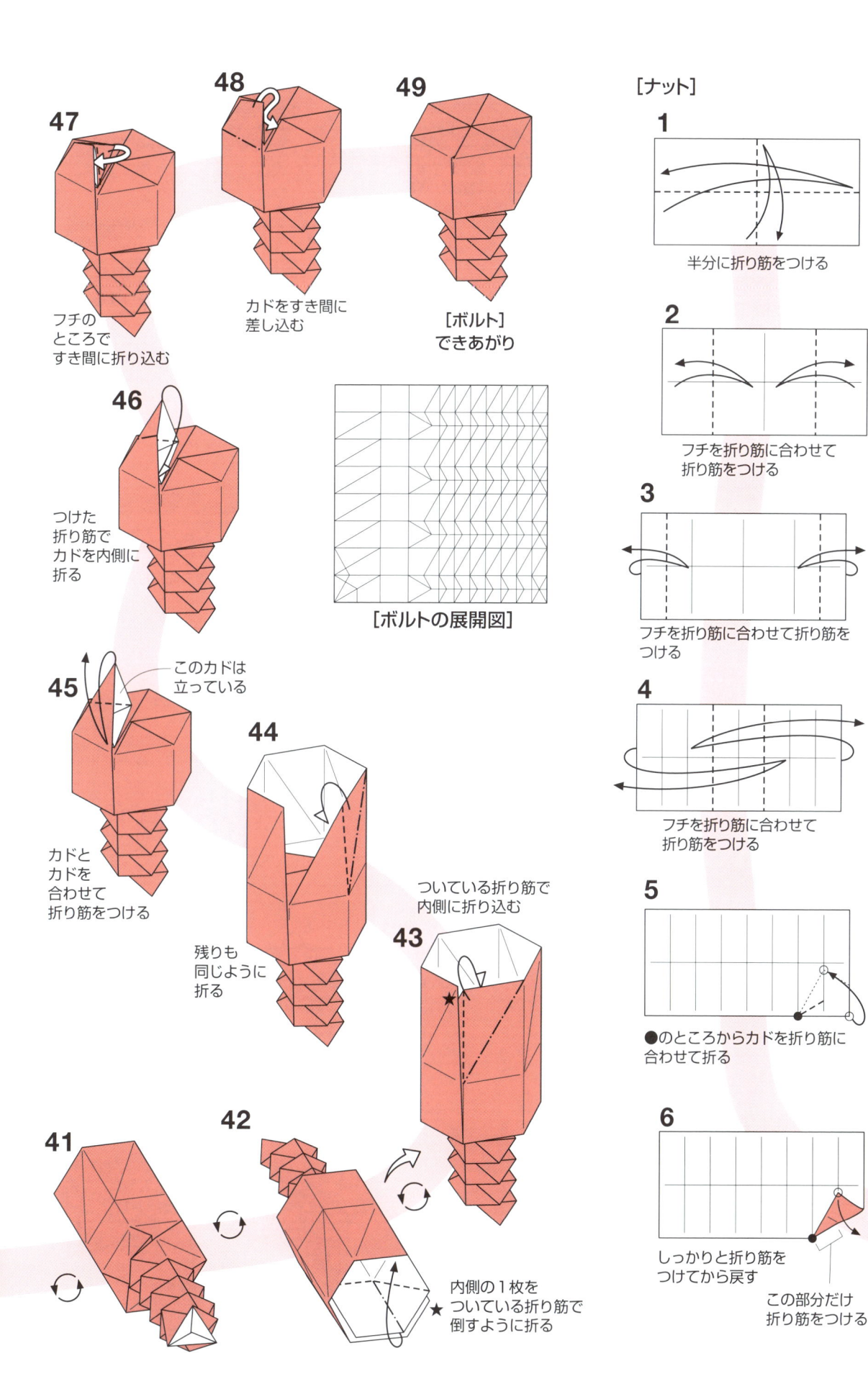

47
フチのところですき間に折り込む

48
カドをすき間に差し込む

49
[ボルト]できあがり

[ボルトの展開図]

46
つけた折り筋でカドを内側に折る

45
このカドは立っている
カドとカドを合わせて折り筋をつける

44
残りも同じように折る

43
ついている折り筋で内側に折り込む

42
内側の1枚を★ついている折り筋で倒すように折る

41

[ナット]

1
半分に折り筋をつける

2
フチを折り筋に合わせて折り筋をつける

3
フチを折り筋に合わせて折り筋をつける

4
フチを折り筋に合わせて折り筋をつける

5
●のところからカドを折り筋に合わせて折る

6
しっかりと折り筋をつけてから戻す
この部分だけ折り筋をつける

アラカルト｜ナットとボルト

205

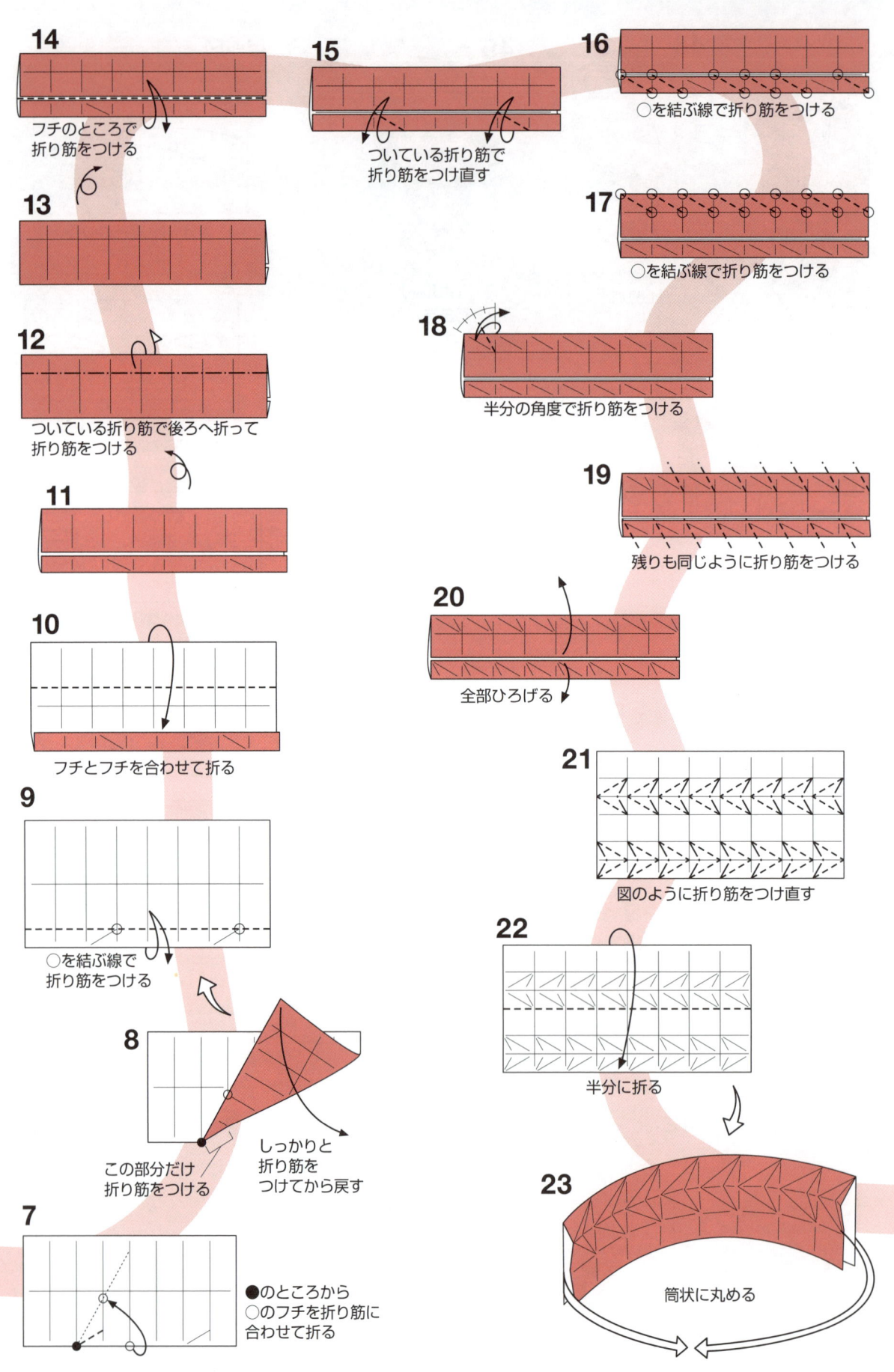

14 フチのところで折り筋をつける

15 ついている折り筋で折り筋をつけ直す

16 ○を結ぶ線で折り筋をつける

13

17 ○を結ぶ線で折り筋をつける

12 ついている折り筋で後ろへ折って折り筋をつける

18 半分の角度で折り筋をつける

11

19 残りも同じように折り筋をつける

10 フチとフチを合わせて折る

20 全部ひろげる

9 ○を結ぶ線で折り筋をつける

21 図のように折り筋をつけ直す

8 この部分だけ折り筋をつける / しっかりと折り筋をつけてから戻す

22 半分に折る

7 ●のところから○のフチを折り筋に合わせて折る

23 筒状に丸める

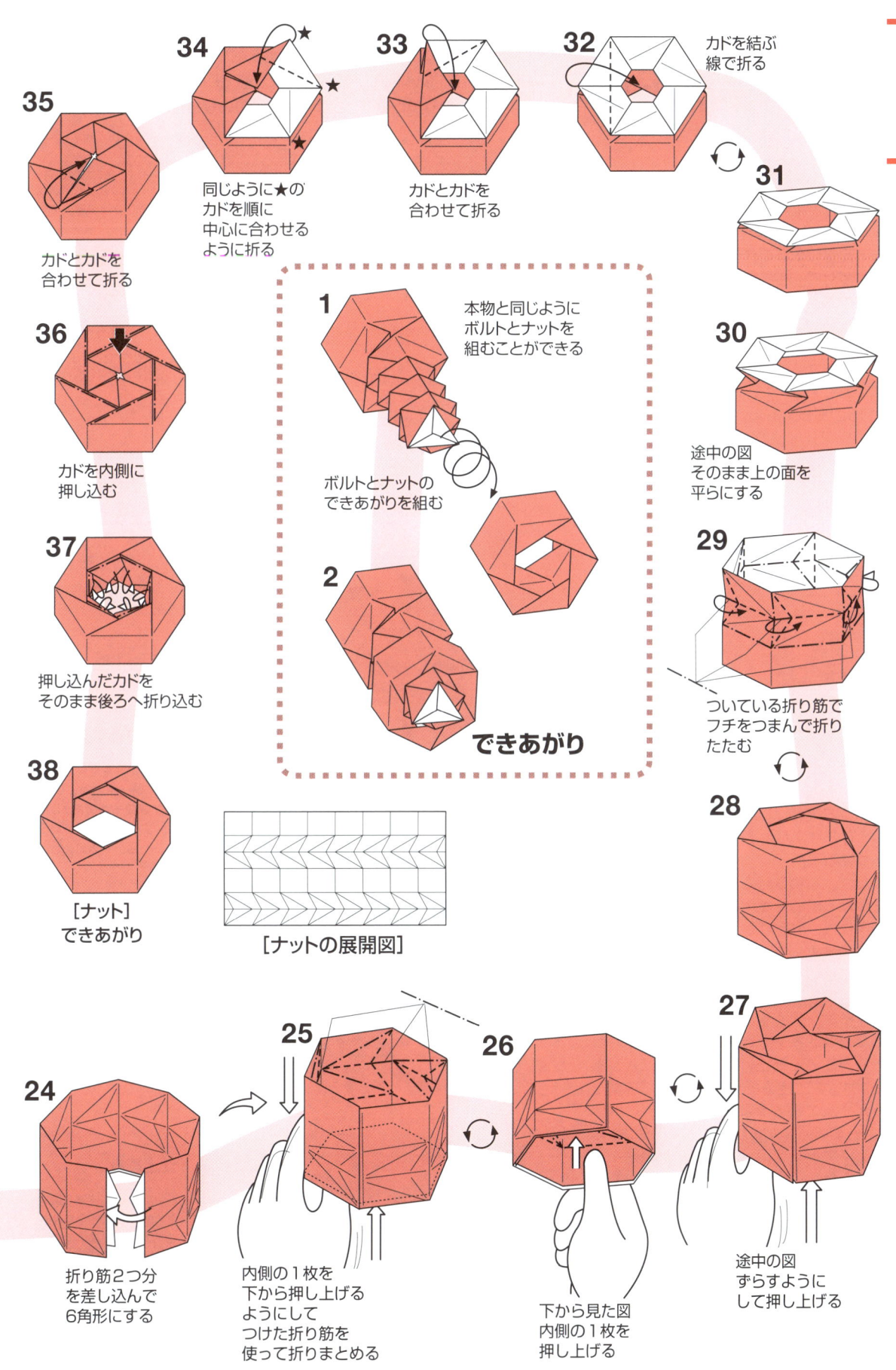

アラカルト ナットとボルト

34 同じように★のカドを順に中心に合わせるように折る

33 カドとカドを合わせて折る

32 カドを結ぶ線で折る

35 カドとカドを合わせて折る

31

30 途中の図 そのまま上の面を平らにする

1 本物と同じようにボルトとナットを組むことができる

ボルトとナットのできあがりを組む

2 できあがり

29 ついている折り筋でフチをつまんで折りたたむ

36 カドを内側に押し込む

37 押し込んだカドをそのまま後ろへ折り込む

28

38 ［ナット］できあがり

［ナットの展開図］

24 折り筋2つ分を差し込んで6角形にする

25 内側の1枚を下から押し上げるようにしてつけた折り筋を使って折りまとめる

26 下から見た図 内側の1枚を押し上げる

27 途中の図 ずらすようにして押し上げる

207

Column

仕上げののりづけについて

折り紙作品ののりづけには、大きく分けて2種類あります。1つめは複合作品などで、パーツ同士を貼り合わせなければ作品として成立しない場合です。2つめは、完成形を保つための、仕上げとしてののりづけです。ここでは後者ののりづけについて説明します。

長期保存にはのりづけが必要

作品の種類にもよりますが、大きい作品ほど固定のための作業が必要になります。のりづけや針金を埋め込む等の、折り紙以外の素材を使った仕上げ作業に抵抗がある人もいますが、長期間作品を保存するためには、しっかりとした仕上げが必要になります。のりや針金を使うことに抵抗がある人は、ウェットフォールディング（P.152）をしてもよいでしょう。

作品を単体で立たせる場合、特に動物等では脚の固定をしっかりと行う必要があります。足のつけ根も重要です。

「のりづけしないと作品が成立しない」ではなく、あくまで「完成形を保つため」の、補強としてののりづけは、大切な作品の保存には必要です。

のりづけ作業について

●つけ方

できるだけ薄く伸ばすようにするのが基本です。つけすぎると、表面に染み出したり、のりが紙からはみ出したり、つけるべきではない場所まで接着されてしまうので注意しましょう。特に粘度の高い木工用ボンド等は、つまようじ等を使ってムラなくひろげましょう。

●つける場所

のりづけをする前に作品をよく見て、のりをつける場所を考えましょう。とじるべき場所には、可能な限りのりづけした方がよいのですが、立体感を出すためにひろがったままのほうがよい部分もあることに注意しましょう。

●タイミング

のりをつけるタイミングは、折りながらつけるところと仕上げにつけるところがあります。次工程の折りによって、紙の重なりがずれてしまうようなことがある場合は、一度折ってからひらげてのりをつけるとよいでしょう。ただし、その部分があとでひらかない場所であることは、試し折り（P.36）で確認しておかなければなりません。仕上げにつける場合は、最終的な形をできるだけのりづけ前に整えておき、のりづけ後も、乾くまでは形が崩れないように注意します。のりをつけた部分が紙の張力でひろがる場合は、クリップ等で挟んだり、紙やアルミホイルを内側に詰めて形を固定し、そのまま乾かすとよいでしょう。

実例　P.42〈マンモス〉

[マンモス]で実際ののりづけを説明します。この作品は、特にキバののりづけが重要です。

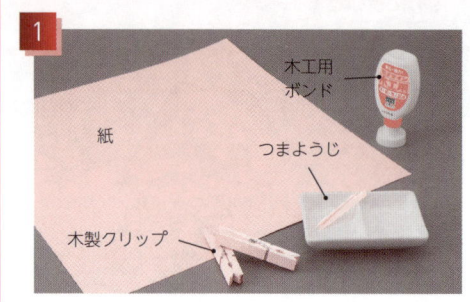

1　紙と道具の用意

紙／20×20cm
道具／木工用ボンド、つまようじ、木製クリップ

2　鼻をのりづけする

図14で、鼻になる部分のすき間をのりづけすると、図23を折るときに紙がズレない

3　キバをのりづけする

図37を折る前に、白い部分（キバになるところ）のすき間をのりづけしておく。カドをつまんで細くしたら、その部分ものりづけ

4　のりが乾く前に形を整える

のりが完全に乾く前にキバをカールさせて形を整える

5　仕上げる

総仕上げ。立体感を損なわないように注意しながらお尻のすき間や足まわりのカドをのりづけする

第7章 空想生物

Fantasy Creature

難易度 ★★★☆☆

グリフォン
P.210

ケルベロス
P.214

アングリーフィッシュ
P.218

不思議の国のウサギ
P.224

難易度 ★★★★☆

ツル星人
P.229

ノーザンドラゴン
P.235

トライホーン・ドラゴン
P.241

難易度 ★★★★★

死神
P.248

ペガサス
P.256

空想生物

難易度 ★★★☆☆

グリフォン
Griffin by Makoto Yamaguchi
創作●山口 真
15cm 折り紙用紙／2枚／複合

折り紙マニアの間では「不切正方一枚折り（正方形で切り込みのない作品）」が「王道」とされていて、数枚の紙を使う「複合作品」は邪道と思う方もいらっしゃるようですが、「やさしく」「格好よく」折れる創作手法として、複合はとても有効です。無理に1枚で作るよりも、スマートな仕上がりになることも多いのです。

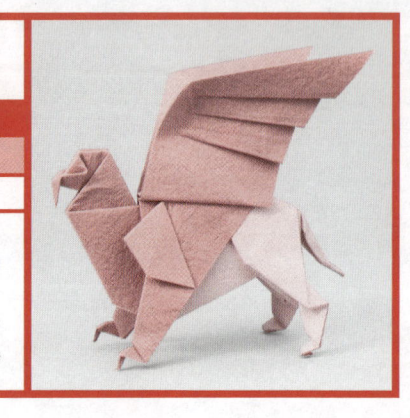

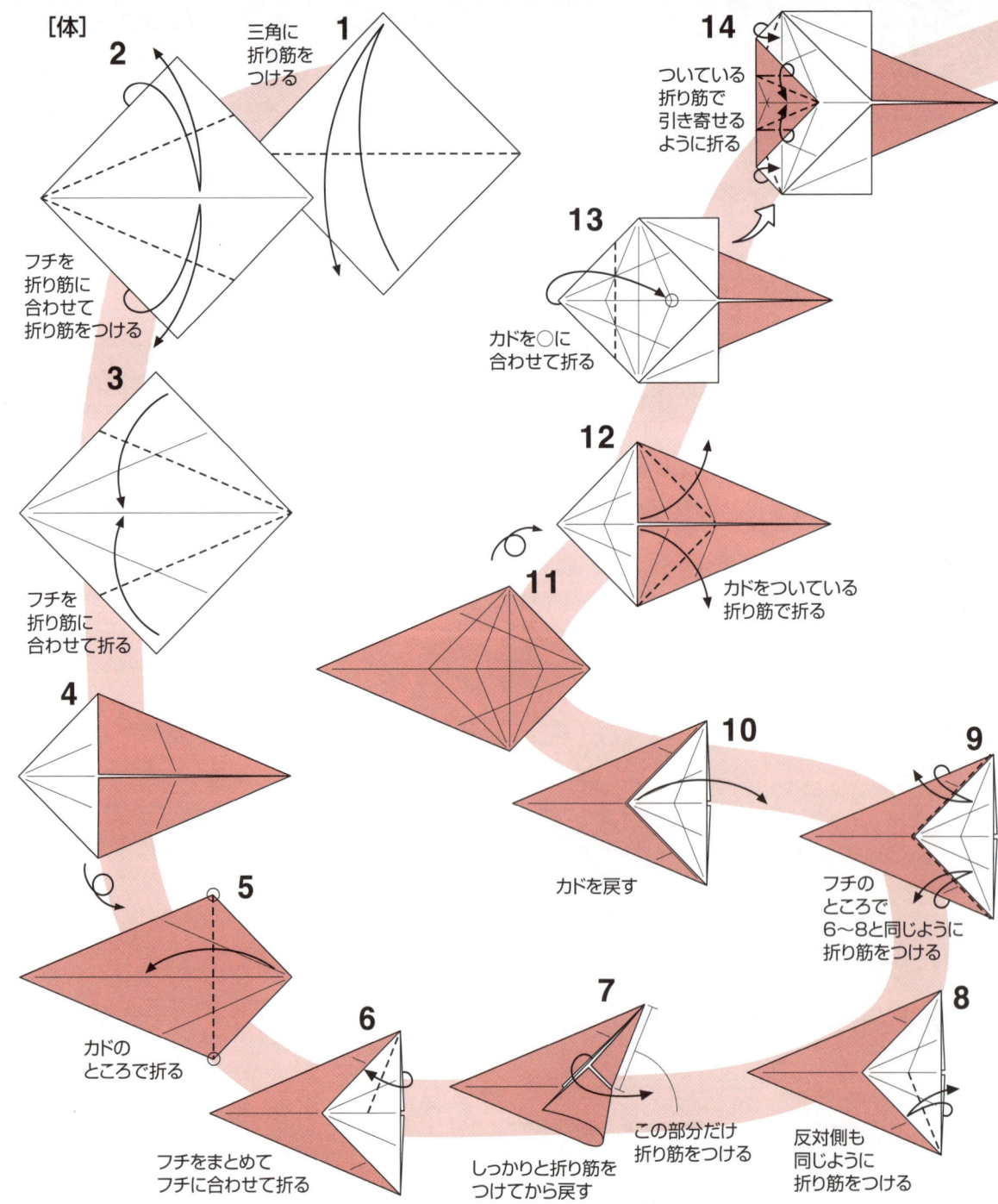

[体]

1 三角に折り筋をつける

2 フチを折り筋に合わせて折り筋をつける

3 フチを折り筋に合わせて折る

4

5 カドのところで折る

6 フチをまとめてフチに合わせて折る

7 この部分だけ折り筋をつける しっかりと折り筋をつけてから戻す

8 反対側も同じように折り筋をつける

9 フチのところで6〜8と同じように折り筋をつける

10 カドを戻す

11

12 カドをついている折り筋で折る

13 カドを○に合わせて折る

14 ついている折り筋で引き寄せるように折る

210

空想生物 グリフォン

16 後ろのカドを出しながらフチをついている折り筋で折る

17 半分に折る

18 ついている折り筋で中わり折り

15

[体の展開図]
頭 / 後脚 / 尾

19 ついている折り筋で中わり折り

20

25 中わり折り

26 [体]できあがり

21 フチとフチを合わせて折る

24 カドが細くなるように折る

23 中わり折り

22 中心のカドを中わり折り

[翼]

1 三角に折り筋をつける

2 半分に折り筋をつける

3 カドを中心に合わせて折り筋をつける

4 フチを折り筋に合わせて折る

5 フチを折り筋に合わせて折る

6 フチとフチを合わせて折る

211

[組み立て方]

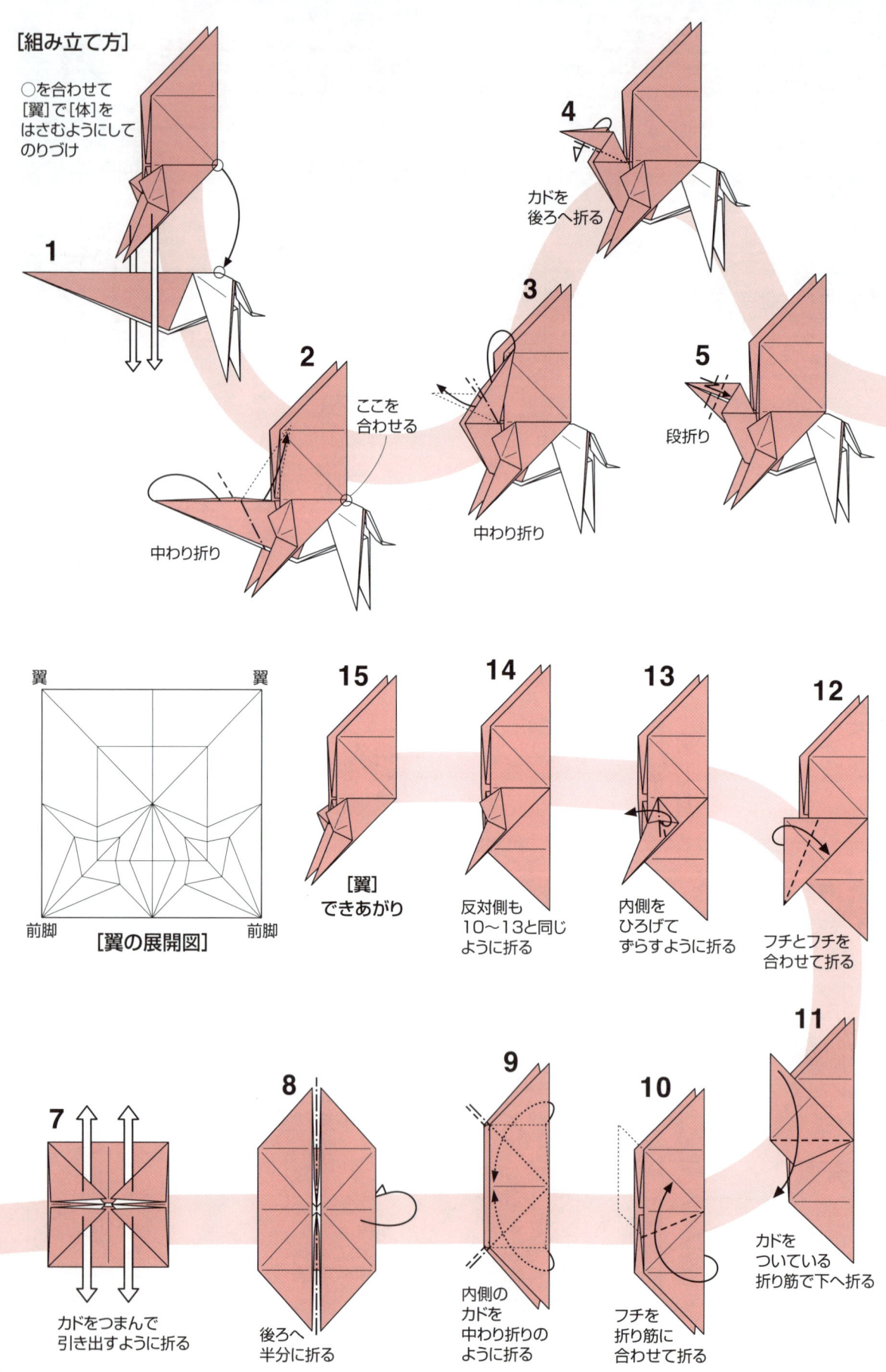

1. ○を合わせて[翼]で[体]をはさむようにしてのりづけ

2. ここを合わせる / 中わり折り

3. 中わり折り

4. カドを後ろへ折る

5. 段折り

[翼の展開図]

翼　翼
前脚　前脚

15. [翼]できあがり

14. 反対側も10〜13と同じように折る

13. 内側をひろげてずらすように折る

12. フチとフチを合わせて折る

11. カドをついている折り筋で下へ折る

10. フチを折り筋に合わせて折る

9. 内側のカドを中わり折りのように折る

8. 後ろへ半分に折る

7. カドをつまんで引き出すように折る

空想生物 グリフォン

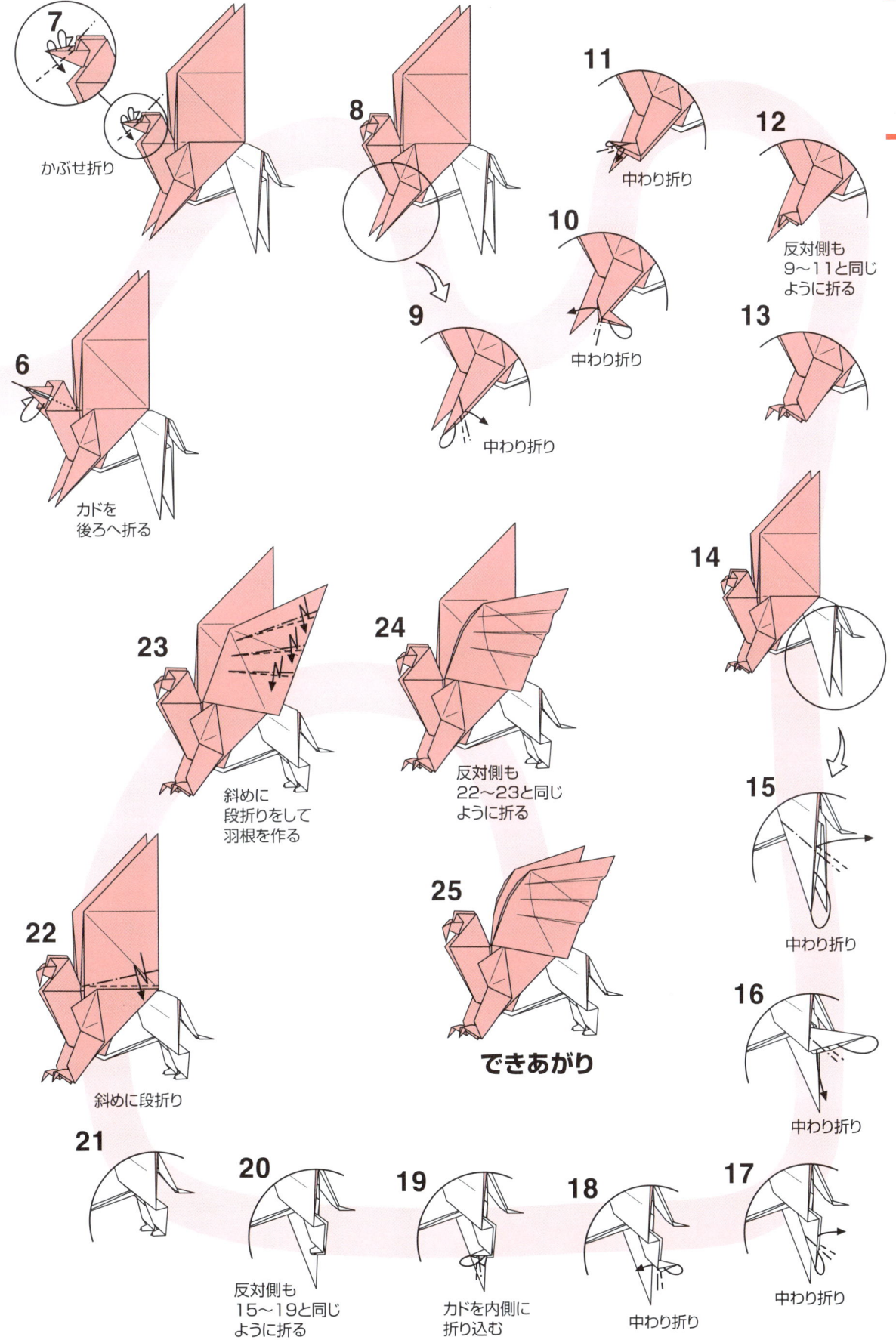

7 かぶせ折り

8

11 中わり折り

12 反対側も9～11と同じように折る

10 中わり折り

9 中わり折り

6 カドを後ろへ折る

13

14

23 斜めに段折りをして羽根を作る

24 反対側も22～23と同じように折る

15 中わり折り

16 中わり折り

22 斜めに段折り

25 できあがり

21

20 反対側も15～19と同じように折る

19 カドを内側に折り込む

18 中わり折り

17 中わり折り

空想生物	**ケルベロス**
難易度 ★★★☆☆	Cerberus by Makoto Yamaguchi 創作●山口 真 20cm 折り紙用紙／2枚／複合

特に難しい技法は使っていませんが、強いて言えば[体]の図13〜17が慣れていない人には難しいかもしれません。図13までの折り筋をきっちりつけておくことが大事です。比較的細かい折りが多いので、最初は少し大きめの紙を使うことをおすすめします。

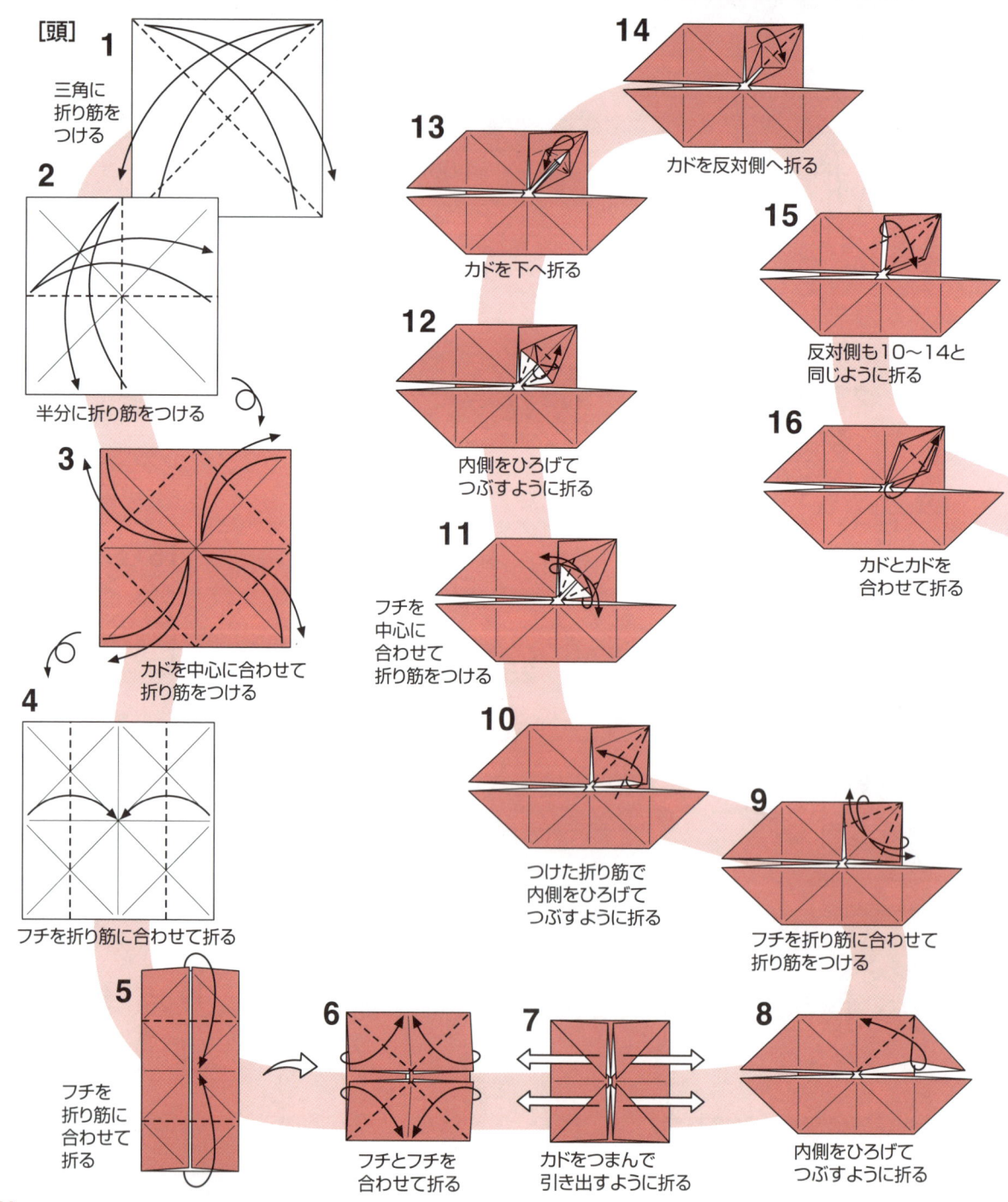

[頭]

1 三角に折り筋をつける

2 半分に折り筋をつける

3 カドを中心に合わせて折り筋をつける

4 フチを折り筋に合わせて折る

5 フチを折り筋に合わせて折る

6 フチとフチを合わせて折る

7 カドをつまんで引き出すように折る

8 内側をひろげてつぶすように折る

9 フチを折り筋に合わせて折り筋をつける

10 つけた折り筋で内側をひろげてつぶすように折る

11 フチを中心に合わせて折り筋をつける

12 内側をひろげてつぶすように折る

13 カドを下へ折る

14 カドを反対側へ折る

15 反対側も10〜14と同じように折る

16 カドとカドを合わせて折る

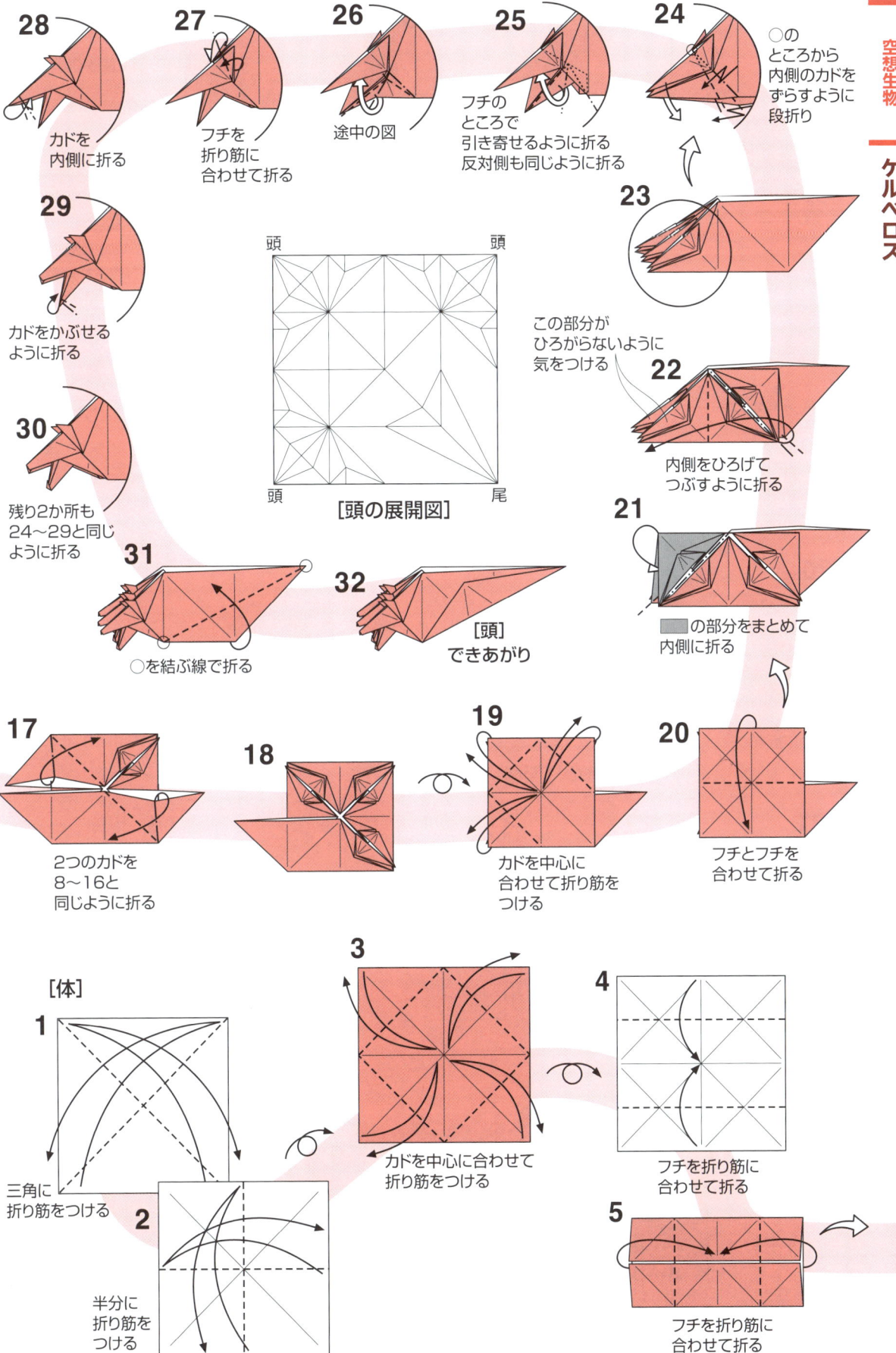

空想生物 | ケルベロス

28 カドを内側に折る

27 フチを折り筋に合わせて折る

26 途中の図

25 フチのところで引き寄せるように折る 反対側も同じように折る

24 ○のところから内側のカドをずらすように段折り

23

29 カドをかぶせるように折る

[頭の展開図]
頭　頭
頭　尾

22 内側をひろげてつぶすように折る
この部分がひろがらないように気をつける

21 ■の部分をまとめて内側に折る

30 残り2か所も24〜29と同じように折る

31 ○を結ぶ線で折る

32 [頭] できあがり

17 2つのカドを8〜16と同じように折る

18

19 カドを中心に合わせて折り筋をつける

20 フチとフチを合わせて折る

[体]

1 三角に折り筋をつける

2 半分に折り筋をつける

3 カドを中心に合わせて折り筋をつける

4 フチを折り筋に合わせて折る

5 フチを折り筋に合わせて折る

215

18
フチとフチを
合わせて折る

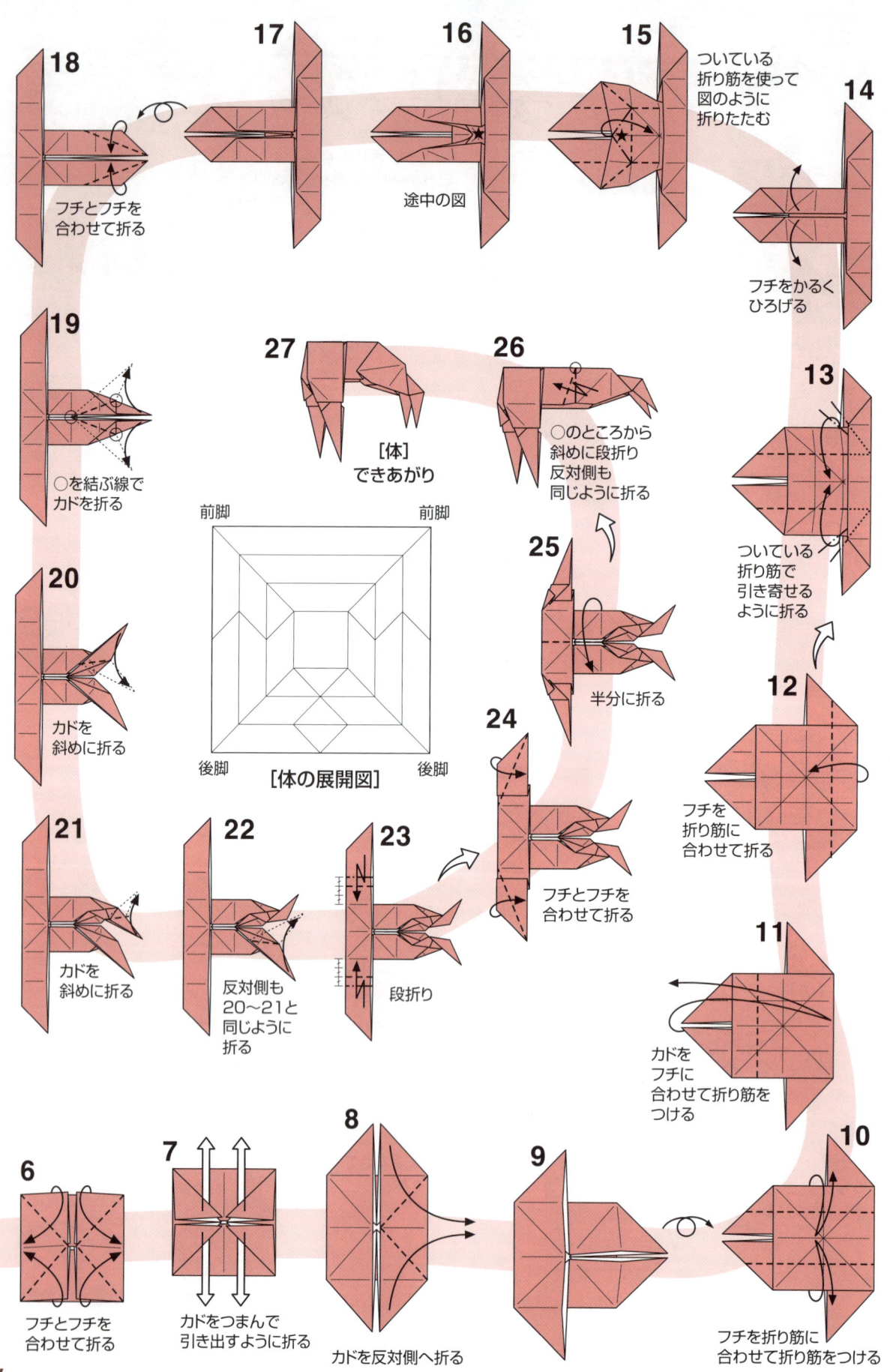

17

16
途中の図

15
ついている
折り筋を使って
図のように
折りたたむ

14
フチをかるく
ひろげる

19
○を結ぶ線で
カドを折る

13
ついている
折り筋で
引き寄せる
ように折る

27
[体]
できあがり

26
○のところから
斜めに段折り
反対側も
同じように折る

体の展開図
前脚　前脚
後脚　後脚

25
半分に折る

12
フチを
折り筋に
合わせて折る

20
カドを
斜めに折る

24
フチとフチを
合わせて折る

11
カドを
フチに
合わせて折り筋を
つける

21
カドを
斜めに折る

22
反対側も
20〜21と
同じように
折る

23
段折り

10
フチを折り筋に
合わせて折り筋をつける

6
フチとフチを
合わせて折る

7
カドをつまんで
引き出すように折る

8
カドを反対側へ折る

9

216

[組み立て方]

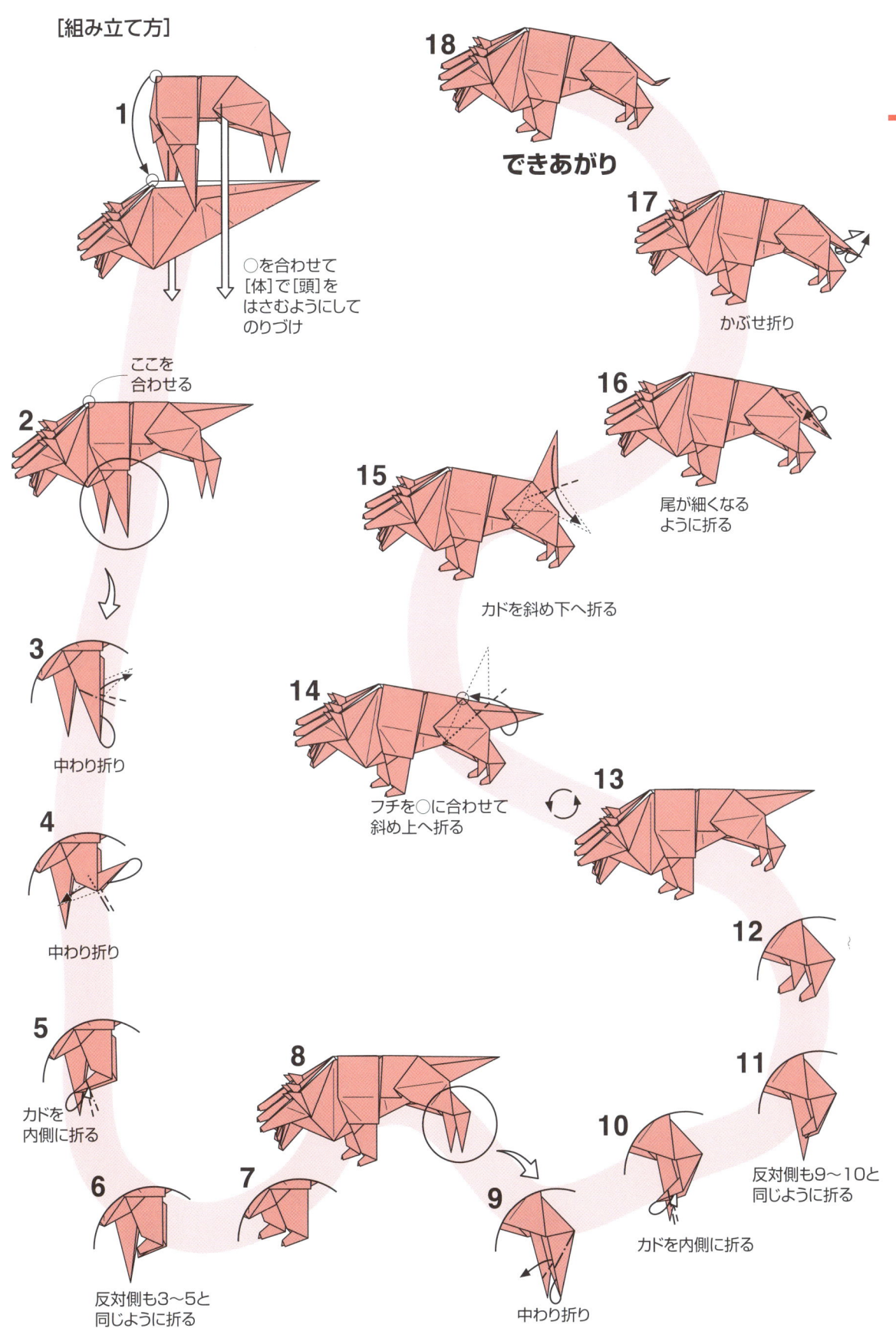

1 ○を合わせて[体]で[頭]をはさむようにしてのりづけ

2 ここを合わせる

3 中わり折り

4 中わり折り

5 カドを内側に折る

6 反対側も3〜5と同じように折る

7

8

9 中わり折り

10 カドを内側に折る

11 反対側も9〜10と同じように折る

12

13

14 フチを○に合わせて斜め上へ折る

15 カドを斜め下へ折る

16 尾が細くなるように折る

17 かぶせ折り

18 できあがり

空想生物 ケルベロス

217

空想生物	アングリーフィッシュ
難易度 ★★★★☆	Angry Fish by Bernie Peyton 創作● バーニー・ペイトン 25cm 折り紙用紙／1枚／不切正方一枚折り

この作品は、カラーチェンジ、留め折り、立体化、そしてアクションというさまざまな要素を含んでいます。表裏の色が違う紙を使うとよいでしょう。この作品を創作するにあたり、ロマン・ディアス氏の素晴らしい立体作品と、ゲーム「アングリー・バード」から着想を得ました。また、折り図の校正をしてもらったビビアン・ベルティとジャン＝ミシェル・リュカに感謝します。

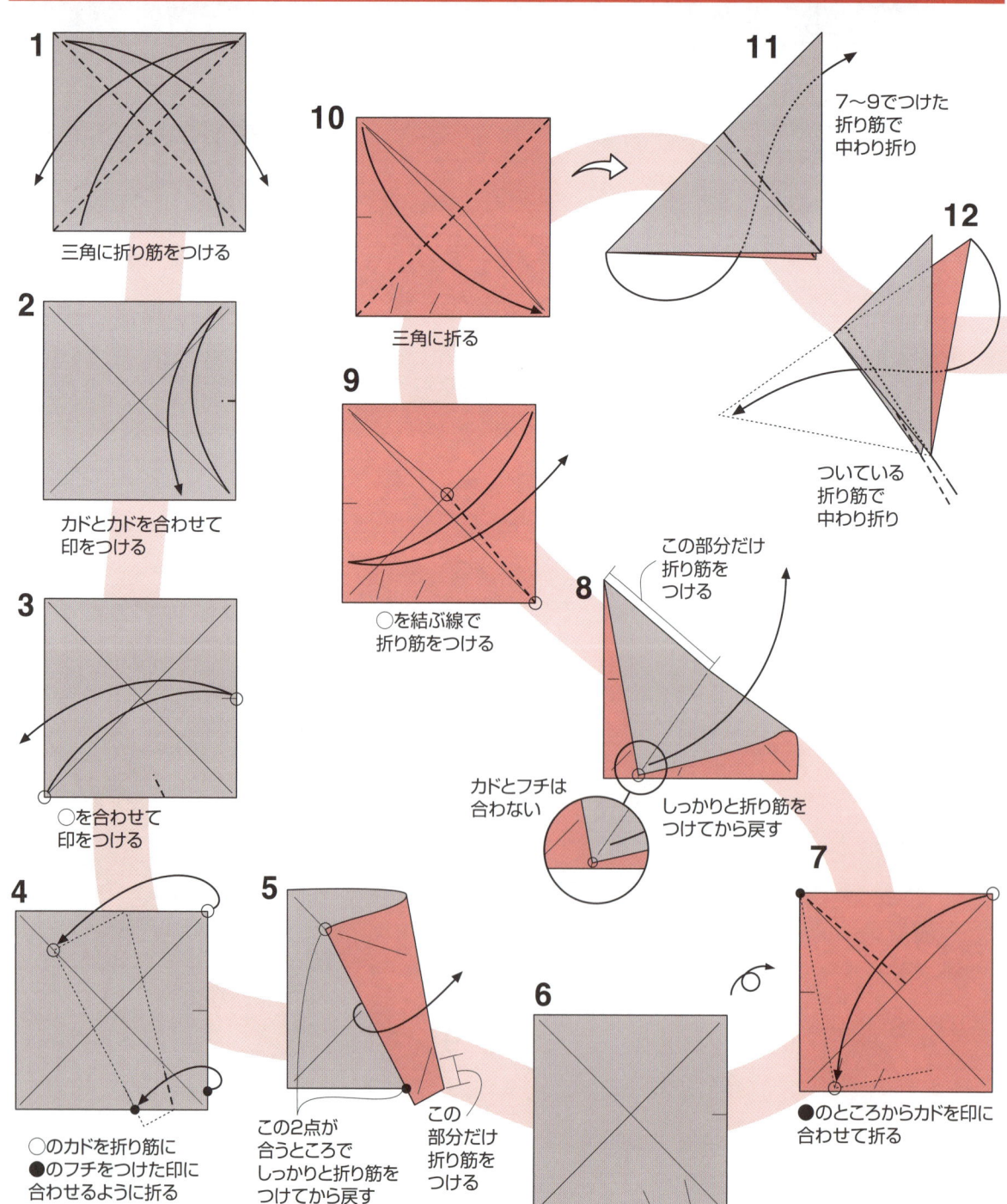

1 三角に折り筋をつける

2 カドとカドを合わせて印をつける

3 ○を合わせて印をつける

4 ○のカドを折り筋に●のフチをつけた印に合わせるように折る

5 この2点が合うところでしっかりと折り筋をつけてから戻す　この部分だけ折り筋をつける

6

7 ●のところからカドを印に合わせて折る

8 この部分だけ折り筋をつける　カドとフチは合わない　しっかりと折り筋をつけてから戻す

9 ○を結ぶ線で折り筋をつける

10 三角に折る

11 7〜9でつけた折り筋で中わり折り

12 ついている折り筋で中わり折り

218

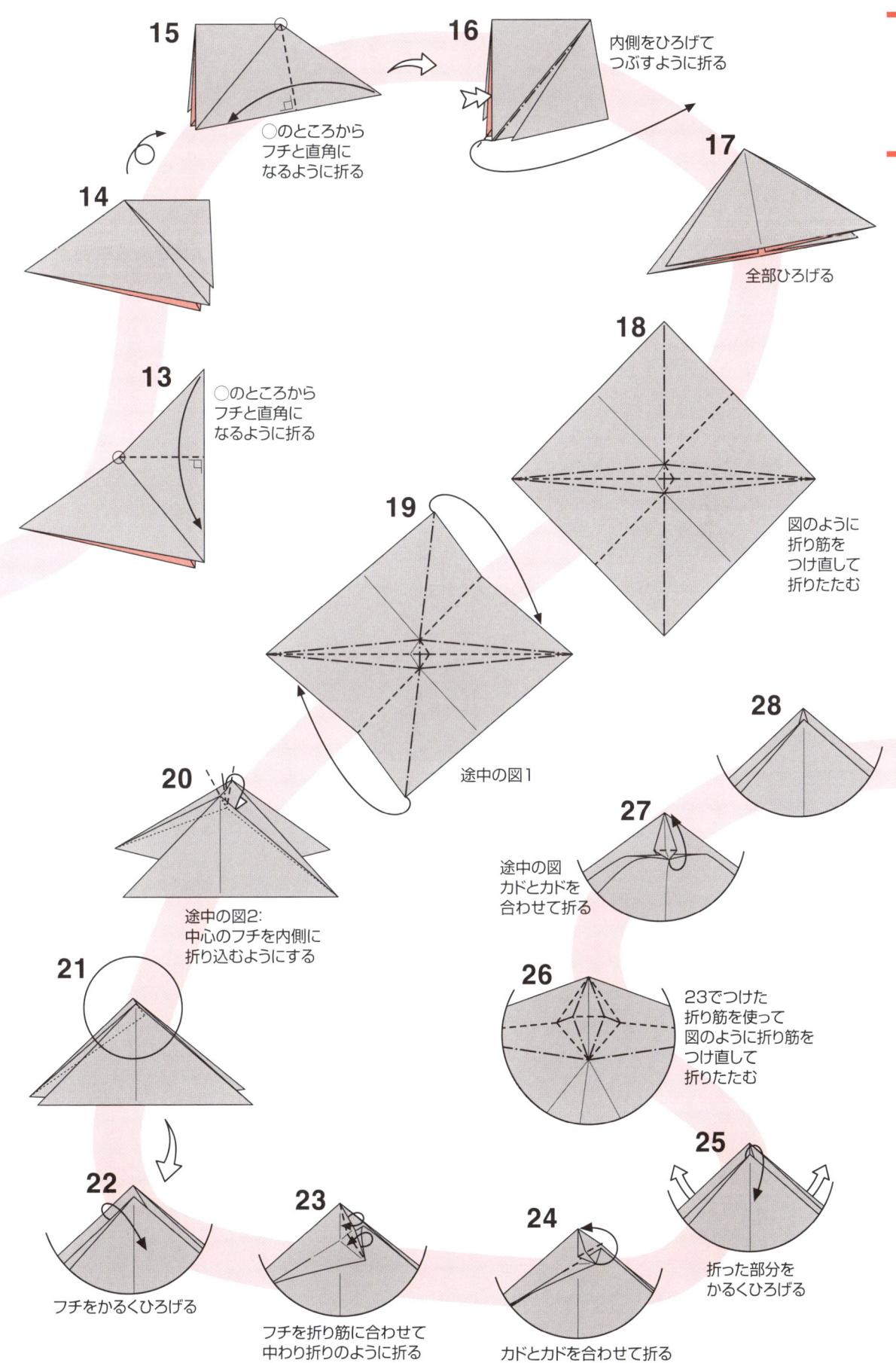

15
○のところから
フチと直角に
なるように折る

16
内側をひろげて
つぶすように折る

17
全部ひろげる

14

13
○のところから
フチと直角に
なるように折る

18
図のように
折り筋を
つけ直して
折りたたむ

19
途中の図1

20
途中の図2:
中心のフチを内側に
折り込むようにする

28

27
途中の図
カドとカドを
合わせて折る

26
23でつけた
折り筋を使って
図のように折り筋を
つけ直して
折りたたむ

25
折った部分を
かるくひろげる

21

22
フチをかるくひろげる

23
フチを折り筋に合わせて
中わり折りのように折る

24
カドとカドを合わせて折る

空想生物 アングリーフィッシュ

219

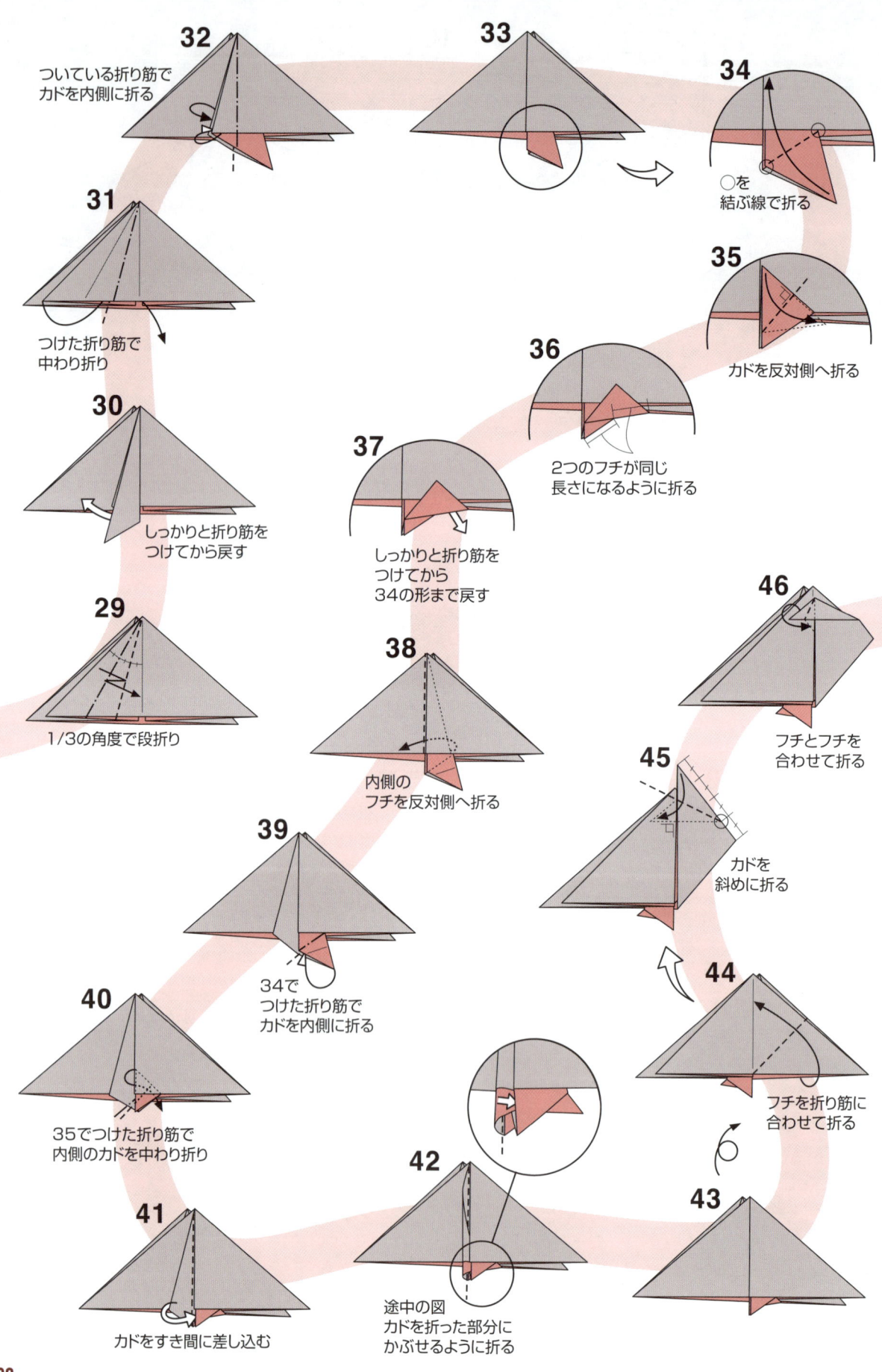

32
ついている折り筋で
カドを内側に折る

33

34
○を結ぶ線で折る

31
つけた折り筋で
中わり折り

35
カドを反対側へ折る

30
しっかりと折り筋を
つけてから戻す

36
2つのフチが同じ
長さになるように折る

37
しっかりと折り筋を
つけてから
34の形まで戻す

46
フチとフチを
合わせて折る

29
1/3の角度で段折り

38
内側の
フチを反対側へ折る

45
カドを
斜めに折る

39
34で
つけた折り筋で
カドを内側に折る

44
フチを折り筋に
合わせて折る

40
35でつけた折り筋で
内側のカドを中わり折り

41
カドをすき間に差し込む

42
途中の図
カドを折った部分に
かぶせるように折る

43

220

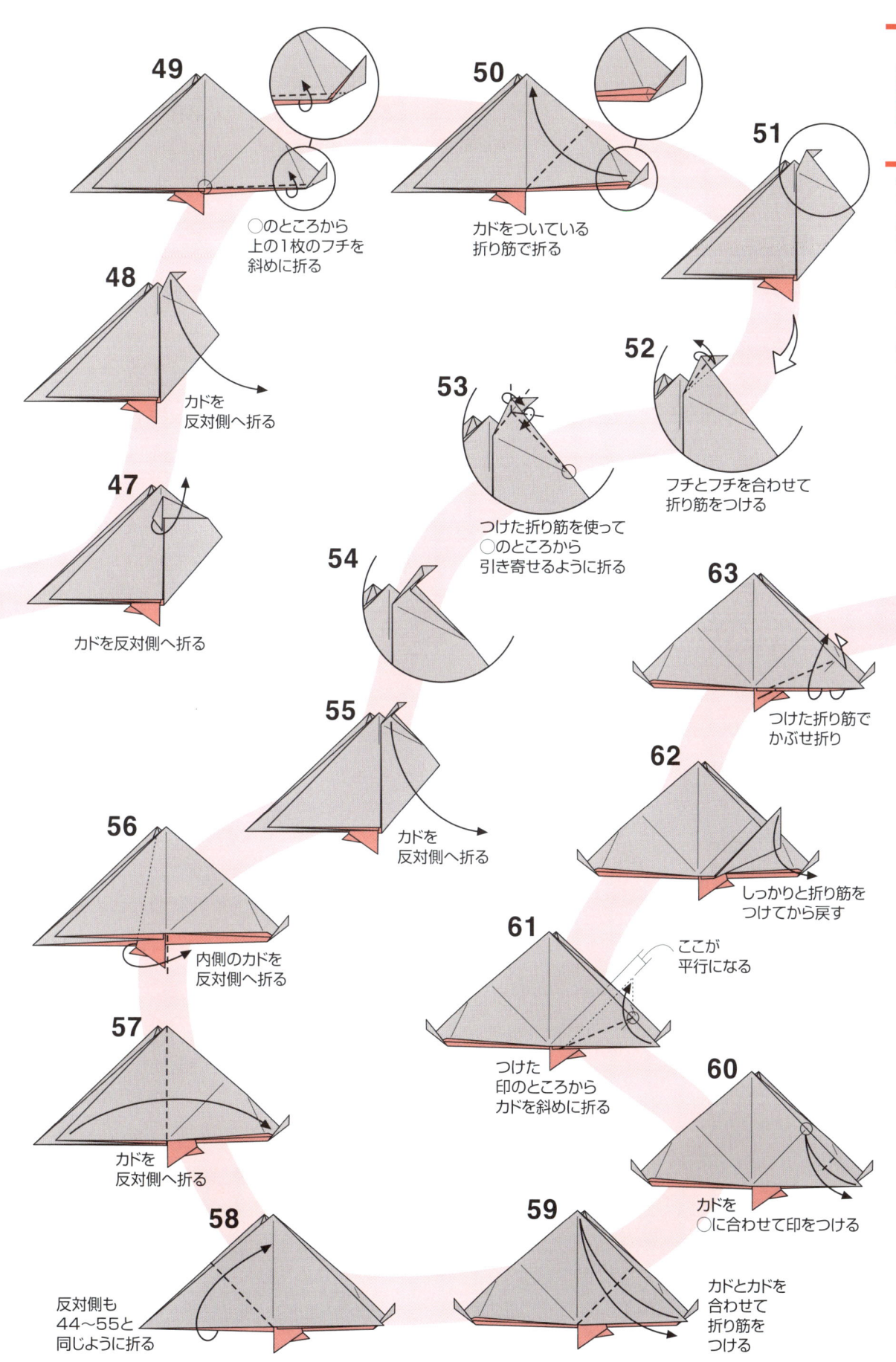

アングリーフィッシュ

49 ○のところから上の1枚のフチを斜めに折る

50 カドをついている折り筋で折る

51

48 カドを反対側へ折る

52 フチとフチを合わせて折り筋をつける

53 つけた折り筋を使って○のところから引き寄せるように折る

47 カドを反対側へ折る

54

63 つけた折り筋でかぶせ折り

55 カドを反対側へ折る

62 しっかりと折り筋をつけてから戻す

56 内側のカドを反対側へ折る

61 ここが平行になる / つけた印のところからカドを斜めに折る

57 カドを反対側へ折る

60 カドを○に合わせて印をつける

58 反対側も44〜55と同じように折る

59 カドとカドを合わせて折り筋をつける

空想生物

221

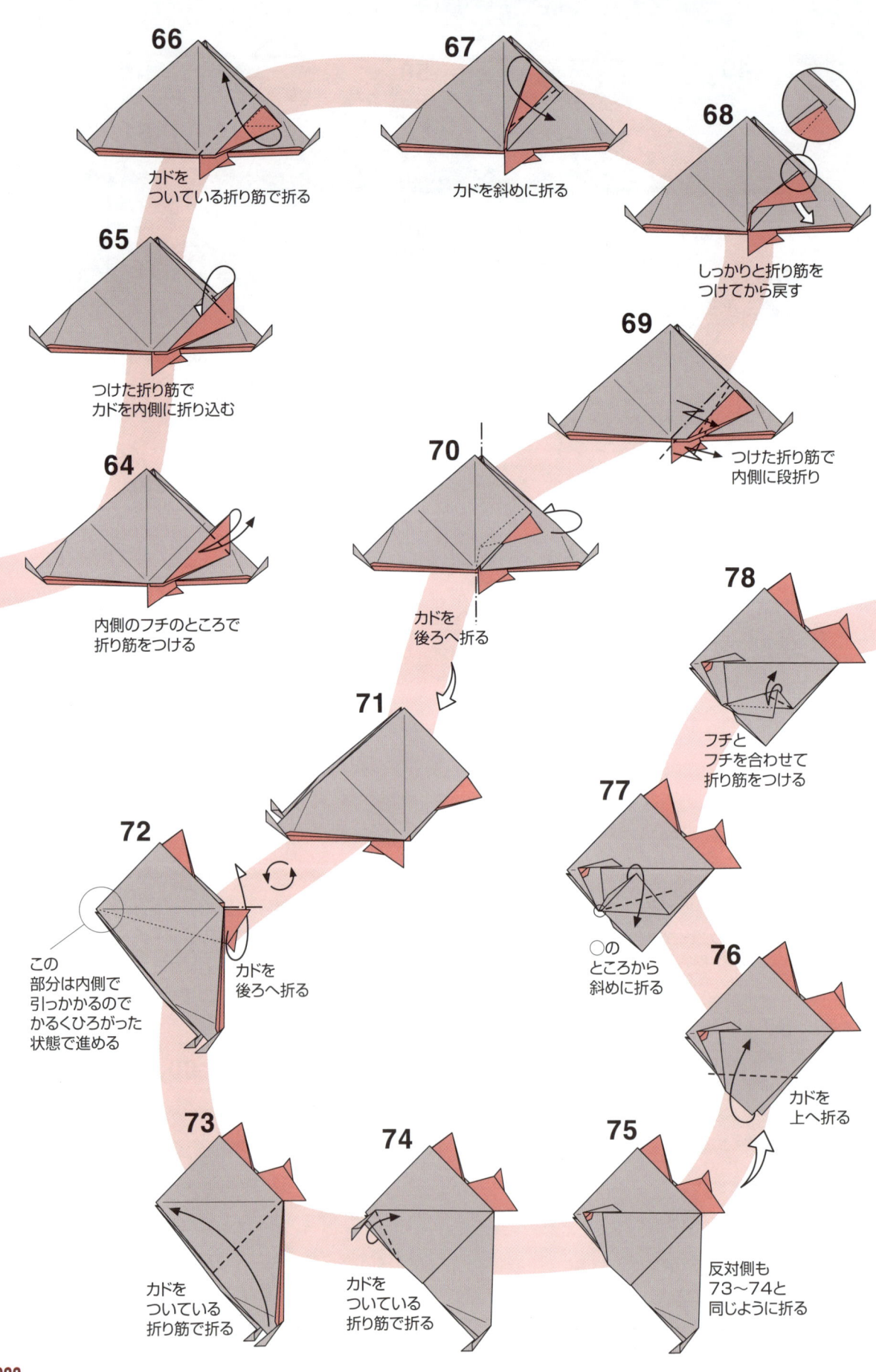

66
カドを
ついている折り筋で折る

67
カドを斜めに折る

68
しっかりと折り筋を
つけてから戻す

65
つけた折り筋で
カドを内側に折り込む

69
つけた折り筋で
内側に段折り

64
内側のフチのところで
折り筋をつける

70
カドを
後ろへ折る

78
フチと
フチを合わせて
折り筋をつける

71

77
○の
ところから
斜めに折る

72
この
部分は内側で
引っかかるので
かるくひろがった
状態で進める

カドを
後ろへ折る

76
カドを
上へ折る

73
カドを
ついている
折り筋で折る

74
カドを
ついている
折り筋で折る

75
反対側も
73〜74と
同じように折る

222

81
カドを内側に折り込む

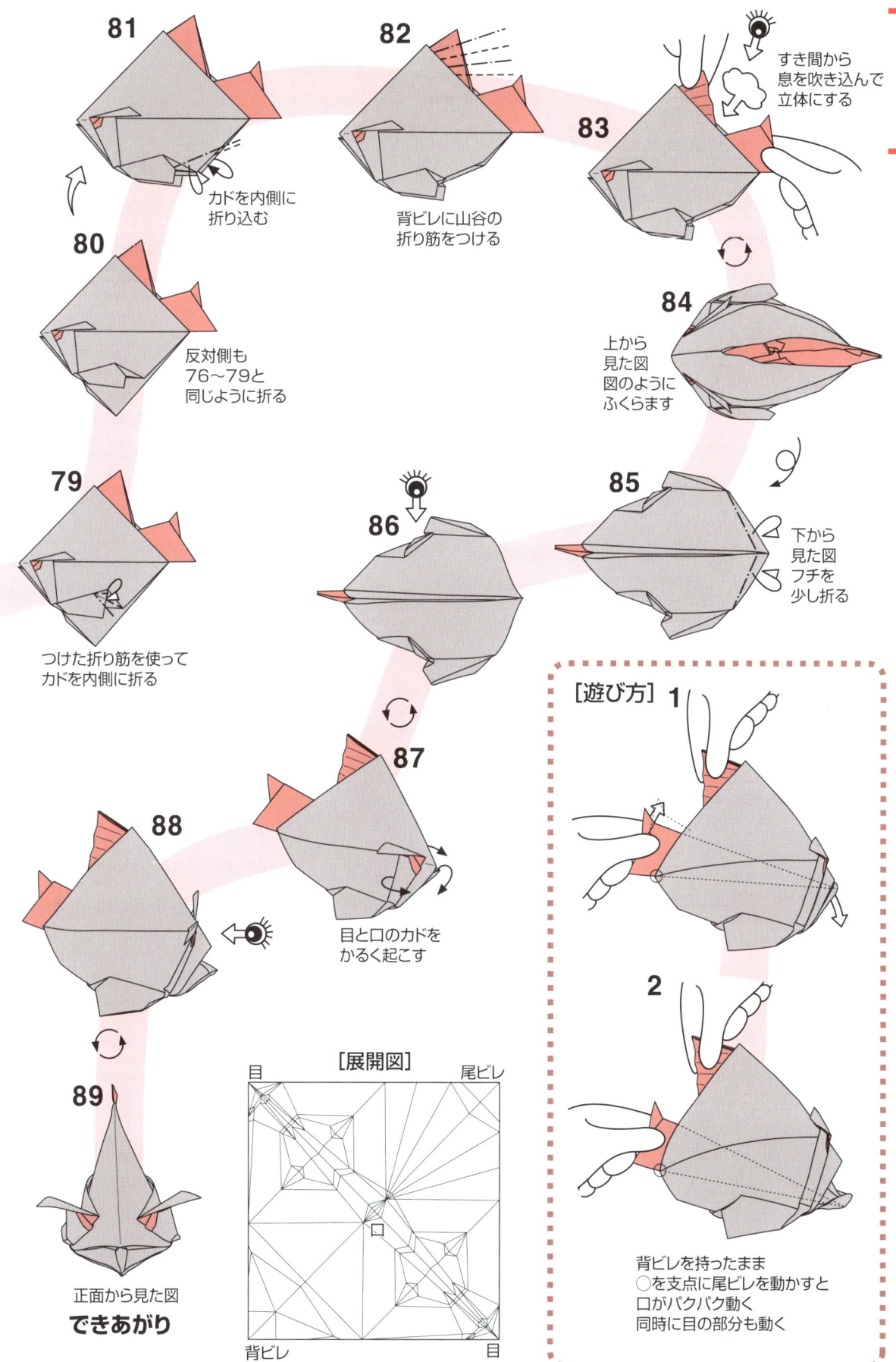

82
背ビレに山谷の折り筋をつける

83
すき間から息を吹き込んで立体にする

80
反対側も76〜79と同じように折る

84
上から見た図　図のようにふくらます

79
つけた折り筋を使ってカドを内側に折る

85
下から見た図　フチを少し折る

86

87
目と口のカドをかるく起こす

88

89
正面から見た図
できあがり

[展開図]
目　尾ビレ
口
背ビレ　目

[遊び方]

1

2

背ビレを持ったまま○を支点に尾ビレを動かすと口がパクパク動く同時に目の部分も動く

空想生物　アングリーフィッシュ

223

空想生物

不思議の国のウサギ
Rabbit in Wonderland by Keigo Matsuda
創作●松田景吾

難易度 ★★★☆☆

20cm 折り紙用紙／2枚／複合

卯年の正月を目前に控えた2010年末、英国滞在中に訪れたハンプトン・コート宮殿で『不思議の国のアリス』のような庭園に出会いました。その晩、パブで独り飲みながら干支の兎の創作を考えているうちに思い至ったのがこの作品です。私は服を着せていない「兎」も1個の作品として気に入っています。

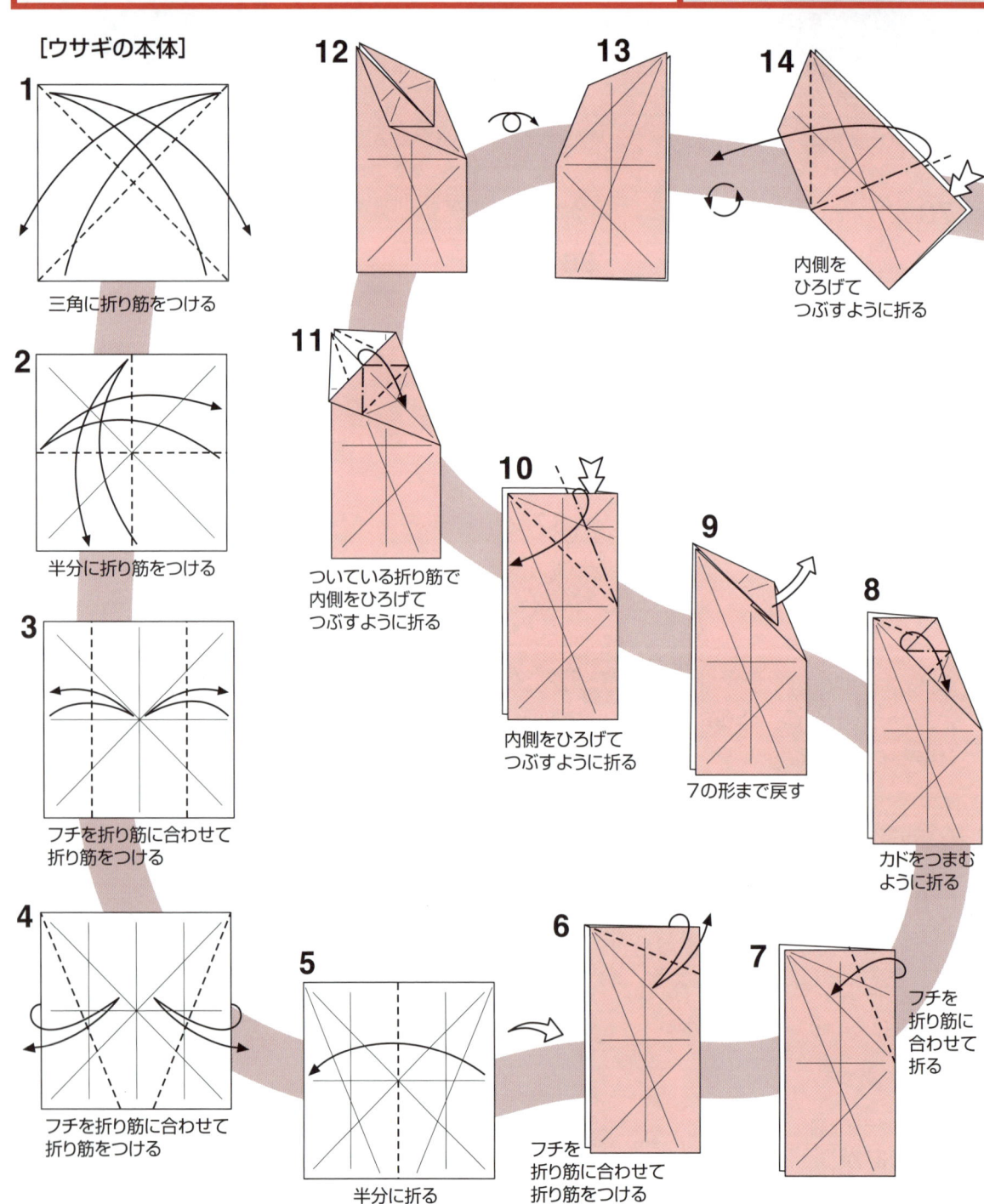

[ウサギの本体]

1. 三角に折り筋をつける

2. 半分に折り筋をつける

3. フチを折り筋に合わせて折り筋をつける

4. フチを折り筋に合わせて折り筋をつける

5. 半分に折る

6. フチを折り筋に合わせて折り筋をつける

7. フチを折り筋に合わせて折る

8. カドをつまむように折る

9. 7の形まで戻す

10. 内側をひろげてつぶすように折る

11. ついている折り筋で内側をひろげてつぶすように折る

12.

13.

14. 内側をひろげてつぶすように折る

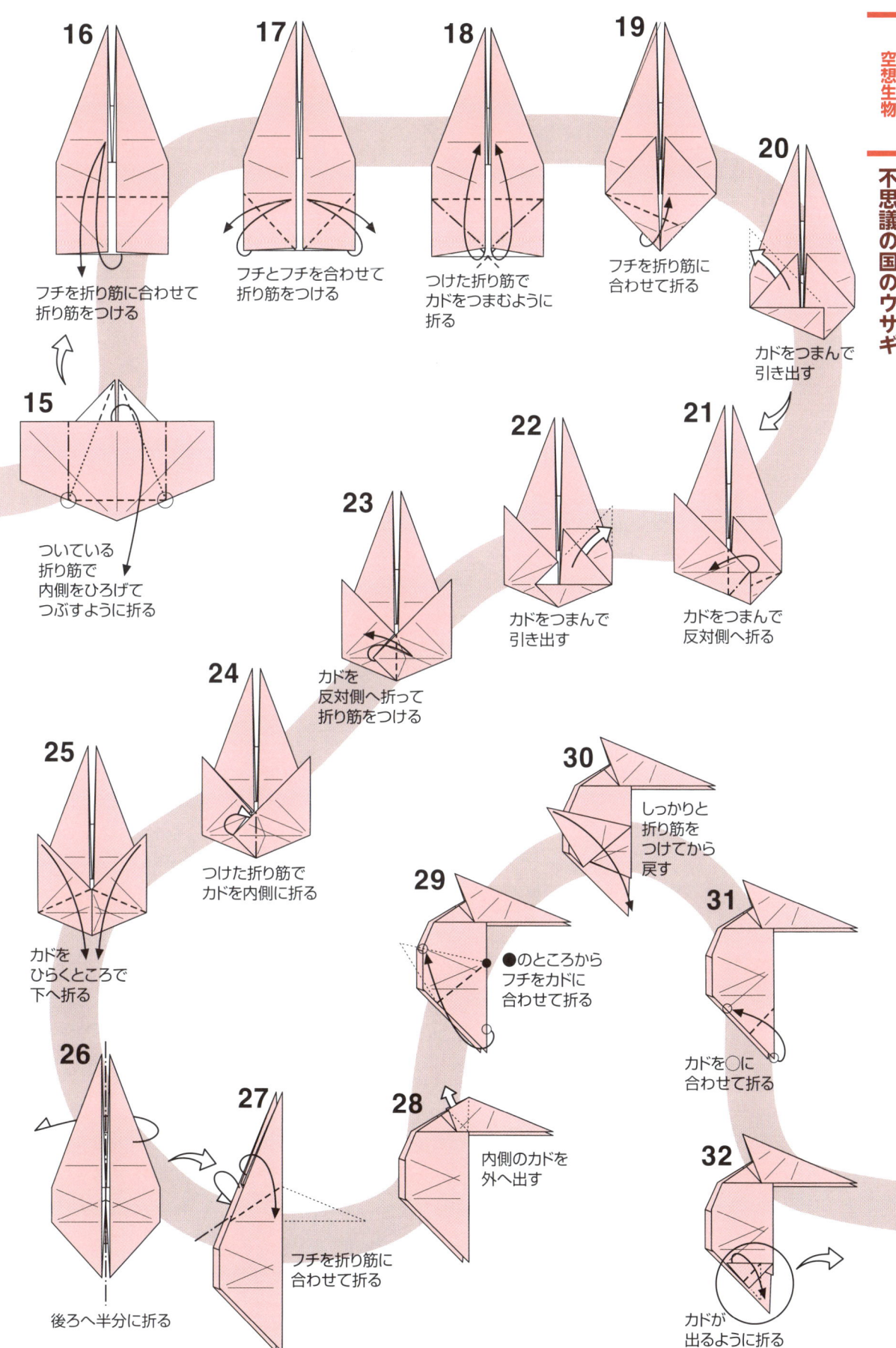

不思議の国のウサギ

16 フチを折り筋に合わせて折り筋をつける

17 フチとフチを合わせて折り筋をつける

18 つけた折り筋でカドをつまむように折る

19 フチを折り筋に合わせて折る

20 カドをつまんで引き出す

15 ついている折り筋で内側をひろげてつぶすように折る

21 カドをつまんで反対側へ折る

22 カドをつまんで引き出す

23 カドを反対側へ折って折り筋をつける

24 つけた折り筋でカドを内側に折る

25 カドをひらくところで下へ折る

26 後ろへ半分に折る

27 フチを折り筋に合わせて折る

28 内側のカドを外へ出す

29 ●のところからフチをカドに合わせて折る

30 しっかりと折り筋をつけてから戻す

31 カドを○に合わせて折る

32 カドが出るように折る

225

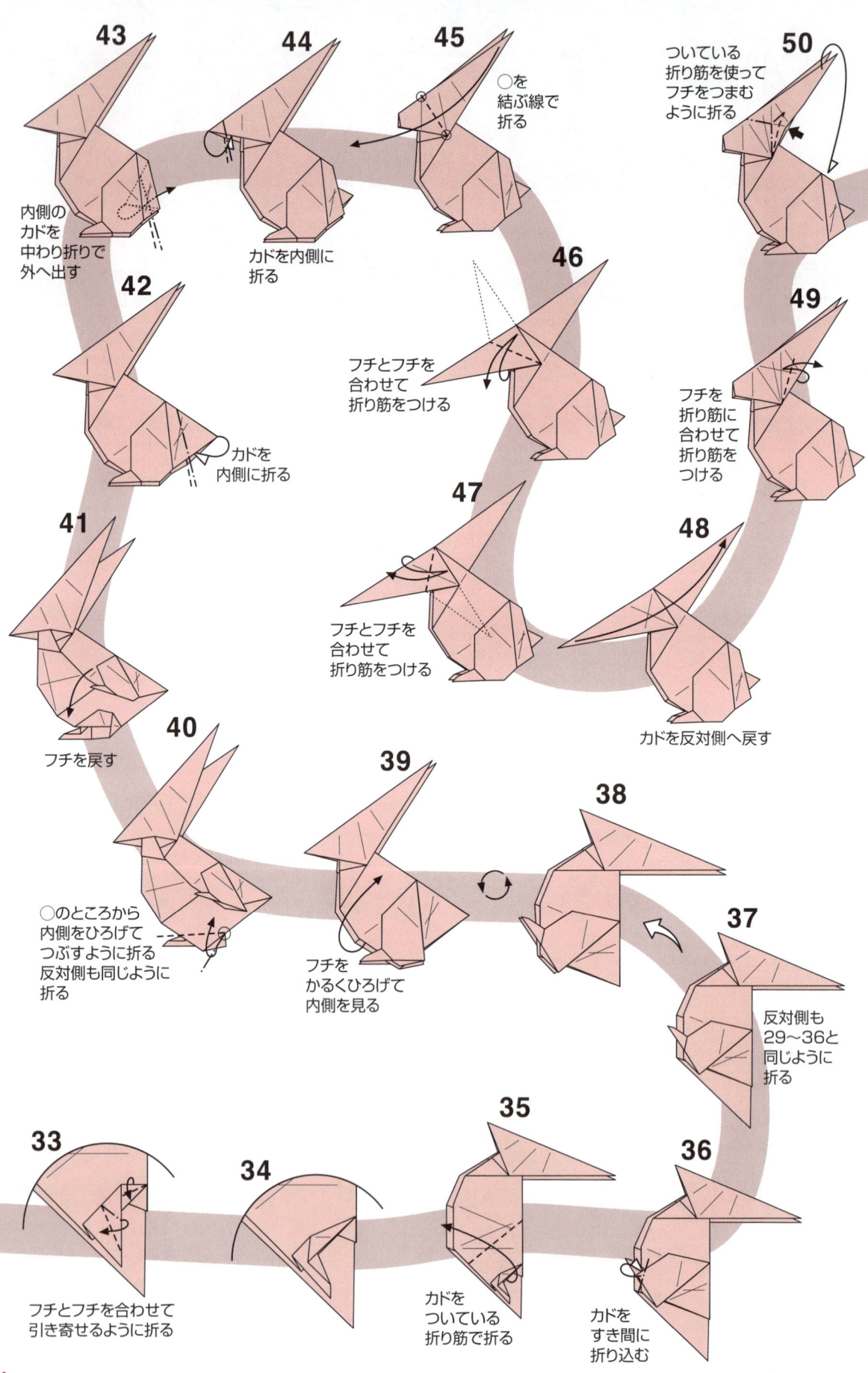

43
内側の
カドを
中わり折りで
外へ出す

44
カドを内側に
折る

45
○を
結ぶ線で
折る

50
ついている
折り筋を使って
フチをつまむ
ように折る

42
カドを
内側に折る

46
フチとフチを
合わせて
折り筋をつける

49
フチを
折り筋に
合わせて
折り筋を
つける

41
フチを戻す

47
フチとフチを
合わせて
折り筋をつける

48
カドを反対側へ戻す

40
○のところから
内側をひろげて
つぶすように折る
反対側も同じように
折る

39
フチを
かるくひろげて
内側を見る

38

37
反対側も
29〜36と
同じように
折る

33
フチとフチを合わせて
引き寄せるように折る

34

35
カドを
ついている
折り筋で折る

36
カドを
すき間に
折り込む

51
途中の図
カドを後ろへ折る

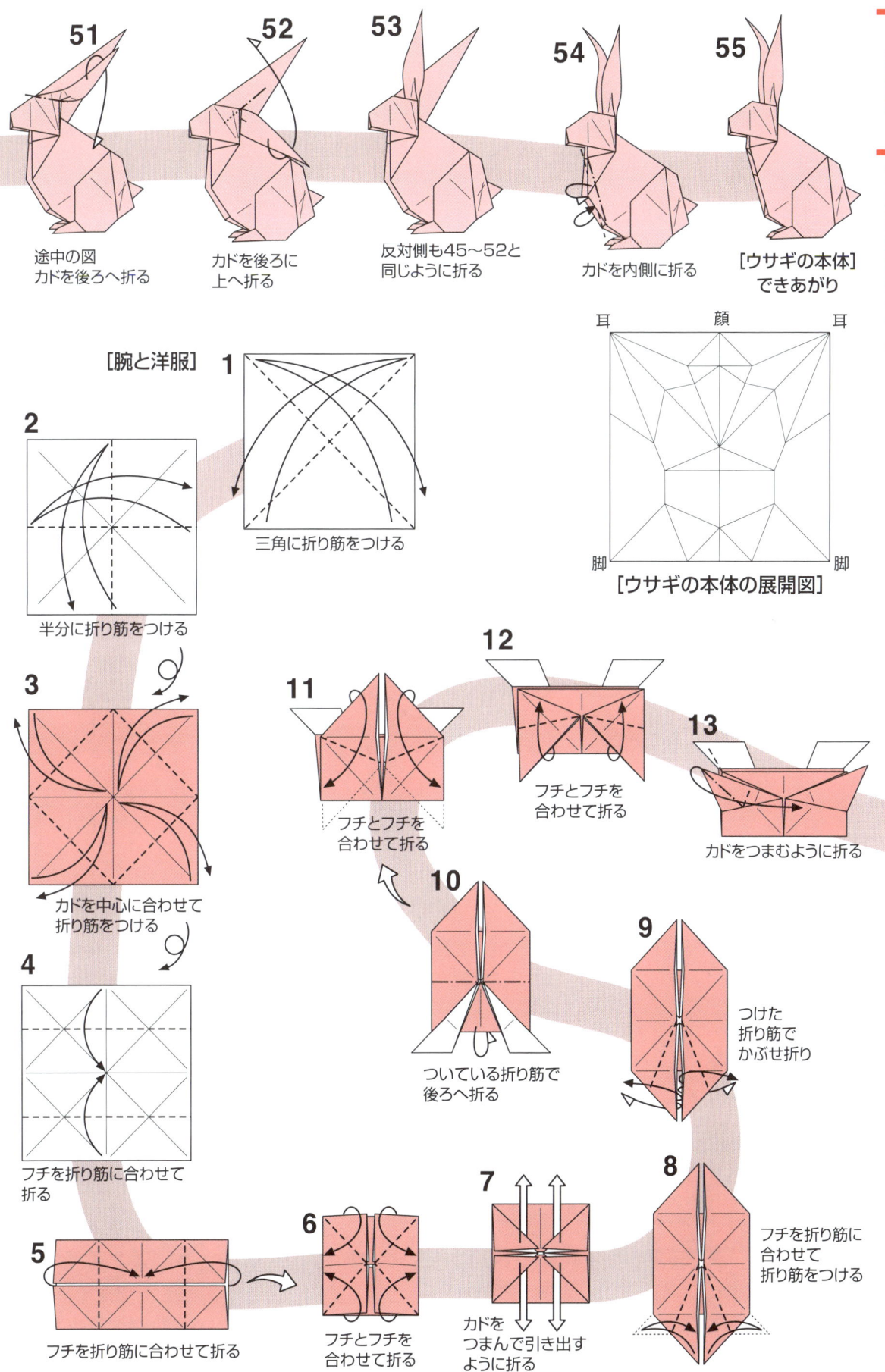

52
カドを後ろに上へ折る

53
反対側も45〜52と同じように折る

54
カドを内側に折る

55
[ウサギの本体]できあがり

空想生物　不思議の国のウサギ

耳　顔　耳
脚　　　脚
[ウサギの本体の展開図]

[腕と洋服]

1
三角に折り筋をつける

2
半分に折り筋をつける

3
カドを中心に合わせて折り筋をつける

4
フチを折り筋に合わせて折る

5
フチを折り筋に合わせて折る

6
フチとフチを合わせて折る

7
カドをつまんで引き出すように折る

8
フチを折り筋に合わせて折り筋をつける

9
つけた折り筋でかぶせ折り

10
ついている折り筋で後ろへ折る

11
フチとフチを合わせて折る

12
フチとフチを合わせて折る

13
カドをつまむように折る

227

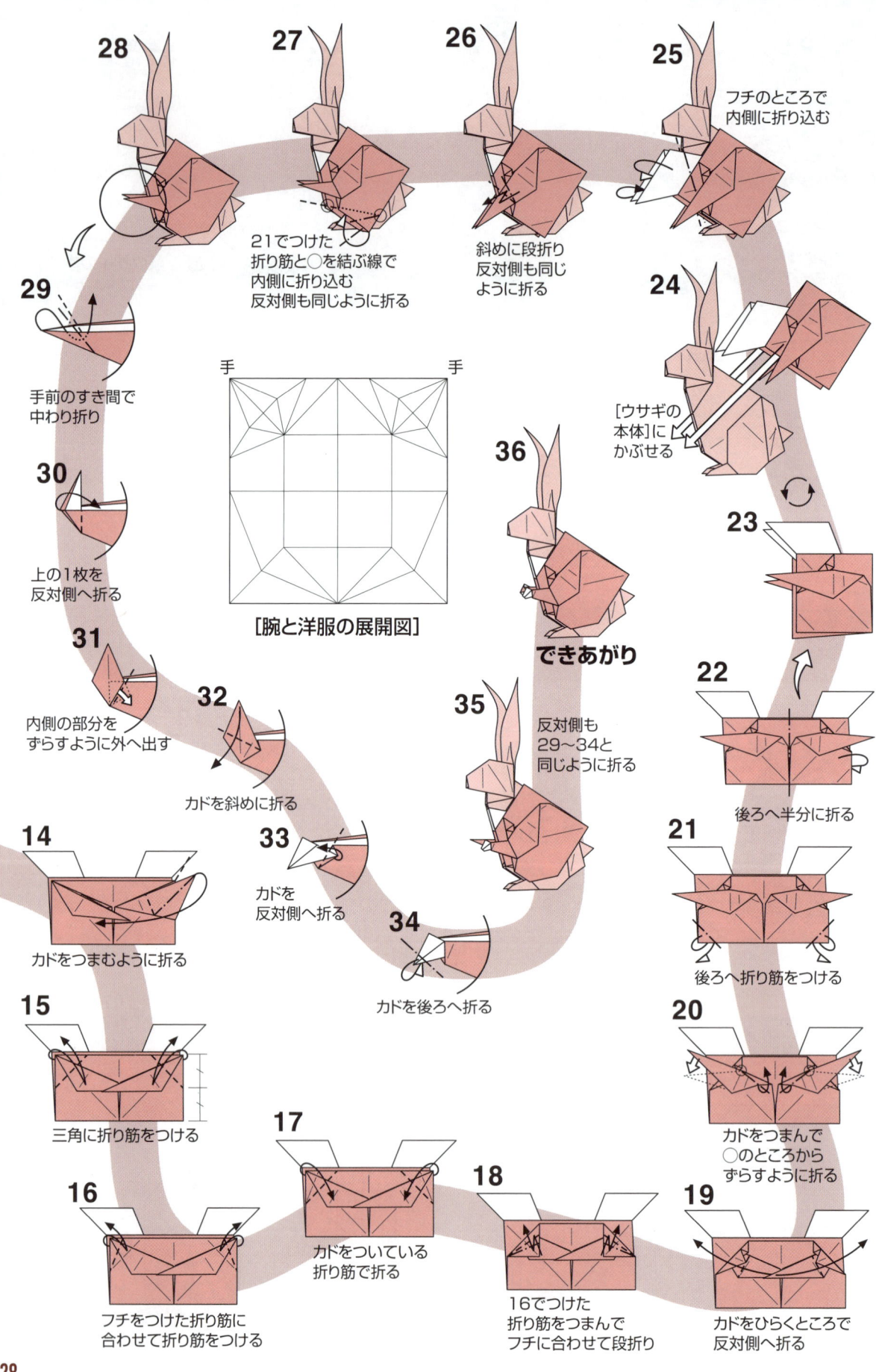

28
27
21でつけた折り筋と○を結ぶ線で内側に折り込む反対側も同じように折る
26
斜めに段折り反対側も同じように折る
25
フチのところで内側に折り込む

29
手前のすき間で中わり折り

24
[ウサギの本体]にかぶせる

23

30
上の1枚を反対側へ折る

[腕と洋服の展開図]
手　手

36
できあがり

22
後ろへ半分に折る

31
内側の部分をずらすように外へ出す

32
カドを斜めに折る

35
反対側も29～34と同じように折る

21
後ろへ折り筋をつける

14
カドをつまむように折る

33
カドを反対側へ折る

34
カドを後ろへ折る

20
カドをつまんで○のところからずらすように折る

15
三角に折り筋をつける

16
フチをつけた折り筋に合わせて折り筋をつける

17
カドをついている折り筋で折る

18
16でつけた折り筋をつまんでフチに合わせて段折り

19
カドをひらくところで反対側へ折る

空想生物

難易度 ★★★★☆

ツル星人
Crane Humanoid by Shinji Sasade
創作● 笹出晋司
30cm 折り紙用紙／1枚／不切正方一枚折り

宮島登さんが、座布団折り＋鶴の基本形で4本足の鶴の写真を発表されたことがあり、これをきっかけに折り鶴の変種がネットに大量発生しました。これはその1つです。2001年か2002年頃だったと思います。ホイル紙で折るとポーズがつけやすいです。また、30センチくらいの紙が折りやすいです。折り鶴の作者さんごめんなさい。

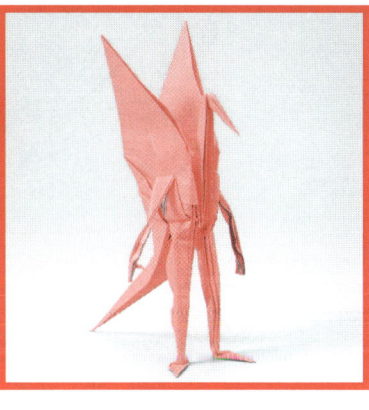

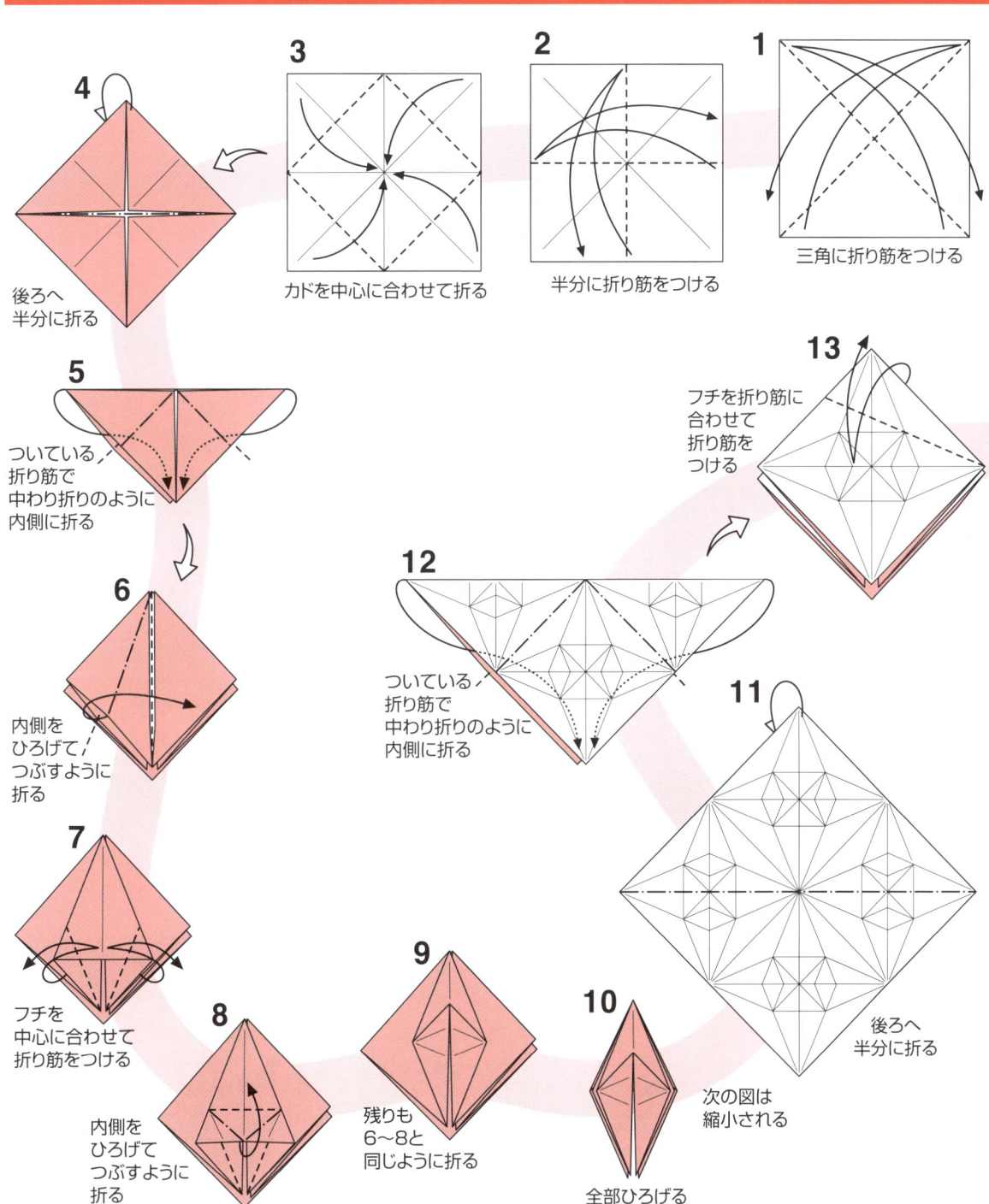

空想生物 ツル星人

1 三角に折り筋をつける

2 半分に折り筋をつける

3 カドを中心に合わせて折る

4 後ろへ半分に折る

5 ついている折り筋で中わり折りのように内側に折る

6 内側をひろげてつぶすように折る

7 フチを中心に合わせて折り筋をつける

8 内側をひろげてつぶすように折る

9 残りも6〜8と同じように折る

10 全部ひろげる　次の図は縮小される

11 後ろへ半分に折る

12 ついている折り筋で中わり折りのように内側に折る

13 フチを折り筋に合わせて折り筋をつける

229

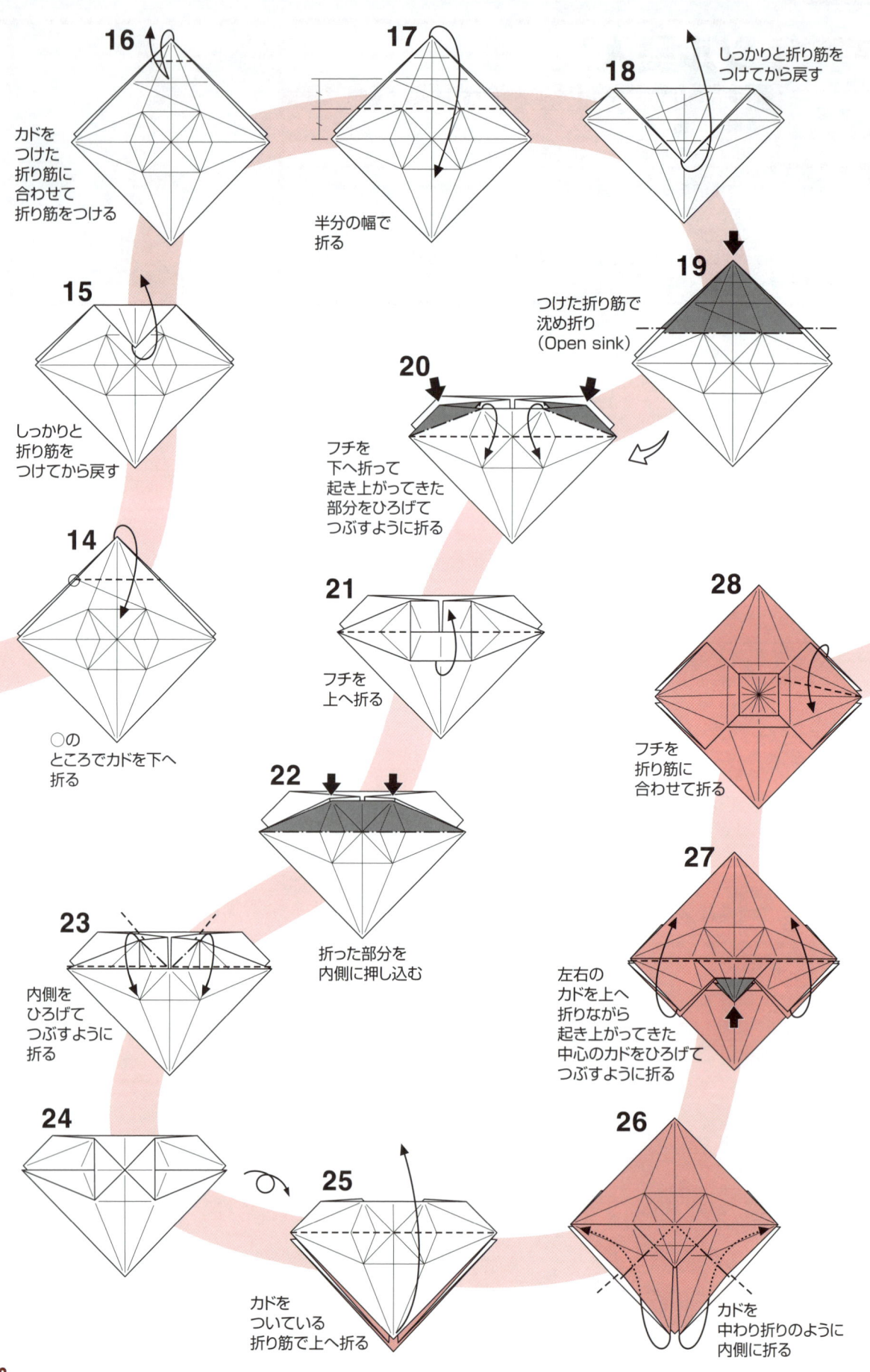

16
カドを
つけた
折り筋に
合わせて
折り筋をつける

17
半分の幅で
折る

18
しっかりと折り筋を
つけてから戻す

19
つけた折り筋で
沈め折り
(Open sink)

20
フチを
下へ折って
起き上がってきた
部分をひろげて
つぶすように折る

15
しっかりと
折り筋を
つけてから戻す

14
○の
ところでカドを下へ
折る

21
フチを
上へ折る

22
折った部分を
内側に押し込む

23
内側を
ひろげて
つぶすように
折る

24

25
カドを
ついている
折り筋で上へ折る

26
カドを
中わり折りのように
内側に折る

27
左右の
カドを上へ
折りながら
起き上がってきた
中心のカドをひろげて
つぶすように折る

28
フチを
折り筋に
合わせて折る

30
フチを折り筋に合わせて折り筋をつける

31
反対側も28〜30と同じように折り筋をつける

32
28でつけた折り筋でカドを内側に折る

33
内側のカドを外へ出すように中わり折り

29
しっかりと折り筋をつけてから戻す

34
ついている折り筋でカドを内側に折る

35
ついている折り筋でカドを内側に折る

36
反対側も32〜35と同じように折る

37
カドを上へ折る

41
平らに戻す

38
フチを上へ折る

39
■の部分をかるくひろげる

40
■の部分を反対側へ押し込むように折る

空想生物　ツル星人

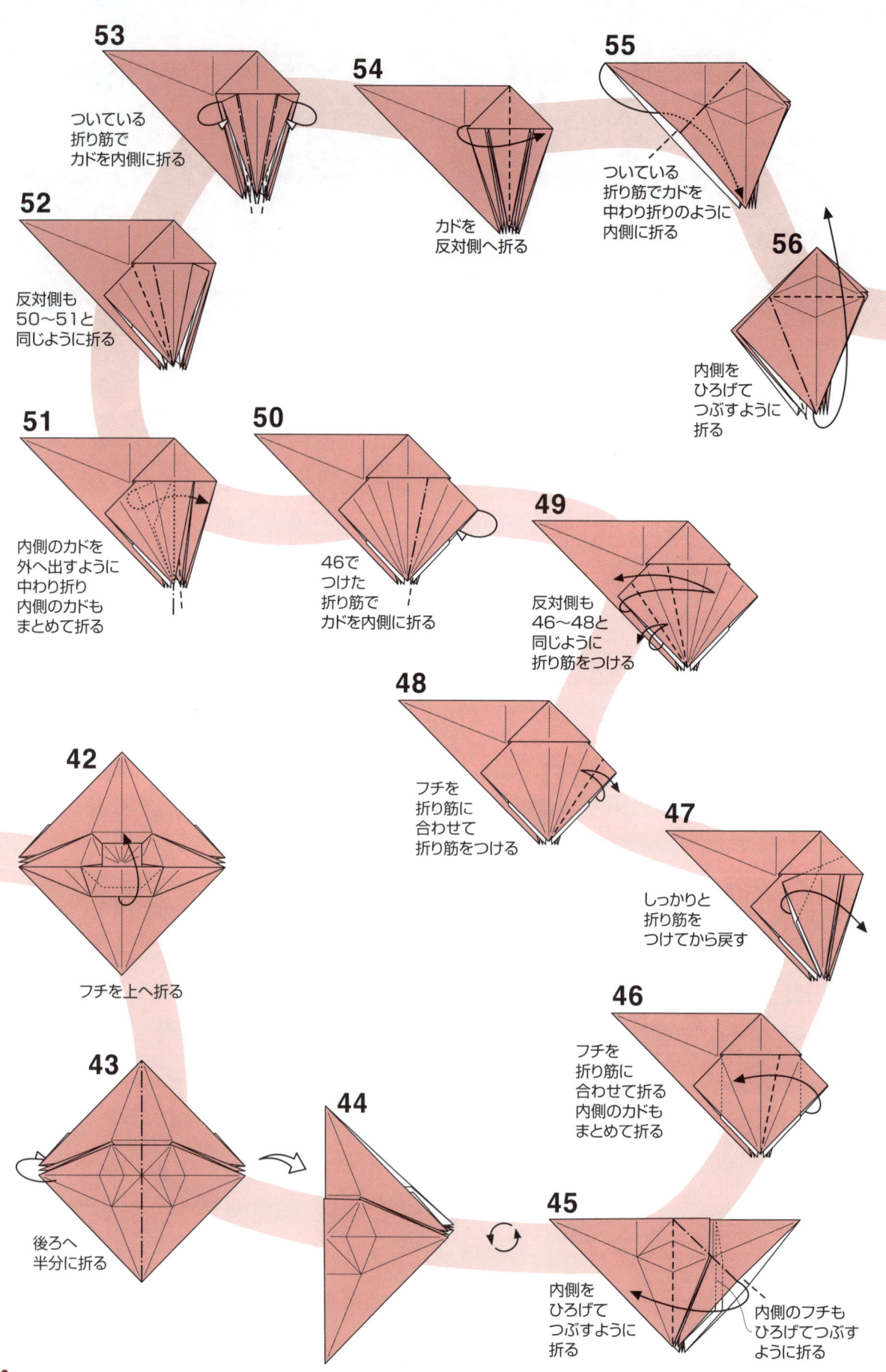

53
ついている
折り筋で
カドを内側に折る

54
カドを
反対側へ折る

55
ついている
折り筋でカドを
中わり折りのように
内側に折る

56
内側を
ひろげて
つぶすように
折る

52
反対側も
50〜51と
同じように折る

51
内側のカドを
外へ出すように
中わり折り
内側のカドも
まとめて折る

50
46で
つけた
折り筋で
カドを内側に折る

49
反対側も
46〜48と
同じように
折り筋をつける

48
フチを
折り筋に
合わせて
折り筋をつける

47
しっかりと
折り筋を
つけてから戻す

46
フチを
折り筋に
合わせて折る
内側のカドも
まとめて折る

42
フチを上へ折る

43
後ろへ
半分に折る

44

45
内側を
ひろげて
つぶすように
折る

内側のフチも
ひろげてつぶす
ように折る

57
反対側も同じように折る

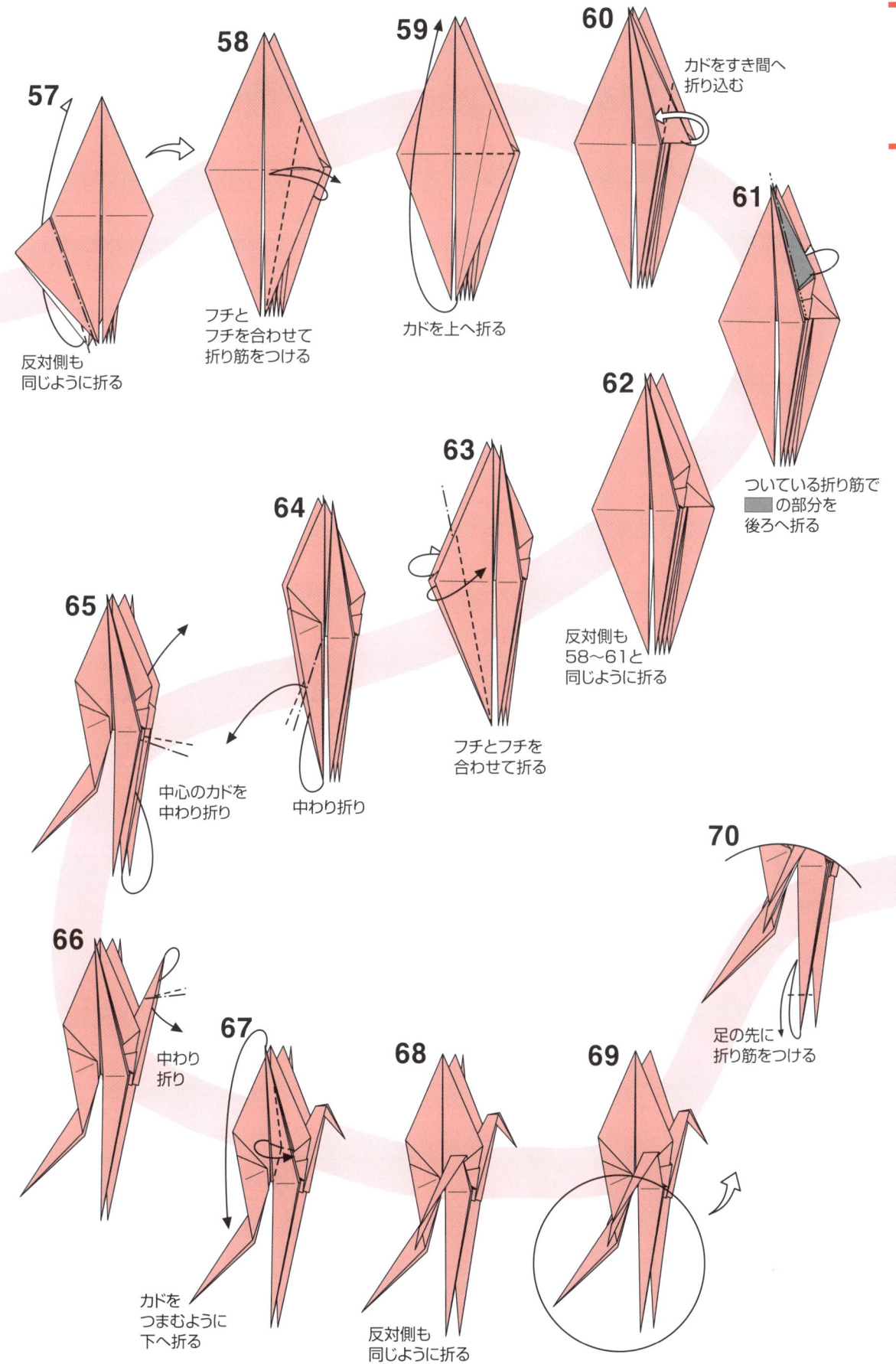

58
フチとフチを合わせて折り筋をつける

59
カドを上へ折る

60
カドをすき間へ折り込む

61
ついている折り筋で■の部分を後ろへ折る

62
反対側も58〜61と同じように折る

63
フチとフチを合わせて折る

64
中わり折り

65
中心のカドを中わり折り

66
中わり折り

67
カドをつまむように下へ折る

68
反対側も同じように折る

69

70
足の先に折り筋をつける

空想生物 | ツル星人

233

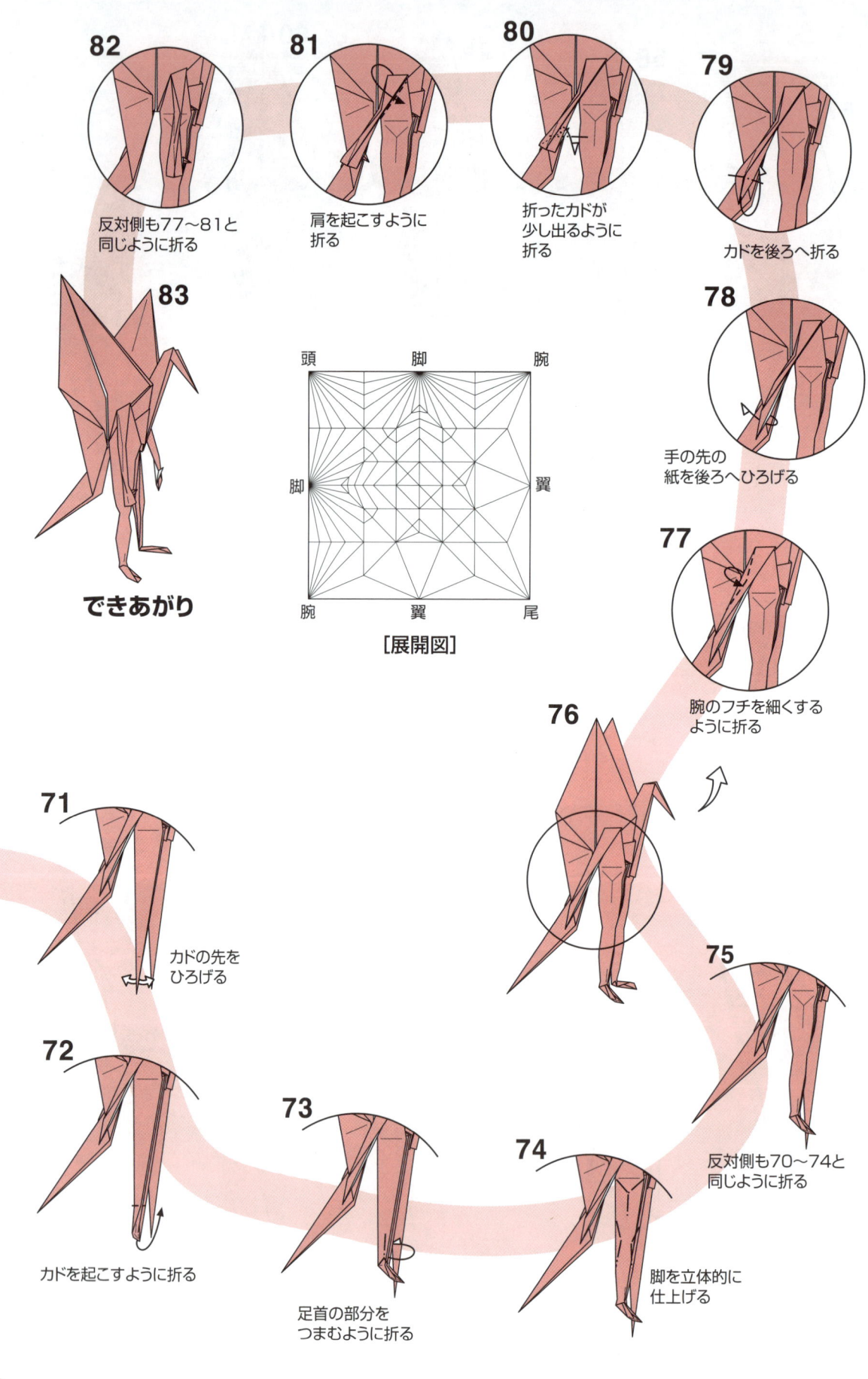

82
反対側も77〜81と同じように折る

81
肩を起こすように折る

80
折ったカドが少し出るように折る

79
カドを後ろへ折る

78
手の先の紙を後ろへひろげる

77
腕のフチを細くするように折る

83
できあがり

[展開図]

頭　脚　腕
脚　　　翼
腕　翼　尾

76

75
反対側も70〜74と同じように折る

74
脚を立体的に仕上げる

73
足首の部分をつまむように折る

72
カドを起こすように折る

71
カドの先をひろげる

空想生物

ノーザンドラゴン
Northern Dragon by Takashi Hojyo
創作 ● 北條高史
★★★★☆ 難易度

25cm 折り紙用紙／1枚／不切正方一枚折り

『TVチャンピオン 第二回折り紙王選手権』(1996年) の決勝戦で使用した、思い出深い作品です。誰が見ても「ドラゴンであること」がわかりやすい、バランスのとれた完成形にすることを目指しました。翼と背ビレの部分に用紙裏側の色が出るので、表裏色のコントラストが強い紙を使うとよいでしょう。

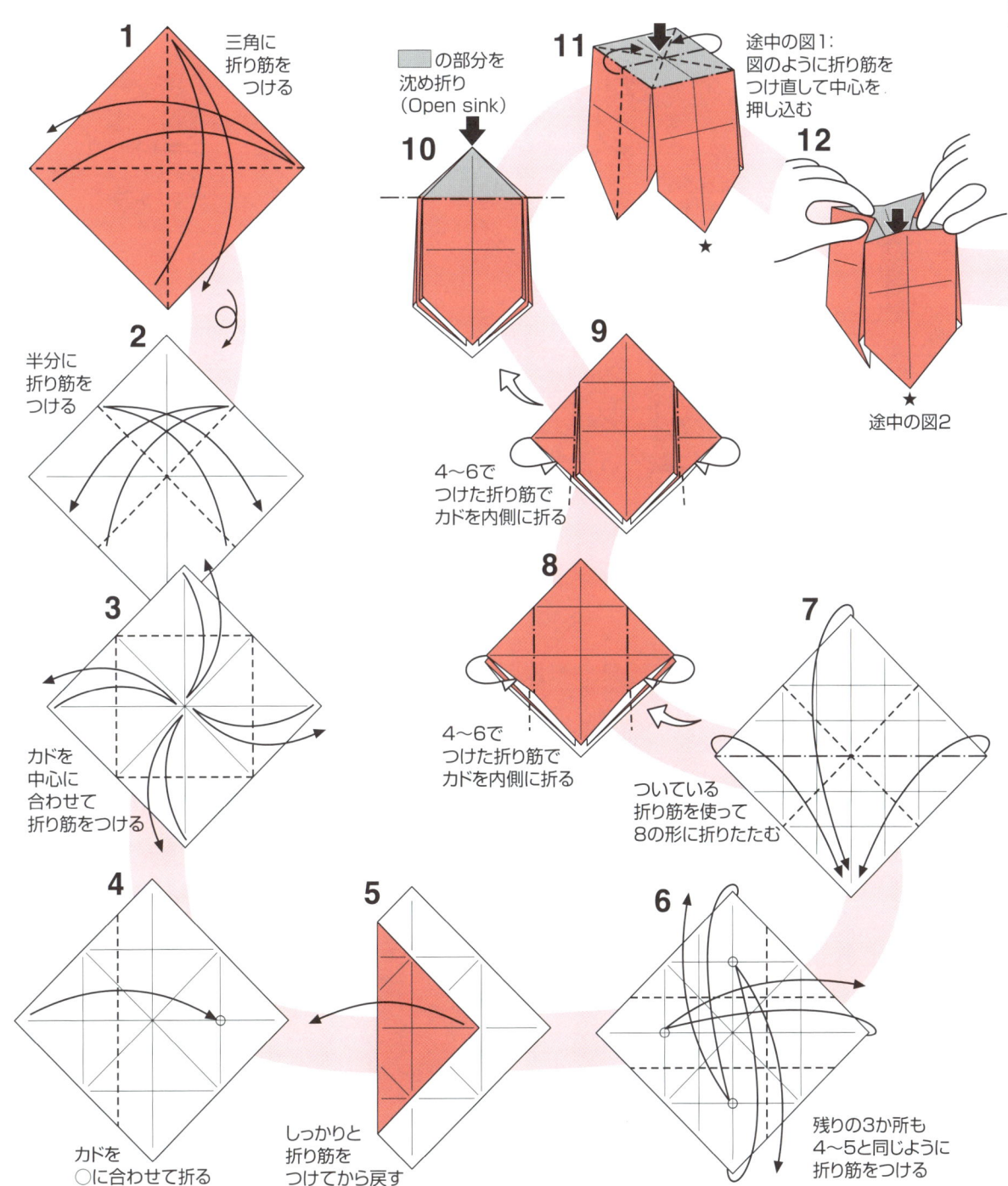

ノーザンドラゴン

1 三角に折り筋をつける

2 半分に折り筋をつける

3 カドを中心に合わせて折り筋をつける

4 カドを○に合わせて折る

5 しっかりと折り筋をつけてから戻す

6 残りの3か所も4〜5と同じように折り筋をつける

7 ついている折り筋を使って8の形に折りたたむ

8 4〜6でつけた折り筋でカドを内側に折る

9 4〜6でつけた折り筋でカドを内側に折る

10 ■の部分を沈め折り (Open sink)

11 途中の図1：図のように折り筋をつけ直して中心を押し込む

12 途中の図2

235

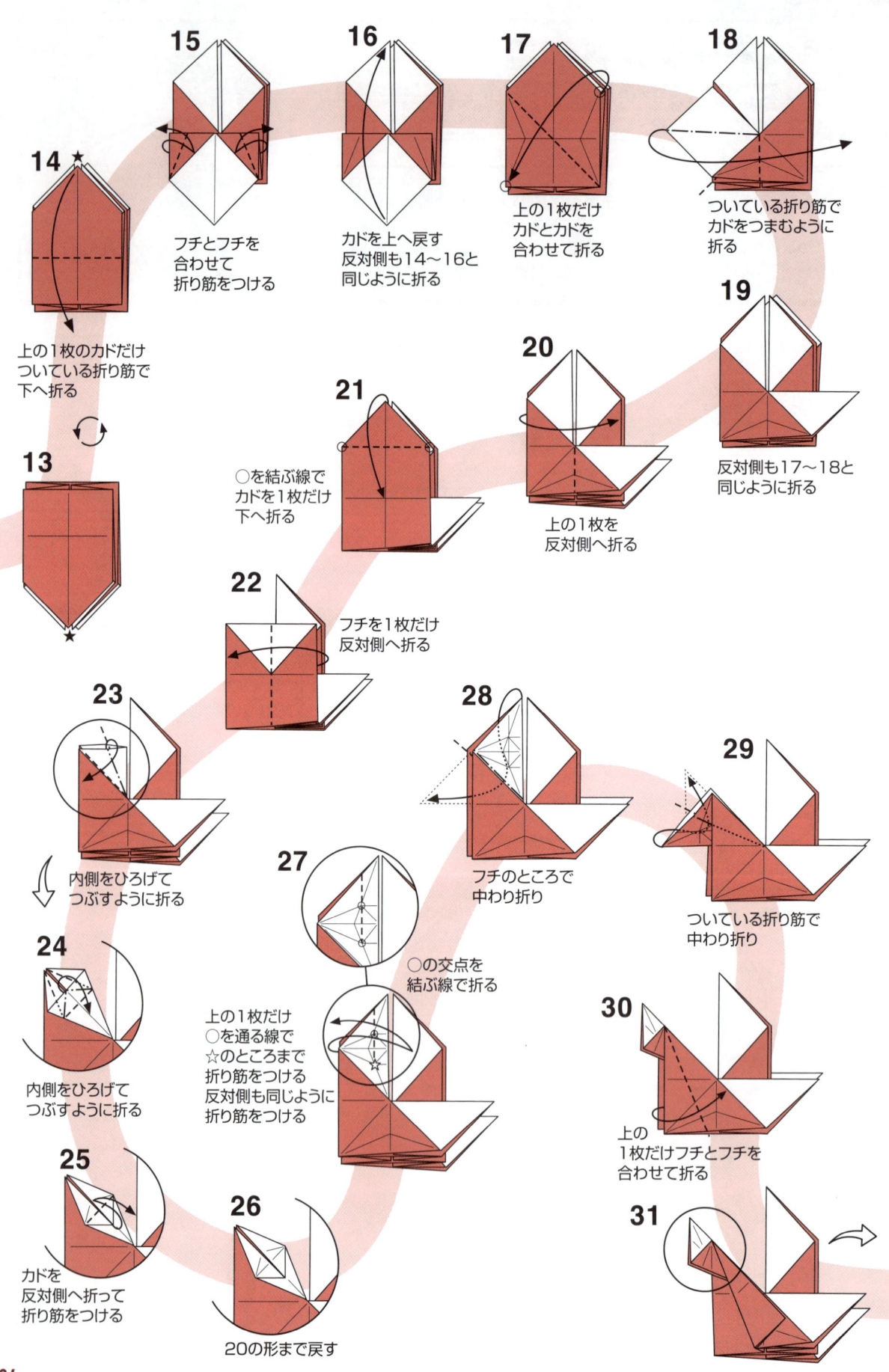

14
上の1枚のカドだけついている折り筋で下へ折る

13

15
フチとフチを合わせて折り筋をつける

16
カドを上へ戻す
反対側も14～16と同じように折る

17
上の1枚だけカドとカドを合わせて折る

18
ついている折り筋でカドをつまむように折る

19
反対側も17～18と同じように折る

20
上の1枚を反対側へ折る

21
○を結ぶ線でカドを1枚だけ下へ折る

22
フチを1枚だけ反対側へ折る

23
内側をひろげてつぶすように折る

24
内側をひろげてつぶすように折る

25
カドを反対側へ折って折り筋をつける

26
20の形まで戻す

27
上の1枚だけ○を通る線で☆のところまで折り筋をつける
反対側も同じように折り筋をつける
○の交点を結ぶ線で折る

28
フチのところで中わり折り

29
ついている折り筋で中わり折り

30
上の1枚だけフチとフチを合わせて折る

31

236

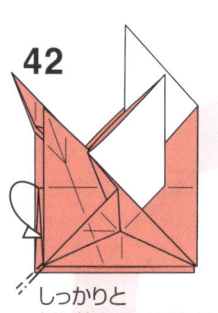

42 しっかりと折り筋をつけてから左側のカドだけ戻す

43 ★のカドを上へひろげて起き上がってきたフチを41でつけた折り筋に合わせて折る

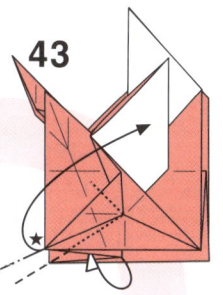

48 ついている折り筋を使ってフチを内側に折る

41 内側のカドを中わり折りのようにおる

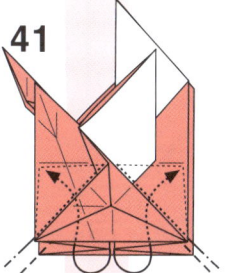

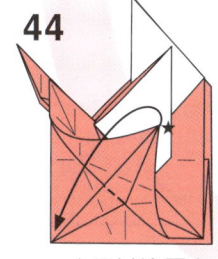

44 ★のカドを戻す

47 内側の上の1枚を引き出すようにして○を結ぶ線で折る

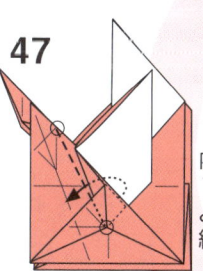

40 反対側も38〜39と同じように折る

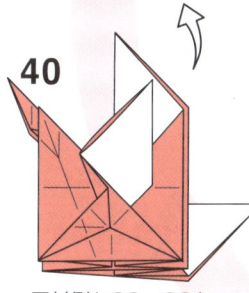

45 上のカドをひらくところで反対側へ折る

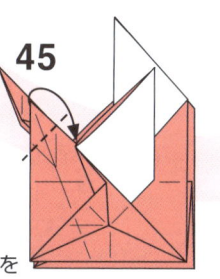

46 しっかりと折り筋をつけてから戻す

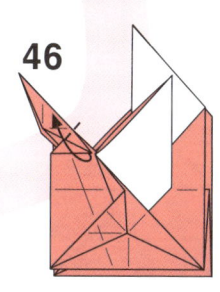

39 フチのところで引き寄せるように折る

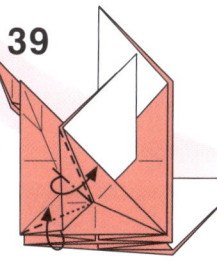

38 ○のところから斜めに折って起き上がってきた部分をつぶすように折る

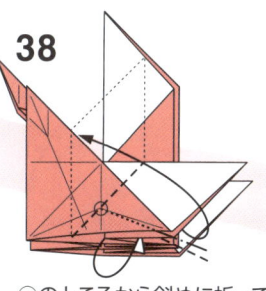

37 反対側も30〜36と同じように折る

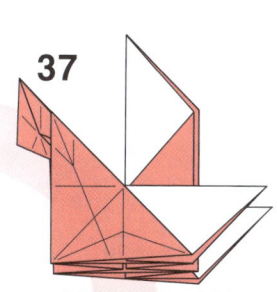

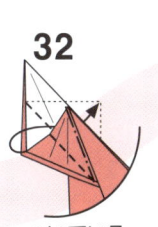

32 ついている折り筋を使って中わり折り

33 カドを反対側へ折る

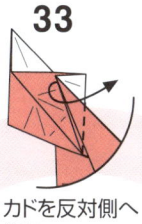

34 ついている折り筋を使ってカドを細くするようにフチを後ろへ折る

35 ついている折り筋でカドをつまむように折る

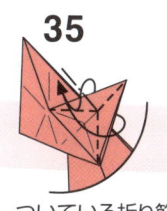

36 30で折ったカドを戻す

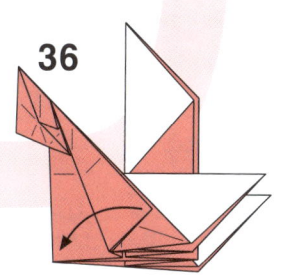

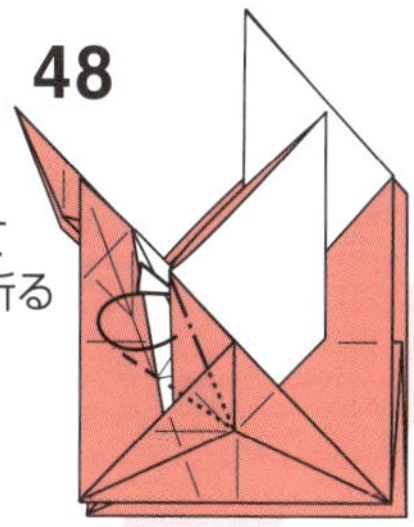

空想生物 | ノーザンドラゴン

237

49 ついている折り筋で折る

50 カドをつまむように折る

51 反対側も45〜50と同じように折る

52 カドをフチのところで反対側へ折る

53 ○を結ぶ線でカドをそれぞれ折る

54 内側の部分を引き出すように折る 反対側も同じように折る

55 フチとフチを合わせて折る 反対側も同じように折る

56 カドを上へ折る 反対側も同じように折る

57 カドを戻す

58 カドを下へ折って起き上がってきた部分をつぶすように折る

59 反対側も同じように折る

60 ○を結ぶ線で ■ の部分を後ろへ折り込む

61 上の1枚だけフチを斜めに細く折る

62 フチのところで後ろへ折る

63 反対側も60〜62と同じように折る

64 カドを下げながら内側に斜めに段折り

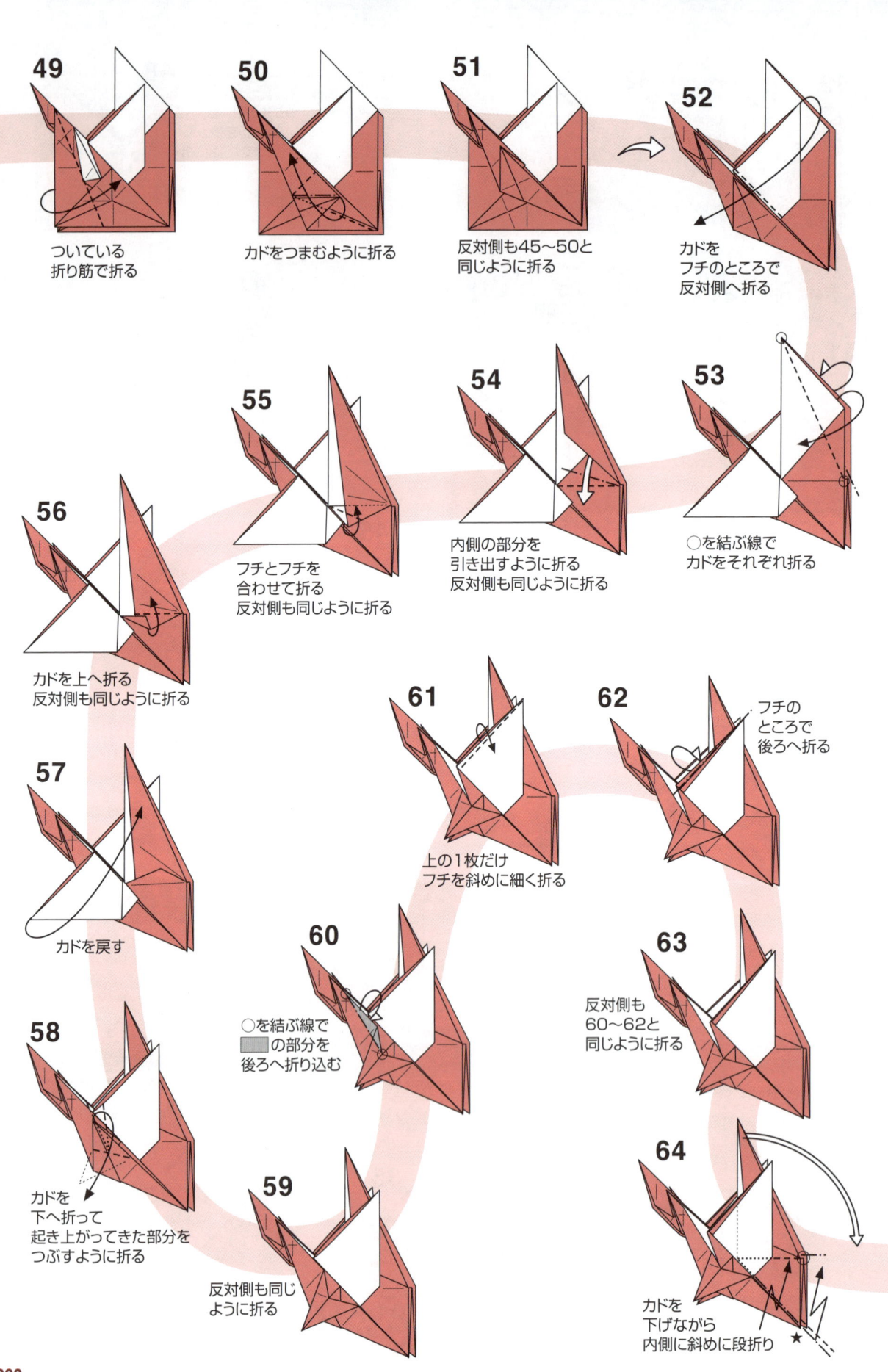

238

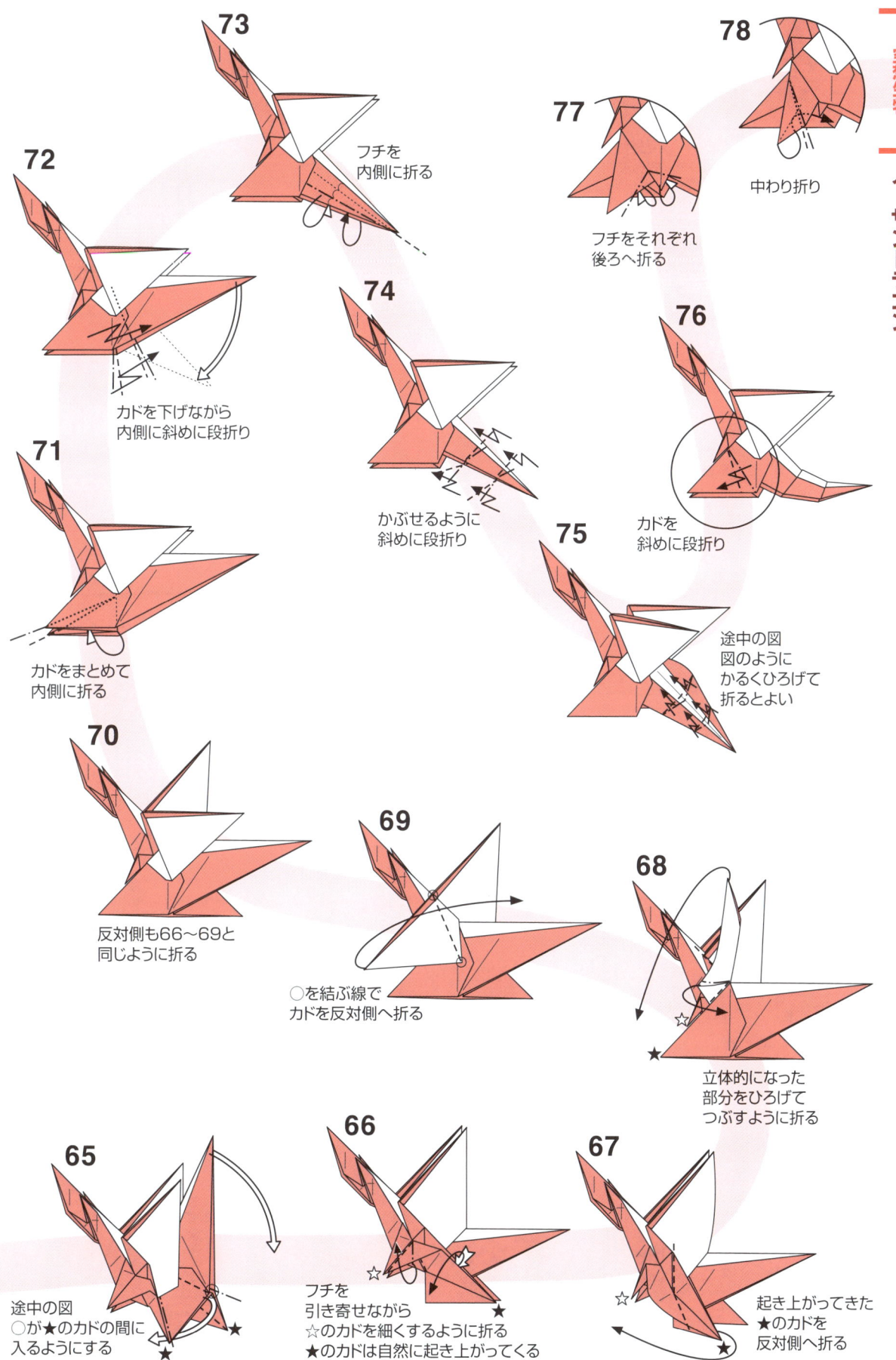

73
フチを内側に折る

72
カドを下げながら内側に斜めに段折り

71
カドをまとめて内側に折る

70
反対側も66〜69と同じように折る

74
かぶせるように斜めに段折り

69
○を結ぶ線でカドを反対側へ折る

65
途中の図 ○が★のカドの間に入るようにする

66
フチを引き寄せながら☆のカドを細くするように折る
★のカドは自然に起き上がってくる

67
起き上がってきた★のカドを反対側へ折る

68
立体的になった部分をひろげてつぶすように折る

75
途中の図 図のようにかるくひろげて折るとよい

76
カドを斜めに段折り

77
フチをそれぞれ後ろへ折る

78
中わり折り

空想生物 ノーザンドラゴン

239

79 中わり折り

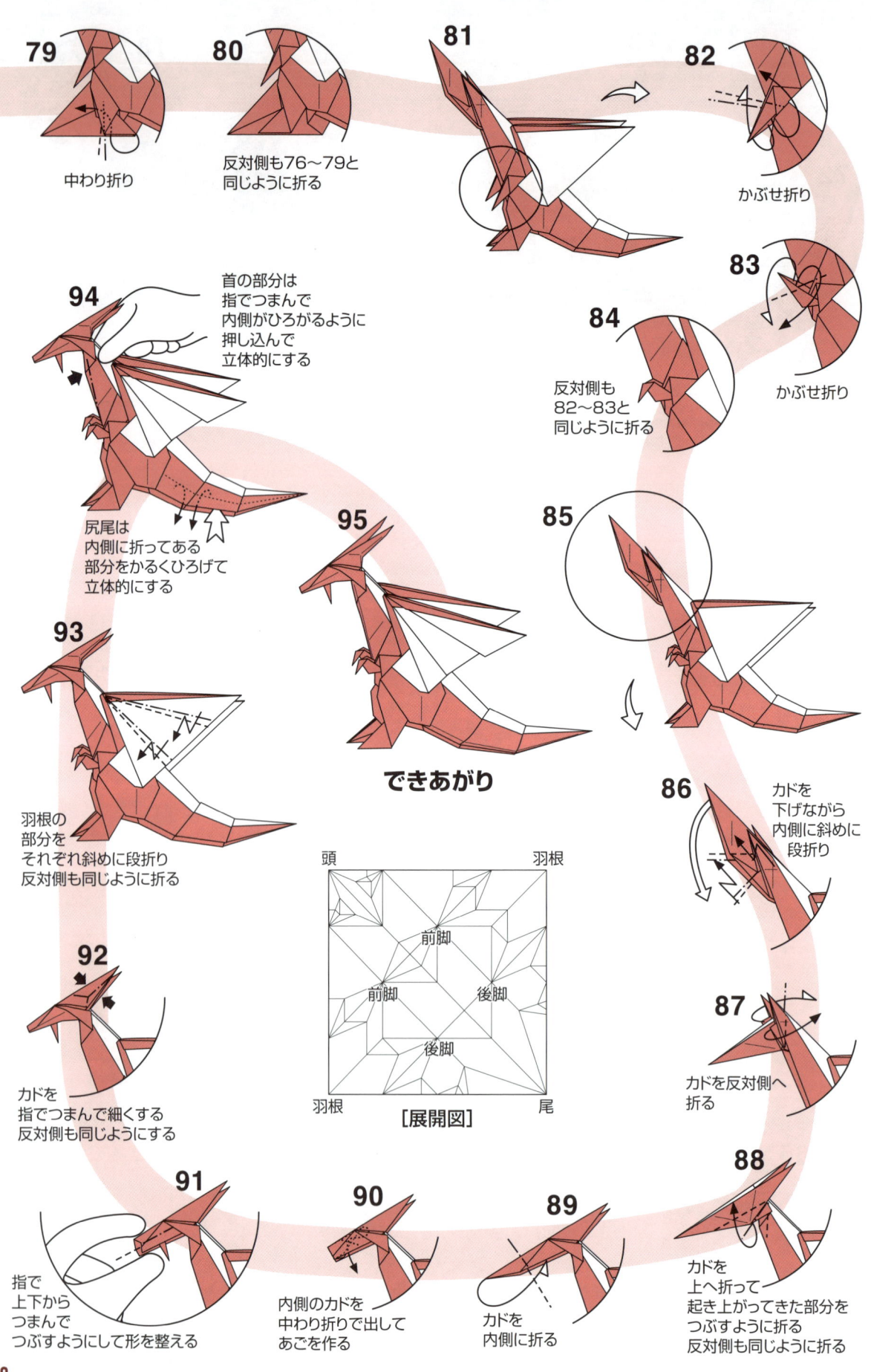

80 反対側も76〜79と同じように折る

81

82 かぶせ折り

83 かぶせ折り

84 反対側も82〜83と同じように折る

85

86 カドを下げながら内側に斜めに段折り

87 カドを反対側へ折る

88 カドを上へ折って起き上がってきた部分をつぶすように折る 反対側も同じように折る

89 カドを内側に折る

90 内側のカドを中わり折りで出してあごを作る

91 指で上下からつまんでつぶすようにして形を整える

92 カドを指でつまんで細くする 反対側も同じようにする

93 羽根の部分をそれぞれ斜めに段折り 反対側も同じように折る

94 首の部分は指でつまんで内側がひろがるように押し込んで立体的にする

尻尾は内側に折ってある部分をかるくひろげて立体的にする

95 できあがり

[展開図]

頭　羽根
前脚
前脚　後脚
後脚
羽根　尾

240

空想生物

トライホーン・ドラゴン
Tri-Horned Dragon by Chuya Miyamoto

創作 ● 宮本宙也

難易度 ★★★★☆

25cm 折り紙用紙／1枚／不切正方一枚折り

折り鶴の基本形（図14の状態）から作るドラゴンです。15cm四方からでも折れますが、顔が小さくなるので自信のない方は大きい紙で練習してください。図19〜33は足を細くするためのもので、図34と同じ状態になっていれば、実はこの折り方でなくても進められます。図78の山・谷に注意してください。

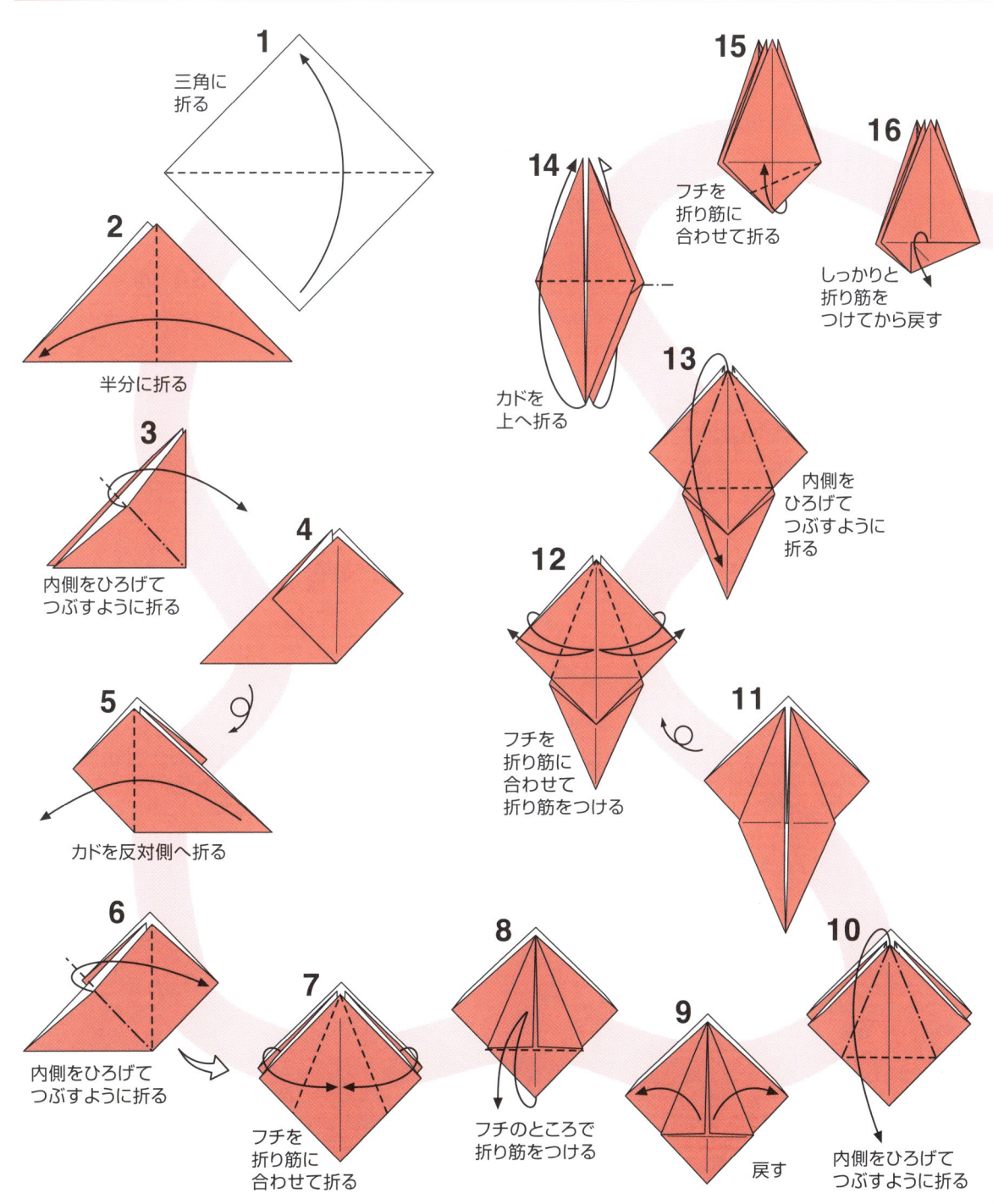

1 三角に折る

2 半分に折る

3 内側をひろげてつぶすように折る

4

5 カドを反対側へ折る

6 内側をひろげてつぶすように折る

7 フチを折り筋に合わせて折る

8 フチのところで折り筋をつける

9 戻す

10 内側をひろげてつぶすように折る

11

12 フチを折り筋に合わせて折り筋をつける

13 内側をひろげてつぶすように折る

14 カドを上へ折る

15 フチを折り筋に合わせて折る

16 しっかりと折り筋をつけてから戻す

241

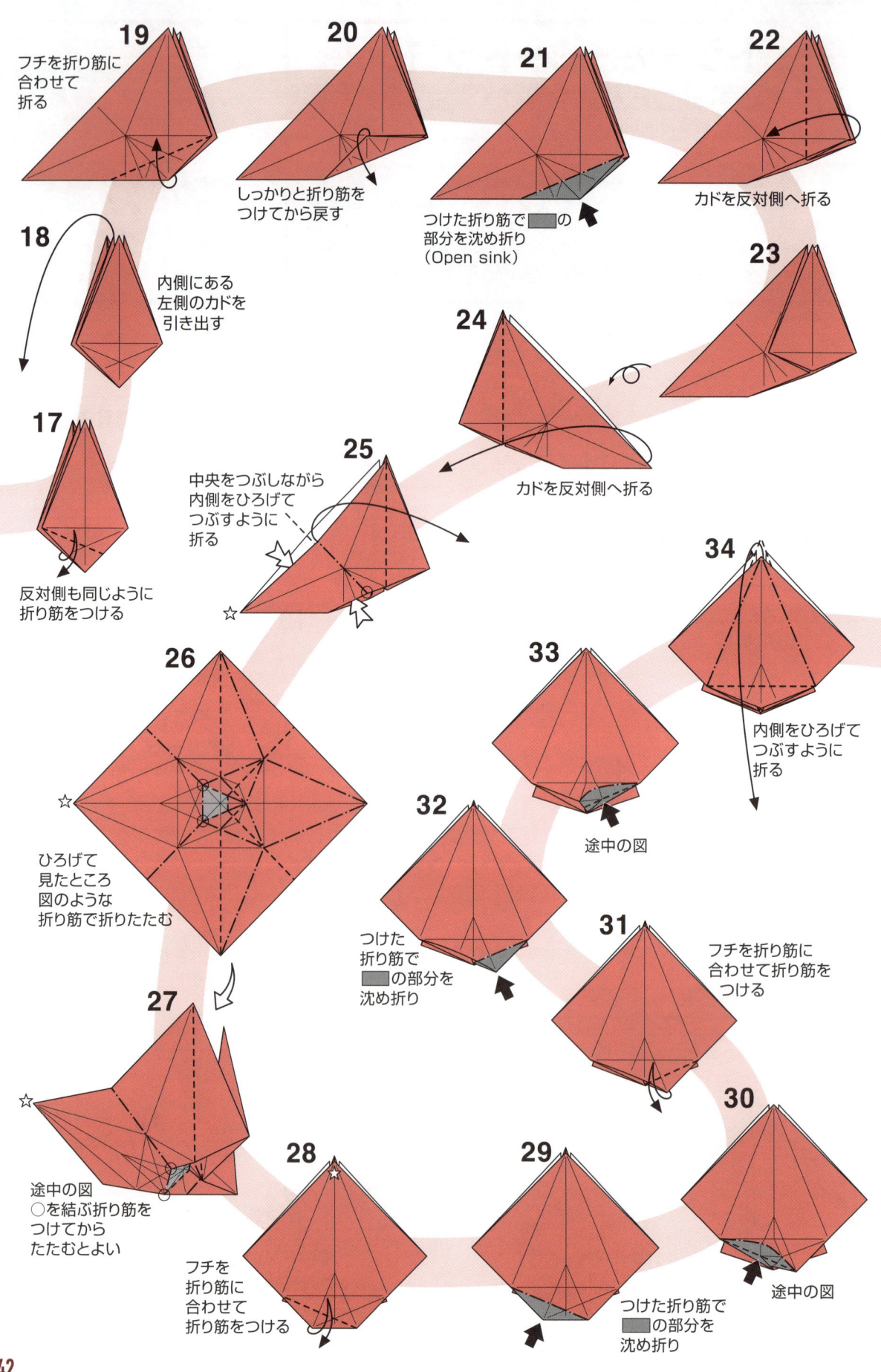

19 フチを折り筋に合わせて折る

20 しっかりと折り筋をつけてから戻す

21 つけた折り筋で■の部分を沈め折り（Open sink）

22 カドを反対側へ折る

18

23

24 カドを反対側へ折る

17 反対側も同じように折り筋をつける

25 中央をつぶしながら内側をひろげてつぶすように折る

34 内側をひろげてつぶすように折る

33 途中の図

26 ひろげて見たところ図のような折り筋で折りたたむ

32 つけた折り筋で■の部分を沈め折り

31 フチを折り筋に合わせて折り筋をつける

27 途中の図 ○を結ぶ折り筋をつけてからたたむとよい

28 フチを折り筋に合わせて折り筋をつける

29 つけた折り筋で■の部分を沈め折り

30 途中の図

47
しっかりと折り筋をつけてから戻す

48
反対側も45〜47と同じように折り筋をつける

49
カドを折り筋に合わせて折り筋をつける

50

46
フチとフチを合わせて折る

45
○のカドのところからフチと直角になるように折る

44
カドを下へ折る

51
45〜48と同じようにして折り筋をつける

空想生物 | トライホーン・ドラゴン

35
○のカドのところからフチと直角になるように折る

43

42
カドをつまむようにして反対側へ折る

41
つけた折り筋で内側をひろげてつぶすように折る

36
しっかりと折り筋をつけてから戻す

37
○のカドのところからフチと直角になるように折る

38
カドをつまむように折る

39
カドを結ぶ線で折る

40
○を結ぶ線で折り筋をつける

243

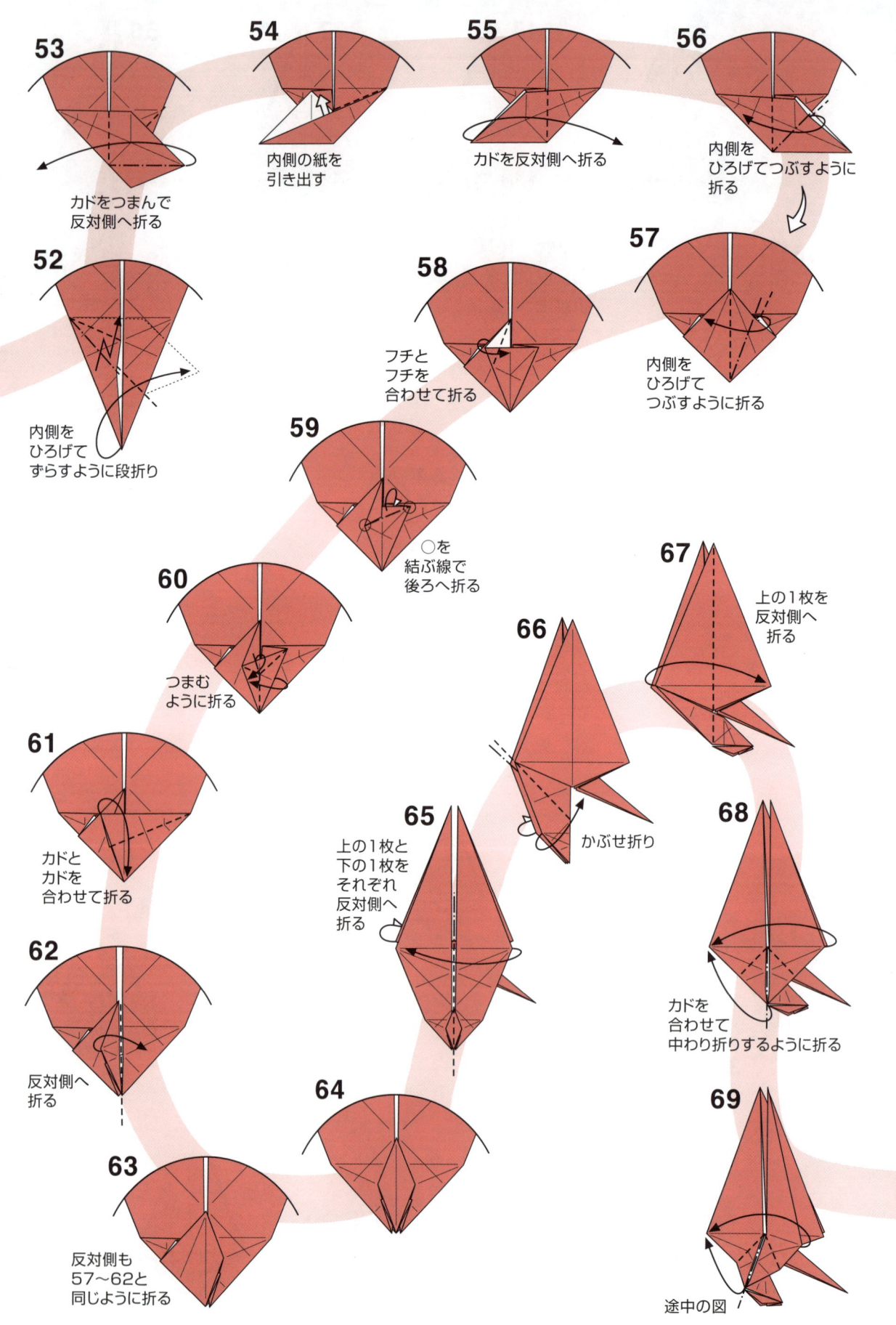

53
カドをつまんで
反対側へ折る

54
内側の紙を
引き出す

55
カドを反対側へ折る

56
内側を
ひろげてつぶすように
折る

52
内側を
ひろげて
ずらすように段折り

57
内側を
ひろげて
つぶすように折る

58
フチと
フチを
合わせて折る

59
○を
結ぶ線で
後ろへ折る

60
つまむ
ように折る

67
上の1枚を
反対側へ
折る

66
かぶせ折り

61
カドと
カドを
合わせて折る

65
上の1枚と
下の1枚を
それぞれ
反対側へ
折る

68
カドを
合わせて
中わり折りするように折る

62
反対側へ
折る

63
反対側も
57～62と
同じように折る

64

69
途中の図

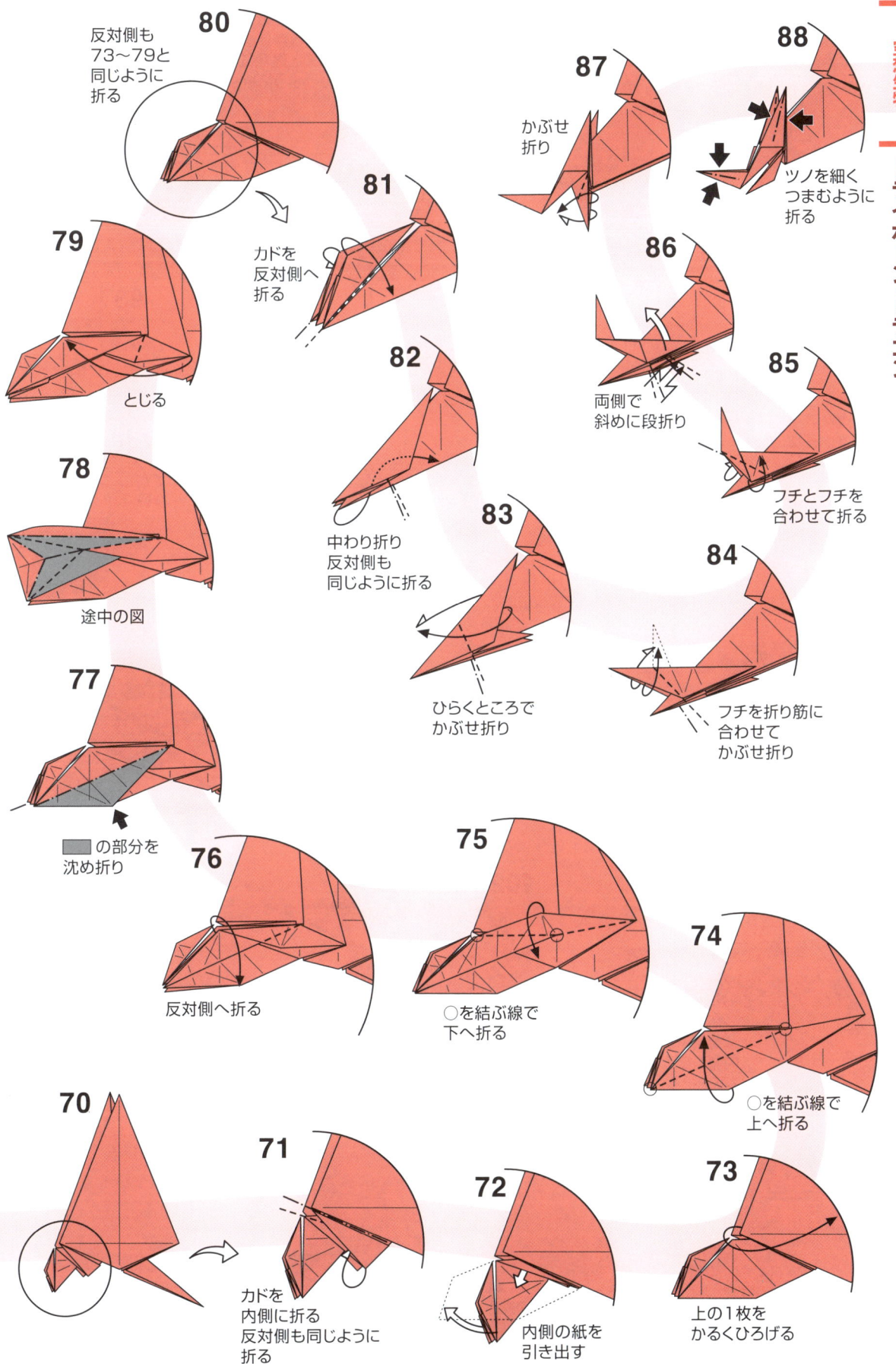

80 反対側も73〜79と同じように折る

79 とじる

78 途中の図

77 ■の部分を沈め折り

76 反対側へ折る

75 ○を結ぶ線で下へ折る

74 ○を結ぶ線で上へ折る

73 上の1枚をかるくひろげる

72 内側の紙を引き出す

71 カドを内側に折る 反対側も同じように折る

70

81 カドを反対側へ折る

82 中わり折り 反対側も同じように折る

83 ひらくところでかぶせ折り

84 フチを折り筋に合わせてかぶせ折り

85 フチとフチを合わせて折る

86 両側で斜めに段折り

87 かぶせ折り

88 ツノを細くつまむように折る

空想生物 トライホーン・ドラゴン

245

89

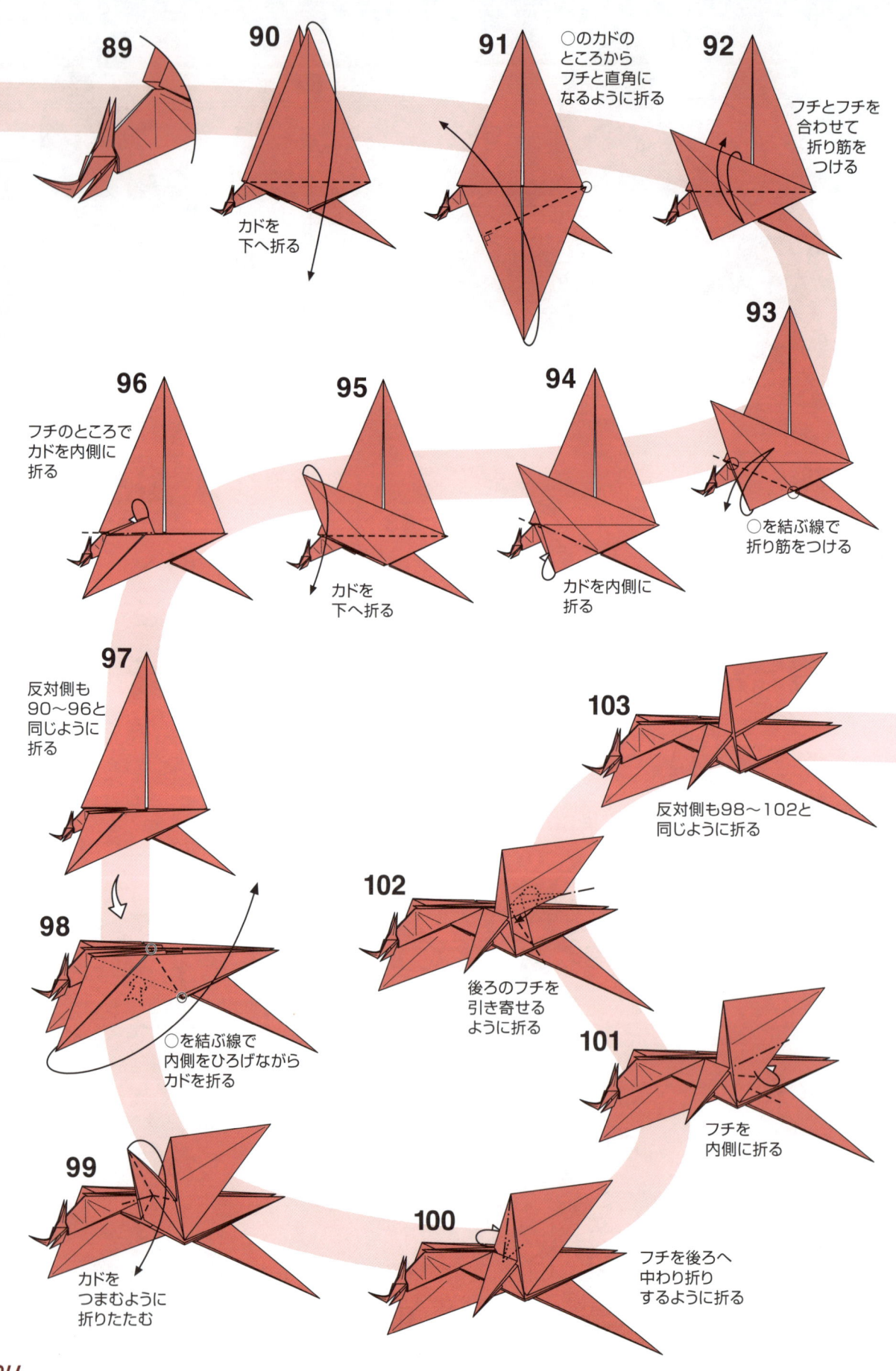

90
カドを
下へ折る

91
○のカドの
ところから
フチと直角に
なるように折る

92
フチとフチを
合わせて
折り筋を
つける

93
○を結ぶ線で
折り筋をつける

94
カドを内側に
折る

95
カドを
下へ折る

96
フチのところで
カドを内側に
折る

97
反対側も
90〜96と
同じように
折る

98
○を結ぶ線で
内側をひろげながら
カドを折る

99
カドを
つまむように
折りたたむ

100
フチを後ろへ
中わり折り
するように折る

101
フチを
内側に折る

102
後ろのフチを
引き寄せる
ように折る

103
反対側も98〜102と
同じように折る

246

115

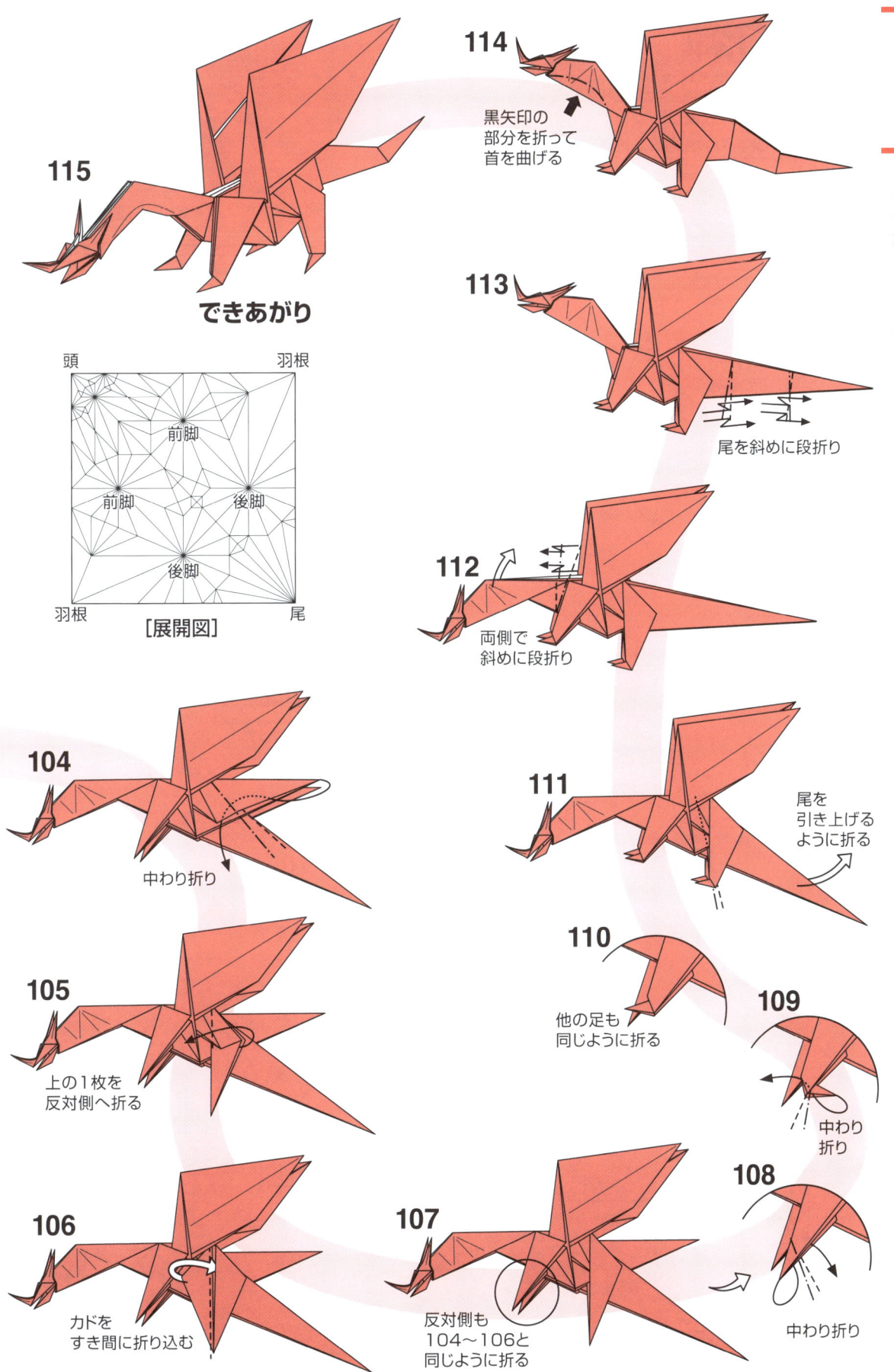

できあがり

114
黒矢印の部分を折って首を曲げる

113
尾を斜めに段折り

112
両側で斜めに段折り

111
尾を引き上げるように折る

110
他の足も同じように折る

109
中わり折り

108
中わり折り

107
反対側も104〜106と同じように折る

106
カドをすき間に折り込む

105
上の1枚を反対側へ折る

104
中わり折り

[展開図]
頭／羽根／前脚／前脚／後脚／後脚／羽根／尾

空想生物 ｜ トライホーン・ドラゴン

247

空想生物

難易度 ★★★★★

死神
Grim Reaper by Noboru Miyajima
創作●宮島 登

35cm 折り紙用紙／1枚／不切正方一枚折り

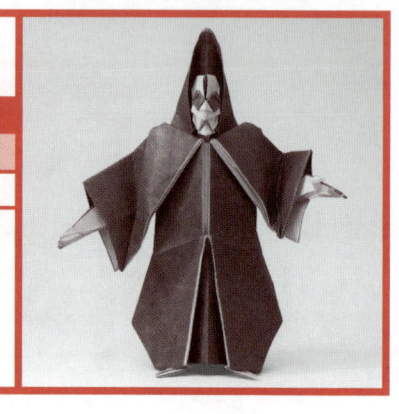

本作は、別々にできた「顔」や「手」などの個別パーツを組み合わせて全体構造をデザインするという、パズルのような手法でできた作品です。造形上のポイントは、特徴的な顔の表現と、支えなしで自立するところにあります。細かい折りもたくさんありますので、ぜひ35cm以上の大きな紙で挑戦してみてください。

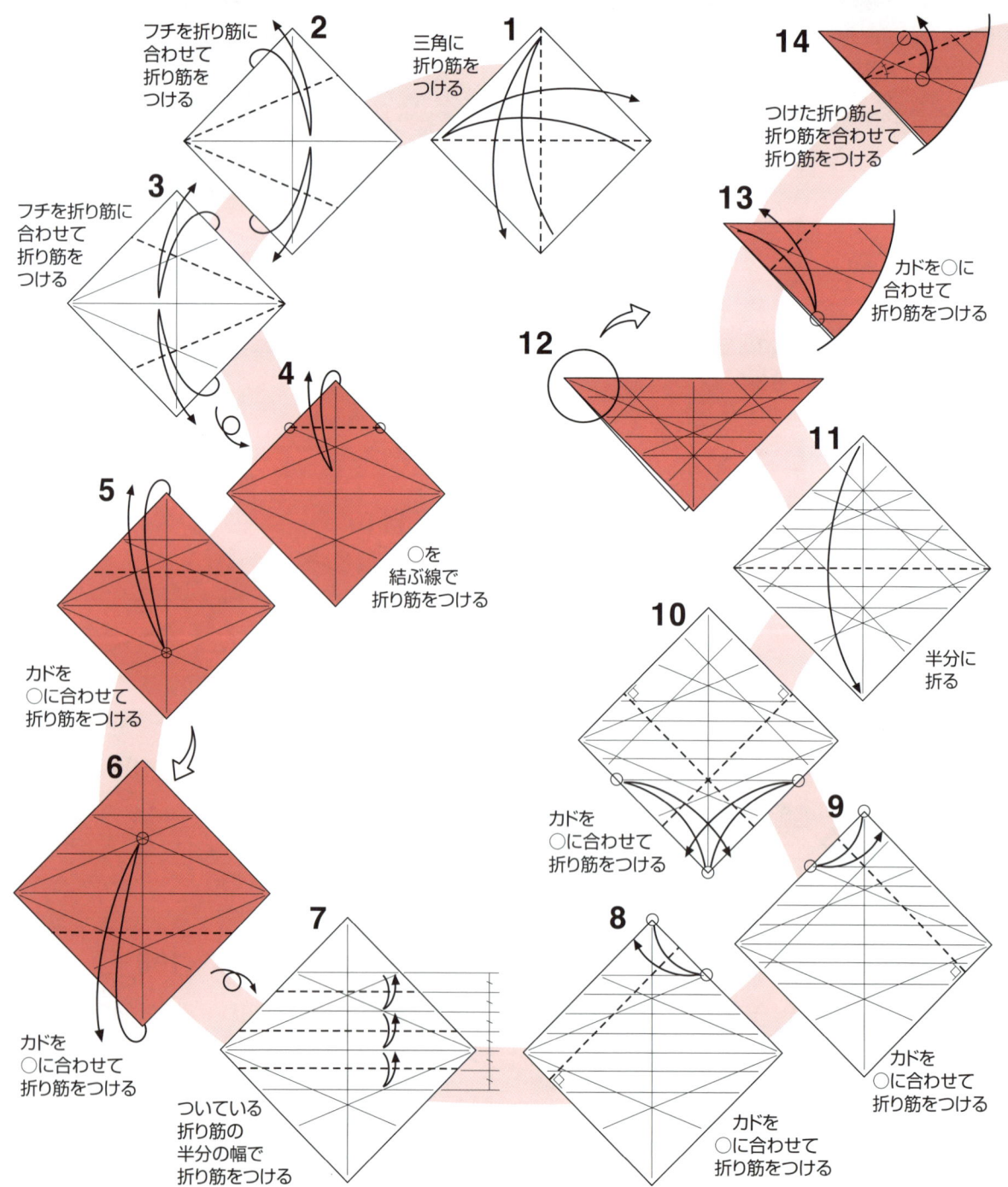

1. 三角に折り筋をつける
2. フチを折り筋に合わせて折り筋をつける
3. フチを折り筋に合わせて折り筋をつける
4. ○を結ぶ線で折り筋をつける
5. カドを○に合わせて折り筋をつける
6. カドを○に合わせて折り筋をつける
7. ついている折り筋の半分の幅で折り筋をつける
8. カドを○に合わせて折り筋をつける
9. カドを○に合わせて折り筋をつける
10. カドを○に合わせて折り筋をつける
11. 半分に折る
12.
13. カドを○に合わせて折り筋をつける
14. つけた折り筋と折り筋を合わせて折り筋をつける

248

16
ひろげる

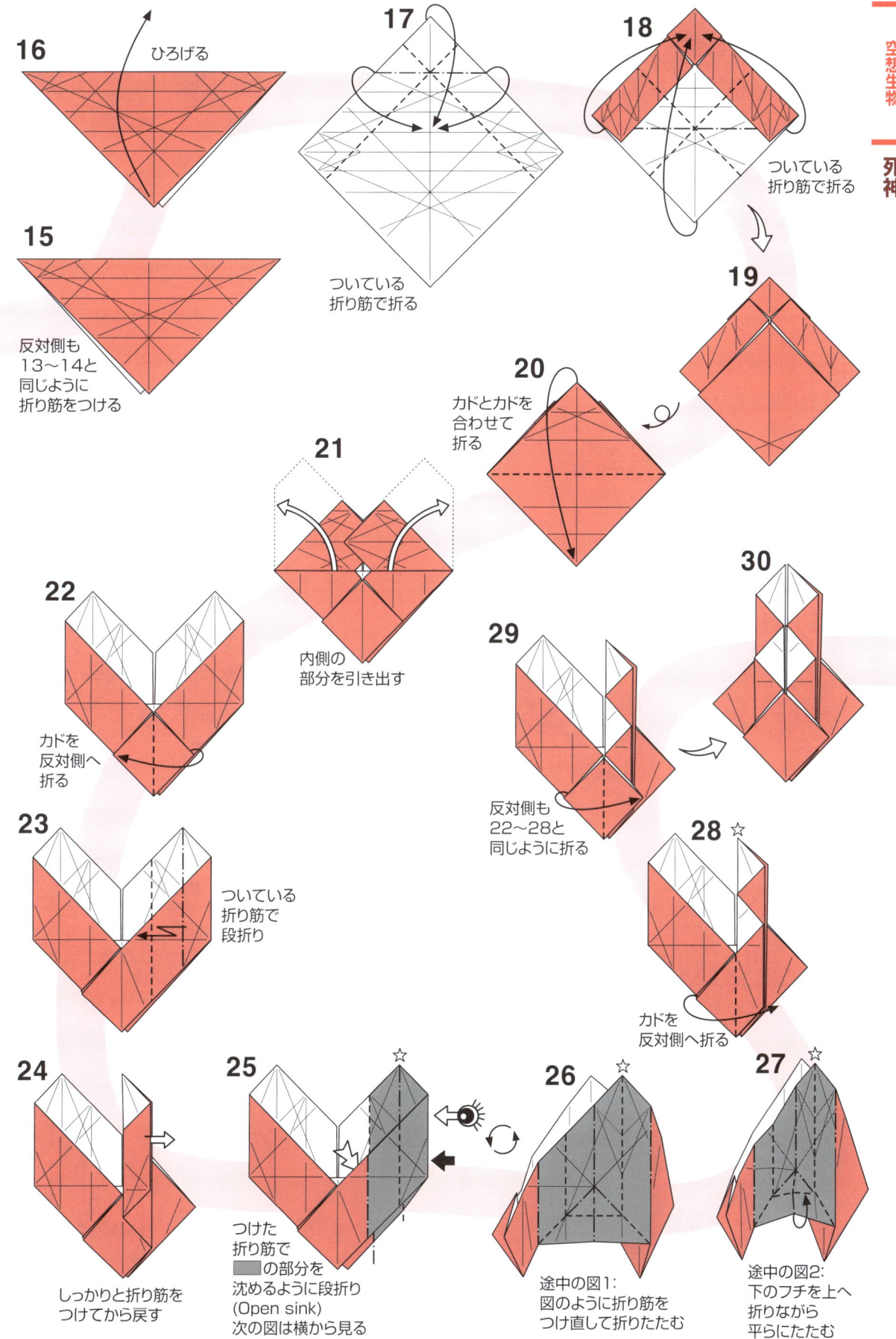

17
ついている折り筋で折る

18
ついている折り筋で折る

15
反対側も13〜14と同じように折り筋をつける

19

20
カドとカドを合わせて折る

21
内側の部分を引き出す

22
カドを反対側へ折る

30

29
反対側も22〜28と同じように折る

28 ☆
カドを反対側へ折る

23
ついている折り筋で段折り

24
しっかりと折り筋をつけてから戻す

25
つけた折り筋で■の部分を沈めるように段折り
(Open sink)
次の図は横から見る

26 ☆
途中の図1:
図のように折り筋をつけ直して折りたたむ

27 ☆
途中の図2:
下のフチを上へ折りながら平らにたたむ

空想生物 死神

249

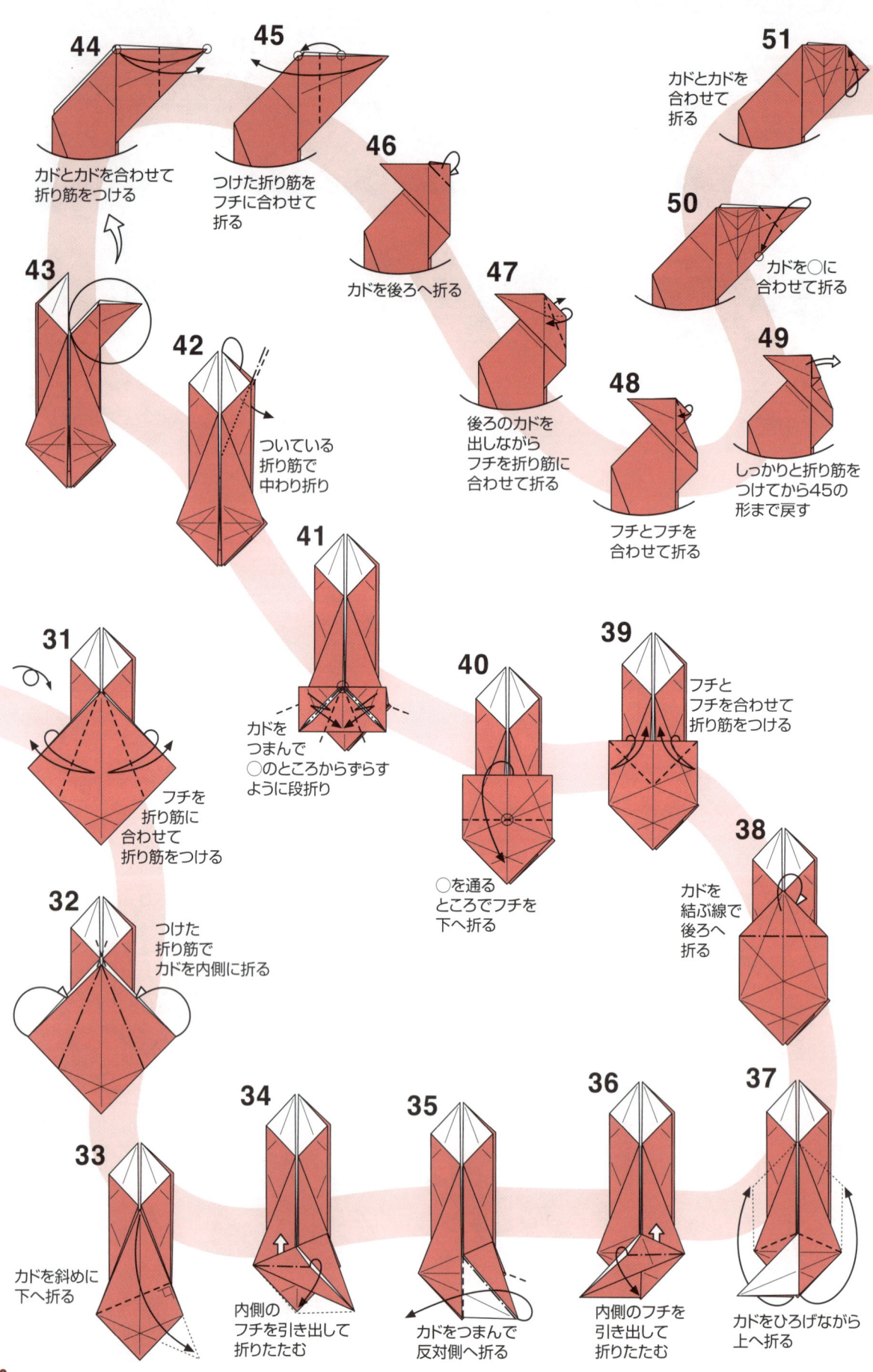

44
カドとカドを合わせて折り筋をつける

45
つけた折り筋をフチに合わせて折る

46
カドを後ろへ折る

47
後ろのカドを出しながらフチを折り筋に合わせて折る

48
フチとフチを合わせて折る

49
しっかりと折り筋をつけてから45の形まで戻す

50
カドを○に合わせて折る

51
カドとカドを合わせて折る

43

42
ついている折り筋で中わり折り

41
カドをつまんで○のところからずらすように段折り

40
○を通るところでフチを下へ折る

39
フチとフチを合わせて折り筋をつける

38
カドを結ぶ線で後ろへ折る

31
フチを折り筋に合わせて折り筋をつける

32
つけた折り筋でカドを内側に折る

33
カドを斜めに下へ折る

34
内側のフチを引き出して折りたたむ

35
カドをつまんで反対側へ折る

36
内側のフチを引き出して折りたたむ

37
カドをひろげながら上へ折る

250

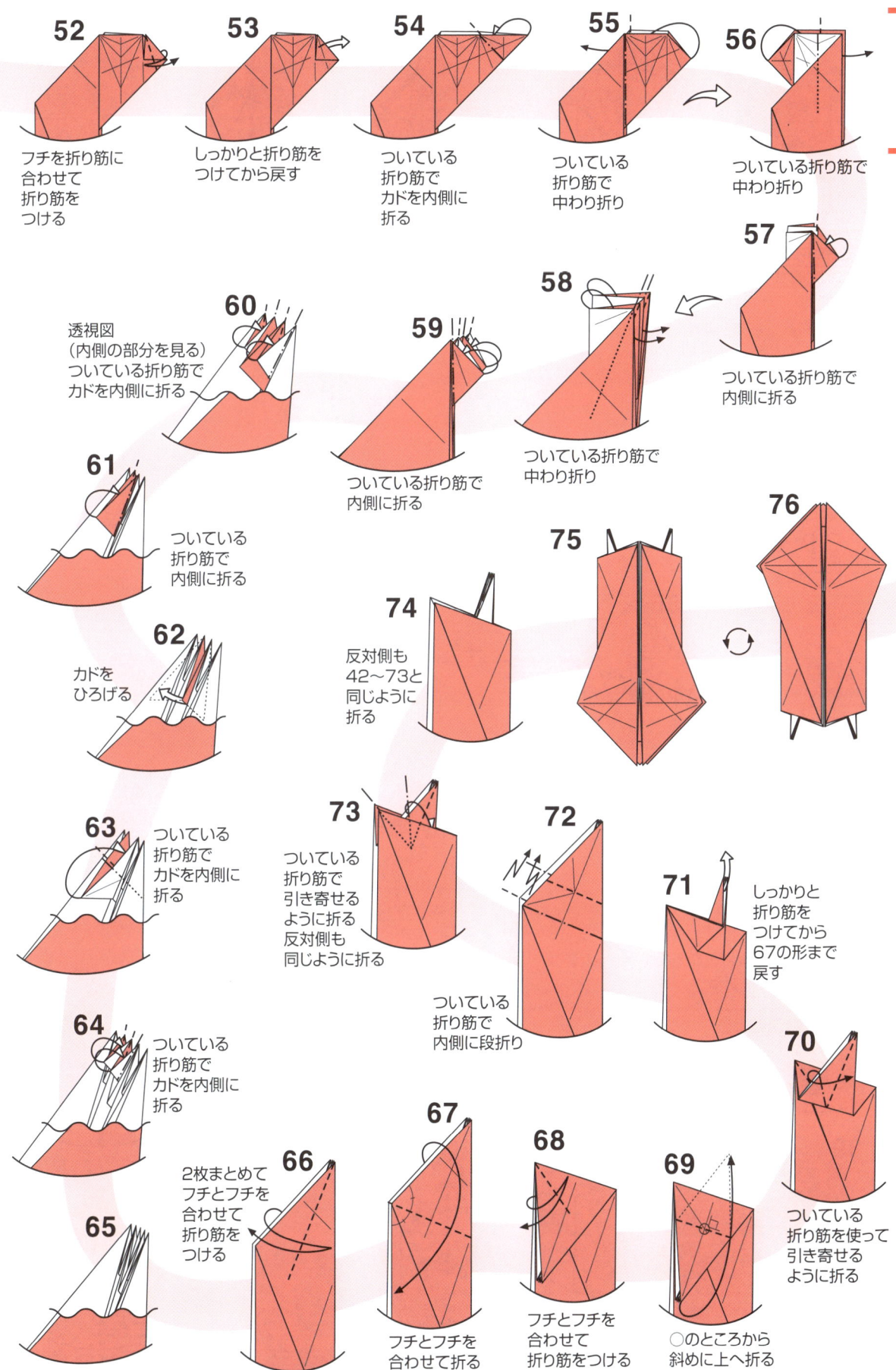

52
フチを折り筋に
合わせて
折り筋を
つける

53
しっかりと折り筋を
つけてから戻す

54
ついている
折り筋で
カドを内側に
折る

55
ついている
折り筋で
中わり折り

56
ついている折り筋で
中わり折り

空想生物
死神

57

58
ついている折り筋で
中わり折り

59
ついている折り筋で
内側に折る

60
透視図
(内側の部分を見る)
ついている折り筋で
カドを内側に折る

61
ついている
折り筋で
内側に折る

62
カドを
ひろげる

63
ついている
折り筋で
カドを内側に
折る

64
ついている
折り筋で
カドを内側に
折る

65

66
2枚まとめて
フチとフチを
合わせて
折り筋を
つける

67
フチとフチを
合わせて折る

68
フチとフチを
合わせて
折り筋をつける

69
○のところから
斜めに上へ折る

70
ついている
折り筋を使って
引き寄せる
ように折る

71
しっかりと
折り筋を
つけてから
67の形まで
戻す

72
ついている
折り筋で
内側に段折り

73
ついている
折り筋で
引き寄せる
ように折る
反対側も
同じように折る

74
反対側も
42〜73と
同じように
折る

75

76

251

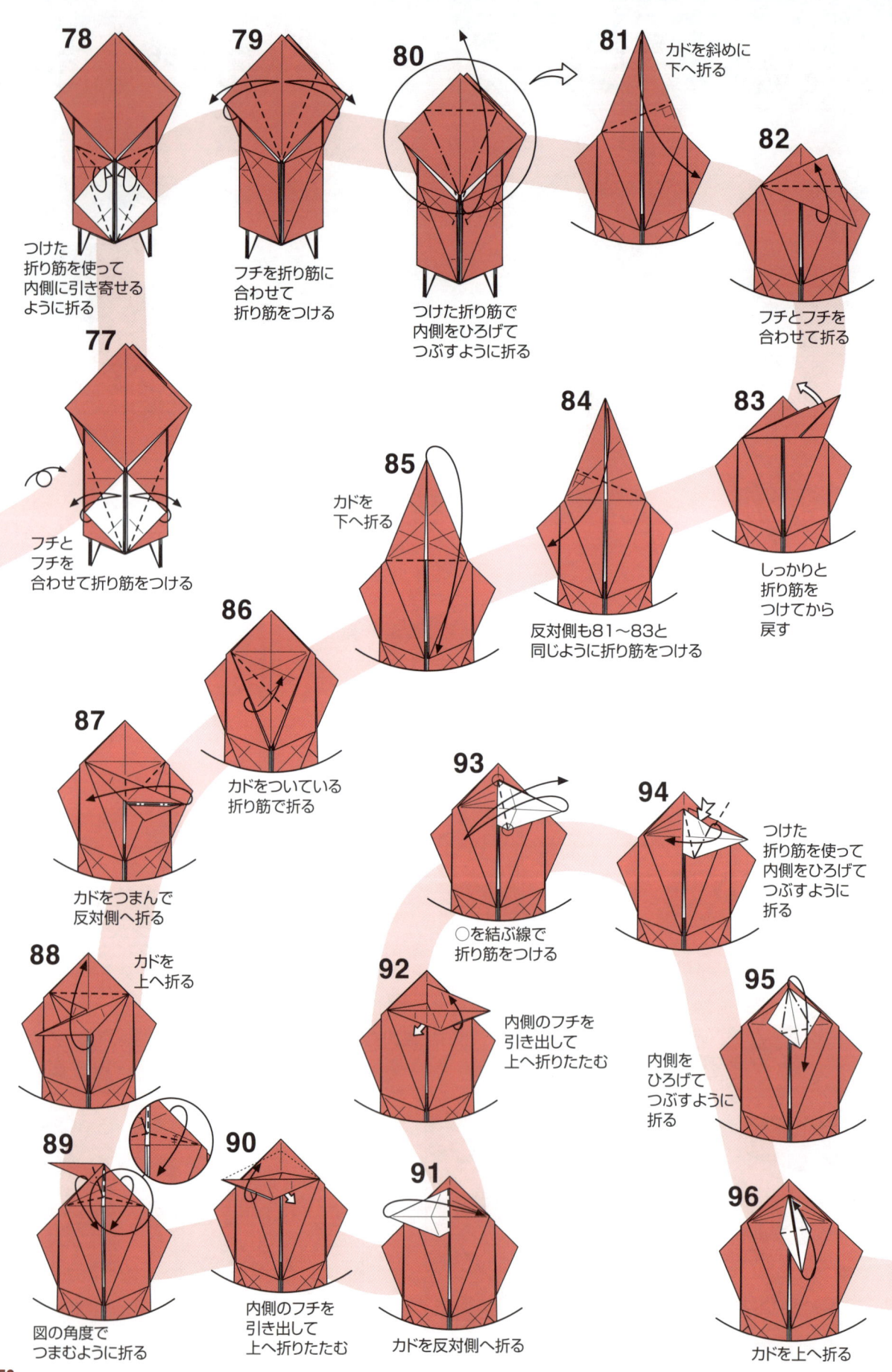

78
つけた折り筋を使って内側に引き寄せるように折る

79
フチを折り筋に合わせて折り筋をつける

80
つけた折り筋で内側をひろげてつぶすように折る

81
カドを斜めに下へ折る

82
フチとフチを合わせて折る

77
フチとフチを合わせて折り筋をつける

83
しっかりと折り筋をつけてから戻す

84
反対側も81〜83と同じように折り筋をつける

85
カドを下へ折る

86
カドをついている折り筋で折る

87
カドをつまんで反対側へ折る

93
○を結ぶ線で折り筋をつける

94
つけた折り筋を使って内側をひろげてつぶすように折る

88
カドを上へ折る

92
内側のフチを引き出して上へ折りたたむ

95
内側をひろげてつぶすように折る

89
図の角度でつまむように折る

90
内側のフチを引き出して上へ折りたたむ

91
カドを反対側へ折る

96
カドを上へ折る

252

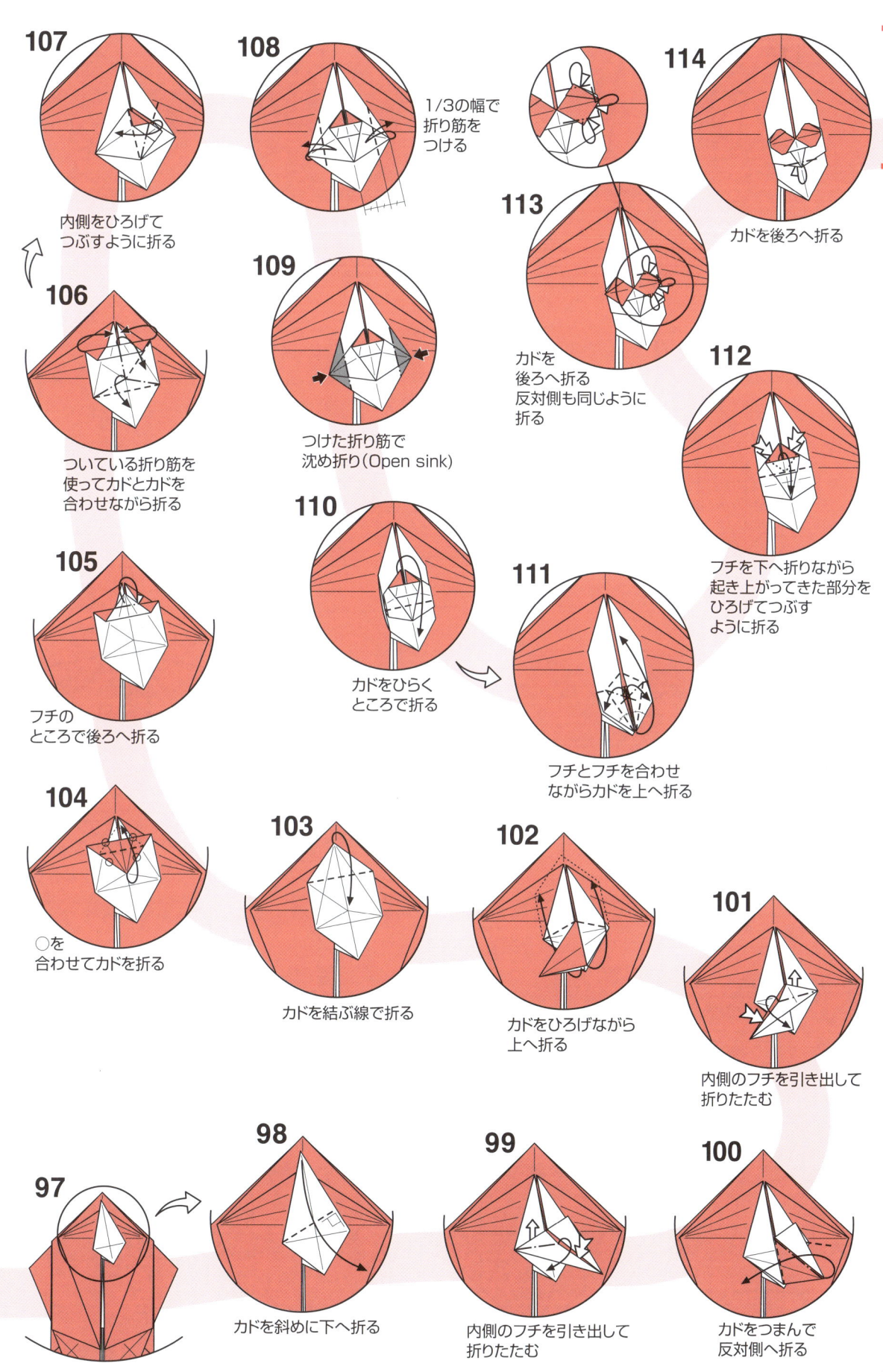

107
内側をひろげて
つぶすように折る

108
1/3の幅で
折り筋を
つける

114
カドを後ろへ折る

113
カドを
後ろへ折る
反対側も同じように
折る

106
ついている折り筋を
使ってカドとカドを
合わせながら折る

109
つけた折り筋で
沈め折り(Open sink)

112
フチを下へ折りながら
起き上がってきた部分を
ひろげてつぶす
ように折る

105
フチの
ところで後ろへ折る

110
カドをひらく
ところで折る

111
フチとフチを合わせ
ながらカドを上へ折る

104
○を
合わせてカドを折る

103
カドを結ぶ線で折る

102
カドをひろげながら
上へ折る

101
内側のフチを引き出して
折りたたむ

97

98
カドを斜めに下へ折る

99
内側のフチを引き出して
折りたたむ

100
カドをつまんで
反対側へ折る

空想生物 — 死神

253

115 後ろへ半分に折る

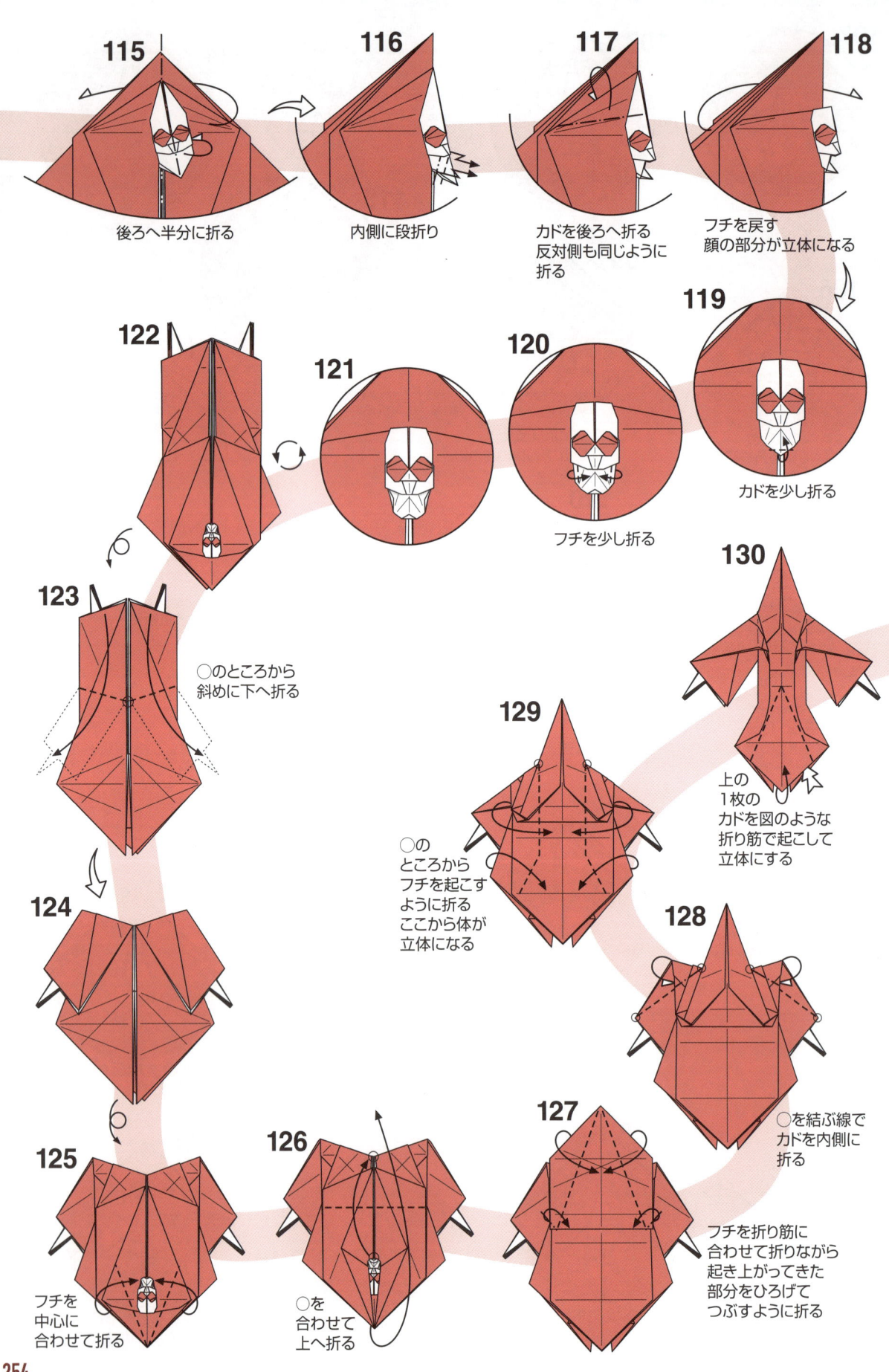

116 内側に段折り

117 カドを後ろへ折る 反対側も同じように折る

118 フチを戻す 顔の部分が立体になる

119 カドを少し折る

120 フチを少し折る

121

122

123 ○のところから斜めに下へ折る

124

125 フチを中心に合わせて折る

126 ○を合わせて上へ折る

127 フチを折り筋に合わせて折りながら起き上がってきた部分をひろげてつぶすように折る

128 ○を結ぶ線でカドを内側に折る

129 ○のところからフチを起こすように折る ここから体が立体になる

130 上の1枚のカドを図のような折り筋で起こして立体にする

254

空想生物 死神

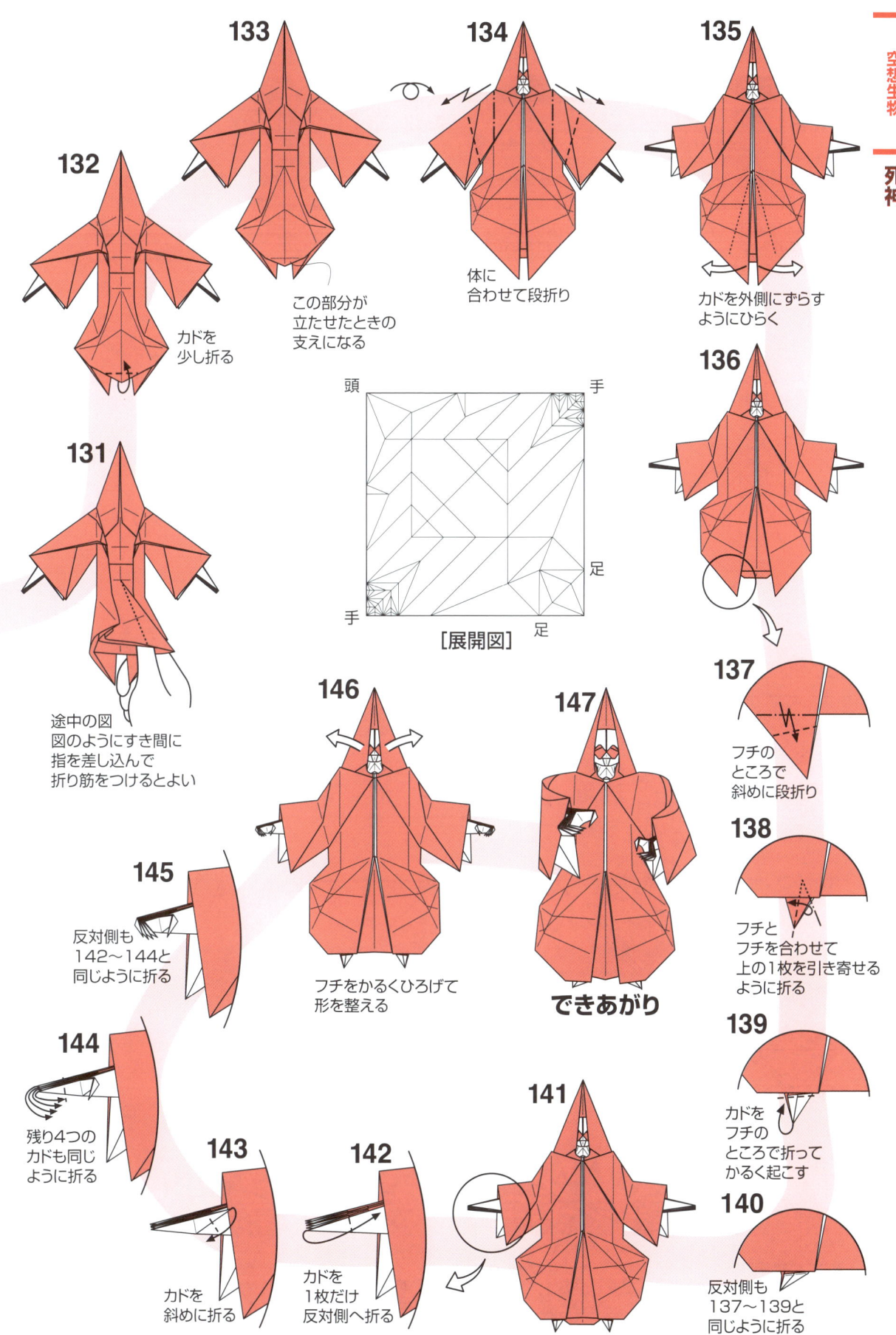

132 カドを少し折る

133 この部分が立たせたときの支えになる

134 体に合わせて段折り

135 カドを外側にずらすようにひらく

131 途中の図 図のようにすき間に指を差し込んで折り筋をつけるとよい

[展開図] 頭 手 手 足 足

136

137 フチのところで斜めに段折り

138 フチとフチを合わせて上の1枚を引き寄せるように折る

139 カドをフチのところで折ってかるく起こす

140 反対側も137〜139と同じように折る

141

142 カドを1枚だけ反対側へ折る

143 カドを斜めに折る

144 残り4つのカドも同じように折る

145 反対側も142〜144と同じように折る

146 フチをかるくひろげて形を整える

147 できあがり

255

空想生物	**ペガサス**
難易度 ★★★★★	Pegasus by Satoshi Kamiya 創作 ● 神谷哲史 35cm 折り紙用紙／1枚／不切正方一枚折り

この作品は、創作を始めた頃に考えたペガサスを元にしてリファインしたものです。頭部や仕上げなどは、現在の作風に変更していますが、基本的な構造については、旧作のものをほぼそのまま利用しています。
頭部や脚の先など、仕上げには細かい折りが多いので、最後まで気を抜かずにていねいに折ってください。

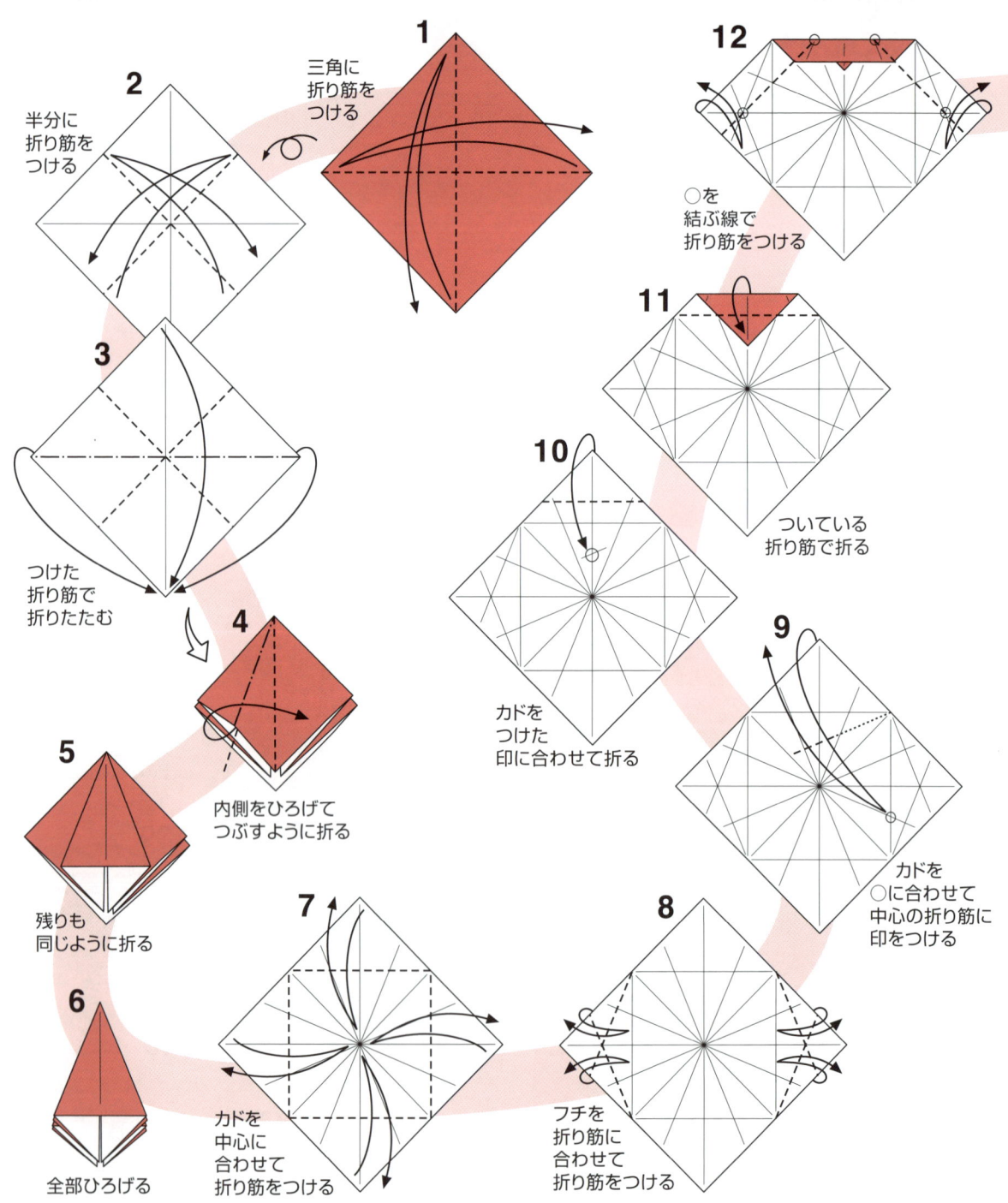

1 三角に折り筋をつける

2 半分に折り筋をつける

3 つけた折り筋で折りたたむ

4 内側をひろげてつぶすように折る

5 残りも同じように折る

6 全部ひろげる

7 カドを中心に合わせて折り筋をつける

8 フチを折り筋に合わせて折り筋をつける

9 カドを○に合わせて中心の折り筋に印をつける

10 カドをつけた印に合わせて折る

11 ついている折り筋で折る

12 ○を結ぶ線で折り筋をつける

256

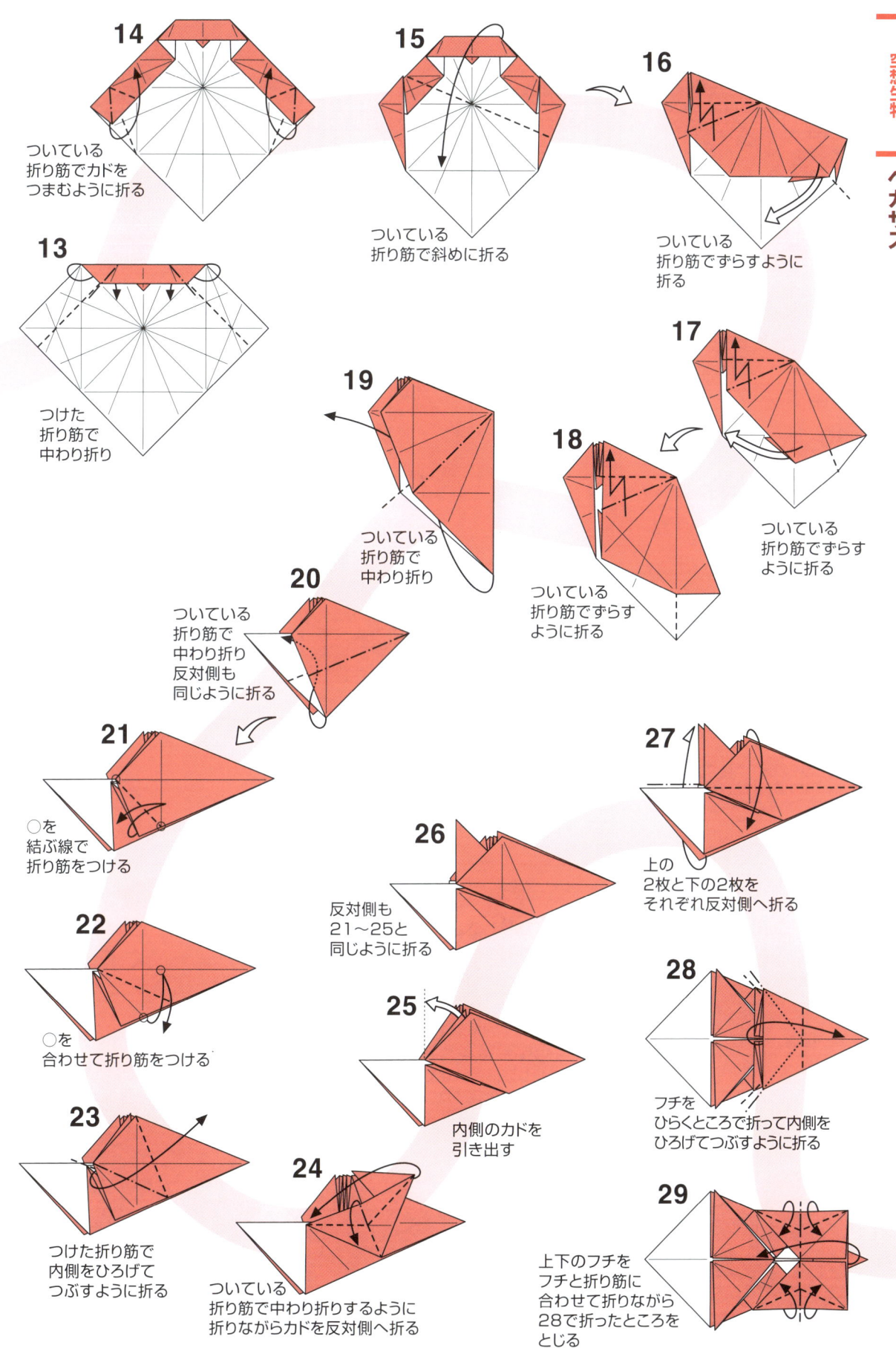

14
ついている折り筋でカドをつまむように折る

15
ついている折り筋で斜めに折る

16
ついている折り筋でずらすように折る

13
つけた折り筋で中わり折り

17
ついている折り筋でずらすように折る

18
ついている折り筋でずらすように折る

19
ついている折り筋で中わり折り

20
ついている折り筋で中わり折り反対側も同じように折る

21
○を結ぶ線で折り筋をつける

22
○を合わせて折り筋をつける

23
つけた折り筋で内側をひろげてつぶすように折る

24
ついている折り筋で中わり折りするように折りながらカドを反対側へ折る

25
内側のカドを引き出す

26
反対側も21〜25と同じように折る

27
上の2枚と下の2枚をそれぞれ反対側へ折る

28
フチをひらくところで折って内側をひろげてつぶすように折る

29
上下のフチをフチと折り筋に合わせて折りながら28で折ったところをとじる

空想生物

ペガサス

257

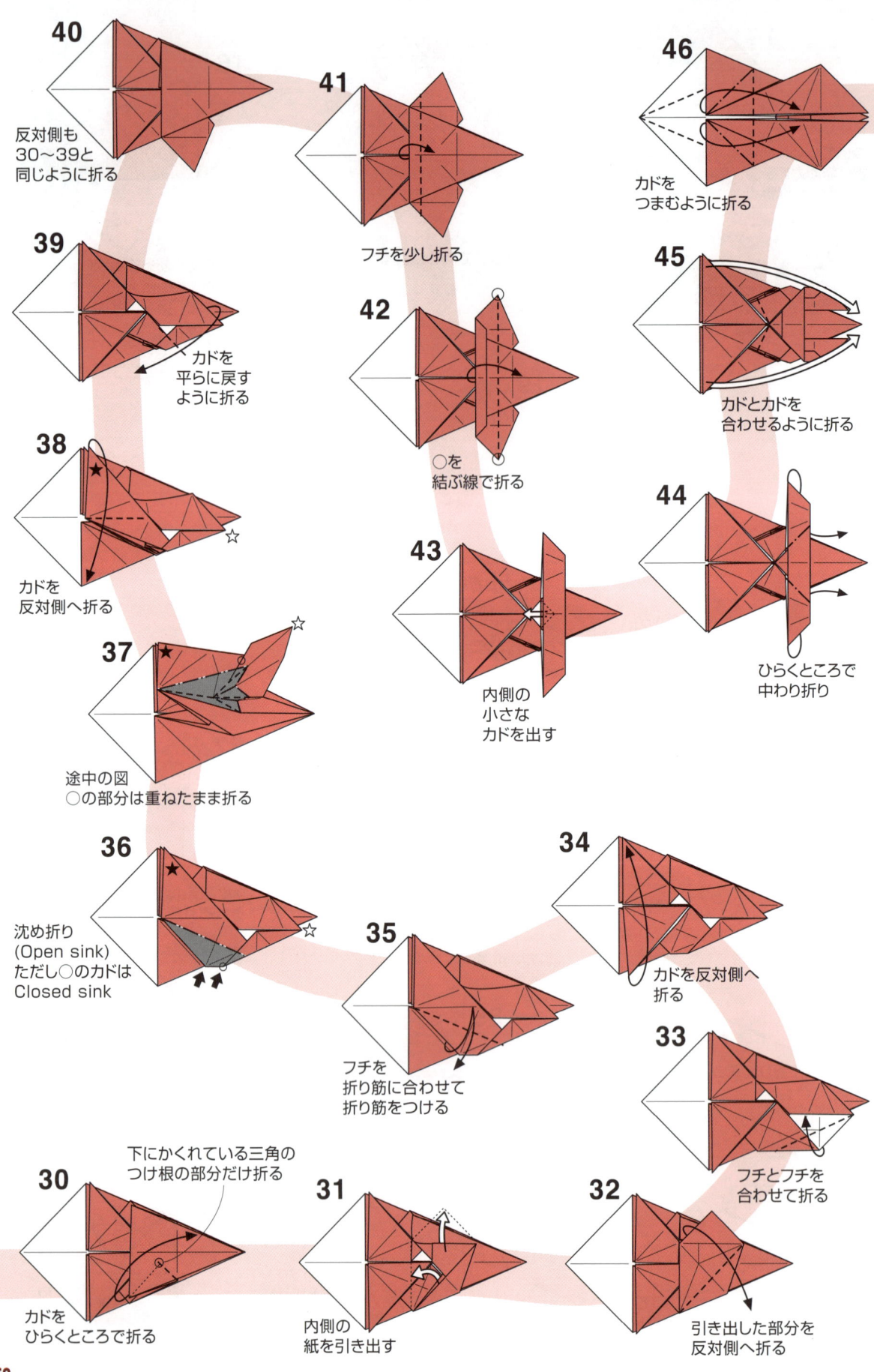

40
反対側も
30〜39と
同じように折る

41
フチを少し折る

42
○を
結ぶ線で折る

43
内側の
小さな
カドを出す

44
ひらくところで
中わり折り

45
カドとカドを
合わせるように折る

46
カドを
つまむように折る

39
カドを
平らに戻す
ように折る

38
カドを
反対側へ折る

37
途中の図
○の部分は重ねたまま折る

36
沈め折り
(Open sink)
ただし○のカドは
Closed sink

35
フチを
折り筋に合わせて
折り筋をつける

34
カドを反対側へ
折る

33
フチとフチを
合わせて折る

32
引き出した部分を
反対側へ折る

31
内側の
紙を引き出す

30
カドを
ひらくところで折る

下にかくれている三角の
つけ根の部分だけ折る

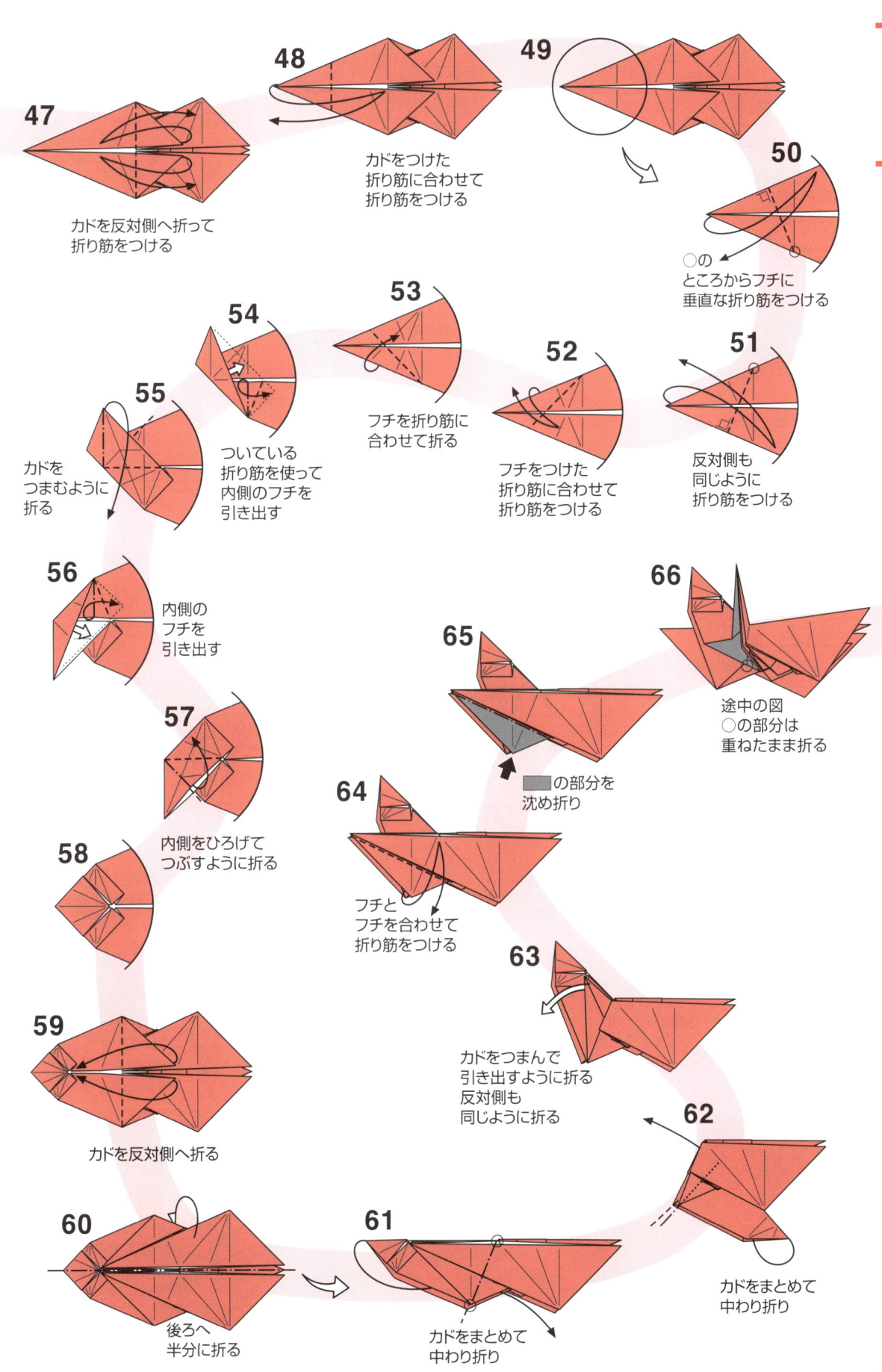

空想生物　ペガサス

47 カドを反対側へ折って折り筋をつける

48 カドをつけた折り筋に合わせて折り筋をつける

49

50 ○のところからフチに垂直な折り筋をつける

51 反対側も同じように折り筋をつける

52 フチをつけた折り筋に合わせて折り筋をつける

53 フチを折り筋に合わせて折る

54 ついている折り筋を使って内側のフチを引き出す

55 カドをつまむように折る

56 内側のフチを引き出す

57 内側をひろげてつぶすように折る

58

59 カドを反対側へ折る

60 後ろへ半分に折る

61 カドをまとめて中わり折り

62 カドをまとめて中わり折り

63 カドをつまんで引き出すように折る　反対側も同じように折る

64 フチとフチを合わせて折り筋をつける

65 ▪の部分を沈め折り

66 途中の図　○の部分は重ねたまま折る

259

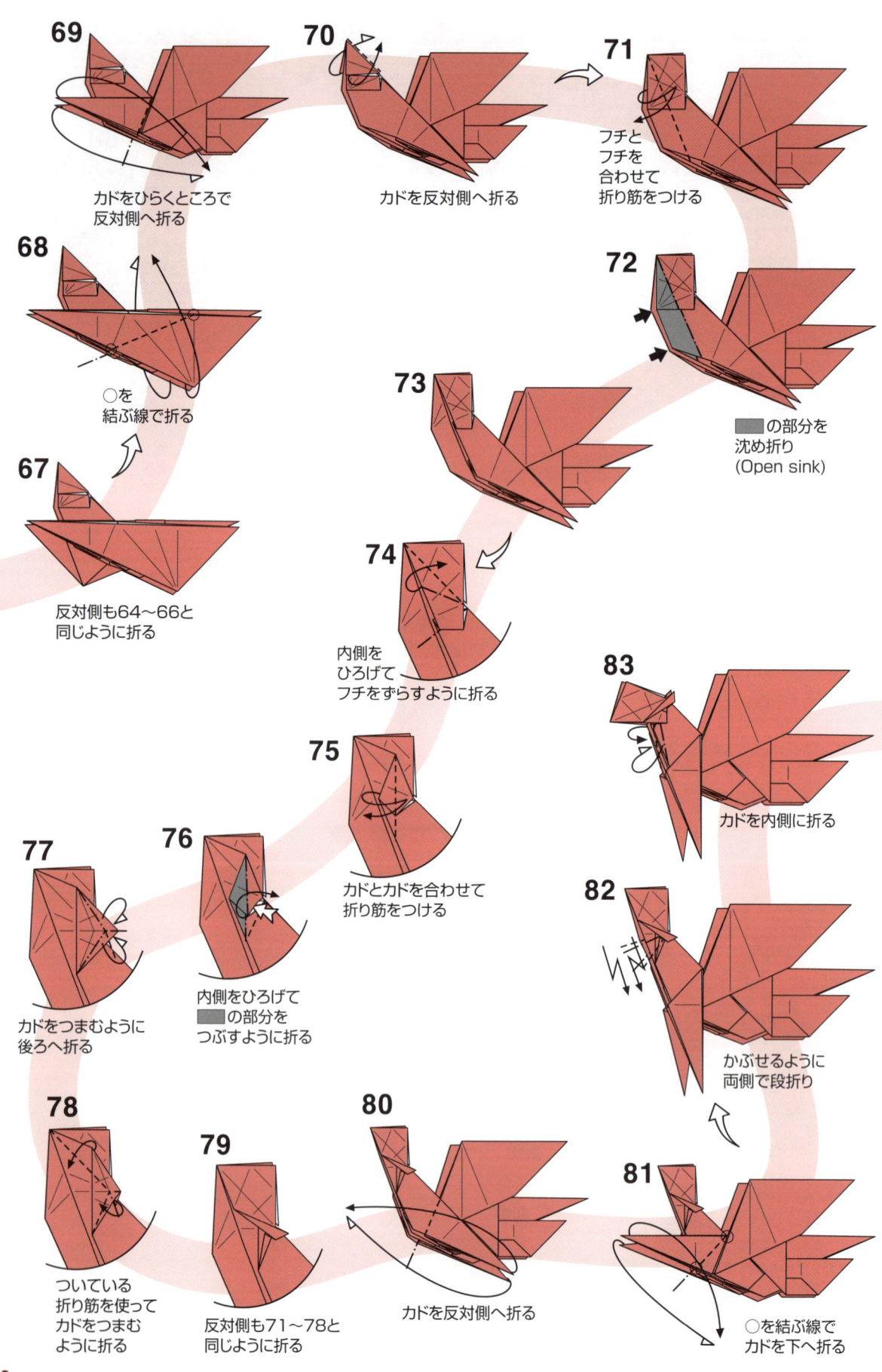

69
カドをひらくところで
反対側へ折る

70
カドを反対側へ折る

71
フチと
フチを
合わせて
折り筋をつける

68
○を
結ぶ線で折る

72
■の部分を
沈め折り
(Open sink)

67
反対側も64～66と
同じように折る

73

74
内側を
ひろげて
フチをずらすように折る

83
カドを内側に折る

75
カドとカドを合わせて
折り筋をつける

77
カドをつまむように
後ろへ折る

76
内側をひろげて
■の部分を
つぶすように折る

82
かぶせるように
両側で段折り

78
ついている
折り筋を使って
カドをつまむ
ように折る

79
反対側も71～78と
同じように折る

80
カドを反対側へ折る

81
○を結ぶ線で
カドを下へ折る

260

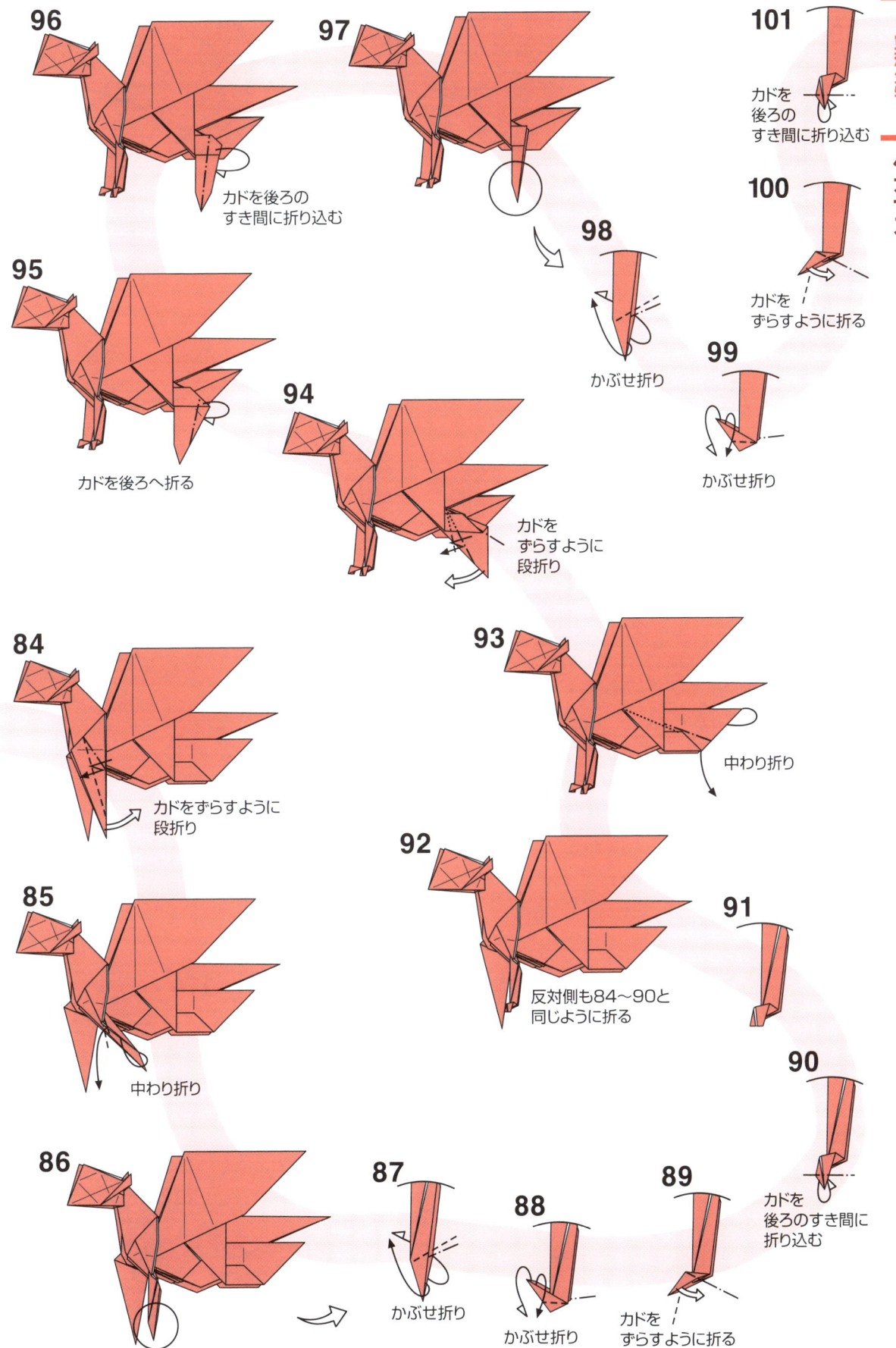

96
カドを後ろのすき間に折り込む

97

98
かぶせ折り

101
カドを後ろのすき間に折り込む

100
カドをずらすように折る

99
かぶせ折り

95
カドを後ろへ折る

94
カドをずらすように段折り

84
カドをずらすように段折り

93
中わり折り

85
中わり折り

92
反対側も84〜90と同じように折る

91

90
カドを後ろのすき間に折り込む

86

87
かぶせ折り

88
かぶせ折り

89
カドをずらすように折る

空想生物 ペガサス

261

102

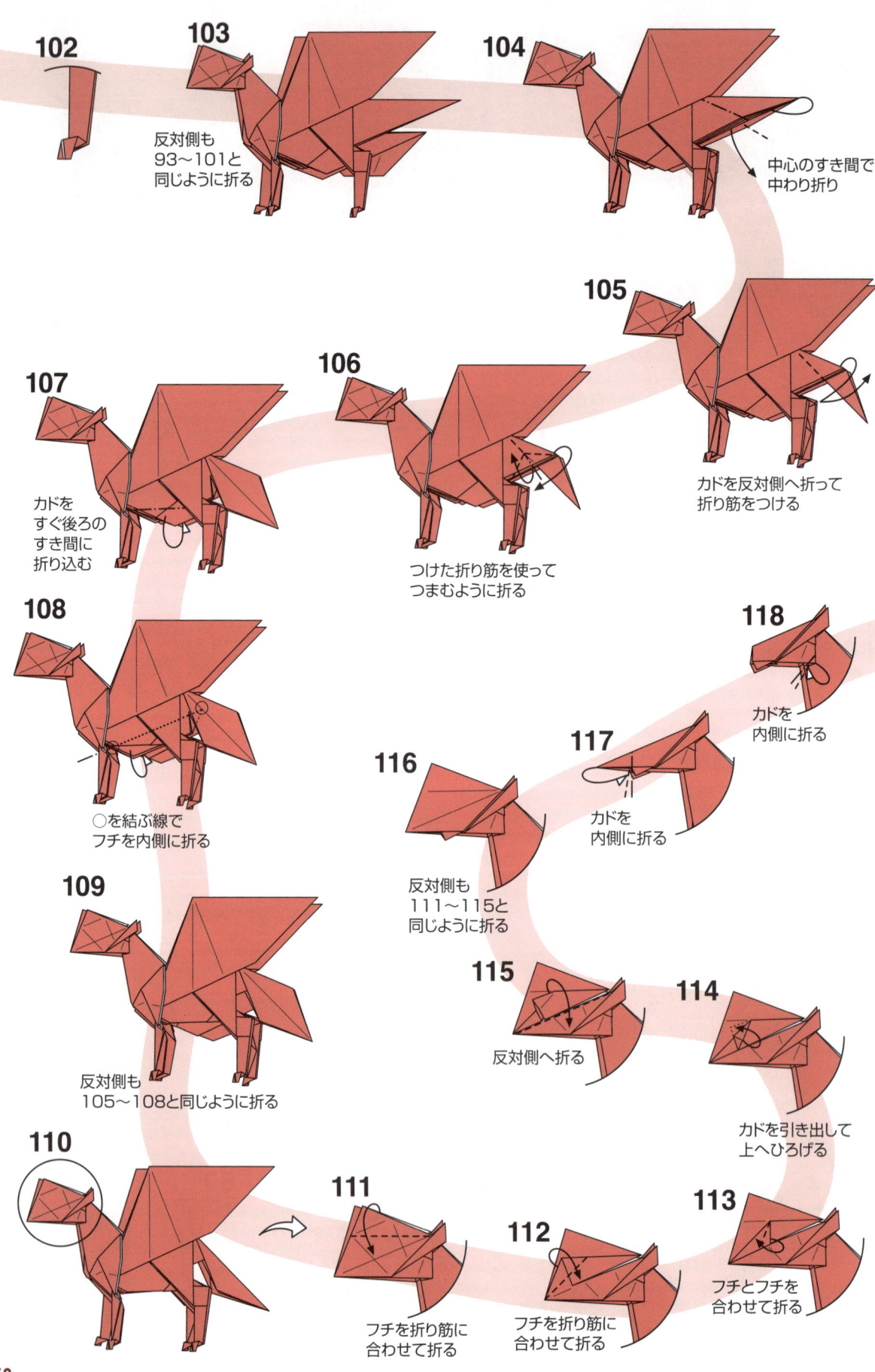

103 反対側も93〜101と同じように折る

104 中心のすき間で中わり折り

105 カドを反対側へ折って折り筋をつける

106 つけた折り筋を使ってつまむように折る

107 カドをすぐ後ろのすき間に折り込む

108 ○を結ぶ線でフチを内側に折る

109 反対側も105〜108と同じように折る

110

111 フチを折り筋に合わせて折る

112 フチを折り筋に合わせて折る

113 フチとフチを合わせて折る

114 カドを引き出して上へひろげる

115 反対側へ折る

116 反対側も111〜115と同じように折る

117 カドを内側に折る

118 カドを内側に折る

122

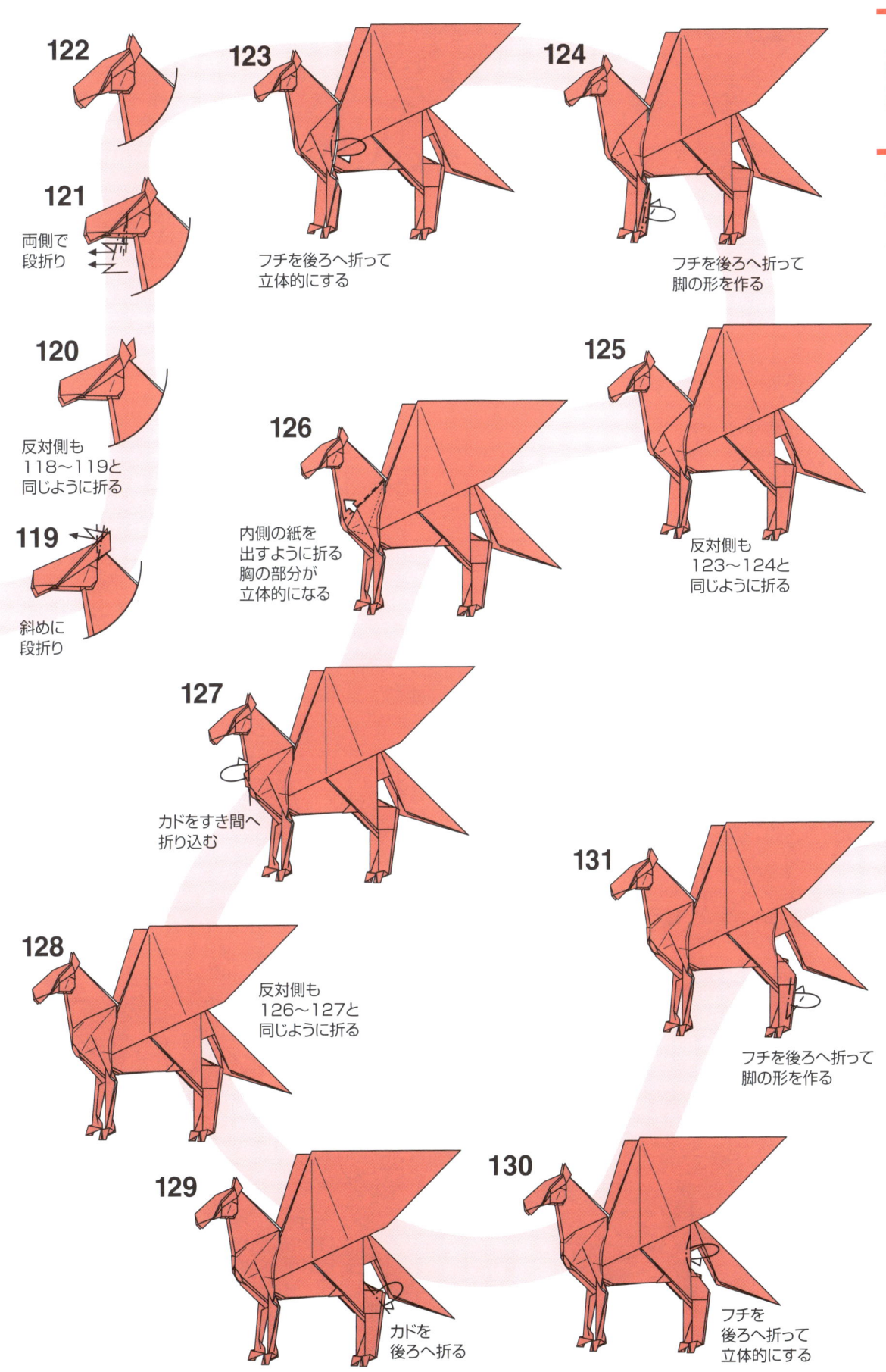

121 両側で段折り

120 反対側も118〜119と同じように折る

119 斜めに段折り

123 フチを後ろへ折って立体的にする

124 フチを後ろへ折って脚の形を作る

125 反対側も123〜124と同じように折る

126 内側の紙を出すように折る 胸の部分が立体的になる

127 カドをすき間へ折り込む

128 反対側も126〜127と同じように折る

129 カドを後ろへ折る

130 フチを後ろへ折って立体的にする

131 フチを後ろへ折って脚の形を作る

空想生物　ペガサス

263

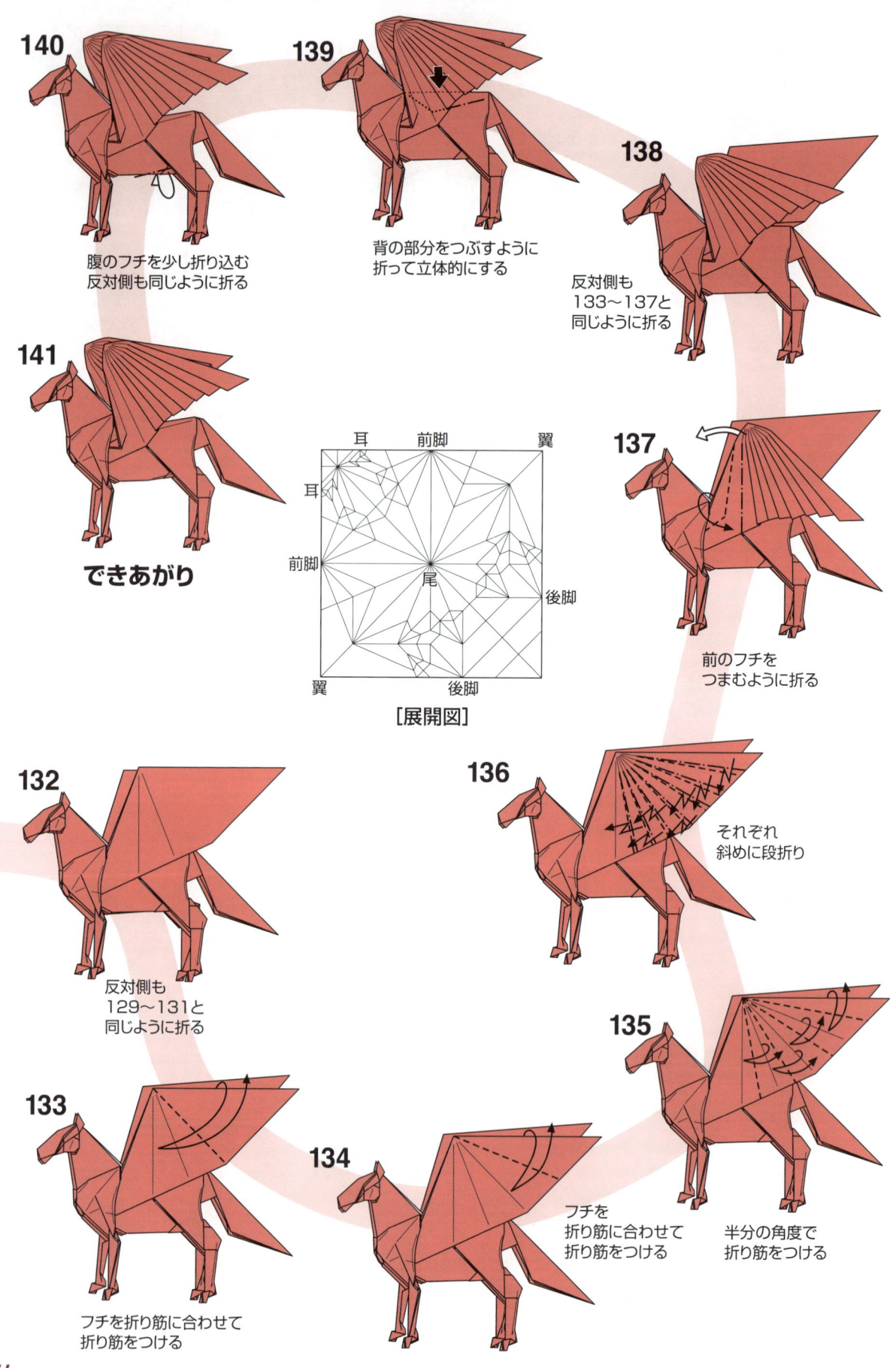

140
腹のフチを少し折り込む
反対側も同じように折る

139
背の部分をつぶすように
折って立体的にする

138
反対側も
133〜137と
同じように折る

141
できあがり

[展開図]
耳　前脚　翼
前脚　尾
翼　後脚　後脚

137
前のフチを
つまむように折る

132
反対側も
129〜131と
同じように折る

136
それぞれ
斜めに段折り

135
半分の角度で
折り筋をつける

133
フチを折り筋に合わせて
折り筋をつける

134
フチを
折り筋に合わせて
折り筋をつける

用語集（50音順） 本書に出てくる折り紙専門用語

インサイドアウト
紙の表と裏の2色を作品中に出すこと、あるいはその技法のこと。

ウェットフォールディング…P.84、P.126、P.160、P.172
紙に水分を含ませて折る技法。詳しくはP.152を参照

裏打ち…P.172
紙の裏側に別の紙を貼り合わせること。補強や裏側の色を変えるために行われる。

Open sink（オープン・シンク）➡P.35参照

折紙探偵団マガジン…P.266
日本折紙学会が隔月で刊行している機関誌。

Origamidoスタジオ…P.267
本書掲載の「マコトチョウ」の作者で折り紙作家のアメリカ人、マイケル・ラフォース氏の個人スタジオ。ここで作られる手すきの折り紙専用用紙「Origamido Paper」には世界中にファンがいる。

OrigamiUSA
アメリカ折紙協会。1970年代に前身となる折り紙グループ「The Friends of The Origami Center of America」が設立され、1980年に公益法人となった、アメリカ最大の折り紙団体。https://origamiusa.org

折り図
折り紙の折り方を解説した図。

かぶせ折り ➡P.33参照

花弁折り（かべんおり）➡P.34参照

カラーチェンジ…P.218 ➡「インサイドアウト」参照

基本形…P.266
複数の作品に共通する基本の形。風船基本形、鶴の基本形、魚の基本形などがある。

ギャラリーおりがみはうす…P.266
本書の著者である「山口真」の個人事務所であり、日本で最初の折り紙専門展示場。1989年設立。

ぐらい折り…P.42、P.126、P.157
「これくらい」として明確な基準がない折りのこと。

Closed sink（クローズド・シンク）➡P.35参照

昆虫戦争…P.60
1993年から1994年夏にかけて、ギャラリーおりがみはうすに集う若手折り紙創作家を中心に、誰が一番すごい昆虫を創作するかを競い合った時期をさす。後にロバート・J・ラング氏も参戦した。

コンプレックス作品
複雑（コンプレックス）な作品のこと。

コンベンション…P.266、P.267
世界各地で行われている折り紙の大会。国内では東京で折紙探偵団コンベンションと、関西、静岡、東海、九州でそれぞれ地方大会が行われている。

座布団折り…P.229
正方形の4つのカドを中心に合わせて折る折り方。折った形を「座布団の基本形」と呼ぶ。

沈め折り ➡P.35参照

蛇腹折り…P.266
縦と横に等分の折り筋をつけること。またはその折り筋を使って折りたたむ技法。

段折り ➡P.34参照

つまみ折り ➡P.34参照

鶴の基本形…P.52、P.98、P.229、P.241
折り紙の基本形の一種。伝承作品の「鶴」を折る途中の細長い菱型の状態のこと。

TVチャンピオン…P.235
1992年から2006年までテレビ東京系列で放送されていた人気番組。「折り紙王選手権」が6回行われ、後番組のTVチャンピオン2では1回行われた。

展開図
作品の基本的な形を折ったときに、ついている折り線を描画したもの。作品の構造を把握することができる。

留め折り…P.218
作品の一部や全体が、ひろがらないようにするための折り方。

中わり折り ➡P.33参照

日本折紙学会
(Japan Origami Academic Society: JOAS)
1990年に前身となるグループ「折紙探偵団」を結成。1999年に会の名称を「日本折紙学会」と改称。折り紙の専門研究と折り紙の普及の促進、ならびに、それらを通しての広く国内外の折り紙愛好家との交流の促進を目的とする団体。詳しくは日本折紙学会のHPを参照
http://www.origami.gr.jp/

のり引き
紙の張りを出すために、薄めたのりを塗って紙を補強する技法。でんぷんのりなどを使う。

複合作品…P.210
複数の紙を用いて作られた作品のこと。

不切正方一枚折り…P.210
1枚の正方形の紙から切らずに作品を折る技法、あるいはその作品のこと。

BOS（British Origami Society）…P.202、P.267
イギリス折紙協会。1967年に発足されたイギリスで最も大きな折り紙団体。
http://www.britishorigami.info

両側で段折り ➡P.34参照

ユニット
複合作品の一種だが、特に同じ形状の1種類（又は数種類）のパーツを組み合わせて作った作品のこと。

作家プロフィール

国内作家

勝田恭平（かつた　きょうへい）／おりがみはうすスタッフ
1986年生まれ。3〜4才の頃に母から折り紙を教わり、以来折り続けて現在に至る。中学生の時分から自作品の創作を始め、同じ頃折紙探偵団（現 日本折紙学会）のメンバーとなる。主な創作対象は生物全般。好きな生物はニワトリ。現在はこれまであまり使われてこなかった技法や視点からの作品が創作できないかを模索中。

神谷哲史（かみや　さとし）／おりがみはうすスタッフ
1981年生まれ。愛知県名古屋市出身。
物心つく前から折り紙を始め、それから現在まで、ブランクなしで折り紙と付き合っている。現在、折り紙の可能性と限界との境界線を探して創作活動を続ける。著書に『神谷哲史作品集』、『神谷哲史作品集2』（おりがみはうす）、『神谷流創作折り紙に挑戦！―創作アイデアの玉手箱』(ソシム) がある。

川崎敏和（かわさき　としかず）
折り紙作家。阿南工業高等専門学校助教授。1955年生まれ。折り鶴変形理論で博士号（数理学）を取得。次々に独創的な折り紙を考案。特に「ばら」は"Kawasaki Rose"とよばれ、世界的に高く評価されている。日々、高専で教鞭をとって学生と向き合いながら、折り紙の創作活動を行い、講演等で国内外を飛び回っている。日本折紙学会評議員。著書に『バラと折り紙と数学と』(森北出版)、『究極の夢折り紙』『ばらの夢折り紙』(朝日出版社)など多数がある。

川畑文昭（かわはた　ふみあき）
1957年長野県生まれ。幼少の頃より折り紙やペーパークラフト等の紙工作に親しみ、大学在学中から本格的に折紙創作に取り組み始める。以降継続的に創作作品を発表し、現在に至る。日本折紙学会評議員。著書に『空想おりがみ』『折紙図鑑昆虫Ⅰ（西川誠司氏との共著）』(おりがみはうす)等。

小松英夫（こまつ　ひでお）
1977年生まれ。折り紙作家、折り紙研究家。日本折紙学会評議員。日本折紙学会機関誌『折紙探偵団マガジン』にて新作折り図、評論等を発表するほか、インターネットでの情報発信にも意欲的に取り組む。著書に『小松英夫作品集』(2012年、おりがみはうす)。
公式サイト「折り紙計画」URL: http://origami.gr.jp/~komatsu/

笹出晋司（ささで　しんじ）
1965年生まれの会社員。一時期はゴジラやガメラなどの怪獣映画のキャラクターをモチーフにした作品を多く作っていた。近年は、日本折紙学会の折紙探偵団コンベンションに参加し、本書収録の「ツル星人」の講習を行っており、今後も続けていく予定だ。東京在住だが、東京以外の地方コンベンションにも時々参加している。縦横両方大きくて目立っているので、もし分かったら声をかけてほしい。

津田良夫（つだ　よしお）
小学生のころから折り紙に親しむ。折紙歴50年。昆虫、特に蚊の生態を研究する昆虫学者で、昆虫や鳥類など動物を対象にした作品が多い。不切一枚折りで伝統的な基本形を基にしたシンプルな作品から蛇腹折りを用いた複雑な作品まで、さまざまな作品がある。平面的な作品よりも、立体的な作品を好む。日本折紙学会代表。著書『創作折り紙をつくる』(大月書店、1985年)

西川誠司（にしかわ　せいじ）
1963年生まれ。奈良県出身。東京農工大学卒業。農学博士。幼少より創作折り紙に魅了され、1980年頃から専門誌に新作を投稿。1990年に現在の日本折紙学会の前身である折り紙愛好家グループ折紙探偵団を立ち上げたメンバーのひとり。2014年に東京で開催された第6回折り紙の科学・数学・教育国際会議では組織委員として大会の運営に協力した。日本折紙学会元代表、現評議員。

萩原　元（はぎわら　げん）
1990年生まれ。東京都出身。保育園で折り紙に触れ、小学2年生で折り紙の深みにはまり、中学2年頃本格的に創作を始め、高校2年時に折り図の発表を始める。すべて2年生なのはただ偶然。オーストラリアに留学しデザインを学ぶかたわら現地の折り紙クラブ「Melbourne Origami Group」に加わり定例会・イベント等で活動している。

北條高史（ほうじょう　たかし）
栃木県生、東京都在住。製薬会社勤務。日本折紙学会評議員。仏像・神像など、洋の東西と時代を問わず立体の人物像に興味を持ち、折紙作品の主な題材としている。ホームページ「現代折り紙」(http://origami.gr.jp/~hojyo/index.htm)に作品を掲載。

松田景吾（まつだ　けいご）
1984年生まれ。石川県金沢市出身。博士（工学）。本職では、スーパーコンピュータを駆使して、雲の中の乱流現象や、都市上空の熱輸送現象を解明する研究に取り組んでいる。折り紙創作では、複雑で写実的であることよりもインプレッシブであることを目標に、動物や怪獣、深海生物などの創作を行っている。いつかは、不定形の雲や乱流を、物理的な構造の理解に基づいて折り紙で表現したいと夢想している。

宮島 登（みやじま　のぼる）
1975年東京生まれ。創作折り紙作家。日本折紙学会会員。幼少期より折り紙を始め、1995年に折紙探偵団（現在の日本折紙学会）に入会して本格的に創作活動を開始する。動物を中心にしたオリジナル作品は100点以上に及び、正方形一枚での表現の可能性を追求している。
ホームページ http://origami-fantasia.com/

宮本宙也（みやもと　ちゅうや）
1987年生まれ。普段はウェブサイトを作ったり、iPhoneアプリを作ったりする仕事をしている。超難解からシンプルまで、なんでも幅広く創作している。2005年頃からウェブの画像掲示板などで作品を発表し始め、講習、機関誌への折り方発表、メディア出演など行っている。好きな食べ物はカニ、趣味はカレー。

山梨明子（やまなし　あきこ）
折り紙との出会いは幼少時。笠原邦彦氏の本を繰り返し折って育つ。創作を始めたのは20代中ごろから。身近な物をモチーフにした立体作品や、箱などの実用作品が多い。覚えて繰り返し折ってもらえるような、シンプルで親しみやすい作品を目標としている。

海外作家

David Brill（デビッド・ブリル）
5歳の時に、伝承の羽ばたく鳥を習ったのをきっかけに折り紙を始める。1974年にBOS（British Origami Society／イギリス折り紙協会）に入会。自身の創作を始める。1996年に作品集『ブリリアント・オリガミ』（日貿出版社）を出版。
現在は、世界各国のコンベンションや展示会を訪ねるのを楽しんでいる。元BOS代表。

Roman Diaz（ロマン・ディアス）
折り紙の創作歴は15年。世界各国の折り紙の大会から招待されている。これまでに『Origami for Interpreters』、『Origami Essence』（SARL Passion Origami）の2冊の本を出版しており、多くの機関誌や折り図集にも折り図を投稿している。近年は基本に返り、折り方が面白くシンプルでエレガントな作品を目指し、本業の獣医のかたわら、折り紙作家として活動中。

Michael LaFosse（マイケル・ラフォース）
40年以上に渡り、折り紙作家・ペーパーメーカーとして折り紙に関わる。リチャード・アレクサンダーと共にマサチューセッツ州にOrigamidoスタジオを開設。ここを拠点として創作活動や講習、折り紙専用の用紙の開発・制作、書籍・折り紙キット・DVDの制作など多彩な活動を行っている。
元OrigamiUSA評議員。

Robert J. Lang（ロバート・J・ラング）
40年以上に渡って折り紙を続けている世界的に有名な折り紙作家の一人で、これまでに数百種類もの作品を創作している。また、世界中の折り紙作家が使用している多くの創作技術の生みの親でもあり、世界各国で開催されている折り紙のイベントから招待を受けている。元OrigamiUSA評議員。

Francis Ow（フランシス・オウ）
就学前の幼少期に折り紙を始め、以後数多くの作品を創作。折り紙を通して世界中に多くの友人を得る。主に幾何学的な作品を題材としているが、特にハートをモチーフとした作品を数多く創作し、日本国内では1990年に『折り紙ハート』（布施知子・翻訳　筑摩書房）を出版している。

Bernie Peyton（バーニー・ペイトン）
63歳、カリフォルニア大学バークレー校博士号取得。20年以上に渡り、メガネグマをはじめとする南アメリカの絶滅危惧種の研究に携わった。
自身の創作は1998年から始めた。作品はウェブサイトで見ることができる。
www.berniepeyton.com
著書は『ECO Origami』（SARL Passion Origami）

Ronald Koh（ロナルド・コウ）
60年代に、ロバート・ハービンが出演していた"Mr Left & Mr Right"というTV番組をみて折り紙を始める。その後、ハービンの著書『Secrets of Origami』を手にいれ、本格的にのめり込む。
折り紙において好きな題材は動物で、生物学的なリアルさだけでなく動きや感情なども表現するよう心がけている。

Quentin Trollip（クエンティン・トロリップ）
南アフリカ生まれ、現在は家族と共にカナダ在住。
15年以上、折り紙の創作を行っている。好きな題材は写実的な動物で、多くの作品を創作し、世界各国の機関誌や書籍で発表している。著書に『Origami Sequence』（SARL Passion Origami）がある。

Martin Wall（マーティン・ウォール）
イギリス、ロンドン生まれの折り紙創作家で、1970年代、彼が10代の時に幅広く特徴的な作風で有名になった。彼の最もよく知られたシンプル作品は本、ボート、星等。彼の作品は世界中の多くの刊行物に掲載されていて、多くの国際コンベンションに招待されている。現在はオックスフォードのテムズ川流域でパートナーと暮らしている。

◆著者
山口 真（やまぐち まこと）
1944年、東京生まれ。日本折紙協会事務局員を経て折り紙作家として活躍。1989年、折り紙専門のギャラリー「おりがみはうす」を開設。ここを拠点に若手作家の育成、海外の折り紙団体や作家との精力的な交流を行っている。日本折紙学会事務局長。雑誌『折紙探偵団』編集長。OrigamiUSA名誉会員。British Origami Society会員。著書は『四季のたのしいおりがみ事典』『暮らしの折り紙雑貨』（ナツメ社）、『飾れる！ 贈れる！ かわいい花の折り紙』（PHP研究所）、『写真でわかる 決定版 おりがみ大百科』（西東社）、『かわいいどうぶつ折り紙』（主婦と生活社）、など120冊を超える。

ギャラリーおりがみはうす
〒113-0001東京都文京区白山1-33-8-216　TEL 03-5684-6040
日本で最初のおりがみ専科の展示場です。常時おりがみ作品の展示を行っています。
（平日 月～金12:00～15:00、土日・祭日10:00～18:00／入場無料）
公開時間は変更される場合があります。ウェブサイトにてご確認ください。
地下鉄・都営三田線白山駅下車 A1出口前
e-mail：info@origamihouse.jp
URL：http://www.origamihouse.jp

◆スタッフ紹介
折り図／おりがみはうす
編集／梅津愛美（ナツメ出版企画）
編集協力／梶原知恵、村花杏子（ケイ・ライターズクラブ）
撮影／小林友美
本文デザイン／尾崎文彦、藤原瑞紀（トンプウ）

本書に関するお問い合わせは、書名・発行日・該当ページを明記の上、下記のいずれかの方法にてお送りください。電話でのお問い合わせはお受けしておりません。
・ナツメ社webサイトの問い合わせフォーム
https://www.natsume.co.jp/contact
・FAX（03-3291-1305）
・郵送（下記、ナツメ出版企画株式会社宛て）
なお、回答までに日にちをいただく場合があります。正誤のお問い合わせ以外の書籍内容に関する解説・個別の相談は行っておりません。あらかじめご了承ください。

端正（たんせい）な折（お）り紙（がみ）

2015年 7月 9日　初版発行
2025年 9月 1日　第24刷発行

著　者　山口（やまぐち） 真（まこと）
発行者　田村正隆

©Yamaguchi Makoto, 2015

発行所　株式会社ナツメ社
東京都千代田区神田神保町1－52　ナツメ社ビル１Ｆ（〒101-0051）
電話 03-3291-1257（代表）　FAX 03-3291-5761
振替 00130-1-58661
制　作　ナツメ出版企画株式会社
東京都千代田区神田神保町1－52　ナツメ社ビル３Ｆ（〒101-0051）
電話 03-3295-3921（代表）
印刷所　ラン印刷社

ISBN978-4-8163-5858-6
Printed in Japan
〈定価はカバーに表示してあります〉
〈乱丁・落丁本はお取り替えします〉

ナツメ社Webサイト
https://www.natsume.co.jp
書籍の最新情報（正誤情報を含む）は
ナツメ社Webサイトをご覧ください。

本書の一部または全部を著作権法で定められている範囲を超え、ナツメ出版企画株式会社に無断で複写、複製、転載、データファイル化することを禁じます。